이한우의

태종실록

재위 4년

새로운 해석, 예리한 통찰

이한우의 **태종실록**

재위 4년

이한우 옮김

삶과 세계에 대한 뿌리 깊은 지혜, 그 치밀한 기록

2001년부터 2007년까지 7년 동안 『조선왕조실록』을 완독했으니 올해가 바로 완독을 끝마친 지 10년이 되는 해다. 그동안 관심은 사서삼경을 거쳐 진덕수(眞德秀)의 『대학연의(大學衍義)』, 『심경부주(心經附註)』에 이어 지금은 『문장정종(文章正宗)』 그리고 반고(班固)의 『한서(漢書)』 번역으로 확장돼왔다.

원점인 2001년으로 돌아가보자. 나는 왜 『조선왕조실록』을 다 읽기로 결심한 것일까? 그것은 다름 아닌 선조들의 정신세계를 탐구해 우리의 정신적 뿌리를 확인해보려는 것이었다. 그런데 정작 7년간의 실록 읽기가 끝났을 때는 이룬 것보다 앞으로 해야 할 일이 많음을 깨달았다. 우리 선조들의 뛰어난 능력과 치열했던 삶의 태도를 확인했지만 그 뿌리를 제대로 알지 못했던 것이다. 그래서 완독을 끝내자마자 시작한 것이 한문(漢文) 공부다. 위에서 언급한 책들은 한문 공부를 마치고서 우리나라에 번역되지 않은 탁월한 한문책들을 엄선해 우리말로 옮긴 것이다. 이때 중요한 것은 '우리말'이다.

우리말이란 대한민국에서 일정한 교육을 받은 사람들이 편안하게 쓰는 말을 뜻한다. 과도한 한자 사용을 극복하고 지나친 순우리말 또한 일정하게 거리를 뒀다. 그리고 쉬운 말로 풀어 쓸 수 있는 한자어는 가능한 다 풀어냈다. 그래서 나는 '덕(德)'이라는 말은 '은덕(恩

4

德)'이라고 할 때 외에는 쓰지 않는다. '다움'이 우리말이다. 부덕(不
德)도 그래서 '부덕의 소치'라고 하지 않고 '임금답지 못한 때문'이라
고 옮긴다.

특히 정치를 다룬 역사서에서 중요한 용어가 '의(議)'와 '논(論)'
이다. 그런데 실록 원문에서는 분명히 이 둘을 엄밀하게 구분해 '의
지(議之)', '논지(論之)'라고 표현했는데, 번역 과정에서 의(議)도 의논
이라고 번역하고 논(論)도 의논이라 번역하면 이는 원문의 뜻을 크
게 왜곡하는 것이다. 의(議)란 책임 있는 의견을 내는 것을 말한다.
의정부(議政府)를 논정부(論政府)라고 해서는 안 되는 것과 같다. 논
(論)은 일반적으로 책임을 떠나 어떤 사안에 대한 논리적 진단을 하
는 것이다. 오늘날 '논객(論客)'이 그런 경우다. 그러나 '의객(議客)'이
란 말은 애당초 성립할 수가 없다. 다만 법률과 관련해서는 의(議)
보다 논(論)이 중요하다. 그래서 '논죄(論罪)'나 '논핵(論劾)'이라는 말
은 현실적 구속력을 갖는다. 재판은 의견을 내는 것이 아니라 기존
법률에 입각해 죄의 경중을 논리적으로 가려내는 일이라는 점에서
논(論)이지 의(議)가 아닌 것이다. 이처럼 기존의 실록 번역은 예나
지금이나 정치에서 대단히 중요한 역할을 할 수밖에 없는 의(議)와
논(論)을 전혀 구분하지 않아 의미를 제대로 전달하지 못한다. 사실

이런 예는 일일이 거론하기 힘들 만큼 많다.

이런 우리말화(化)에 대한 생각을 직접 번역으로 구현해내면서 다시 실록을 읽어보았다. 기존의 공식 번역은 한자어가 너무 많고 문투도 1970년대 식이다. 이래가지고는 번역이 됐다고 할 수가 없다. 게다가 너무 불친절해서 역주가 거의 없다. 전문가도 주(註)가 없으면 정확히 읽을 수 없는 것이 실록이다. 진덕수의 『문장정종』 번역을 통해 한문 문장의 문체에 어느 정도 눈을 뜨게 된 것도 실록을 다시 번역해야겠다는 결심을 부추겼다. 특히 실록의 뛰어난 문체가 기존의 번역 과정에서 제대로 드러나지 못했다는 인식이 있었기 때문에 이 점을 개선하는 데 많은 노력을 쏟았다. 그리고 사소한 오역은 그냥 두더라도 심한 오역은 주를 통해 바로잡았다. 누구를 비판하려는 것이 아니라 미래를 향한 개선의 기대를 담은 것이다.

물론 이런 언어상의 문제 때문에 실록 번역에 뛰어든 것은 아니다. 실은 삶에 대한, 그리고 세계에 대한 깊은 지혜를 얻고 싶어서다. 이런 기준 때문에 여러 왕의 실록 중에 『태종실록(太宗實錄)』을 번역하기로 결심했다. 일기를 포함한 모든 실록 중에서 『태종실록』이야말로 어쩌면 오늘날 우리에게 반드시 필요한 지혜를 담고 있는지 모른다고 생각했기 때문이다.

6

지난 10년간 사서삼경과 진덕수의 책들을 공부하고 옮기는 과정에서 공자의 주장에 대해 새롭게 눈뜰 수 있었다. 그것은 다름 아닌 '일[事]'의 중요성이다. 성리학이 아닌, 공자의 주장으로서의 유학은 리더가 일하는 태도를 가르치는 이론이다. 기존의 학계는 성리학의 부정적 영향 때문인지 유학을 철학의 하나로만 국한해서 가르치는 경향이 있다. 그러나 내가 공부한 바에 따르면 공자는 리더의 바람직한 모습 그리고 그런 리더가 되기 위한 수양 과정을 지독할 정도로 치밀하게 이야기하고 가르쳤던 인물이다.

이런 깨우침에 기반을 두고서 이번에는 공자가 제시했던 지도자상을 태종이 얼마나 체화하고 구현했는지를 확인하고 싶었다. 이런 부분들을 주를 통해 드러낼 것이다. 그렇게 할 때 경학과 역사가 통합된 경사(經史) 통합적인 공부가 될 수 있다.

그렇다면 '왜 세종이 아니고 태종인가?'라는 질문을 던질 수 있겠다. 물론 세종의 리더십을 탐구하는 것도 대단히 중요하다. 그러나 그의 아버지 태종의 리더십을 충분히 탐구하지 않으면 세종에 대한 탐구는 피상적인 데 그칠 우려가 있다. 따라서 이 작업은 추후 세종의 리더십을 제대로 탐구하기 위한 기초 작업이기도 하다는 점을 밝혀둔다.

이 책에는 새로운 시도가 담겨 있다. '실록으로 한문 읽기'라는 큰
틀에서 번역을 진행했다. 월 단위로 원문과 연결 독음을 붙인 것도
그 때문이다. 번역문 중에도 어떤 말을 번역했는지를 대부분 알 수
있게 표시했고 번역 단위도 원문 단위와 거의 일치하기 때문에 어떤
문장을 어떻게, 심지어 어떤 단어를 어떻게 옮겼는지를 남김없이 알
수 있도록 했다. 물론 '착할 선(善)', '그 기(其)', '오를 등(登)' 수준의
뜻풀이는 생략했다. 아무런 의미가 없기 때문이다. 이러한 장치를 통
해 조금이라도 살아 있는 한문을 익히고 우리 역사와 조상들의 사
고방식을 가까이하는 데 도움이 되기를 바란다.

역주는 워낙 방대한 작업이기 때문에 앞에서 언급했다고 해서 다
시 언급하지 않는 것이 아니라 그때그때 필요하면 중복되더라도 다
시 달았다. 편집의 아름다운 완결성을 다소 희생하더라도 독자들의
읽는 재미와 속도를 감안했기 때문이다.

재위 1년 단위로 한 권씩 묶어 태종의 재위 기간 18년-18권을 기
본으로 하고, 태조와 정종 때의 실록에 있는 기록과 세종 때의 실록
에 담긴 상왕으로서의 기록을 묶은 2권을 별권으로 삼아 모두 20권
으로 구성했다. 이를 통해 우리 사회에 태종의 리더십에 대한 제대로
된 탐구가 시작되기를 기대한다.

21세기북스 김영곤 대표의 결단이 없었다면 이 책은 세상에 나오지 못했을 것이다. 이 자리를 빌려 깊이 감사드린다. 더불어 계획 초기부터 함께 방향을 고민했던 정지은 팀장과 편집 실무자들에게도 고맙다는 말을 전한다. 해박한 지식과 한문 실력으로 이번 작업을 도와준 주태진 편집위원께도 감사드린다. 그리고 함께 공부하는 즐거움을 누리고 있는 우리 논어등반학교 대원들께 진심으로 고맙다는 말을 전하고 싶다. 마지막으로 내 글쓰기 작업의 원동력인 가족들에게도 깊은 감사를 올린다.

2017년 12월 서울 상도동 보심서실(普心書室)에서

탄주(灘舟) 이한우

태종 4년 갑신년
1월

一月

계묘일(癸卯日-1일) 초하루에 상(上)이 백관을 거느리고 제(帝)의 정월 초하루[帝正]를 멀리서 하례하고[遙賀] 여러 신하의 조하(朝賀)를 받았다. 경기 관찰사 윤사수(尹思修, 1365~1411년)¹가 (당나라 재상) 위징(魏徵)의 십점소(十漸疏)²를 써서 병풍을 만들어 바쳤다.

병오일(丙午日-4일)에 전 호군 최안국(崔安國)을 지방으로 유배 보냈다. 안국(安國)은 전조(前朝)의 장신(將臣) 공철(公哲, ?~1390년)³의

---

1 1400년 조준이 실각하자 파직됐다가 태종 즉위 후 좌사간대부(左司諫大夫)가 됐다. 그때 궁궐을 쌓는 역사를 중지하자고 상소했다가 파직당하고 하옥됐다. 1402년(태종 2년)에 다시 복직돼 형조·호조 전서를 지냈으며 안주·이성(泥城)·강계 지방의 찰방으로 나갔다. 이때 경기 관찰사로 있으면서 위징십점소(魏徵十漸疏)를 판에 새겨 병풍을 만들어 왕에게 바쳤다. 이어 대언(代言), 예문관 제학, 강원도 관찰사, 관마제조(官馬提調) 등을 역임했다. 1410년 의정부 참지사로서 명나라 성조(成祖)의 북정(北征)을 치하하러 명나라에 다녀왔다. 성격이 강직하고 과감했기 때문에 파직당한 경우가 가끔 있었다.

2 중국 당(唐)나라 위징(魏徵)이 정관(貞觀) 13년(639년)에 5개월 동안 비가 내리지 않아 가뭄이 들자 태종(太宗)에게 올린 열 가지 경계다. 점차로 나빠지는[漸] 풍속의 개혁을 요구한 소에서 유래한 것이다.

3 고려의 무신으로 1370년 지용수(池龍壽), 이성계(李成桂) 등이 동녕부(東寧府)를 정벌할 때 그 비장(裨將)으로 선발대가 돼 공을 세웠다. 1377년 4월에는 서성군(瑞城君)으로 강릉 도원수(江陵道元帥)가 됐고 1380년 전라도 조전원수(全羅道助戰元帥)로 있을 때 왜구를 막지 못하여 장류(杖流)되기도 했다. 1383년 6월 강릉도체찰사로 있을 때 그 지역의 화척과 재인들이 왜구를 사칭하고 노략질을 하므로 이들을 소탕했고 그해 7월에는 방림역(芳林驛)에서 왜구를 격파하는 등 왜구 격퇴에 많은 공을 세웠다. 1388년 요동정벌 때에 조전원수(助戰元帥)로 좌군도통사(左軍都統使) 조민수(曹敏修)의 휘하에서 종군했다가 회군해 공신이 됐다. 1390년(공양왕 2년) 충주등처병마절제사(忠州等處兵馬節制使)로 있

아들이다. 일찍이 누이의 남편인 전서(典書) 우희열(禹希烈, ?~1420년)[4]

과 불화를 빚었는데[不睦=不和] 이때에 이르러 정신병[狂病]이 도져
　　　　　　　　　불목　불화　　　　　　　　　　　　　　광병

말했다.

"희열(希烈)이 성주(星州)에 있을 때 군사를 동원해 난(亂)을 일으

키려고 했다."

희열이 위에 고했다. 이에 안국을 순금사에 가두고[繫=囚] 국문하
　　　　　　　　　　　　　　　　　　　　　　　계　수

니 안국이 말했다.

"희열이 일찍이 나를 어머니에게 고자질해 노비(奴婢)를 주지 않았

기에 그를 원망했을 뿐이다."

상이 말했다.

"심한 병[篤疾=毒疾]에 걸린 사람을 죄줄 수 없다."
　　　　독질　독질

명하여 직첩(職牒)을 거두고 유배를 보냈다.

○ 각 도(各道)의 사신(使臣)이 공사(公事)를 계품(啓稟-위에 아룀)

하는 법을 세웠다. 의정부에서 (상의) 교지를 받았는데 이러했다.

'각 도의 사신이 무릇 공사를 계품할 때에는 조정(朝廷)의 제도에 입

각해 계본(啓本-보고서) 한 건(件)과 본부(本府-의정부)의 정장(呈狀-

보고서) 한 건을 공개적으로 쓰고, 그 일이 기밀(機密)에 관계되는 것

이면 실봉(實封)하고, 그 나머지는 노봉(露封)하여[5] 본부에 올려 계

을 때 윤이(尹彝)·이초(李初) 사건에 관련된 혐의로 투옥돼 옥사한 뒤 효수됐다.

4　우인열(禹仁烈)의 동생이다. 훗날인 1408년(태종 8년) 민무구(閔無咎) 사건에 관련돼 하옥
　　되기도 했으나 곧 풀려났으며, 이듬해 3월에는 제언(堤堰) 수축을 통한 수리의 개발을 주
　　장해 태종대의 수리시설 확장 사업에 중심적인 역할을 했다.

5　실봉은 밀봉하는 것이고 노봉은 밀봉하지 않는 것이다.

문(啓聞)하여 시행하라.'

무신일(戊申日-6일)에 윤세진(尹世珍)을 바다 섬에 보내 쾌선(快船-쾌속선)을 거느리고[領] 왜적을 잡게 했다.
영

기유일(己酉日-7일)에 달이 필성(畢星)을 범했다.
○ 삼부(三府)⁶가 경연청에서 (상에게) 헌수(獻壽)했다.⁷

경술일(庚戌日-8일)에 상이 태상전에 조알했다.

신해일(辛亥日-9일)에 사헌장령 한승안(韓承顔), 형조정랑 최견(崔蠲), 형조도관정랑(都官正郎) 조환(趙環), 개성유후사 도사(都事) 김진(金臻)을 불러 앞으로는 매일 결단한 옥송(獄訟)을 계본(啓本-보고서)을 갖춰 아뢰도록 했다. 대개 옥송(獄訟)이 번잡하여 지체되고 제대로 판결이 이뤄지지 못하는 것을 염려한 때문이었다. 듣는 이들이 황공하여 몸을 떨었다[竦動].
송동
○ 곡식이 잘되기를 비는 원단제(圓壇祭)⁸를 한경(漢京-한양)에서 거행했다. 해마다 늘 행하는 일이다.

─────────

6 이때는 의정부, 사평부, 승추부다. 의정부는 인사, 사평부는 재정, 승추부는 병권을 총괄했다.
7 술을 올리고 장수를 비는 것을 말한다. 술자리를 베풀었다는 것을 높여서 표현한 것이다.
8 해마다 음력 정월 첫째 신일(辛日)에 그해의 풍년을 비는 제사로, 원단(圓壇) 혹은 사직(社稷)에서 임금이 친히 지낸다. 기곡제(祈穀祭)라고도 한다.

○ 의안대군 화(和)의 어머니 정안옹주(定安翁主) 김씨(金氏)[9]가 죽어 조회를 3일 동안 정지했다.

○ 의정부에서 대마도(對馬島) 수호관(守護官) 종정무(宗貞茂)에게 편지를 보내고 더불어 구승저포(九升苧布)·구승마포(九升麻布) 각 3필, 호피(虎皮)·표피(豹皮) 각 2령(領), 소주(燒酒) 10병, 마늘 10두(斗), 곶감 10속(束), 말려서 껍데기와 보늬(속껍질)를 벗긴 밤 10두를 보냈다.

갑인일(甲寅日-12일)에 대간에 명해 송씨(宋氏)의 노비(奴婢)와 조부녀(趙夫女)의 노비의 실상을 명확히 가리게 했다. 송씨는 전조(前朝-고려) 삼사판사(三司判事) 전보문(全普門, ?~1366년)[10]의 아내다. 그는 자식 없이 죽고 노비가 매우 많았다. 전 전의소감(典醫少監) 허기(許惓) 등이 양자였기에 이어받아서[傳得] 노비를 부렸다. 송씨의 내
_{전득}
외족(內外族) 사람인 여흥부원군 민제(閔霽)와 좌정승 하륜, 사평부판사 이직(李稷) 등이 변정도감(辨定都監)[11]에 소송을 내 이들을 다 빼앗았다. 이때에 이르러 기(惓)가 신문고(申聞鼓)를 쳐서 억울함을

---

9 태조 이성계의 아버지인 환왕(桓王) 이자춘의 천첩(賤妾)이다.

10 공민왕이 세자로 원나라에 있을 때 수종(隨從)한 공로로 1352년(공민왕 1년) 1등공신에 올랐고 판도판서(判圖判書)가 됐다. 그 뒤 전리판서(典理判書)에 제수됐고 1354년 밀직사 동지사(密直司同知事)를 거쳐 밀직사 지사(密直司知事)로 승진하고 나서 곧 원나라에 하정사(賀正使)로 파견됐으며 귀국 후 밀직사 판사(密直司判事)가 됐다. 1356년 삼사우사(三司右使)로 천직됐다가 관제를 구제도로 바꿨기 때문에 수사공 우복야(守司空右僕射)로 고쳐 제수됐다. 1358년 문하평장사(門下平章事), 1363년 경상도 도순문사, 1365년 삼사판사(三司判事)에 올랐다. 이듬해 원나라에 하정사로 갔다가 이곳에서 한림시강학사 지제고 동수국사(翰林侍講學士知制誥同修國史)에 제수되고 귀국했다.

11 불법으로 빼앗은 노비를 본 주인에게 환원시키거나 노비의 신분 상속관계가 잘못된 것을 바로잡아주는 일을 담당한 임시 관청이다.

호소하니 상이 양쪽의 문권(文券)을 가져오라 하여 살펴보고는 그 장(狀-서류)을 대간에 내리며 명하여 말했다.

"양쪽의 시비(是非)는 내가 이미 알겠다. (그러나) 대신(大臣)도 오히려 사소한 일은 직접 챙기지 않는다. 하물며 임금이겠느냐? 너희는 3일 안에 그 시비를 잘 가려서 갖춰 아뢰도록 하라."

대간이 기(愭)는 문자를 위조했고, 제(霽) 등은 비록 송씨의 족친이기는 하나 사촌(범위 안)이 아니고 또 아무런 전계(傳係)[12]가 없었기 때문에 노비들을 모두 관청에 소속시켰다[屬公].
_{속공}

또 조부녀(趙夫女)의 손자 김한제(金漢齊)도 형조에서 자신의 노비를 잘못 판결했다고 북을 쳐서 억울함을 알렸다[申呈]. 애초에 한제_{신정}(漢齊)의 조상의 여자 종[婢] 차의가(車衣加)의 소생이 양인(良人)이_비라고 호소하니 형조와 도관(都官)[13]에서 모두 종량(從良)[14] 판결을 내렸다. 차의가의 족녀(族女)가 일찍이 이거이(李居易)의 남자 종[奴]의_노아내가 되었는데 그의 소생이 많아 40여 명에 이르렀고 종량할 때에 이르러 모두 거이의 노비가 되었다. 이때에 이르러 상이 한제의 소장(訴狀)을 보고 말했다.

"조부녀의 비부(婢夫-노비인 남편) 대화상(大和尙)이란 자는 이거이의 남자 종이다. 그 여자가 양(良)이라면 그 소생이 모두 거이의 종

---

12 노비나 재산 따위를 아들이나 친속(親屬)에게 넘겨주는 것 혹은 그 문권(文券)을 말한다. 전계(傳繼)라고도 한다.

13 형조(刑曹)에 속해 노비(奴婢)의 부적(簿籍)과 소송(訴訟)을 관장하던 관아를 가리킨다.

14 아버지가 양신분(良身分)이고 어머니가 천신분(賤身分)일 경우 아버지의 신분을 따라 양신분이 결정되는 것을 말한다.

이 될 수 있지만 조부녀가 옳다면 거이가 부끄러워해야 할 일이다. 만일 거이 때문에 마땅히 천(賤)으로 할 것을 천으로 하지 않는다면 어찌 공도(公道)라 하겠는가?"

대간에 명해 말했다.

"노비의 송사를 결단하는 것이 비록 너희의 직무는 아니지만 혐의를 바르게 가리는 것은 실로 대간의 맡은 바이다. 그 실상을 정밀하게 살펴서 갖춰 기록해 아뢰도록 하라."

대간이 교좌(交坐)¹⁵하여 추핵(推覈-미루어 헤아려 실상을 파헤침)하니 한제가 과연 옳았기에 (그에 맞춰) 장(狀)을 갖춰 아뢰었다.

을묘일(乙卯日-13일)에 왕륜사에서 기양재(祈禳齋)를 지냈다. 금불상에서 땀이 났기 때문이다.

정사일(丁巳日-15일)에 하루 종일 캄캄할 정도로 짙은 안개가 꼈다.
○ 여성군(驪城君) 민무질(閔無疾)에게 내루(內樓)에서 잔치를 베풀었다. 장차 경사(京師)에 가기 때문이었다.

기미일(己未日-17일)에 사헌부에서 (사헌부) 집의 민약손(閔若孫), 감찰 박하(朴河) 등 다섯 사람을 탄핵했다. 패가 없는 매[鷹子]는 금
                                                                      용자
하라는 영(令)이 내려져 사헌부에서 서리(書吏)와 소유(所由)¹⁶에게

---

15 한곳에 회합해 논의하거나 공무를 집행하는 것을 말한다.
16 사헌부에 속한 형관(刑官)의 졸도(卒徒)로 조선시대에 죄인을 잡아들이는 일을 맡아보았다.

첩(帖)을 주어 영을 범하는 자를 붙잡게 했다. 하루는 서리와 소유가 (영을 범한 자를) 붙잡아서 고했는데 (그 붙잡은 서리와 소유가) 첩을 받은 자는 아니었다. 집의 민약손이 그것을 조사해보니 마침 승추부 참지사 신극례(辛克禮, ?~1407년)[17]의 매였다. 약손이 그 매받이[臂鷹] 비응 를 가두고 매는 극례에게 돌려보냈다. 극례가 화가 나서 약손의 집에 찾아가 말했다.

"이 매는 상께서 내려주신 것이다. 네가 이걸 받겠느냐?"

약손은 두려워서 곧바로 극례의 집에 가서 사과하려 했으나 극례가 나와 보지 않았다. 약손이 서리와 소유를 꾸짖었다.

"패 없는 매를 금하는 것은 너희가 받은 임무가 아닌데, 무슨 까닭으로 그걸 잡아서 욕(辱)이 내 몸에 미치게 하는가?"

그 소유에게 볼기를 치고는 병(病)을 칭탁해 출근하지 않았다. 대사헌 최유경(崔有慶), 지평(持平) 정지(鄭持) 등이 극례를 탄핵했는데 극례는 아무런 대답이 없었다. 이날 사헌부의 관원들이 본부(本府)에서 가지런히 앉아 있는데 지(持)와 약손이 들어올 때 감찰 박하 등 다섯 사람이 그들을 기롱하여 말했다.

"왕명(王命)을 욕되게 한 사람도 출근하는가?"

---

17 1398년(태조 7년) 1차 왕자의 난 때 상장군으로 있으면서 공을 세워 좌명공신(佐命功臣) 1등에 녹훈되고 취산군(鷲山君)에 봉해졌다. 정종·태종 연간에 예조전서, 좌군동지총제 등의 벼슬을 역임했다. 1407년(태종 7년) 민무구(閔無咎)·민무질(閔無疾) 등과 함께 종친 간을 이간질했다 하여 이화(李和) 등의 탄핵을 받아 강원도 원주에 유배됐으나 태종의 배려로 자원부처(自願付處-유배에 처한 죄인이 원하는 곳에 기거하던 제도)하게 된다. 관직에서 물러난 뒤에도 의정부, 사헌부, 사간원 등의 계속되는 탄핵을 받아오다가 그해 11월 양주에서 죽었다.

한 사람이 이에 응해 말했다.

"그렇지."

다른 한 사람이 말했다.

"소유에게 볼기를 치지 말았어야 좋았지."

또 다른 한 사람이 말했다.

"대강(臺綱-사헌부의 기강)이 전혀 없어."

또 본부(本府)에서 약손을 탄핵하지 못한다고 하여 이렇게 말했다.

"패 없는 매는 금하라는 판지(判旨-교지)가 일찍이 있었으니 서리와 소유가 그들을 붙잡은 것이 옳다. 집의 민약손이 세력가를 두려워해[畏勢] 판지를 따르지 않았으니 탄핵하고 규찰하는[彈糾] 임무
                    외세   탄규
를 감당할 수 없다."

장령 한승안과 지평 정지가 약손과 하(河) 등을 탄핵했다.

경신일(庚申日-18일)에 좌사간대부 맹사성(孟思誠, 1360~1438년),[18]

---

18 최영(崔瑩)의 손자사위다. 조선이 건국된 뒤 태조 때 예조의랑(禮曹議郎)이 된 이래 정종 때 간의우산기상시(諫議右散騎常侍)가 됐다. 태종 초에 동부대언(同副代言), 이조참의를 두루 역임했다. 1407년(태종 7년) 예문관 제학이 돼 진표사(進表使)로 명나라에 가는 세자를 시종관(侍從官)으로서 수행해 다녀왔다. 1408년 대사헌이 되어 지평 박안신(朴安信)과 함께 평양군(平壤君) 조대림(趙大臨-태종의 딸 경정공주의 부군)을 왕에게 보고하지 않고 잡다 고문했다. 이 일로 태종의 큰 노여움을 사 처형될 뻔했으나 영의정 성석린(成石璘)의 도움으로 죽음을 면했다. 영의정 하륜(河崙)이 음악에 밝은 그를 서울에 머물게 하여 악공(樂工)을 가르치도록 아뢰었다. 1419년(세종 1년) 이조판서와 예문관 대제학이 되고 이듬해에 다시 이조판서가 됐다. 1421년 의정부 찬성사를 역임하고 1427년에 우의정이 됐다. 우의정 재임 시에 『태종실록(太宗實錄)』 편찬 감관사(監館事)로서 감수했다. 『태종실록(太宗實錄)』 편찬이 완료되자 세종이 한번 보고자 했으나 "왕이 실록을 보고 고치면 반드시 후세에 이를 본받게 되어 사관(史官)이 두려워서 그 직무를 수행할 수 없을 것"이라 하고 반대하니 세종이 이에 따랐다. 1432년 좌의정에 오르고 1435년 나이가

22

우사간대부 권진(權軫, 1357~1435년),[19] 사간원 지사 이안우(李安愚, ?~1424년),[20] 우정언 조계생(趙啓生)을 파면했다. 형조전서 이사영(李士穎),[21] 형조의랑 허해(許晐), 형조도관의랑(都官議郎) 김자순(金子恂) 등을 외방(外方-지방)으로 유배 보냈다. 형조지사 최관(崔關)의 직첩을 회수하고 (경상도) 울주(蔚州)로 유배 보냈다. 애초에 대간이 김한제(金漢齊), 허기(許惎) 등의 노비 사건을 변정(辨正)하여 아뢰었다. 장령 권우(權遇)·한승안(韓承顔), 지평 정지(鄭持) 등이 말했다.

"형조와 도관에서 오결(誤決)한 관원을 탄핵하여 죄주기를 청하는 것이 어떻겠는가?"

사성(思誠), 진(軫), 안우(安愚) 등이 답해 말했다.

"비록 이미 분간(分揀)하여 보고하기는 했으나, 상께서 그것을 윤허하시기를 기다린 연후에 핵문(劾問)하여 죄주기를 청하겠다."

많아서 벼슬을 사양하고 물러났다.

19 태종이 등극하자 형조지사에 이어 우사간대부를 지내고 1406년(태종 6년) 강원도 관찰사에 부임해 선정을 폈다. 청렴함이 알려져 이듬해 대사헌에 발탁되었으며, 관의 기강을 확립하는 데 힘썼다. 그 뒤 경상도 관찰사에 이어 1413년 충주목사를 지내고 다시 내직으로 돌아와 1417년 형조·호조·이조 판서를 지냈다. 1426년(세종 8년) 의정부 찬성(贊成)이 됐으며 1430년에 이조판서를 거쳐 1431년 우의정에 올랐다. 그러나 형률을 잘못 적용해 백성 10여 명이 강도 누명을 쓰고 억울하게 죽었다는 대간의 탄핵을 받기도 했다. 1433년에는 겸판이조사(兼判吏曹事) 재직 때 사람을 잘못 천거했다는 탄핵을 받고 파직됐다. 세종 때 정인지(鄭麟趾) 등과 함께 목조(穆祖)부터 태종이 세자로 있을 때까지의 사적을 서술했으며, 의례상정소(儀禮詳定所)의 제조(提調)가 되어 악률(樂律)을 만드는 데도 참여했다.

20 1410년(태종 10년) 함주목사로 있을 때 태종이 태어난 곳에 경흥(慶興)이라는 전각을 지었고, 1413년 충청도 관찰사를 지낼 때 국가방어, 신분질서 확립 등에 관한 시무 5조를 지었다.

21 앞서 이사영(李士穎)이 나왔고 여기서도 원문에 사(思)와 사(士)를 뒤섞어서 쓰고 있다. 아마도 이사영(李士穎)인 듯해 일단 번역에서는 이렇게 통일한다.

얼마 뒤에[旣而] 안우가 지(持)를 보고 말하기를 "매[鷹子]의 일은
어찌 되었나?"라고 했다.

우(遇) 등이 그 말을 꺼려 대답하지 않고 간관이 장차 자기를 탄
핵할까 두려워하여 먼저 간관 등을 탄핵하는 소를 올렸다.

'근래에 경외(京外)의 결사관(決事官-일을 판결하는 관리)이 혹은 친
분과 사사로운 정[面情]을 따르고, 혹은 뇌물로 인해 판결을 공정하
게 하지 않기 때문에 전하께서 대간에게 명을 내려 바른 도리를 따
라 판결하게 했습니다. 이리하여 공도(公道)가 크게 열렸으니 실로 국
가의 복(福)입니다. 그러나 오결(誤決)한 자를 죄주지 않으면 뒤를 징
계할 수가 없습니다. 그러므로 형조와 도관에서 오결한 관리를 죄줄
것을 청하고자 하여 원의(圓議)²²할 적에 간관 등이 옳고 그름을 돌
아보지 않고 그저 지켜보면서 대충 넘기려[彌縫] 했으니 청컨대 모두
죄를 주어야 합니다.'

그러고 나서 형조와 도관에서 오결한 죄를 청하니 명하여 사성 등
을 정직(停職)시키고, 사영 등은 유배를 보냈다. 최관은 행수(行首)²³
로서 두 번이나 오결했으므로 그 직첩을 거두고 먼 지방으로 유배를
보냈다.

임술일(壬戌日-20일)에 패성(孛星-혜성)이 동방(東方)에 있었다.

---

22 대간(臺諫)이 비밀리에 풍헌(風憲)에 관계되는 일이나 탄핵에 관계되는 일 또는 배직(拜
   職)한 사람의 서경(署景)을 의논하는 것을 말한다.
23 동급의 품계나 신분을 가진 여러 사람 중에서 우두머리를 가리키는 말이다.

계해일(癸亥日-21일)에 최긍(崔兢)²⁴과 안성(安省)을 좌우 사간대부, 민약손(閔若孫)을 사간원 지사, 신효(申曉)²⁵를 우정언, 윤사영(尹思永)을 사헌집의, 정부(鄭符)를 형조전서(刑曹典書), 정역(鄭易)을 형조지사로 삼았다.²⁶

을축일(乙丑日-23일)에 맹사성(孟思誠)을 (충청도) 온수(溫水)²⁷로 내쫓았다[放=放逐=放逐鄕里]. 사헌부에서 소를 올려 말했다.
방 방축 방축향리
'사성과 장령 권우(權遇, 1363~1419년)²⁸ 등이 차의가(車衣加)를 종천(從賤)²⁹시켜야 한다고 토의해 결정한 일을 청평군(淸平君) 이백강(李伯剛, 1381~1451년)³⁰에게 누설했으니 그 죄를 논할 것을 청합니다.'

---

24 1402년(태종 2년) 당상관에 오르면서 사간원 좌사간대부에 발탁되고, 이어 이조참의를 역임한 뒤 1406년 전라도 관찰사로 파견됐다. 1409년 삼군부좌군동지총제로서 진하사(進賀使) 이백강(李伯剛)의 부사(副使)가 돼 명나라를 다녀온 뒤 졸했다.

25 1402년(태종 2년) 문과에 장원급제하여 이때 우정언이 됐으나, 노이(盧異)·이양명(李陽明) 등과 궁중의 비밀을 발설해 탄핵을 받아 연안에 유배됐다. 2년 만에 풀려났으나, 행주에 은거하여 다시는 서울의 도성문을 밟는 일 없이 세조 중기에 81세로 죽었다. 세종 때 형 신개가 재상으로 있으면서 다시 관직에 나올 것을 권하고 천거했으나 끝까지 나오지 않았다.

26 사흘 만에 후속 인사를 한 것이다.

27 백제 때는 온정(溫井), 고려시대에는 온수(溫水), 조선시대 이후에는 온양(溫陽)이라고 했다.

28 아버지는 검교정승(檢校政丞) 희(僖)이고 어려서는 형인 근(近)에게서 학문을 배우다가 자라서는 정몽주(鄭夢周)의 문하에 들어가 수학했다. 1400년(정종 2년) 사헌부 사헌에 오르고 그 뒤 성균사예(成均司藝), 사헌부 집의, 사간원 우사간 겸 춘추편수관 등을 거쳐 성균대사성에 올랐다. 1418년 충녕대군(忠寧大君)이 세자로 책봉되자 세자빈객이 됐다. 관직에 재임하는 동안 두 번이나 시관(試官)이 되어 정인지(鄭麟趾) 등 명사 100여 인을 선발했다. 시문에 능했으며 성리학과 『주역』에 밝았다.

29 부모 가운데 어느 한쪽이 천신분(賤身分)일 때 그 자식도 천신분이 되는 일을 가리킨다.

30 아버지는 영의정 거이(居易)이며 태조의 부마인 저(佇)의 동생이다. 1397년(태종 6년)에

상이 말했다.

"사성이 이미 정해진 종천의 일을 가지고 마침내 양(良)에도 천(賤)에도 문계(文係-문서)가 분명치 않다 했으니 마땅히 외방(外方)에 내쳐야 한다. 권우는 시비를 말하지 않고 다만 '상감(上鑑)이 두려워서 판결했다'고 말했고, 또 원종공신(原從功臣)[31]의 아들이니 논하지 말라[勿論]."
_{물론}

○ 경상도 도관찰사 남재(南在)와 전라도 도관찰사 이행(李行, 1352~1431년)[32]이 병으로 사직했다.

정묘일(丁卯日-25일)에 여성군 민무질을 보내 경사(京師)에 가게 했으니 성절(聖節)[33]을 하례하기 위함이었다.

음보로 별장이 됐고, 1399년(정종 1년)에 감찰이 됐으며, 태종(太宗)의 맏딸(후의 정순공주)과 결혼해 청평위(淸平尉)가 됐다. 병조좌랑과 형조좌랑을 지낸 뒤 1400년 2차 왕자의 난 때 방원을 도와 공을 세워 아버지와 함께 공신에 들었으며 이듬해 우장군을 거쳐 대장군에 올랐다. 태종이 즉위하자 숭정대부(崇政大夫) 청평군(淸平君)에 봉해졌고, 1404년에 아버지 거이가 두 마음을 품어 불궤(不軌)를 도모한다 하여 서인으로 폐해지고 유배생활을 했으나 이듬해 풀려났다.

31 조선시대에 큰 공을 세운 정공신(正功臣)을 정할 때 그에 따라 작은 공을 세운 사람에게 준 공신 칭호다.

32 1389년(창왕 1년) 좌간의대부(左諫議大夫)로 사전(私田)의 폐단을 논하는 상소를 올렸고 이해에 지신사(知申事)가 됐다. 1390년(공양왕 2년) 윤이(尹彝)·이초(李初)의 옥사가 일어나자 이에 연루돼 이색(李穡)과 함께 청주옥에 갇혔으나 수재로 석방됐다. 1392년에는 이조판서로 정몽주(鄭夢周)를 살해한 조영규(趙英珪)를 탄핵했다. 고려가 망하자 예천동(醴泉洞)에 은거했다. 1393년(태조 2년) 고려의 사관(史官)이었을 때 이성계(李成桂)를 무서(誣書-글로써 무고함)한 죄가 있다 하여 사헌부의 탄핵을 받아 가산이 적몰되고 울진에 유배 갔다가 이듬해에 풀려났다.

33 중국 황제의 생일을 가리키는 말이다. 당나라 태종(太宗) 때까지는 황제의 생일을 그냥 생일(生日)이라고만 했는데 당나라 현종(玄宗)의 생일을 처음으로 천추절(千秋節)이라고 한 데서부터 황제의 생일을 절(節)이라고 칭했다. 이후로 황제와 황태후의 생일을 성절

기사일(己巳日-27일)에 청화정(淸和亭)에 나아가 술자리를 베풀고 완산군(完山君) 이천우(李天祐, ?~1417년),[34] 상당군(上黨君) 이저(李佇)[35]와 더불어 과녁[侯=的]을 쏘았다.

경오일(庚午日-28일)에 박하(朴河), 심구린(沈龜麟), 박거비(朴去非), 윤창(尹敞), 송면(宋勉)을 파면했다. 애초에 하(河) 등이, 약손(若孫-민약손)이 극례(克禮-신극례)에게 왕명(王命)을 욕되게 했다고 본부(本府-사헌부)에 고하니 부(府)에서 극례를 탄핵하고 아울러 하 등을 탄핵했다. (그런데도) 하 등이 출입(出入)하기를 전과 같이 하니 헌부에서 그들을 탄핵했는데 이에 거비(去非)가 대답했다.

"약손은 우리와 같은 죄를 지었는데 약손이 탄핵을 받고서[逢劾]도 출입했기 때문에 나도 그것을 따라서 한 것입니다."

하 등이 본부에 고한 글에 이런 말이 있었다.

"약손이 노하여 서리에게 힐난하기를 '세가(勢家-권문세가)의 매를 어째서 잡았느냐?'고 했다."

헌부에서 그 서리에게 질문해보니 약손이 한 말이 아니었기에 탄핵하여 파면시켰다.

(聖節), 황태자의 생일을 천추절, 임금과 왕비의 생일을 탄일(誕日), 왕세자의 생일을 생신(生辰)이라고 불렀다.

34 아버지는 태조 이성계(李成桂)의 백형 원계(元桂)이며, 양우(良祐)의 아우이고, 조(朝)와 백온(伯溫)의 형이다. 어려서부터 활쏘기와 말타기를 잘하고, 풍채가 아름다웠으며 그릇이 컸다 한다.

35 이거이의 아들로 이성계의 사위다.

癸卯朔 上率百官 遙賀帝正 受群臣朝賀. 京畿觀察使尹思修寫
계묘 삭 상 솔 백관 요하 제정 수 군신 조하 경기 관찰사 윤사수 사

魏徵十漸疏 爲屛以獻.
위징 십점 소 위병 이헌

丙午 流前護軍崔安國于外. 安國 前朝將臣公哲之子也. 嘗與
병오 유 전 호군 최안국 우외 안국 전조 장신 공철 지자야 상여

姊夫典書禹希烈不睦 至是發狂病言希烈在星州時 欲發兵作亂.
자부 전서 우희열 불목 지시 발 광병 언 희열 재 성주 시 욕 발병 작란

希烈上告 乃繫安國于巡禁司鞫之 安國曰: "希烈曾訴我於母
희열 상고 내계 안국 우 순금사 국지 안국 왈 희열 증소 아어 모

不給奴婢 是以怨之耳." 上曰: "篤疾之人 不可加罪." 命收職牒而
불급 노비 시이 원지 이 상왈 독질 지인 불가 가죄 명수 직첩 이

流之.
유지

立各道使臣啓稟公事之法. 議政府受判: '各道使臣凡啓稟公事
입 각도 사신 계품 공사 지 법 의정부 수판 각도 사신 범 계품 공사

依朝廷之制 開寫啓本一件 本府呈狀一件 事關機密則實封 其餘
의 조정 지제 개사 계본 일건 본부 정장 일건 사관 기밀 즉 실봉 기여

露封呈本府 啓聞施行.'
노봉 정 본부 계문 시행

戊申 遣尹世珍于海島 領快船捕倭.
무신 견 윤세진 우 해도 영 쾌선 포왜

己酉 月犯畢.
기유 월 범 필

三府獻壽于經筵廳.
삼부 헌수 우 경연청

庚戌 上朝太上殿.
경술 상조 태상전

辛亥 召司憲掌令韓承顔 刑曹正郎崔躅 刑曹都官正郎趙環
신해 소 사헌 장령 한승안 형조 정랑 최견 형조 도관 정랑 조환

開城留後司都司金臻 令將每日所決獄訟 具本啓聞. 蓋慮獄訟煩
개성 유후사 도사 김진 영장 매일 소결 옥송 구본 계문 개 려 옥송 번

而淹延不斷故也. 聞者竦動.

行祈穀圓壇祭于漢京. 歲事之常也.

義安大君和之母定安翁主 金氏死 停朝三日.

議政府致書于對馬島守護官宗貞茂 仍送九升苧麻布各三匹 虎

豹皮各二領 燒酒十瓶 蒜十斗 乾柿子十束 黃栗十斗.

甲寅 命臺諫辨宋氏奴婢及趙夫女奴婢得失. 宋氏前朝判三司事

全普門之妻也. 無後而死 奴婢甚多. 前典醫少監許情 以收養故

傳得役使 宋氏內外族人驪興府院君 閔霽 左政丞河崙 判司平府

事李稷等訟于辨定都監 盡奪之. 至是情擊申聞鼓訴冤 上進兩邊

文券而覽之 下其狀於臺諫 命之曰:"兩邊是非 予已知矣. 大臣尙

不親細務. 況人君乎! 爾等三日內 辨其是非 開具以聞." 臺諫以

情僞造文字 霽等雖宋氏之族 然非四寸 又無傳係 故皆屬公.

趙夫女之孫金漢齊 亦以刑曹誤決其奴婢擊鼓申呈. 初 漢齊

祖上之婢車衣加所生 訴良 刑曹及都官 皆從良決之. 車衣加

族女 曾爲李居易之奴妻 其所生多至四十餘口 及其從良 皆爲

居易之奴婢. 至是 上覽漢齊訴狀曰:"趙夫女之婢夫大和尙者

李居易之奴也. 其女良則其所生皆爲居易之奴矣. 趙夫女是則

居易可恥矣 若以居易之故 當賤而不賤 則豈公道耶?" 命臺諫曰:

"奴婢決訟 雖非爾等之職 辨正嫌疑 實爲臺諫之任也. 精察其實

具錄以聞." 臺諫交坐推覈 漢齊果直 具狀以聞.

乙卯 行祈禳齋于王輪寺. 金人汗故也.

丁巳 昏霧終日.

宴驪城君閔無疾于內樓. 以將如京師也.①

己未 司憲府劾執義閔若孫 監察朴河等五人. 禁無牌鷹子之令

下 司憲府授帖于書吏所由 使執犯令者. 一日 吏與所由執之以

告 非受帖者也. 執義閔若孫推之 乃參知承樞府事辛克禮之鷹

也. 若孫囚其臂鷹者 還其鷹於克禮. 克禮怒 至若孫家曰: "是鷹

上之所賜也. 汝受之乎?" 若孫懼 徑抵克禮家謝之 克禮不出見.

若孫叱書吏所由曰: "禁無牌鷹子 非汝所受之任 何故執之 辱

及吾身?" 乃笞其所由 稱疾不仕. 大司憲崔有慶 持平鄭持等

劾克禮 克禮不答. 是日 司憲府官齊坐于本府 持與若孫之入也

監察朴河等五人譏之曰: "辱命者亦仕乎?" 一應之曰: "諾." 一曰:

"勿答所由可也." 一曰: "臺綱掃地矣." 且以本府不能劾若孫故曰:

"無牌鷹子 曾有禁判 書吏所由執之是矣. 執義閔若孫畏勢不從

判旨 不堪彈糾之任." 掌令韓承顏 持平鄭持劾若孫及河等.

庚申 罷左司諫大夫孟思誠 右司諫大夫權軫 知司諫院事

李安愚 右正言趙啓生. 流刑曹典書李思穎（李士穎） 刑曹議郎

許晐 刑曹都官議郎金子恂等于外. 收知刑曹事崔關職牒 流蔚州.

初 臺諫辨金漢齊 許惜等奴婢事以聞. 掌令權遇 韓承顏 持平

鄭持等曰: "劾刑曹及都官誤決官員 請罪何如?" 思誠 軫 安愚等

30

答曰: "雖已分揀啓聞 待上允之 然後劾問請罪." 旣而安愚視持
답왈 수 이 분간 계문 대 상 윤지 연후 핵문 청죄 기이 안우 시지

曰: "鷹子事如何?" 遇等忌其言而不應 恐諫官將劾己 先劾諫官
왈 응자 사 여하 우 등 기 기언 이 불응 공 간관 장 핵기 선 핵 간관

等. 上疏曰:
등 상소 왈

'近來京外決事官 或循面情 或因賄賂 不公決折 故殿下命
근래 경외 결사관 혹 순 면정 혹 인 회뢰 불공 결절 고 전하 명

臺諫從正決折. 公道天開 實國家之福. 然不罪其誤決者 則後無
대간 종정 결절 공도 천개 실 국가 지 복 연 부죄 기 오결 자 즉 후 무

懲戒 故欲以刑曹及都官誤決官吏 請罪圓議之際 諫官等不顧
징계 고 욕 이 형조 급 도관 오결 관리 청죄 원의 지 제 간관 등 불고

是非 觀望彌縫 請皆罪之.'
시비 관망 미봉 청 개 죄지

且請刑曹及都官誤決之罪 命停思誠等職 流士穎等. 崔關以
차 청 형조 급 도관 오결 지 죄 명정 사성 등 직 유 사영 등 최관 이

行首 再度誤決 收其職牒 流之遠方.
행수 재도 오결 수 기 직첩 유지 원방

壬戌 有星孛于東方.
임술 유 성 패 우 동방

癸亥 以崔兢 安省爲左右司諫大夫 閔若孫知司諫院事 申曉
계해 이 최긍 안성 위 좌우 사간 대부 민약손 지사간원사 신효

右正言 尹思永司憲執義 鄭符刑曹典書 鄭易知刑曹事.
우정언 윤사영 사헌 집의 정부 형조 전서 정역 지 형조 사

乙丑 放孟思誠于溫水. 司憲府上疏言:
을축 방 맹사성 우 온수 사헌부 상소 언

'思誠及掌令權遇等以議定從賤車衣加事 漏說於淸平君李伯剛
사성 급 장령 권우 등 이 의정 종천 차의가 사 누설 어 청평군 이백강

請論其罪.'
청론 기죄

上曰: "思誠以已定從賤事 乃謂於良於賤 文係不明 宜放于外.
상왈 사성 이 이정 종천 사 내위 어양 어천 문계 불명 의 방 우외

權遇不言是非 但言畏上監而決之 且原從功臣之子 勿論."
권우 불언 시비 단 언 외 상감 이 결지 차 원종 공신 지 자 물론

慶尙道都觀察使南在 全羅道都觀察使李行 以病辭.
경상도 도관찰사 남재 전라도 도관찰사 이행 이 병 사

丁卯 遣驪城君閔無疾如京師 賀聖節也.
정묘 견 여성군 민무질 여 경사 하 성절 야

己巳 御淸和亭置酒 與完山君李天祐 上黨君李佇射侯.
기사 어 청화정 치주 여 완산군 이천우 상당군 이저 사후

庚午 罷朴河 沈龜麟 朴去非 尹敞 宋勉. 初 河等以若孫辱命于
경오　파　박하　심구린　박거비　윤창　송면　초　하등이　약손　욕명　우

克禮 告本府 府劾克禮 幷劾河等. 河等出入自如 憲府劾之 去非
극례　고　본부　부핵극례　병핵하등　하등　출입　자여　헌부　핵지　거비

答以② "若孫與吾等同罪. 若孫逢劾而出入 故吾亦劾之." 河等
답이　　약손　여오등　동죄　약손　봉핵이　출입　고　오역　효지　하등

告本府之書 有若孫怒詰書吏曰 勢家鷹子 何爲而執之乎之語.③
고　본부　지서　유약손　노힐　서리　왈　세가　응자　하위　이　집지　호지어

憲府質諸其吏 非其所言 故劾罷之.
헌부　질저　기리　비기　소언　고　핵　파지

|원문 읽기를 위한 도움말|

① 以將如京師也. '간다[如]'라는 동사가 들어 있기 때문에 '以~也'라는 구
　이장여경사야　　　여
문을 썼다.

② 去非答以 "若孫與吾等同罪." 여기서 以는 뒤에 이어지는 내용 전체를 들
　거비　답이　약손　여오등　동죄　　　　이
어서 답을 했다는 말이다.

③ 河等告本府之書 有若孫怒詰書吏曰 勢家鷹子 何爲而執之乎之語. '書~
　하등고　본부　지서　유약손　노힐　서리　왈　세가　응자　하위　이　집지　호지어　서
有~語'가 이 문장을 이해하는 핵심 단어들이다. 즉 '~라는 글에 ~라는
　유　　　어
말이 있었다'는 것이다.

태종 4년 갑신년
2월

二月

임신일(壬申日-1일) 초하루.

갑술일(甲戌日-3일)에 상이 태상전에 조알했다. 장차 강무(講武-사냥)하려고 하직인사를 한 것이다.

을해일(乙亥日-4일)에 명을 내려 맹사성을 도성 밖에 마음대로 가서 살게 했다[京外從便].[1]
　　　　　　　경외　종편

병자일(丙子日-5일)에 예조에 명해 승추부 판사 조영무(趙英茂, ?~1414년)[2]의 좌차(坐次-자리의 순서)를 상정(詳定)하게 했다.[3] 예조에

1　유배된 죄인을 적소(謫所-유배지)에서 풀어주어 서울 밖의 어느 곳에서든지 뜻대로 살게 하는 것을 말한다. 온수(溫水)로 유배 갔던 맹사성이 풀려났다는 뜻이다. 이럴 경우 조만간 관직에 복귀하게 된다.

2　1392년(공양왕 4년) 이방원의 명으로 조영규 등과 함께 정몽주를 격살한 뒤 그해 이성계를 추대해 조선 개국에 공을 세우고 개국공신 3등에 책록됐으며 한산백(漢山伯)에 봉해졌다. 1차 왕자의 난 때 이방원을 도와 정사공신(定社功臣) 1등에 봉해졌다. 태조는 그의 배은망덕을 크게 개탄했는데 1402년(태종 2년)에 일어난 조사의(趙思義)의 난(亂)은 조영무와 이무(李茂) 등을 죽이기 위한 것이라고도 한다. 이방원의 극진한 총애를 받아 병권을 담당한 승추부에서 중책을 지냈으며 병조전서(兵曹典書)를 겸임했다. 1405년 우정승에 올랐으며 이듬해 판이병조사(判吏兵曹事)를 겸직한 뒤 1408년 부원군(府院君)에 진봉됐다. 1409년 훈련관도제조(訓鍊觀都提調)를 지내고 삼군부영사(三軍府領事)가 됐다가 병으로 사직했다.

3　앞서 태종 3년 12월 11일 조영무(趙英茂)를 대광보국 숭록대부(大匡輔國崇祿大夫-정1품)

서 아뢰었다.

"영무(英茂)의 직책과 업무[職事]는 비록 종1품에 해당하나, 훈계
(勳階-공신 등위)와 작질(爵秩)은 이미 정1품이 되었습니다. 산관(散
官)⁴의 직사(職事)에 의거해 1급 높은 예에 따라 승추부 영사와 더불
어 같은 줄에 앉게 해야 합니다."

그것을 윤허했다.

정축일(丁丑日-6일)에 (황해도) 해주(海州)에서 강무(講武-사냥)했다.
애초에 사헌부 장무(掌務)를 불러 말했다.

"헌부는 송사를 처리하기[聽訟]에 겨를이 없으니 단지 간원(諫院)
과 형조(刑曹)만 거가(車駕)를 따르게 하라."

헌사(憲司-사헌부)가 청하여 말했다.

"삼성(三省)⁵이 거가를 따르는 것은 옛 제도입니다. 바라건대 호종
(扈從)하게 해주소서."

들어주지 않았다. 이튿날 헌부가 또 거가를 따르기를 청했으나 들
어주지 않았다. 대사헌 최유경(崔有慶)이 형(兄)의 상을 당해 출근하

로 승품시킨 데 대한 후속 조치를 지시한 것이다.

4 고려시대와 조선시대에 일정한 관직이 없고 관계(官階)만 보유하던 관원인데 산계(散階)
라고도 한다. 고려의 문무산계(文武散階)나 조선왕조의 동서반관계(東西班官階) 제도에서
는 관리는 삭직(削職)되지 않는 한 퇴관(退官)하더라도 그 품계(品階)를 보유하고 그 품계
에 상당한 예우를 받았으며 무고하게 해직된 것이 밝혀져 복직될 경우나 언관(言官)이라
는 직책상의 공죄(公罪)로 인해 해직된 자가 복직하면 그전에 사관(仕官)한 경력을 통산
했다.

5 형조, 사헌부, 사간원을 가리킨다. 조선 후기에는 주로 의정부, 사헌부, 의금부를 가리키
는 경우가 많았다.

지 않다가 마침[適] 개인적인 일로 대궐에 나왔는데, 헌부가 거가를
적
따르지 못한다는 것을 듣고서 마침내 (옛)법을 폐기할 수 없다고 여
겨[以] 들어가서 고하니 상이 허락했다. 간원(諫院)에서 대궐에 나아
이
와 말씀을 올렸다.

"종묘의 여름 제사[夏享]를 친히 거행하지 않을 수 없습니다. (그런
하향
데) 지금 만일 군사를 수고롭게 하여 멀리 사냥하고 또 신도(新都-한
양)에 행차하게 되면 군마(軍馬)가 더욱 피곤해질 것입니다. 하물며
풍해도(豊海道-황해도)는 중국 사신(使臣)이 왕래하는 땅이니 봄·가
을로 강무를 하게 되면 그 폐단이 작지 않습니다[不細]. 청컨대 강무
불세
는 경기(京畿)에서 하시고 신도에서 (여름 제사의) 일을 행하셔야 합
니다. 풍해도에서 강무하는 것은 장차 내년을 기다리소서."

상이 노하여 대성(臺省)⁶과 형조 모두 거가를 따르지 말라고 명
했다. 좌정승 하륜 등이 굳이 청하니 이에 (대성과 형조 모두) 거가를
따를 것을 명했다.

○ 성국공(郕國公) 증자(曾子)와 기국공(沂國公) 자사(子思)를 선성
(先聖)의 배향위(配享位)로 올렸다.⁷ 처음에 증자(曾子)는 십철(十哲)⁸

---

6   고려시대 어사대의 대관과 중서문하성의 성랑의 합칭이다. 아직 조선 초라 고려 때의 용
    어를 쓰는 경우가 잦았다. 조선시대에는 사헌부와 사간원의 합칭으로 대간(臺諫)이라는
    말이 더 자주 사용됐다.
7   안자(顏子), 맹자(孟子)와 더불어 네 성인의 반열에 함께 올렸다는 말이다. 이는 성리학
    체계를 수용한다는 의미가 있다. 왜냐하면 사서(四書)는 원래 있던 것이 아니라 송나라
    때 성리학자들에 의해 새롭게 재편된 것으로 증자는 『대학(大學)』, 자사는 『중용(中庸)』
    의 편찬자로 높이 받들어졌기 때문이다.
8   흔히 『논어(論語)』 「선진(先進)」편에 언급된 다음과 같은 10명의 제자를 가리킨다. 여기에는
    원래 증자는 포함되어 있지 않았다. 안회(顏回), 민자건(閔子騫), 염백우(冉伯牛), 중궁(仲弓),

의 위(位)에 있고, 자사(子思)는 종사(從祀)의 열(列)에 있었다. 좌정
승 하륜이 사명(使命-사신의 명)을 받들고 입조(入朝)했다가 두 분의
도상(圖像)을 얻어 가지고 와서 의견을 올려[獻議] 상(像)을 만들어
_{헌의}
배위(配位)에 승향(陞享)시키고 또 자장(子張)의 상을 만들어서 십철
(十哲)의 자리에 올렸다.

기묘일(己卯日-8일)에 안개가 꼈다.

○ 의정부가 행재소(行在所)⁹에서 잔치를 베풀었다.

○ 임금이 사람을 보내 태상전과 상왕전에 사슴을 바쳤다.

○ (상이) 직접 활과 화살을 가지고 말을 달려 노루를 쏘다가 말이
거꾸러져[仆] 말에서 떨어졌으나 다치지는 않았다. 좌우를 돌아보며
_부
말했다.

"절대 사관(史官)이 알게 하지 말라."

재아(宰我), 자공(子貢), 염유(冉有), 자로(子路), 자유(子游), 자하(子夏)가 그들이다. 「선진」
편에서 공자는 이렇게 말한다. "진나라와 채나라에서 나를 따르던 제자들이 모두 다 성
문에 이르지는 못했구나! (그동안 나를 따랐던 제자들 중에) 덕행에는 안연·민자건·염백
우·중궁이요, 언어에는 재아·자공이요, 정사에는 염유·계로요, 문학에는 자유·자하
였다." 안회는 네 성인에 빠지고 대신 증자를 넣었다가 이번에 네 성인으로 올렸다. 그리
고 그 빈자리에 다시 자장(子張)을 포함시켰다.

9 임금이 상주하는 곳은 수도였고 수도 안에서 상주했던 곳이 궁궐이다. 그러나 임금도 여
러 가지 정치적 목적이나 사사로운 일로 궁궐을 떠나 각지를 돌아다니는 경우가 있는데
이때 임시로 거처하는 곳을 행재소라 불렀다. 임금이 지방에 순행을 할 때는 남여(籃輿)
또는 채련(彩輦)을 타고 다니는 것이 일반적이었지만, 때에 따라서는 말을 타고 다니는
경우도 있었다. 임시 머무르는 곳이 일정하지 않을 때 그 거처는 보통 당시의 상황에 따
라 결정된다. 장소에 따라 막사(幕舍)를 새로이 지어 머무르는 경우가 있고, 또 그 지방의
관서에 머무르는 수도 있으며, 그 지역 부호의 집을 빌려 머무르는 수가 있는데 이러한 경
우 그곳은 모두 행재소가 된다.

경진일(庚辰日-9일)에 군사(軍士)와 각사의 관리[員吏]들에게 사흘
치의 급료를 더 주었다. 애초에 강무(講武)를 8일간 실시하려고 했는
데 이때에 이르러 13일간 하기로 정했기 때문이다.

신사일(辛巳日-10일)에 햇무리[日暈]가 졌는데 남북으로 귀고리 같
은 모양[珥]이 나타났다.

○ 민간에서 징발한 말[刷馬=徵馬]을 풀어서 되돌려주라고[放還]
명했다. 상이 행재소에 지응(支應)[10]할 물건을 모두 민간의 소와 말로
운반한다는 말을 듣고서 박석명에게 일러 말했다.

"각 도(各道)의 역리(驛吏)는 전지(田地)를 받고 말을 준비하여 다
른 요역(徭役)이 없고, 관공서의 물건[官物]을 운반하는 것이 그 직책
이다. (그런데) 무릇 일반 백성들은 요역이 이미 많고, 또 소와 말을
내어 운반하니 그 폐단이 작지 않다. 이것은 나로 하여금 백성들에
게 원망을 듣게 하는 것이다. 지금 이후로는 다시 오지 않겠다."

이에 이런 명령이 있었다.

○ 경기도와 풍해도 찰방(察訪)[11]에게 명해 금란(禁亂)[12]하게 했다.
대간(臺諫)의 청을 따른 것이다.

---

10 벼슬아치가 공무로 출장 갔을 때 그 소용되는 물품을 그곳에서 대어주는 것을 말한다.

11 조선시대 각 도의 역참(驛站)을 관리하던 종6품의 외관직이다.

12 나라의 금법(禁法), 금제(禁制)를 어기고 어지럽히는 것을 금지하는 것 혹은 그 법을 가
리킨다. 예를 들면 풍습의 교화, 궐내 잡인(雜人)의 통제, 시전(市廛)의 소요 금지, 임금의
궐외 행차 시의 소요 금지, 국상의 발인에서의 통제, 분경(奔競)의 금지, 관리의 감찰, 금
주(禁酒) 및 야간 통행의 금지 등에 대한 규찰, 왜관(倭館)이나 북평관(北平館), 태평관(太
平館)에서의 무역 및 소란 금지, 범인의 체포 등을 가리킨다.

○ 노루 두 마리를 쏘아 잡았다.

임오일(壬午日-11일)에 햇무리[日暈]가 졌는데 또 귀고리 같은 모
양이었다. 좌정승 하륜이 도성(都城)에 머물면서 그 형상을 그려 바
쳤다.
○ 노루 세 마리와 사슴 두 마리를 쏘아 잡았다.

계미일(癸未日-12일)에 달이 헌원(軒轅)[13]의 큰 별을 범했다.

갑신일(甲申日-13일)에 풍해도 도관찰사 최사위(崔士威, 1361~
1450년)[14]에게 옷을 내려주었다.

최유경(崔有慶, 1343~1413년)[15]을 사평부 참판사 겸 사헌부 대사헌,

---

13 고대 중국의 천문학에서 헌원 별자리는 황후(皇后) 또는 여왕(女王)의 형상(形象)을 뜻
    한다.
14 고려 말기의 혼란기에 벼슬을 버리고 낙향하는 아버지 최유경(崔有慶)을 따랐다. 그러다
    가 아버지가 개국원종공신이 되면서 최사위도 자연스레 조선에서 벼슬을 하게 됐다.
    1393년(태조 2년) 다시 벼슬길에 나아가 사헌부 지평, 병조참의 등을 역임했다. 태종 초
    안변부사 조사의(趙思義)가 난을 일으키자 이순(李淳), 김우(金宇) 등과 함께 평정했다.
    곧이어 황해도(풍해도) 관찰사로 임명됐으며 이때에 왕이 지켜보는 가운데 군사훈련을
    잘하여 관대(冠帶) 일령(一領)을 하사받았다. 다음 해에는 우군동지총제사로 천추사(千
    秋使)가 돼 명나라에 다녀왔다. 1424년(세종 6년)에 북쪽 변방을 오랑캐가 침략하자 김계
    지(金繼之)와 함께 물리쳤으며 이 공으로 자헌대부(資憲大夫-정2품)에 봉해졌다. 이후 한
    성부판윤이 됐다. 특히 1416년 그의 동생 최사강(崔士康, 1388~1443년)의 장녀가 태종
    의 아들인 함녕군(諴寧君)에게 출가하면서 왕실과 깊은 인연을 맺게 된다. 최사강은 세종
    에게도 각별한 총애를 받아 1434년 1월에 장남인 봉례랑(奉禮郎) 최승녕(崔承寧)의 딸이
    세종의 넷째 아들인 임영대군(臨瀛大君)에게 출가했고, 1437년 2월에는 둘째 딸이 세종
    의 여섯째 금성대군(錦城大君)과 혼인했다.
15 최사위의 아버지다. 1392년(태조 1년) 이성계가 즉위해 개국공신에 이어 원종공신(原從功
    臣)을 녹훈할 때 앞서 위화도회군을 우왕에게 고변했다 하여 일부 반대하는 자가 있었으

조휴(趙休)를 사간원 좌사간대부, 이지직(李之直)을 사헌집의로 삼았다.

을유일(乙酉日-14일)에 (풍해도) 해주목사(海州牧使) 양수(梁需)에게 일을 보라[視事]고 명하고 또 옷을 내려주었다. 지평 정지(鄭持)가, 양수가 많은 술과 고기를 준비해 가지고 온 것은 장차 거가(車駕)를 따르는 권력 실세[權貴]들을 접대하려 한 것이라 하여 탄핵했기 때문에 이런 명이 있었다.

정해일(丁亥日-16일)에 유은지(柳殷之)[16]를 (황해도) 서흥(瑞興)으로 옮겼다[量移].[17] 늙은 어미가 있는 곳이기 때문이다.

무자일(戊子日-17일)에 나무에 성에가 꼈다.
○ 어가가 강음(江陰)[18] 적포현(赤布峴)에 머무르니 태상왕, 상왕 및 정비(靜妃-원경왕후 민씨)가 모두 내관을 보내 잔치를 베풀어주었다.

기축일(己丑日-18일)에 (상이) 해주(海州)에서 돌아오니 의정부 좌정

나 이성계가 그 충의를 칭찬, 개국원종공신에 서훈됐다.
16 태종 3년 윤11월 고려의 우왕비 왕씨(王氏)를 처로 삼은 일로 탄핵돼 황해도 봉주(鳳州)에 유배됐었다.
17 양이(量移)란 섬이나 변지로 멀리 유배 보냈던 사람의 죄(罪)를 감등(減等)하여 내지나 가까운 곳으로 옮기는 일을 가리킨다. 양(量)은 사정을 헤아린다는 뜻이다.
18 황해도 금천 지역의 옛 지명이다. 당시 강음현은 동쪽과 북쪽은 평산, 서쪽은 배천, 남쪽은 개성과 접하고 있었다.

승 하륜 등이 금교역(金郊驛)에서 잔치를 베풀었다.

○ 제릉(齊陵)[19]의 비(碑)를 세웠다. 그 비문(碑文)은 이러했다.

'예로부터[自昔=自古] 제왕(帝王)이 천명(天命)을 받아 일어날 때에는 반드시 비필(妃匹)의 뛰어남[賢]에 힘입어 다움을 (제왕과) 함께하고[侔德] 경사(慶事)를 쌓아[毓慶=育慶] 그것을 통해 왕통[緒=繼統]을 영원하게 했다. 하(夏)나라에 도산(塗山)[20]이 있어 계(啓)[21]가 능히 이었고[能繼], 주(周)나라에 태사(太姒)[22]가 있어 무왕(武王)이 크게 이어받아[丕承] 우왕(禹王)과 문왕(文王)을 위해 하늘에 올리는 제사(祭祀)가 그들로 말미암아 영원할 수 있었다. 아름답고도 성대하도다! 아, 우리의 신의왕후(神懿王后)께서는 하늘이 주신 자품[天資=天稟]이 맑고 아름다우며[淑懿] 여성스러움[坤德]이 부드럽고 곧아[柔貞] 일찍이 용연(龍淵)에서 빈(嬪)이 되어[23] 왕업(王業)을 도와 이루게 했고[弼成], 두텁게 빼어나고 뛰어난 아들들[聖哲]을 낳아 대통(大統)을 끝없이 드리웠으니 신령스러운 공(功)과 아름다운 모범은 옛사람에 비해 조금도 부끄러울 것이 없도다. 다만 안타깝게도 대훈(大勳-건국의 대업)이 이뤄졌건만 선유(仙遊)[24]가 심히 급하여 태상

---

19 태조비 신의왕후(神懿王后) 한씨(韓氏)의 능(陵)으로 개성직할시(開城直轄市) 판문군(板門郡) 상도리(上道里)에 있다.

20 우왕(禹王)의 아내인 도산씨(塗山氏)를 이르는 말이다.

21 우왕의 아들로 왕위를 이었다.

22 문왕(文王)의 비(妃)다.

23 여기서는 용연을 함흥의 지명으로 보아 이렇게 옮겼다. 그러나 비유적으로 보자면 임금을 상징하는 용이 계속 나오게 되는 연못으로서의 이성계에게 시집왔다는 뜻으로도 볼 수 있다. 그럴 경우 "용연에게 빈이 되어"라고 옮겨야 한다.

24 죽음을 에둘러 표현한 것이다.

(太上)께서 개국(開國)을 하신 뒤에 왕비로서의 절차[壼儀]를 높일
수가 없었고, 두 빼어난 임금[二聖-정종과 태종]이 대통(大統)을 이
었음에도 그 영양(榮養)[25]을 이룰 수 없었다. 산릉(山陵)이 빛을 가리
고 서리와 이슬[霜露]이 슬픔을 더하니, 아아! 슬프도다. 애초에 시
호(諡號)는 절비(節妃)요,[26] 능호(陵號)는 제(齊)였는데 뒤에 시호를 더
해 신의왕후(神懿王后)라 하고 인소전(仁昭殿)을 두어 진용(眞容-초상
화)을 모셨으니 추숭(追崇)하는 예전(禮典)은 이미 갖춰 거행되었다.
(그러나) 우리 주상 전하께서 어머니를 추모하는 예의[慈儀]가 영원
히 닫혀 효도(孝道)하는 생각을 더 이상 펼 수 없게 된 것을 심히 슬
프게 생각하시어 이에 유사(攸司)에 명해 큰 비석[豊碑]에 명(銘)을
새기게 하고 신(臣) 근(近)으로 하여금 비문을 지어 만세(萬世)에 드
리워 보이게 하셨다. 신 근은 명을 받고서 떨리고 두려워[悸恐] 감히
사양하지 못했다.

　삼가 가만히 살펴보건대 후(后)의 성(姓)은 한씨(韓氏)로 안변(安
邊)의 세가(世家)다. 황고(皇考-돌아가신 아버지)의 휘(諱-이름)는 경
(卿)으로 충성공근적덕육경보리공신(忠誠恭謹積德毓慶輔理功臣) 벽상
삼한삼중대광(壁上三韓三重大匡) 영문하부사(領門下府事)[27] 안천부원
군(安川府院君)을 내려주었다[贈]. 황조(皇祖-돌아가신 할아버지)의 휘

---

25 부모를 영예롭게 봉양하는 것을 말한다.

26 1392년 조선을 건국한 태조는 강씨(康氏)를 수비(首妃-으뜸 왕비)로 삼고 1년이 지난 후
　한씨에게 절비(節妃)의 시호를 내려 차비(次妃)로 삼았다. 그리고 1차 왕자의 난으로 정
　종이 즉위하고서 왕비로 추증했다.

27 번역문 표기는 문하부영사로 해야 하지만 여기서는 비문이라 원문의 느낌을 살리기 위해
　원문 그대로 소리만 옮겼다.

는 규인(珪仁)으로 적선육경동덕찬화익조공신(積善毓慶同德贊化翊祚功臣) 특진보국숭록대부 문하좌정승 판도평의사사사 겸 판이조사(特進輔國崇祿大夫門下左政丞判都評議使司事兼判吏曹事) 안천부원군(安川府院君)을 내려주었다. 황증조(皇曾祖-돌아가신 증조부)의 휘는 유(裕)로 순성적덕좌명보리공신(純誠積德佐命輔理功臣) 숭정대부 문하시랑 찬성사 동판도평의사사사 겸 판호조사(崇政大夫門下侍郞贊成事同判都評議使司事兼判戶曹事) 안원군(安原君)을 내려주었다. 황비(皇妣-돌아가신 어머니) 신씨(申氏)는 삼한국대부인(三韓國大夫人)을 봉했는데 증병의육덕보조공신 숭정대부 문하시랑찬성사 동판도평의사사사 판형조사(贈秉義毓德輔祚功臣崇政大夫門下侍郞贊成事同判都評議使司事判刑曹事) 원려(元麗)의 딸이다. 후(后)는 어려서부터 맑고 얌전하며[淑婉] 귀 밝고 슬기로움이 평범한 사람과 달랐고 계년(笄年)[28]
이 되자 배우자를 골라 우리 태상왕께 와서 빈(嬪)이 되었다. 태상왕께서 애초에 장상(將相)이 되어 수십 년 동안을 들고 나며 전투를 이끄느라 편안한 해가 없었는데, 후가 능히 그 힘을 다해 집안을 꾸려서 공업을 이룰 수 있도록 힘썼고 또 성품이 투기(妬忌)를 하지 않아 첩시(妾侍)를 예로 대우했으며[禮遇=禮待] 아주 많은 아들들이 있었지만 의로움으로 가르치고 일깨워주셨다.

지금의 우리 주상 전하께서 사리에 밝고 명철하며 출중하고 유능하여[睿哲英茂] 성학(聖學)[29]이 날로 나아져 나이가 20세[冠]에 미치

<hr>

28 여자가 처음 비녀를 꽂던 나이를 말하며 보통 15세였다고 한다.
29 성학은 제왕학을 뜻할 수도 있고 그냥 유학을 뜻할 수도 있다. 여기서는 문맥상 후자로

지도 않았는데 과거에 뽑혀[擢第] 춘관(春官)[30]에 올랐다. 가짜 임금
[僞主] 신씨(辛氏)[31]의 무진년(戊辰年-1388년)에 (문하)시중(侍中) 최영
(崔瑩, 1316~1388년)[32]이 화하(華夏)[33]를 어지럽히려고 시도하여 우리
태상왕(太上王)이 위엄과 명망이 평소에 드러났기 때문에 절월(節鉞)
을 주어 가서 요동(遼東)을 치게 했다. 태상왕이 대의(大義)를 들어
군사를 돌이켜 최영을 붙잡아 정치에서 물러나게 하고 명유(名儒) 이
색(李穡, 1328~1396년)[34]으로 대신하니 안팎이 조용하여 나라가 길

보아야 한다.

30 예조의 별칭이다.

31 우왕(禑王)을 신돈의 아들로 보는 조선 개국공신들의 시각이다.

32 1388년 다시 문하시중이 되어 왕의 밀령(密令)으로 부패와 횡포가 심하던 염흥방 임견
미(林堅味)와 그 일당을 숙청했다. 그해 그의 딸이 우왕의 비[寧妃]가 됐다. 이때 명나라
가 철령위(鐵嶺衛)의 설치를 통고하고 철령 이북과 이서 이동을 요동(遼東)에 예속시키
려 했다. 이에 요동정벌을 결심하고 팔도도통사(八道都統使)가 되어 왕과 함께 평양에 가
서 군사를 독려했다. 한편 좌군도통사 조민수(曺敏修), 우군도통사 이성계로 하여금 군사
3만 8,800여 명으로 요동을 정벌하게 했으나 이성계가 조민수를 설득해 위화도(威化島)
에서 회군함으로써 요동정벌은 실패로 끝났다. 그리고 기세가 오른 이성계의 막강한 원정
군을 막지 못해 결국 도성을 점령당하고 말았다. 그는 이성계에게 잡혀 고향인 고봉현(高
峯縣-지금의 경기도 고양)으로 유배됐다. 그 뒤 다시 합포(合浦-지금의 경상남도 마산), 충
주로 옮겨졌다가 공료죄(攻遼罪-요동을 공격한 죄)로 개성에 압송돼 순군옥(巡軍獄)에 갇
혔다가 그해 12월에 참수(斬首)됐다.

33 중국은 스스로를 옛날부터 제하(諸夏)나 화하(華夏)라고 불렀다. 하(夏)나라를 모태로 삼
는 시각의 발로다.

34 1388년 철령위 문제(鐵嶺衛問題)가 일어나자 화평을 주장했다. 1389년(공양왕 1년) 위화
도회군(威化島回軍)으로 우왕이 강화로 쫓겨나자 조민수(曺敏修)와 함께 창왕(昌王)을 옹
립해 즉위하게 했다. 문하부 판사가 돼 명나라에 사신으로 가서 창왕의 입조와 명나라
의 고려에 대한 감국(監國-감시)을 주청해 이성계(李成桂) 일파의 세력을 억제하려 했다.
이해에 이성계 일파가 세력을 잡자 오사충(吳思忠)의 상소로 장단(長湍)에 유배됐다. 이
듬해 함창(咸昌)으로 옮겨졌다가 이초(彝初)의 옥(獄)에 연루돼 청주의 옥에 갇혔는데 수
재(水災)가 발생해 함창으로 다시 옮겨 안치(安置)됐다. 1391년에 석방돼 한산부원군(韓
山府院君)에 봉해졌으나 1392년 정몽주가 피살되자 이에 연루돼 금주(衿州-서울시 금천
구 시흥)로 추방됐다가 여흥(驪興-경기도 여주), 장흥(長興) 등지로 유배된 뒤 석방됐다.

이 그에 의지했다. 색(穡)이 태상왕에게 고하기를 "중국과 흔단(釁端-갈등의 씨앗)을 일으킨 뒤를 당하여 집정(執政)한 사람이 친히 황제의 조정에 조회하지 않으면 공(公)의 충성(忠誠)을 천하에 밝힐 수 없다"라고 하여 날을 정하고 장차 떠나려고 했다. 태상왕이 색에게 이르기를 "나와 공이 한꺼번에 나란히 사자로 가면 나랏일은 누가 맡겠는가? 내가 자식 하나를 골라 공을 따라가게 한다면 내가 가는 것이나 다름이 없을 것이오"라고 하고서 우리 전하를 보내 서장관(書狀官)에 채워 넣었는데 특별히 고황제(高皇帝-주원장)의 우대하는 예[優禮]를 입고 돌아왔다.

기사년(己巳年-1389년) 가을에 제(帝)가 다시 칙령을 내려[降勅] 다른 성(姓)을 왕씨(王氏)의 후사(後嗣)로 삼은 것을 문책하니 태상왕이 여러 장상(將相)과 더불어 서로 토의해 왕씨의 후예인 정창군(定昌君) 요(瑤, 1345~1394년)[35]를 세워 왕으로 삼았다. 이보다 앞서 권간(權奸)들이 정사를 제멋대로 하여[擅政=顓政] 강제로 빼앗고 서

1395년(태조 4년) 한산백(韓山伯)에 봉해지고 이성계의 출사(出仕) 종용이 있었으나 끝내 고사하고 이듬해 여강(驪江)으로 가던 도중에 죽었다.

35 고려의 마지막 임금 공양왕(恭讓王)이다. 신종(神宗)의 7대손으로 정원부원군(定原府院君) 균(鈞)의 아들이다. 1389년 이성계(李成桂), 심덕부(沈德符) 등에 의해 창왕이 폐위되자 왕위에 올랐다. 즉위 후 이성계 일파의 압력과 간섭을 받아 우왕을 강릉에서, 창왕을 강화에서 각각 살해했다. 1390년 도선(道詵)의 비록에 의해 한양으로 천도했다. 삼사판사(三司判事) 안종원(安宗源) 등으로 개성을 지키게 하고 백관을 분사(分司)하게 했으나 이듬해 민심의 동요로 다시 개성으로 환도했다. 1391년 광흥창(廣興倉), 풍저창(豊儲倉)을 서강(西江)에 세워 조운의 곡식을 비축하게 했으며 개성 오부에는 의창(義倉)을 설치했다. 그리고 조준(趙浚)의 건의로 과전법을 실시해 녹제와 전제를 개혁했는데 이는 신흥 세력의 경제적 기반이 됐다. 1392년 조선이 건국되자 (강원도) 원주로 방치됐다가 간성군(杆城郡)으로 추방되면서 공양군(恭讓君)으로 강등됐고 1394년 삼척부(三陟府)로 옮겨졌다가 그곳에서 살해됐다.

류를 속여서 빼앗았다. 태상왕이 그때 좌상(左相-좌시중)이 되어 사전(私田)을 없애고[罷=革罷] 문란해진 법을 다시 바로 세우니 폐단이 없어지고 이익이 일어나서 온갖 제도가 함께 새로워졌다. 그런데 공(功)이 높으면 상을 주지 않고, 다움[德]이 크면 용납하기 어려운 법이어서 참소(讒訴)와 간계(奸計)가 서로 얽혀서 모함하니 점점 번져서 젖어 들어오는 것[浸潤][36]이 도무지[叵] 헤아릴 수 없었는데 정창(定昌)은 유약하고 어두워 양쪽 사이에서 어찌할 바를 몰랐다. 후(后)가 이에 근심하고 걱정하다가[37] 병(病)이 되어 신미년(辛未年-1391년) 가을 9월 23일에 훙(薨)하니 향년(享年) 55세였다.

성(城) 남쪽 해풍군(海豐郡) 치속촌(治粟村)의 언덕[原]에 예(禮)로써 장사 지냈다. 우리 전하께서 무덤 곁에 여막(廬幕)을 짓고 3년을 마치려[終] 했는데 이듬해 임신년(壬申年-1392년) 봄 태상왕께서 (황해도의) 서쪽으로 갔다가 병을 얻어[昇疾] 돌아오니 전하께서는 와서 탕약(湯藥)을 돌보았다. 간사한 무리가 틈을 노려 모함하여 뒤엎으려는 것이 더욱 급해졌다. 우리 전하께서 일의 경중에 맞춰 대응하여[應機] 계책을 결단하고 괴수(정몽주)를 쳐서 없애니 흉도(兇徒)들은 와해(瓦解)되어 정창(定昌)은 더욱 꺼렸다. 가을 7월 16일에 두세 사람의 대신(大臣)과 더불어 대의(大義)를 주창하니, 신료와 부로(父老)들이 따로 모의하지 않고도 뜻이 같았으므로 말을 합해 (태상

---

36 이 표현은 『논어(論語)』 「안연(顏淵)」편에 나오는 것으로 중상모략이나 참소와 연결된다. 자장이 밝음[明]에 관해 묻자 공자는 말했다. "서서히 젖어드는[浸潤] 참소(讒訴)와 살갗을 파고드는 하소연[愬]이 행해지지 않는다면 그 정사는 밝다[明]고 이를 만하다."
37 남편 이성계가 생사기로의 위험 속에 있음을 걱정했다는 뜻이다.

왕을) 추대(推戴)했다. 태상왕(太上王)이 많은 사람의 마음에 못 이겨 마침내 왕위(王位)에 나아가시니 저잣거리에 아무런 동요가 없었고 [市肆不易] 조정(朝廷)도 청명(淸明)했다[會朝淸明].³⁸ 이에 곧장 사신
시사 불역   회조 청명
을 보내 명나라 조정[帝庭]에 들어가 아뢰니 잇달아 칙보(勅報)를 받
제정
아 이미 왕작(王爵)을 허락했고 또 국호(國號)를 고쳐 조선(朝鮮)이라
는 아름다운 칭호를 되찾았다. 3년이 지난 갑술년(甲戌年-1394년) 여
름에 제(帝)가 마침내 사신을 보내 친아들을 입조(入朝)시키라고 하
자 태상왕께서 우리 전하가 경서(經書)에 정통하고 예(禮)에 통달해
[通經達禮] 여러 아들 중에서 가장 뛰어나다고 여기시어 명을 내려
통경 달례
사신을 따라서 가게 했다. 이미 도착하니 제가 함께 이야기해보고서
아름다이 여겨 넉넉한 상(賞)을 주어 돌려보냈다.

무인년(戊寅年-1398년) 가을 8월에 태상왕께서 몸이 안 좋으시니
[不豫] 간신(姦臣) 정도전(鄭道傳, 1342~1398년)³⁹ 등이 나라의 권세
불예

---

38 『시경(詩經)』「대아(大雅)」'대명(大明)'에 나오는 구절로 무왕(武王)이 상나라의 마지막
임금 주(紂)와 회전(會戰)하던 날 아침이 청명했으므로 한 말이다. 지극히 어진 자가 지
극히 어질지 못한 자를 치기 때문에 하늘도 도와서 날씨마저 청명하다는 뜻이다.

39 이곡의 아들 색(穡)의 문하에서 수학했다. 정몽주(鄭夢周), 박상충(朴尙衷), 박의중(朴宜
中), 이숭인(李崇仁), 이존오(李存吾), 김구용(金九容), 김제안(金齊顏), 윤소종(尹紹宗) 등
과 교유했다. 1375년(우왕 1년) 권신 이인임(李仁任), 경복흥(慶復興) 등의 친원배명정책에
반대해 북원(北元) 사신을 맞이하는 문제로 권신 세력과 맞서다가 전라도 나주목 회진현
(會津縣) 관하의 거평부곡(居平部曲)에 유배됐다. 1377년에 풀려나서 4년간 고향에 있다
가 1383년 9년간에 걸친 간고한 유배와 유랑 생활을 청산하고 당시 동북면도지휘사로
있던 이성계(李成桂)를 함주 막사로 찾아가서 그와 인연을 맺기 시작했다. 1388년 6월
에 위화도회군으로 이성계 일파가 실권을 장악하자 밀직부사로 승진해 조준(趙浚) 등과
함께 전제개혁안을 적극 건의하고 조민수(曺敏修) 등 구세력을 제거해 조선 건국의 기초
를 닦았다. 1392년 봄 이성계가 해주에서 사냥 중에 낙마한 사건을 계기로 고려 왕조를
옹호하던 정몽주, 김진양(金震陽), 서견(徐甄) 등의 탄핵을 받아 보주(甫州-지금의 예천)
의 감옥에 투옥됐다. 그러나 정몽주가 이방원(李芳遠) 일파에 의해 격살되자 유배에서 풀

[國柄]를 제멋대로 하려고 생각하고서 여러 적자(嫡子)를 없애고 장차 어린 얼자(孽子-방석)를 세우려고 모의하여 여러 무리와 붕당(朋黨)을 만들어 화란(禍亂)의 발생이 바로 눈앞에 다가왔다. 전하께서 그 조짐을 밝게 살펴[炳幾] 그것이 터져 나오기 전에 먼저 베어 없애 화란의 단서를 끊어버렸다[燼=滅]. 태상왕께 아뢰고 청해 적장자인 상왕(上王)을 맞아 세자로 책봉하니 이륜(彝倫)[40]이 바로잡히고 종묘사직[宗社]이 안정됐다.[41] 9월 정축일에 태상의 병이 낫지 않아[未瘳] 상왕에게 왕위를 넘겼다[傳位]. 경진년(庚辰年-1400년) 정월에 역신(逆臣) 박포(朴苞, ?~1400년)[42] 등이 동기(同氣-친형제)를 죽이려고[戕] 음모를 꾸며 회안(懷安) 부자(父子)를 꾀어서[誘掖] 군사를 일으켜 대궐로 향하니 반역의 세력이 매우 막강했다. 우리 전하께서 장수와 사졸들을 거느리고 독려하여 이내 곧 평정하고서 포만 베고 나머지는 모두 (그 죄를) 묻지 않았고[不問] 회안은 안치(安置)하여 의친(懿

려 나와 같은 해 7월에 조준, 남은(南誾) 등 50여 명과 함께 이성계를 추대해 조선 개국의 주역을 담당했다. 1398년 진법훈련을 강화하면서 요동수복 계획을 추진하던 중 이방원의 기습을 받아 희생됐다. 죄명은 세자 방석(芳碩)에게 당부(黨附)해 종사를 위태롭게 했다는 것이었다. 이를 공소난(恭昭難), 무인난(戊寅難) 혹은 1차 왕자의 난이라고 한다.

40 인간으로서 지켜야 할 떳떳한 도리라는 뜻으로 인륜(人倫), 천륜(天倫), 윤리(倫理)는 다 같은 뜻이다.

41 그래서 이때의 공신을 종묘사직을 바로잡았다 하여 정사공신(定社功臣)이라고 부른다.

42 조선의 건국에 대장군으로서 공을 세워 개국공신 2등에 책봉됐다. 1398년(태조 7년) 1차 왕자의 난 평정에 공을 세워 중추원지사가 되었다. 그러나 별다른 공이 없는 이무(李茂)가 정사공신 1등에 책봉된 것을 비방했다가 도리어 죽주(竹州)에 유배됐으나 얼마 뒤에 소환됐다. 그 뒤 회안군(懷安君) 방간(芳幹)을 부추겨 군사를 일으켰다가 패하자 방간은 토산(兎山)으로 유배를 가고 박포는 방간을 꾀어 난을 일으킨 죄목으로 죽음을 당했다.

親)[43]을 폐하지 않았다. 상왕에게 후사(後嗣)가 없고 또 개국(開國)하고 정사(定社)한 것이 모두 우리 전하의 공적[績=功績]이므로 책봉하여 세자(世子)로 삼으니 그로써 국본(國本-세자)이 정해졌다. 가을 7월 기사일에 책보(冊寶)를 받들어 태상왕께 계운신무(啓運神武)[44]라는 호(號)를 더해 올렸고 겨울 11월 계유일에 상왕은 또한 병으로 인해 우리 전하에게 왕위를 양보하니[遜位] 사신을 보내 고명(誥命)을 청했다.

이듬해 신사년(辛巳年-1401년)에 건문제(建文帝)가 통정시승(通政寺丞) 장근(章謹), 문연각 대조(文淵閣待詔) 단목례(端木禮)를 보내니 고명(誥命)과 인장(印章)을 받들고 와서 우리 전하를 봉(封)하여 왕으로 삼았다. 겨울에 홍려시 행인(鴻臚寺行人) 반문규(潘文奎)를 보내 면복(冕服)을 내려주고 작질(爵秩)을 친왕(親王)[45]에 준하도록 해주었다[比=準]. 지금의 황제가 즉위하여 (그 즉위 사실을) 널리 만방(萬邦)에 고하니 전하께서 곧바로 좌정승 신(臣) 하륜(河崙)에게 명해 (명나라에) 들어가 등극(登極)을 하례했다. 제(帝)가 (우리 전하께서) 충심과 열렬함[忠誠]으로 사대(事大)하는 것을 아름답게 여겨 고명과 인장을 내려주고, 도지휘(都指揮) 고득(高得)과 좌통정(左通政) 조거임(趙居任)을 보내 금년 여름 4월에 그대로 봉하여 왕을 삼았다. 가을 9월에 또 한림대조(翰林待詔) 왕연령(王延齡)과 행인(行

---

43 지친(至親)과 같은 말로 아주 가까운 친족을 말한다.
44 새로운 천운을 열었다[啓=開]는 뜻과 신령스러운 무예라는 뜻을 담았다.
45 황태자를 제외한 남자 황족에게 부여되는 칭호다. 그만큼 높여 대우해준다는 뜻이다.

ㅅ) 최영(崔榮)을 보내 곤면구장(袞冕九章)과 금단사라((錦段紗羅), 서적(書籍) 그리고 왕비의 관포(冠袍)와 금단사라, 태상왕의 금단사라를 내려주어 세상에 드문[希世=稀世] 총애의 전례[寵典]가 앞서거니 뒤서거니 한데 몰려들었다[遝至]. 대개 우리 전하의 공로와 다움[功德]이 성대한 것은 실로 하늘이 열어준 바[所啓]로서 전적으로 대동(大東-조선)을 부탁해 홍도(鴻圖-큰 계책)와 휴명(休命-아름다운 천명)[鴻休]을 연장하게 했으니 마땅히 제(帝)의 융숭한 보살핌[眷=眷顧]을 받아 천록(天祿-하늘의 복)의 영구함을 누려야[膺=受] 할 것이다.

국가를 창시한 자취[肇基之迹]는 비록 조종(祖宗-조상들)으로부터이나 자손을 넉넉하게 낳으신 경사는 실로 신의왕후(神懿王后)에서 말미암은 것이다. 아아, 성대하도다! 후(后)께서는 여섯 아들을 낳았으니 상왕(上王)이 그 둘째이시고 우리 주상 전하께서 그 다섯째이시다. 장남은 방우(芳雨, 1354~1393년)[46]로 진안군(鎭安君)에 봉했으나 먼저 죽었다. 그다음 셋째는 방의(芳毅, ?~1404년)[47]로 익안대군

---

46 부인은 고려 말 실력자였던 찬성사 지윤(池奫)의 딸이다. 일찍부터 벼슬에 나아가 예의판서(禮儀判書)를 역임했다. 1388년(창왕 1년) 11월에서 1389년 3월까지 밀직부사로서 정사(正使)인 밀직사 강회백(姜淮伯)과 함께 명나라에 파견돼 창왕의 친조(親朝)를 청했으나 뜻을 이루지 못하고 귀환했다. 조선왕조가 개창되자 1392년(태조 1년) 8월 진안군(鎭安君)으로 책봉되고, 함경도 고원의 전답을 녹전(祿田)으로 받았다. 아버지의 즉위에 반대하고 매일을 술로 보내다가 세상을 떠났다. 아들로는 봉녕부원군(奉寧府院君) 복근(福根)과 원윤(元尹) 덕근(德根)이 있다.

47 1398년 8월에 정도전(鄭道傳)의 난이 일어났을 때 방원을 도와 이해 9월에 정사공신(定社功臣) 1등에 봉해지고 200결의 공신전을 받았으며 그달에 익안공으로서 중군절제사(中軍節制使)가 됐다. 1400년 2월에 방간 박포(朴苞)의 모반 사건이 일어났을 때 병으로 집에 있다가 소식을 듣고 방간의 모반을 개탄하면서 절제사직을 사임해 방원을 간접적

(益安大君)에 봉했고, 그다음 넷째는 방간(芳幹)으로 회안대군(懷安大君)이다. 그다음 여섯째는 방연(芳衍, ?~?)[48]으로 과거에 급제했으나 일찍 죽었다[不祿].[49] 딸 두 분이 있으니 장녀는 경신궁주(慶愼宮主, ?~1426년)[50]로 찬성사 이저(李佇)에게 출가했고[適=嫁] 그다음은 경선궁주(慶善宮主, ?~?)로 청원군(靑原君) 심종(沈淙, ?~?)[51]에게 출가했다.

상왕의 배위(配位-배우자)는 김씨(金氏)로서 지금 왕대비(王大妃)에 봉해져 있으니 증(贈) 좌시중(左侍中) 천서(天瑞)의 딸이다. 우리 전하의 배위는 정비(靜妃)로서 여흥부원군(驪興府院君) 영예문춘추관사(領藝文春秋館事) 민제(閔霽)의 딸이다. 맏아들은 원자(元子) 제(禔)

으로 도왔다. 태종이 즉위하자 대군이 됐으며 그 뒤 병으로 두문불출하다가 죽었다.

48 1385년(우왕 11년) 사마시에 진사로 합격해 성균박사(成均博士)가 됐다. 조선이 건국된 뒤 원윤(元尹)에 봉해졌으나 혼인하기 전에 일찍 죽었다.

49 『예기(禮記)』「곡례(曲禮)」편에 따르면 신분에 따라 죽음을 표현하는 다섯 가지가 있다. 붕(崩-천자), 훙(薨-제후), 졸(卒-대부), 불록(不祿-선비), 사(死-서민)가 그것이다.

50 남편 이애(李薆, 1363~1414년)는 개국공신이자 영의정을 역임한 이거이(李居易)의 아들이다. 원래 이름은 이백경(李伯卿)이었다가 이저(李佇)로 개명한 후 다시 이애로 바꾸었다. 이애는 1398년(태조 7년) 이거이와 함께 이방원을 도와 1차 왕자의 난에 공을 세워 정사공신(定社功臣) 1등에 책록됐고, 상당후(上黨侯)로 봉작됐다. 그리고 1401년(태종 1년) 2차 왕자의 난, 곧 이방간(李芳幹)의 난을 평정하는 데 공을 세워 좌명공신(佐命功臣) 1등에 책봉됐다. 이애의 집안은 공신 가문이면서 왕실과 밀접한 관계가 있었다. 이애의 동생 이백강(李伯剛)은 태종의 장녀 정순공주(貞順公主)와 혼인했다. 궁주(宮主)란 고려시대 때 왕녀를 부르던 칭호다.

51 심덕부의 아들이다. 1398년(태조 7년) 8월에 청원군(靑原君)으로 봉해졌다가 그해 다시 청원후(靑原侯)로 개봉됐다. 같은 해 이방원(李芳遠)이 정도전(鄭道傳), 남은(南誾) 등 고려 말의 구신 세력을 제거하기 위해 일으킨 1차 왕자의 난 때 이방원을 도와 난을 성공시킨 공으로 정사공신(定社功臣) 2등에 책록됐다. 이방간과 이방원의 싸움인 2차 왕자의 난 때에는 중립적인 처신을 했기 때문에 무사했다. 그러나 1416년(태종 16년) 전주에 유배 중인 이방간과 은밀히 사통하면서 선물을 받은 것이 탄로나 벼슬이 깎이고 서인(庶人)으로 강등돼 자원안치(自願安置)됐다.

이고, 둘째와 셋째 아들은 모두 어리다. 맏딸은 정신궁주(定愼宮主)이니 청평군(淸平君) 이백강(李伯剛)에게 출가했고, 다음은 경정궁주(慶貞宮主)이니 평녕군(平寧君) 조대림(趙大臨)에게 출가했고, 나머지는 모두 어리다.

진안군(鎭安君)은 찬성사(贊成事) 지윤(池奫)의 딸에게 장가들어 아들 복근(福根)을 낳았으니 봉녕군(奉寧君)이고, 딸은 소윤(少尹) 이숙묘(李叔畝)에게 출가했다. 익안(益安)은 증 찬성사(贊成事) 최인두(崔仁㺶)의 딸에게 장가들어 아들 석근(石根)을 낳았으니 원윤(元尹)이고, 딸은 첨총제(僉摠制) 김한(金閑)에게 출가했다. 회안(懷安)은 증 찬성사(贊成事) 민선(閔璿)의 딸에게 장가들어 아들 맹종(孟宗)을 낳았으니 의령군(義寧君)이고, 딸은 종부영(宗簿令) 조신언(趙愼言)에게 출가했고, 나머지는 모두 어리다.

신(臣) 근(近)이 일찍이 살펴보건대 삼대(三代)[52]의 빼어난 왕들의 후비(后妃)의 왕비다움[德] 중에는 도산(塗山)이나 태사(太姒)보다 더 큰 이가 없어 『시경(詩經)』과 『서경(書經)』에 실려 있고 천고(千古)에 밝게 빛나는데 신의(神懿)의 다움은 진실로 (그들과 더불어) 아름다움을 짝할 만하다[儷]. 다만 신 근이 학식이 천박한 데다가 필력이 비루하고 졸렬하여 비록 온 힘을 다해 형용(形容)하여 하늘과 땅을 그리는 것처럼 한들 어찌 능히 그 실상의 만 분의 일이나마 비슷할[髣髴] 수 있겠는가? 감히 주(周)나라 「대아(大雅)」의 '대명(大明)'

---

52 하·은·주 시대를 가리킨다.

과 '사제(思齊)'[53]의 뜻을 상고하여 삼가 명사(銘辭)를 지어서 절하고 머리를 조아리며 바친다. 그 글은 다음과 같다.

상제(上帝)께서는 (눈과 귀가) 훤히 밝으시어 다움을 갖춘 이 [有德]를 밝혀주어 돕도다

사사로움을 위해서가 아니라 백성을 위함이 지극하다네

그 밝혀줌은 진정 무엇인가? 그것은 다름 아니라 부드럽고 아름다운 이를 낳은 것이지

임금다움을 갖춘 이에게 와서 배필이 되셨으니 진실로 집안은 즐거움도다

아이를 가져 잘 길러내시니 그 정령은 이에 밝디 밝구나

넉넉하게 빼어나고 뛰어난 아들들을 낳으시니 하늘과 사람들이 기대하던 바였다네

빼어난 아버지 거들고 도와 백성들의 임금을 만드셨도다

몸소 황제의 조정에 조회하여 우리나라 땅 지켜내셨네

얼자(孽子)의 재앙이 싹트려 할 때 그 기미를 훤히 알아 일거에 소탕했도다

시원스레 씻어내시니 종묘와 사직은 편안하게 되었구나

공업을 이루고도 능히 사양하시어 적장자를 높이셨도다

떳떳한 인륜이 이미 바로잡히자 창업의 기반은 더욱 튼튼해졌네

---

53 둘 다 『시경(詩經)』에 실린 시의 편 이름이다. '대명'은 문왕이 밝은 다움을 가졌기 때문에 하늘이 다시 무왕에게 천명을 내려줌을 노래한 것이고 '사제'는 문왕이 빼어난 이가 될 수 있었던 까닭을 노래한 것이다.

마침내 형제들끼리의 집안싸움을 만나 차마 죽이지 않았도다

그 일신을 보전시켜주니 형제간 우애는 더욱 도타워졌네

다움은 융성하고 공로는 높아라!

마땅히 황제의 돌보심을 받아 명을 내려주심이 거듭되었도다

밝디 밝은 황제의 고명(誥命), 눈부신 금보(金寶)[54]

우리의 용(龍)께서 받으시어 만세토록 영원히 보존하리라

저 왕업의 자취는 조종이 쌓아오신 바이나

우리의 빼어나고 신령스러운 임금(태종)이 나오신 것은 오직 비의 다움에서 비롯되었지

신(臣)이 절하고 머리 조아려 올리는 말씀에 조금도 억지스러움 없도다

만세에 밝게 전하여 하늘과 땅과 더불어 영원하리라

비문은 곧 권근이 지난해 지은 것이다. 화장사(華莊寺) 옛 비석을 갈아서 새로이 새겼다.

신묘일(辛卯日-20일)에 겸 예조지사(禮曹知事) 김첨(金瞻, 1354~1418년)[55]에게 명해 성수(星宿-별자리)의 초례(醮禮)를 상정(詳定)하게

---

54 금으로 만든 인장을 말한다.

55 1392년(태조 1년) 정몽주와 내란을 음모했다는 혐의로 관직을 박탈당하고 유배됐다가 복직됐다. 1404년(태종 4년) 계품사(計稟使)가 돼 명나라에 가서 여진족에 대한 영토 문제를 해결했다. 1407년에 옥사(獄事)에 걸려 구금됐다. 그러나 도교를 신봉한 태종은 그를 아주 버리지는 않고 소격전(昭格殿) 제조(提調)로 삼아 도교에 관한 자문을 구했다. 1411년에 태종이 다시 도교의 신인 삼성(三聖)과 주작(朱雀), 대국(大國)에 관해 하문하

했다. 첨(瞻)이 태청관(太淸觀)⁵⁶을 수리하고 천황대제(天皇大帝)에게 초제(醮祭)를 지내려고 하니 판사(判事-예조판사) 권근(權近)과 여러 낭관(郎官)이 모두 불가하다고 하며 말했다.

"본조(本朝-조선)에서는 이미 소격전(昭格殿)을 세워 성수(星宿)를 초제하는데 또 어찌 태청관(太淸觀)을 수리할 필요가 있느냐?"

하륜(河崙)이 이를 듣고서 말했다.

"첨(瞻)이 도(道)를 보는 것이 분명치 못하기 때문에 기이하고 괴상한 것을 좋아한다."

첨이 또 글을 올려 상께 도교(道敎)를 높이 받들 것[崇奉]을 권
_{숭봉}

자 고려의 전례를 들어 주작은 시좌궁(時坐宮) 남쪽에 단을 설치하도록 건의하고 삼성과 대국도 폐지함이 불가함을 주장했다. 1415년에 『성수경(星宿經)』을 태종에게 올렸다. 같은 해 하륜이 그의 박학함을 높이 평가해 육조판서에 봉하도록 상소했으나 태종은 과거 민무구(閔無咎)·민무질(閔無疾) 형제와 무리 지어 불충한 죄를 지었다는 이유로 거절했다. 1417년 태종으로부터 사전(祀典) 제정의 명을 받았으나 그 이듬해 죽었다. 유교의 기반이 굳혀지는 조선 초기에 도교의 부흥을 위해 노력한 인물이었으며 또 불교와도 관계가 있어 문묘(文廟)의 석전(釋奠-공자에게 지내는 제사)에 쇠고기를 못 쓰게 해 유사(有司)의 탄핵을 받은 일도 있었다.

56 태청이란 도교 신앙의 종지(宗旨)인 삼청(三淸)의 하나다. 원시천왕(元始天王)은 법신(法身)을 나누어 옥청원시천존(玉淸元始天尊), 상청영보천존(上淸靈寶天尊), 태청도덕천존(太淸道德天尊)의 삼청으로 화(化)하는데 태청의 도덕천존은 천황대제(天皇大帝-노자)라고도 한다. 태청관에서는 이 천황대제를 모시고 도교의 법사(法事)를 거행했다. 고려 충선왕 때 동반(東班)으로 설치하여 종9품의 판관 1인을 두었다. 독(纛-둑이라고도 읽으며 큰 깃발을 말함)을 보관하는 것이 주된 업무이며 출정(出征) 때는 반드시 여기에서 마제(禡祭)를 올리는 것이 상례로 돼 있었다. 그 뒤 액운과 재변이 있을 때는 기도별초(祈禱別醮)를 행해 기양(祈禳)하고 군대를 움직일 때는 장수가 태청관에서 묵으면서 재계하고 재초(齋醮)를 올린 뒤에 거행했다. 조선시대는 고려의 제도에 따라 한양의 문묘(文廟) 우측에 이를 세우고 태청관의 재초규정을 확립했다. 이에 따라 매년 연초와 연말 2회씩 정기적인 재초를 설행(設行)했으며, 장마나 가뭄 등 재변이 있을 때 사관(祠官)이 내감(內監)을 데리고 재초를 거행했다. 1405년(태종 5년) 예조에 소속됐고 1416년 태청관에 모신 천황대제를 소격전(昭格殿)으로 옮겨 모셨다. 1422년(세종 4년) 개성의 태청관을 없앨 때 한양의 태청관도 폐지했다.

56

(勸)했다. 그 글은 이러했다.

'태일(太一)[57]은 하늘의 귀한 신[貴神]이기 때문에 한(漢)나라 이
래로 역대에서 받들어 섬겨 여러 차례 아름다운 상서로움을 얻었
습니다. 이 때문에 전조(前朝)에서는 복원궁(福源宮),[58] 소격전(昭格
殿), 정사색(淨事色)[59]을 두고 별도로 태청관을 세웠습니다. 또 간방
(艮方)【화령(和寧)】, 손방(巽方)【충주(忠州)】, 곤방(坤方)【부평(富平)】,
건방(乾方)【구주(龜州)】의 머무르는 궁(宮)마다 궁관(宮觀-제례실)
을 세워 초례(醮禮)를 거행하고 매번 액운(厄運)과 재변(災變)을 당
할 때마다 기도하는 별초(別醮)를 태청관에서 거행했습니다. 그리
고 만일 군사를 출동하려면 장수가 태청관에 나가서 재숙(齋宿)
하고 초례를 베푼 연후에야 출동했습니다. 대개 태일(太一)이란 어
진 별[仁星]이 있는 곳이어서 병란과 돌림병[兵疫]이 일어나지 않
고, 방국(邦國)이 편안하기 때문입니다. 국초(國初)에 상정(詳定)하
여 복원궁(福源宮)·신격전(神格殿)·정사색(淨事色)을 폐기하고 경
성(京城-개경)에 다만 태청관과 소격전 두 곳만 남기고, 또 다섯 위
차[五次]의 궁(宮)인 간방(艮方) 영흥군(永興郡)에 관(觀)을 세워 초

---

57 태일신이라고도 한다. 천계의 자미궁(紫微宮)을 거소로 하는 북극성의 신명(神名)으로,
   한대에는 우주의 최고신으로 생각되었다. 천황대제(天皇大帝)라고도 해서 경서에 보이는
   호천상제(昊天上帝)와도 동일시된다. 태일의 신격화는 기원전 2세기 한나라 무제 시대에
   류기(謬忌)의 진언에 의거해서 장안성의 남동쪽에 박기태일(薄忌太一)이라고 하는 사단이
   설치된 것을 최초로 하며 거기에서는 천일, 지일, 태일의 3신을 제사지냈다.
58 고려시대에 설치한 도교 사원이다. 고려 예종 때 도가(道家) 이중약(李仲若)이 휘종(徽宗)
   이 다스리고 있던 송나라에서 도교를 배우고 귀국한 뒤 도관(道觀-도교 사원) 설치를 건
   의해 설립한 것이다.
59 고려시대 초제(醮祭)를 관장하던 특수 관부다.

제(醮祭)를 거행했으니 숭봉(崇奉)하는 예(禮)가 갖춰졌다 할 것입니다. (그런데) 지금은 태청관의 초제를 거행하는 규모를 보면 연종(年終-연말)과 세수(歲首-연초)에 두 번만 행하고 수한(水旱-홍수와 가뭄)과 재변(災變)에는 아예 기도하는 바가 없으며, 제사하는 관원[祠官]은 내감(內監) 한 사람만 쓰고 있으니 열렬함과 삼감[誠敬]을 다하는 것이 아닙니다.

바라건대 지금부터는 송(宋)나라 제도에 입각해 매년 사립일(四立日)[60]에 제사를 거행하되 대언(代言)이나 시신(侍臣)에게 명해 일을 주관하게 하고 제문(祭文)을 반드시 쓰며, 중사(中祀)[61]의 예(例)에 입각해 5일 동안 재계(齋戒)하게 하소서. 그리고 장수를 보내게 되면 유제(類祭)[62]의 예에 입각해 장수가 관(觀)에 나아가서 하루 동안 재계하여 묵고 제사를 거행하게 하되 제문(祭文)을 쓰고, 만일 도액(度厄)[63]하거나 기도할 때에는 문관 대신(文官大臣)을 보내 5일 동안 재계하고 도류과(道流科)[64]의 의법(儀法)을 써서 초례(醮禮)를 행하되 청사(靑詞)[65]를 써야 합니다. 그리고 내감(內監) 네 사람과 도류(道流)

---

60 입춘(立春), 입하(立夏), 입추(立秋), 입동(立冬)의 총칭이다.

61 국가에서 지내는 제2등급(第二等級) 사전(祀典-제사 전범)이다. 풍운뇌우(風雲雷雨)와 악해독(嶽海瀆-산과 바다와 강), 선농(先農)·선잠(先蠶)·우사(雩祀-기우제)와 문선왕(文宣王-공자)·조선단군(朝鮮檀君)·기자(箕子)·고려 시조(始祖)의 제사를 가리킨다.

62 천신(天神)에게 지내는 제사다.

63 제액(除厄)이라고도 하는데 액막이다. 액막이는 대개 정월에 하는데 액이 닥쳐오리라고 생각될 때에는 비정기적으로 행하기도 한다.

64 소격서(昭格署)에 소속돼 도교(道敎)에 관한 업무를 관장한 잡직(雜職)을 말한다.

65 고려의 역대 왕들은 각종 초제를 지내면서 그때마다 문인들에게 축원문을 작성시켰는데 도교에서는 축문(祝文)을 푸른 종이에 썼으므로 이것을 청사(靑詞)라고 했다.

네 사람, 본관(本觀)의 녹사(錄事) 두 사람으로 하여금 날마다 번갈아 숙직하게 하여 아침저녁으로 향등(香燈)을 켜고, 관우(觀宇)를 수리하고 제기(祭器)를 진열하는 것을 때에 맞춰 미리 준비하여 받들어 모시는 뜻을 제대로 시행하게 해야 합니다.'

계사일(癸巳日-22일)에 왜선(倭船) 수십 척이 제주(濟州)를 노략질해 객관(客館)과 민가(民家) 수십 호를 불태우고 일곱 사람을 죽이고 10여 명을 사로잡아 돌아갔다.

을미일(乙未日-24일)에 안개가 꼈다.

병신일(丙申日-25일)에 달이 세성(歲星-목성)을 범했다.
○ 금주령(禁酒令)을 내렸는데 헌부의 청을 따른 것이다. 승추부 참판사 윤저(尹柢)가 아뢰어 말했다.
"해마다 술을 금하는데 재상(宰相)들 중에는 죄를 받은 사람이 없습니다. 신도 역시 술을 많이 빚었는데 어찌 감히 땅에다 버릴 수가 있겠습니까? 한두 사람의 친구와 놀면서 문을 닫고 마시면 그것을 누가 알겠습니까? 결국 저 술을 팔아서 생활하는 자들이 불운하게 죄를 입게 되니 그 정상이 불쌍합니다. 비옵건대 금하지 마소서."
상도 그럴 수 있겠다고 생각했다.

정유일(丁酉日-26일)에 햇무리가 나타났다.

무술일(戊戌日-27일)에 사헌부에서 호군 곽승우(郭承祐, ?~1431년)[66]에게 죄줄 것을 청했으나 용서했다[原=敎]. 승우(承祐)는 아비의 상중(喪中)에 있으면서 마음대로 술을 마시고 음란하여 공공연하게 아내를 얻고 또 그 동생의 첩과 간통했다. 사헌부에서 핵문(劾問)하여 죄줄 것을 청하니 상이 그가 무재(武才)가 있는 것을 아깝게 여겨 단지 파직(罷職)만 시켰다. 헌부에서 다시 청했으나 윤허하지 않았다.

○ 사노(私奴) 실구지(實仇知) 형제와 박질(朴質)을 목 베었다[誅=誅殺]. 한양(漢陽) 사람인 판사(判事) 이자지(李自知)에게는 딸 셋이 있는데 16세의 맏딸 내은이(內隱伊)는 아직 시집가지 않았고 나머지는 모두 어렸다. 자지(自知) 부처(夫妻)가 서로 연이어 죽으니 내은이가 두 동생들과 더불어 종 연지(燕脂)와 소노(小奴-어린 노비)를 데리고 삼년상을 행하려고 했는데 가노(家奴) 실구지가 그 아우와 더불어 과주(果州-과천)에서 살고 있다가 하루는 그가 와서 과주로 내려가서 살자고 청하기에 내은이가 말했다.

"여자의 도리는 안방 문[閨門]을 나가는 것이 아니다. 하물며 지금 부모님이 돌아가셨는데 어찌 네게 가서 살 수가 있느냐?"

종이 말했다.

"상전[主典]의 입고 먹을 것이 우리 두 사람에게 달려 있습니다. 만

---

66 뒤에 다시 기용돼 1408년 상호군으로서 풍해도 조전첨절제사(豊海道助戰僉節制使)가 됐으며 1410년 경원부병마절도사(慶源府兵馬節度使)가 됐다. 그 뒤 1411년 동지총제(同知摠制)가 되고, 이듬해 내금위절제사(內禁衛節制使)와 중군총제(中軍摠制)를 지냈다. 1413년 동지총제와 내금위중군절제사(內禁衛中軍節制使)를 지낸 뒤 1418년 이번절제사(二番節制使)가 됐다. 1430년(세종 12년) 중군총제를 거쳐 이듬해 전라도 처치사(全羅道處置使)로 활약하던 중 죽었다.

일 우리의 계획대로 하지 않는다면 장차 돌보지 않고 도망가겠습니다."

내은이가 어쩔 수 없이 그의 집에 가니 종들이 기쁜 마음으로 입고 먹을 것을 올렸다[供饋]. 밤이 깊어지자 실구지가 처남 박질을 방에 숨겨놓고 내은이를 발가벗겨[裸] 질(質)에게 맡겼다. 내은이가 크게 소리치고 두 동생과 연지 등도 크게 소리를 질렀으나 실구지가 제 아우와 더불어 내은이의 두 동생을 붙잡고 놓아주지 않았다. 내은이는 굳세게 항거했으나 5경(五更)에 이르러 힘이 다 빠지자 박질은 그의 손발을 묶고서 강간했다. 내은이가 도망쳐 한성부(漢城府)에 호소하자 한성부에서 실구지 형제와 박질을 잡아다가 국문하니 사실을 털어놓았다[吐實]. 의정부에 보고하여 위에 올리니 율(律)에 따라 능지처참(陵遲處斬)했다.[67]

○ 영월군지사(寧越郡知事) 허조(許稠)가 보고했다.

'군(郡)에 백성 김노개(金奴介)·가개(加介) 형제와 전 전서(典書) 엄현(嚴儇)의 집종[家奴] 석노(釋奴) 등이 있는데 모두 아비를 위해 삼년상을 입어 이제 이미 정해진 해가 지났습니다. 일찍이 무슨 일로 인해 관가에 왔는데 최복(衰服-상복)이 떨어져 찢어졌고 그 모습에 근심스럽고 슬픈 기색이 있었습니다. 물어보니 이렇게 대답했습니다. "부모의 상(喪)은 대사(大事)입니다. 죽을 때까지 다시 추복(追服)할 수 없기 때문에 차마 벗지 못합니다."[68] 궁벽한 시골에 이와 같은 사

---

67 호군의 간통 사건과 노비의 강간 사건을 같은 날 나란히 싣고 있다.
68 문맥에서 보면 두 사람이 근심스럽고 슬픈 기색[憂戚]이 있었던 것은 어떤 일 때문이 아

람이 있으리라고는 생각지 못했기에 여러 부로(父老)에게 물으니 하나같이 이렇게 말했습니다. "이들 세 사람의 효도는 부모가 살아서는 봉양하는 데 그 힘을 다했고[盡其力] 부모가 죽어서는 상을 입는 데 마음을 다했습니다[盡其心]. 또 석노의 어미는 나이가 80세를 넘어서 침석(枕席)을 떠나지 못하고 일거수일투족[動靜]과 음식을 모두 석노에게 의지하고 있습니다. (그런데) 어느 날 갑자기 왜적이 온다는 유언비어가 떠돌아 마을 사람들이 모두 도망쳤으나 석노만이 어미 때문에 떠나지를 못했습니다. 어미가 말하기를 '나는 이미 말도 탈 수 없으니 너는 나 때문에 지체하다가 함께 죽어서는 안 된다'고 하자 석노가 울면서 그 어미를 업고 험하고 막힌 곳을 뛰어다니며 피했습니다. 그 주인 엄현이 그의 효성에 감동하여 사역을 시키지 않았고 고을 사람 모두가 그를 효자라고 일컬었습니다."

뒤에 엄현을 보고서 물었더니 한결같이 평소 들은 바와 같았습니다. 또 권무(權務-임시직) 방신필(房臣弼)의 처와 영사(令史) 엄용생(嚴龍生)의 처가 있는데 모두 나이가 삼십이 못 되어 그 지아비가 죽었습니다. 그 친척들이 일찍 과부가 된 것을 불쌍히 여겨 시집보내려고 했으나 둘 다 절개를 지키고 허락하지 않았습니다. 나이가 이미 80여 세가 되어 마을 사람들이 이를 칭송합니다. 바라건대 그 집의 정역(丁役)[69]을 영구히 면제해주어 듣는 자들로 하여금 뜻을 불러일으키게 해야 합니다.'

니라 돌아가신 부모에 대한 그리움 때문임을 알 수 있다.

69 병역(兵役)이나 부역(賦役) 또는 그 역에 복무하는 장정(壯丁)을 가리킨다.

壬申 朔.
임신 삭

甲戌 上朝太上殿. 以將講武辭也.
갑술 상조 태상전 이 장 강무 사야

乙亥 命孟思誠京外從便.
을해 명 맹사성 경외 종편

丙子 命禮曹詳定判承樞府事趙英茂坐次. 禮曹啓: "英茂職事
병자 명 예조 상정 판 승추부 사 조영무 좌차 예조 계 영무 직사

雖係從一品 其勳階及爵秩 旣爲正一品. 依散官職事從一高例 與
수계 종일품 기 훈계 급 작질 기위 정일품 의 산관 직사 종 일고 예 여

領承樞府事一行坐." 允之.
영 승추부 사 일행 좌 윤지

丁丑 講武于海州. 初 召司憲府掌務曰: "府則聽訟無暇 只令
정축 강무 우 해주 초 소 사헌부 장무 왈 부즉 청송 무가 지영

諫院刑曹隨駕." 憲司請曰: "三省隨駕 古制也. 願令扈從." 不聽.
간원 형조 수가 헌사 청왈 삼성 수가 고제 야 원 영호종 불청

翌日 憲府又請隨駕 不聽. 大司憲崔有慶持兄服①不仕 適以私事
익일 헌부 우 청 수가 불청 대사헌 최유경 지 형복 불사 적 이 사사

詣闕 聞憲府不得隨駕 乃以法不可廢 入告 上許之. 諫院詣闕
예궐 문 헌부 부득 수가 내 이 법 불가 폐 입고 상 허지 간원 예궐

上言:
상언

"宗廟夏享 不可不親. 今若勞軍遠狩 又幸新都 軍馬尤困. 況
종묘 하향 불가 불친 금약 노군 원수 우 행 신도 군마 우곤 황

豐海道 中國使臣往還之地 春秋講武 其弊不細. 請講武于京畿
풍해도 중국 사신 왕환 지지 춘추 강무 기폐 불세 청 강무 우 경기

而有事于新都 若講武豐海 則且待明年." 上怒 命臺省刑曹皆不
이 유사 우 신도 약 강무 풍해 즉 차대 명년 상노 명 대성 형조 개불

隨駕. 左政丞河崙等固請 乃命隨駕.
수가 좌정승 하륜 등 고청 내명 수가

陞郕國公曾子 沂國公子思于先聖配位. 初 曾子在十哲之位
승 성국공 증자 기국공 자사 우 선성 배위 초 증자 재 십철 지위

子思在從祀之列. 左政丞河崙奉使入朝 得二子圖像而來 獻議
塑像陞于配位 又塑子張像 列于十哲.

己卯 霧.

議政府設享于行在所.

上遣人獻鹿于太上殿及上王殿.

親御弓矢 馳馬射獐 因馬仆而墜 不傷. 顧左右曰: "勿令史官
知之."

庚辰 給軍士及各司員吏三日料. 初 講武限八日 至是定爲十三
日故也.

辛巳 日暈南北珥.

命放還民間刷馬. 上聞支應行在之物 俱以民間牛馬輸之 謂
朴錫命曰: "各道驛吏 受田而備馬 無他徭役 轉輸官物 乃其職
也. 凡民徭役既多 又出牛馬以輸 其弊不小 是使予取怨于民也.
而今而後不復來矣." 乃有是命.

命京畿及豐海道察訪禁亂. 從臺諫之請也.

射獐二.

壬午 日暈且珥. 左政丞河崙留都 圖形以進.

射獐三鹿二.

癸未 月犯軒轅大星.

甲申 賜豐海道都觀察使崔士威衣.

以崔有慶參判司平府事兼司憲府大司憲 趙休司諫院
이 최유경 참판 사평부 사겸 사헌부 대사헌 조휴 사간원

左司諫大夫 李之直司憲執義.
좌사간대부 이지직 사헌 집의

乙酉 命海州牧使梁需視事 且賜衣. 持平鄭持以②需多備酒肉
을유 명해주 목사 양수 시사 차 사의 지평 정지 이 수 다비 주육

而行 將以②饋隨駕權貴而劾之 故有是命.
이행 장이 궤 수가 권귀 이 핵지 고유 시명

丁亥 量移柳殷之于瑞興. 以老母所在故也.
정해 양이 유은지 우 서흥 이 노모 소재 고야

戊子 木稼.
무자 목가

駕次江陰 赤布峴 太上王上王及靜妃 皆遣內官設享.
가 차 강음 적포현 태상왕 상왕 급 정비 개 견 내관 설향

己丑 至自海州 議政府左政丞河崙等 設享于金郊驛.
기축 지자 해주 의정부 좌정승 하륜 등 설향 우 금교역

立齊陵碑. 碑文曰:
입 제릉 비 비문 왈

‘自昔帝王受命而興 必賴妃匹之賢 侔德毓慶 以永厥緒. 夏
자석 제왕 수명 이흥 필뢰 비필 지현 모덕 육경 이영 궐서 하

有塗山而啓能繼 周有太姒而武丕承 禹文 配天之祀 繇是有永.
유 도산 이계 능계 주유 태사 이무 비승 우문 배천 지사 요시 유영

猗歟盛哉! 惟我神懿王后 天資淑懿 坤德柔貞 早嬪龍淵 弼成
의여 성재 유아 신의왕후 천자 숙의 곤덕 유정 조빈 용연 필성

王業 篤生聖哲 垂統罔極 神功懿範比古無愧. 獨惜夫大勳垂集
왕업 독생 성철 수통 망극 신공 의범 비고 무괴 독석 부 대훈 수집

仙遊甚遽 太上開國而莫崇其壼儀 二聖承緒而莫致其榮養.
선유 심거 태상 개국 이 막숭 기 곤의 이성 승서 이 막치 기 영양

山陵掩耀 霜露增悲 嗚呼痛哉! 初 謚節妃 陵號曰齊 後加謚
산릉 엄요 상로 증비 오호 통재 초 시절비 능호 왈제 후 가시

神懿王后 置仁昭殿 以安眞容 追崇之典 已備擧矣. 我主上殿下
신의왕후 치 인소전 이안 진용 추숭 지전 이비 거의 아 주상 전하

慟念慈儀永閟 孝思莫伸 爰命攸司 勒銘豐碑 令臣近爲文 垂示
통념 자의 영비 효사 막신 원명 유사 늑명 풍비 영신 근 위문 수시

萬世. 臣近承命悸恐 不敢以辭.
만세 신근 승명 계공 불감 이사

謹按后姓韓氏 安邊世家. 皇考諱卿 贈忠誠恭謹積德毓慶輔理
근안 후성 한씨 안변 세가 황고 휘경 증 충성 공근 적덕 육경 보리

功臣 壁上三韓三重大匡 領門下府事 安川府院君; 皇祖諱珪仁
공신 벽상 삼한 삼중 대광 영 문하부 사 안천 부원군 황조 휘 규인

贈積善毓慶同德贊化翊祚功臣 特進輔國崇祿大夫 門下左政丞
증 적선 육경 동덕 찬화 익조 공신 특진 보국 숭록 대부 문하 좌정승

判都評議使司事兼判吏曹事 安川府院君; 皇曾祖諱裕 贈純誠
판 도평의사사 사겸판 이조 사 안천 부원군 황증조 휘유 증 순성

積德佐命輔理功臣 崇政大夫 門下侍郎贊成事 同判都評議使司
적덕 좌명 보리 공신 숭정대부 문하시랑 찬성사 동판 도평의사사

事兼判戶曹事 安原君; 皇妣申氏 封三韓國大夫人 贈秉義毓德
사 겸판 호조 사 안원군 황비 신씨 봉 삼한국대부인 증 병의 육덕

輔祚功臣 崇政大夫 門下侍郎贊成事 同判都評議使司事 判
보조 공신 숭정대부 문하시랑 찬성사 동판 도평의사사 판

刑曹事 元麗之女. 后生而淑婉 聰慧異常 及笄擇配 來嬪于我
형조 사 원려 지녀 후생이 숙완 총혜 이상 급계 택배 내빈우아

太上王. 初 爲將相數十年間 出入攻戰 靡有寧歲 后能竭力營家
태상왕 초 위 장상 수십년 간 출입 공전 미유 영세 후능 갈력 영가

勉以成功. 又性不妬忌 禮遇妾侍 克有多男 教誨以義.
면이 성공 우성 불 투기 예우 첩시 극유 다남 교회 이의

今我主上殿下 睿哲英茂 聖學日進 年未及冠 擢第春官. 當③僞
금아 주상 전하 예철 영무 성학 일진 연 미급 관 탁제 춘관 당 위

辛戊辰之歲 侍中崔瑩謀欲猾夏 以我太上王威望素著 授以節鉞
신 무진 지세 시중 최영 모욕 활하 이아 태상왕 위망 소저 수이 절월

俾往攻遼. 太上王仗義還師 執退崔瑩 代以名儒李穡 中外晏然
비왕 공료 태상왕 장의 환사 집퇴 최영 대이 명유 이색 중외 안연

邦國永賴. 穡告太上王曰:"當茲搆釁中國之後 非執政者親朝
방국 영뢰 색고 태상왕 왈 당자 구흔 중국 지후 비 집정자 친조

帝庭 則公之忠誠 無以白於天下." 剋日將行. 太上王謂穡曰:"吾
제정 즉공지 충성 무이 백어 천하 극일 장행 태상왕 위색왈 오

與公一時竝使 國事誰任? 我擇一子 從公而行 猶吾往也." 乃遣我
여공 일시 병사 국사 수임 아택 일자 종공이행 유오왕야 내견아

殿下 充書狀官 特蒙高皇帝優禮而還.
전하 충 서장관 특몽 고황제 우례 이환

己巳秋 帝又降勅 責以異姓爲王氏後 太上王與諸將相議 立
기사 추 제우 강칙 책이 이성 위 왕씨후 태상왕 여제 장상 의 입

王氏之裔定昌君瑤爲王. 先是 權奸擅政 敓攘矯虔. 太上王 時
왕씨 지예 정창군 요 위왕 선시 권간 천정 탈양 교건 태상왕 시

爲左相 罷私田擧墜典 弊去利興 百度俱新 功高不賞 德大難容
위 좌상 파 사전 거 추전 폐거이흥 백도 구신 공고 불상 덕대 난용

讒邪交搆 浸潤叵測 定昌柔暗 依違兩端 后乃憂勞成疾 以辛未
참사 교구 침윤 파측 정창 유암 의위 양단 후내 우로 성질 이 신미

秋九月二十三日薨 享年五十五.
추 구월 이십 삼일 홍 향년 오십 오

以禮葬于城南海豊郡治粟村之原. 我殿下廬墳 欲終三年 明年
이 례 장 우 성남 해풍군 치속 촌지원 아 전하 여분 욕종 삼년 명년

壬申春 太上西行 昇疾而還 殿下來侍湯藥 群邪抵隙 謀傾益急.
임신 춘 태상 서행 여질 이환 전하 내시 탕약 군사 저극 모경 익급

我殿下應機決策 討除渠魁 兇徒瓦解 定昌益憚. 秋七月十六日
아 전하 응기 결책 토제 거괴 흉도 와해 정창 익탄 추 칠월 십육 일

與二三大臣 倡以大義 臣僚父老 不謀而同 合辭推戴. 太上王
여 이삼 대신 창 이 대의 신료 부로 불모 이동 합사 추대 태상왕

迫於群情 遒卽王位 市肆不易 會朝淸明. 卽遣使入奏帝庭 聯承
박 어 군정 내즉 왕위 시사 불역 회조 청평 즉 견사 입주 제정 연승

勑報 旣許王爵 且更國號 以復朝鮮之美稱. 越三年甲戌夏 帝乃
칙보 기허 왕작 차경 국호 이복 조선 지미칭 월 삼년 갑술 하 제내

遣使 令朝親男 太上王以我殿下 通經達禮 最賢諸子 命隨來使
견사 영조 친남 태상왕 이 아 전하 통경 달례 최현 제자 명수 내사

以行. 旣至 帝與語嘉之 優賞遣歸.
이행 기지 제 여어 가지 우상 견귀

戊寅秋八月 太上王不豫 姦臣鄭道傳等 思擅國柄 謀去諸嫡
무인 추 팔월 태상왕 불예 간신 정도전 등 사천 국병 모거 제적

將立幼孼 朋家聚黨 禍發斯迫. 殿下炳幾 先其未發 誅除以燼.
장 립 유얼 붕가 취당 화 발 사박 전하 병기 선 기 미발 주제 이잠

申請太上以嫡以長 迎致上王 册封世子 彝倫旣正 宗社載定.
신청 태상 이적 이장 영치 상왕 책봉 세자 이륜 기정 종사 재정

九月丁丑 太上以疾未瘳 傳位上王. 庚辰正月 逆臣朴苞等 謀戕
구월 정축 태상 이질 미추 전위 상왕 경진 정월 역신 박포 등 모장

同氣 誘掖懷安父子 稱兵向闕 逆勢甚熾. 我殿下率勵將士 旋卽
동기 유액 회안 부자 칭병 향궐 역세 심치 아 전하 솔려 장사 선 즉

平定 誅止苞身 餘悉不問 安置懷安 不廢懿親. 上王以未有繼嗣
평정 주지 포신 여실 불문 안치 회안 불폐 의친 상왕 이 미유 계사

且其開國定社 咸我殿下之績 册爲世子 以定國本. 秋七月己巳
차 기 개국 정사 함 아 전하 지적 책위 세자 이정 국본 추 칠월 기사

奉册寶加上太上王啓運神武之號. 冬十有一月癸酉 上王亦以疾
봉 책보 가상 태상왕 계운 신무 지호 동 십유일 월 계유 상왕 역 이질

遜位于我殿下 遣使請命.
손위 우 아 전하 견사 청명

明年辛巳 建文帝遣通政寺丞章謹 文淵閣待詔端木禮 奉誥命
명년 신사 건문제 견 통정시 승 장근 문연각 대조 단목례 봉 고명

印章來 封我殿下爲王. 多 遣鴻臚寺行人潘文奎 來錫冕服 秩比
인장 래 봉 아 전하 위왕 동 견 홍려시 행인 반문규 내석 면복 질비

親王. 今皇帝卽位 誕告萬邦 殿下卽命左政丞臣河崙 入賀登極.
친왕 금 황제 즉위 탄고 만방 전하 즉명 좌정승 신 하륜 입하 등극

帝嘉忠誠事大 賜以誥印 遣都指揮高得 左通政趙居任 以今年夏
제가 충성 사대 사이 고인 견 도지휘 고득 좌통정 조거임 이 금년 하

四月來 仍封爲王 秋九月 又遣翰林待詔王延齡 行人崔榮 來錫
사월 래 잉봉위왕 추 구월 우견 한림 대조 왕연령 행인 최영 내석

袞冕九章錦段紗羅書籍 王妃冠袍錦段紗羅 太上王錦段紗羅
곤면 구장 금단 사라 서적 왕비 관포 금단 사라 태상왕 금단 사라

希世寵典 先後遝至 蓋我殿下功德之盛 實天所啓 專付大東 以
희세 총전 선후 답지 개아 전하 공덕 지성 실천 소계 전부 대동 이

延鴻休 宜受帝眷之隆 以膺天祿之永也.
연 홍휴 의수 제권 지융 이응 천록 지영 야

肇基之迹 雖自祖宗 篤生之慶 實繇神懿. 噫嘻盛哉! 后生六男
조기 지적 수자 조종 독생 지경 실요 신의 희희 성재 후생 육남

上王居二 我主上殿下居五. 長曰芳雨 封鎭安君 先卒: 次三芳毅
상왕 거이 아 주상 전하 거오 장왈 방우 봉 진안군 선졸 차 삼 방의

封益安大君: 次四芳幹 懷安大君; 次六芳衍 登科不祿. 二女: 長
봉 익안대군 차 사 방간 회안대군 차 육 방연 등과 불록 이녀 장

慶愼宮主 適贊成事李佇: 次慶善宮主 適靑原君沈淙.
경신궁주 적 찬성사 이저 차 경선궁주 적 청원군 심종

上王配金氏 今封王大妃 贈左侍中天瑞之女. 我殿下配靜妃
상왕 배 김씨 금봉 왕대비 증 좌시중 천서 지녀 아 전하 배 정비

驪興府院君 領藝文春秋館事閔霽之女 男長元子禔 次三男皆幼.
여흥 부원군 영 예문 춘추관 사 민제 지녀 남장 원자 제 차 삼남 개유

女長定愼宮主 適淸平君李伯剛: 次慶貞宮主 適平寧君趙大臨
여장 정신궁주 적 청평군 이백강 차 경정궁주 적 평녕군 조대림

餘皆幼. 鎭安娶贊成事池奫之女 生男曰福根 奉寧君; 女適少尹
여개유 진안 취 찬성사 지윤 지녀 생남 왈 복근 봉녕군 여적 소윤

李叔畝. 益安娶贈贊成事崔仁㺚之女 生男曰石根 元尹; 女適
이숙묘 익안 취증 찬성사 최인두 지녀 생남 왈 석근 원윤 여적

僉摠制金閑. 懷安娶贈贊成事閔璿之女 生男曰孟宗 義寧君; 女
첨총제 김한 회안 취증 찬성사 민선 지녀 생남 왈 맹종 의령군 여

適宗簿令趙愼言 餘皆幼.
적 종부영 조신언 여개유

臣近嘗觀三代聖王后妃之德 莫盛塗姒 載在詩書 千古炳燿
신근 상관 삼대 성왕 후비 지덕 막성 도사 재재 시서 천고 병요

神懿之德 誠可儷美. 第以臣近 學識膚淺 筆力鄙拙 雖極形容 如
신의 지덕 성 가 려미 제이 신근 학식 부천 필력 비졸 수극 형용 여

繪天地 曷能髣髴其萬一哉! 敢稽周雅大明思齊之義 謹述銘辭
회 천지 갈능 방불 기 만일 재 감계 주아 대명 사제 지의 근술 명사

拜手稽首以獻. 其詞曰:
배수 계수 이헌 기사 왈

上帝赫赫 啓佑有德
상제 혁혁 계우 유덕

匪伊私之 爲民之極
비 이 사지 위민 지극

其啓維何 迺生柔嘉
기계 유 하 내 생 유가

來配于德 允宜室家
내 배 우 덕 윤 의 실가

載震載育 厥靈是赫
재진 재육 궐령 시 혁

篤生聖哲 天人攸屬
독생 성철 천인 유촉

扶翊聖父 誕作民主
부익 성부 탄 작 민주

躬朝帝庭 保我邦土
궁조 제정 보 아 방토

孼牙之萌 炳幾維明
얼 아 지 맹 병기 유명

廓爾汛掃 宗社載寧
곽 이 신소 종사 재령

功成克讓 以尊嫡長
공성 극양 이 존 적장

彝倫旣正 基勢益壯
이륜 기정 기세 익장

迺遭墻鬩 不忍致辟
내 조 장혁 불인 치벽

俾獲保全 友愛彌篤
비 획 보전 우애 미독

維德之隆 維功之崇
유 덕 지 융 유 공 지 숭

宜紆帝眷 錫命稠重
의 우 제권 석명 조중

明明帝誥 煌煌金寶
명명 제고 황황 금보

我龍受之 萬世永保
아 룡 수지 만세 영보

粵維王迹 祖宗攸積
월 유 왕 적 조종 유적

誕我聖神 繄繇后德
탄 아 성신 예 요 후덕

臣拜稽首 獻辭不苟
신 배 계수 헌사 불구

萬世昭垂 天地永久'
만세 소수 천지 영구

碑文 乃權近去年所製也. 磨去華莊寺舊碑而刻之.
비문 내 권근 거년 소제 야 마거 화장사 구비 이 각지

辛卯 命兼知禮曹事金瞻 詳定星宿醮禮. 瞻欲修太淸觀 醮天皇
신묘 명겸지예조사 김첨 상정 성수 초례 첨 욕수 태청관 초 천황

大帝 判事權近與諸郞 皆不可曰: "本朝旣立昭格殿 醮星宿矣.
대제 판사 권근 여 제랑 개 불가 왈 본조 기립 소격전 초 성수 의

又何用修太淸觀乎!" 河崙聞之曰: "瞻見道不明 故好奇怪." 瞻又
우 하용 수 태청관 호 하륜 문지왈 첨 견도 불명 고 호 기괴 첨 우

上書勸上崇奉道敎. 其書曰:
상서 권상 숭봉 도교 기서 왈

'太一 天之貴神 自漢以來 歷代奉事 屢獲嘉祥. 是以前朝 置
태일 천지 귀신 자한 이래 역대 봉사 누획 가상 시이 전조 치

福源宮 昭格殿 淨事色 別建太淸觀. 又於艮【和寧】巽【忠州】坤
복원궁 소격전 정사색 별건 태청관 우어 간 화령 손 충주 곤

【富平】乾【龜州】方 逐所次之宮 營建宮觀 以行醮禮 而每當厄運
부평 건 귀주 방 축 소차 지궁 영건 궁관 이행 초례 이 매당 액운

及災變 則行祈禱別醮於太淸觀; 若行兵則將帥詣太淸觀 齋宿
급 재변 즉행 기도 별초 어 태청관 약 행병 즉 장수 예 태청관 재숙

設醮而後行. 蓋以太一 仁星所在之地 兵疫不興 邦國乂安故也.
설초 이후 행 개이 태일 인성 소재 지지 병역 불흥 방국 예안 고야

國初詳定廢福源宮 神格殿 淨事色 京城只留太淸觀 昭格殿二
국초 상정 폐 복원궁 신격전 정사색 경성 지류 태청관 소격전 이

所 又於五次之宮艮方永興郡 立觀行醮 崇奉之禮 可謂備矣. 今
소 우어 오차 지궁 간방 영흥 군 입관 행초 숭봉 지례 가위 비의 금

考太淸觀行醮之規 年終歲首 只行二度 而水旱災變 無所祈禱;
고 태청관 행초 지규 연종 세수 지행 이도 이 수한 재변 무 소기도

祠官用內監一人 非所以盡誠敬也. 願自今依宋制 每歲四立日
사관 용 내감 일인 비 소이 진 성경 야 원 자금 의 송제 매세 사립 일

行祭 命代言或侍臣攝事 有祭文 依中祀例 齋五日; 遣將帥則依
행제 명 대언 혹 시신 섭사 유 제문 의 중사 례 재 오일 견 장수 즉 의

類祭例 將帥詣觀齋宿一日行祭 有祭文; 若度厄及祈禱 遣文官
유제 례 장수 예관 재숙 일일 행제 유 제문 약 도액 급 기도 견 문관

大臣齋五日 用道流科儀法行醮禮 有靑詞. 令內監四人 道流四人
대신 재 오일 용 도류 과의 법 행 초례 유 청사 영 내감 사인 도류 사인

與本觀錄事二人 更日直宿 朝暮香燈 修葺觀宇 鋪陳祭器 趁時
여 본관 녹사 이인 경일 직숙 조모 향등 수즙 관우 포진 제기 진시

預備 以致崇奉之意.'
예비 이치 숭봉 지의

癸巳 倭船數十隻寇濟州 焚客館及人戶數十 殺七人 虜十餘人
계사 왜선 수십 척구 제주 분 객관 급 인호 수십 살칠인 노 십여인

而歸.
이 귀

乙未 霧.
을미 무

丙申 月犯歲星.
병신 월범 세성

下禁酒令 從憲府之請也. 參判承樞府事尹抵啓曰:
하 금주령 종 헌부 지청야 참판 승추부 사 윤저 계왈

"每年禁酒 宰相無受罪者 臣亦釀酒多矣 安敢棄之地乎? 與
매년 금주 재상 무 수죄 자 신역 양주 다의 안감 기지 지호 여

一二交遊 閉門而飲 其誰知之? 彼賣酒以生者 不幸獲罪 其情
일이 교유 폐문 이음 기수 지지 피 매주 이 생자 불행 획죄 기정

可矜 乞勿禁."
가긍 걸 물금

上然之.
상 연지

丁酉 日珥.
정유 일이

戊戌 司憲府請護軍郭承祐罪 原之. 承祐居父喪 縱酒淫亂
무술 사헌부 청 호군 곽승우 죄 원지 승우 거 부상 종주 음란

公然娶妻 又奸其弟妾. 司憲府劾問請罪 上惜其有武才 但罷
공연 취처 우간 기제첩 사헌부 핵문 청죄 상석 기유 무재 단파

其職. 憲府再請 不允.
기직 헌부 재청 불윤

誅私奴實仇知兄弟及朴質. 漢陽人判事李自知有三女 長
주 사노 실구지 형제 급 박질 한양인 판사 이자지 유 삼녀 장

內隱伊年十六 未適人 餘皆幼. 自知夫妻相繼而死 內隱伊與
내은이 연 십육 미 적인 여개유 자지 부처 상계 이사 내은이 여

二弟 率婢燕脂及小奴 欲行三年之服 家奴實仇知與其弟居果州
이제 솔비 연지 급 소노 욕행 삼년 지복 가노 실구지 여 기제 거 과주

一日來請下居果州 內隱伊曰: "女道不出閨門. 況今父母沒 豈
일일 내청 하거 과주 내은이 왈 여도 불출 규문 황금 부모 몰 기

可就爾居乎?" 奴曰: "主典衣食 在吾二人. 若不聽吾計 將不顧
가취 이거 호 노왈 주전 의식 재오 이인 약 불청 오계 장 불고

而逃之." 內隱伊不得已至其家 奴等欣然供饋. 夜深 實仇知匿其
이 도지 내은이 부득이 지 기가 노등 흔연 공궤 야심 실구지 익기

妻弟朴質於房 裸內隱伊而付質 內隱伊大呼 二弟與燕脂等亦然
처제 박질 어방 나 내은이 이부질 내은이 대호 이제 여연지 등 역연

實仇知與其弟 執二弟而不放. 內隱伊强拒 至五更力盡 朴質縛其
실구지 여기제 집이제 이불방 내은이 강거 지오경 역진 박질 박기

手足而强奸. 內隱伊逃訴于漢城府 漢城府執實仇知兄弟及朴質
수족 이강간 내은이 도소 우 한성부 한성부 집 실구지 형제 급 박질

鞫之 吐實. 報議政府以聞 按律陵遲.
국지 토실 보 의정부 이문 안률 능지

知寧越郡事許稠報:
지 영월군 사 허조 보

'郡有百姓金奴介 加介兄弟及前典書嚴俔家奴釋奴等 皆爲父
군 유 백성 김노개 가개 형제 급 전 진서 엄현 가노 석노 등 개 위부

服三年喪 今已過期. 嘗因事到官 衰麻破裂 形容憂戚 問之 曰:
복 삼년상 금 이 과기 상 인사 도관 최마 파열 형용 우척 문지 왈

"父母之喪 大事也. 終身不可復追 故不忍釋也." 不意窮鄕有如此
부모 지상 대사 야 종신 불가 복추 고 불인 석야 불의 궁향 유 여차

者 問諸父老 皆曰: "此三人之孝 生而奉養也 盡其力 死而行喪
자 문 저 부로 개왈 차 삼인 지효 생이 봉양 야 진 기력 사이 행상

也 盡其心. 且釋奴之母年過八十 未離枕席 動靜飮食 皆賴釋奴.
야 진 기심 차 석노 지모 연과 팔십 미리 침석 동정 음식 개뢰 석노

忽有訛言倭寇至 里人皆走 獨釋奴以母故④不能去. 母曰: '吾旣
홀유 와언 왜구 지 이인 개주 독 석노 이모고 불능거 모왈 오기

不可以騎馬 汝勿以我故遲留 同至於死.' 釋奴泣而負其母 跋涉
불가이 기마 여물 이아고 지류 동 지어사 석노 읍이 부기모 발섭

險阻以避之. 其主俔感其孝誠 不役使 一邑稱孝." 後見俔問之
험조 이피지 기주 현 감 기효성 불 역사 일읍 칭효 후 견 현 문지

一如素聞. 又有權務房臣弼妻 令史嚴龍生之妻 皆年未三十而
일여 소문 우유 권무 방신필 처 영사 엄용생 지처 개연 미 삼십 이

喪其夫. 其親戚怜其早寡 欲嫁之 皆守節而不肯許. 年已八十餘
상 기부 기 친척 령기 조과 욕 가지 개 수절 이 불긍 허 연 이 팔십여

鄕人稱之 望永蠲其家丁役 俾聞者有所興起.'
향인 칭지 망 영견 기가 정역 비 문자 유 소흥기

| 원문 읽기를 위한 도움말 |

① 大司憲崔有慶持兄服不仕. 원래 持服은 '상복을 입는다', '상을 당하다'라
대사헌 최유경 지 형복 불사 지복

는 뜻이다. 服喪과 같은 말이다.
　　　　복상

② 持平鄭持以需多備酒肉而行 將以饋隨駕權貴而劾之. 여기서는 두 개의
　　지평 정지 이 수 다비 주육 이행 장 이궤 수 가 권귀 이 핵지

以를 정확히 볼 때 문맥이 잡힌다. 앞의 以는 뒤에 이어지는 문장 전체
이　　　　　　　　　　　　　　　　　　　　　　　이

에 걸리며 탄핵을 하게 된 이유를 설명하고 있다. 뒤의 以는 바로 앞에
　　　　　　　　　　　　　　　　　　　　　　　　　　　　이

있는 내용, 즉 양수가 술과 고기를 많이 준비해서 온 일을 가리킨다.

③ 當僞辛戊辰之歲. 當에 이어 동사가 올 경우에는 대부분 當은 '마땅히
　당 위 신 무진 지 세 당　　　　　　　　　　　　　　　　　　　　당

~해야 한다'라는 뜻이지만 그렇지 않을 경우에는 '이런저런 때나 상황

을 맞아서'라는 뜻이다. 該當의 當이 그것이다.
　　　　　　　　　　　해당 당

④ 獨釋奴以母故不能去. 통상 以~故는 '~때문에'라는 뜻으로 ~에는 문장
　독 석노 이 모 고 불능 거　　　　이　고

이나 긴 구절이 들어가는데 여기서는 母 한 자만 들어갔다. 즉 '어머니
　　　　　　　　　　　　　　　　　　모

때문에'라는 말이다.

태종 4년 갑신년
3월

三月

임인일(壬寅日-1일) 초하루에 잔치에서 술 마시는 것을 금지했다.

○사간원에서 사헌집의 윤사영(尹思永)을 탄핵했다. 사간원 장무를 불러 가르쳐 말했다[教曰].

"사헌부가 근래에 일이 많이 지체되고 있다. 자은사(慈恩寺) 중과 이회(李薈, ?~?)[1]가 서로 노비(奴婢)를 놓고 송사한 일과 북을 쳤으므로 아래에 명한 일에 대해서는 각 지위에 있는 관리가 제좌(齊坐)[2]하지 못함을 핑계로 오랫동안 결정하지 않으면서 정작 자신들이 하고 싶은 일은 삼원(三員)을 갖췄다[3] 하여 그리하고 있다. 대간(臺諫-사헌부와 사간원)이 서로 규간(規諫)하는 것은 예전부터 그러한 것이니 마땅히 그 까닭을 캐묻도록 하라."

이 때문에 탄핵하여 죄줄 것을 청한 것이다.

○사헌부 장무를 불러 가르쳐 물었다.

"너희가 유후(留後) 박가흥(朴可興, 1347~1427년)[4]의 죄를 청한 것

---

1 벼슬은 사간에 이르렀고, 시문에도 능했다. 그의 업적은 우리나라 지도 발달사에서 빼놓을 수 없을 만큼 중요한 〈팔도도〉의 제작에 있다.

2 관사에서 중대한 안건을 처리할 때 사헌부(司憲府)나 사간원(司諫院)의 관원이 모두 가지런히 모여 앉아 일을 의논하던 것을 가리킨다.

3 사실상 제좌(齊坐)를 뜻한다.

4 1388년(우왕 14년) 이인임(李仁任)이 숙청당하자 이에 연루돼 순천으로 유배 갔다. 1390년(공양왕 2년)에는 김종연(金宗衍)을 숨겨주는 등 이성계를 제거하려는 무리에 협

은 어째서인가?"

대답했다.

"어떤 사람이 가사(家舍)에 대해 서로 송사한 일을 잘못 판결했기 [誤決] 때문입니다."
_{오결}

그 실상을 갖춰 말하자 상이 말했다.

"작은 재상(宰相)이 아닌 사람을 가벼이 국문하고자 하는 것은 잘못이다."

계묘일(癸卯日-2일)에 의정부에 명해 결사관(決事官)[5]의 고과법(考課法)을 세우도록 했다.[6]

○ 사간원에서 대사헌 최유경(崔有慶)을 탄핵했다. 유경(有慶)이 복중(服中-상중)에 있으면서 대궐에 나와서 헌사(憲司)의 수가(隨駕)를 청했기 때문이다.

갑진일(甲辰日-3일)에 형조전서(刑曹典書) 정부(鄭符, ?~1412년)[7]와 정랑 이승조(李承祚)를 순금사에 내려보냈다. 애초에 총제(摠制) 서

력하다가 발각돼 유배 갔다. 조선왕조가 개국되자 경상도에 은거했다. 태종대에 아들 박석명(朴錫命)의 공으로 정현대부 검교의정부 우참찬에 임명됐고 세종대에 평양군(平陽君)에 봉해졌다.

5   송사(訟事)를 결단하는 관원을 가리킨다.

6   전날의 일에 대한 후속 조치다.

7   그 후 1408년 공안부윤(恭安府尹)으로 태상왕(太上王)의 죽음을 알리고 시호를 청하는 고부청시사(告訃請諡使) 정탁(鄭擢)과 함께 부사로서 명나라를 다녀왔다. 귀국과 함께 한성부윤에 개수(改授)되었다가 곧 사행시에 다량의 금물(禁物)을 휴대하고 간 일로 파면됐다.

익(徐益, ?~1412년)[8]의 반인(伴人) 이흥민(李興敏)이 일찍이 형조장수
(刑曹杖首)[9]에게 돈을 빌리고 갚지 않았다. 장수(杖首)가 길에서 흥민
을 만나 돈을 받고자 하니 흥민이 도리어 장수를 구타해 피를 흘리
게 했다. 승조가 이를 보고 붙잡아 흥민을 불응위사리(不應爲事理)[10]
의 무거운 율(律)을 적용해 장(杖) 80대를 치고서 전옥사(典獄司) 아
전으로 채워 넣었다. 장수에 대해서는 관가에 고하지 않았다는 죄를
물어 태(笞) 40대를 때렸다. 익(益)이 상에게 보고하고서 흥민의 죄
를 면해줄 것을 청하니 상이 명해 흥민의 죄를 조사해본 결과 투구
율(鬪毆律)[11]을 적용해 태(笞) 30대에 처해야 마땅한 것이었다. 상이
말했다.

"어째서 나에게 아뢰지도[啓] 않고 마음대로 장을 때렸는가?"

순금사 만호(萬戶) 이저(李佇)에게 명해 캐묻게 하고서 정부는 (황
해도) 우봉(牛峯)에 유배 보내고 승조는 공신 이무(李茂)의 아들이라
파직만 시켰다.

---

8 일개 병졸이었으나 창을 잘 쓰기로 이름이 높았다. 태종이 널리 무사(武士)를 구하던 조
   선 개국 초에 우연히 발탁돼 태종의 심복이 됐다. 1400년(정종 2년) 2차 왕자의 난 때 선
   봉장으로 활약해 이방원을 끝까지 호종해 난을 평정한 공으로 우군동지총제(右軍同知摠
   制)가 됐고 1401년(태종 1년)에 익대좌명공신(翊戴佐命功臣) 4등에 책록돼 마성군(麻城君)
   에 봉해졌다. 그 뒤 1408년 풍해도 조전절제사(豐海道助戰節制使)가 되었고, 이어 운검총
   제(雲劍摠制) 등을 지냈다.

9 고려시대에 형부에 속해 곤장 치는 일을 맡아보던 하급 관리다.

10 율령(律令)에 조문(條文)은 없으나 사리(事理)로 보아 해서는 안 될 일을 한 자는 태(笞)
   40대에 처하는데 중한 것은 장(杖) 80대에 처하게 돼 있다.

11 원래 『대명률(大明律)』 형률(刑律)을 보면 "무릇 투구(鬪毆-구타)하여 살인(殺人)한 자는
   손발이든 다른 물건이든 칼날이든지를 묻지 않고 모두 교형(絞刑)에 처한다"고 돼 있다.

병오일(丙午日-5일)에 종친 및 여러 군(君)들과 청화정(淸和亭)에서 술자리를 베풀고 과녁을 쏘았다[射侯].

정미일(丁未日-6일)에 왜선(倭船) 2척이 충청도(忠淸道)에 노략질을 해 병선(兵船) 2척을 빼앗고 군인 60여 명을 죽였다.

무신일(戊申日-7일)에 사간원에서 소(疏)를 올려 사헌부를 죄줄 것을 청했으나 윤허하지 않았다. 사간원에서 다시 대궐에 나아와 전날의 소(疏)를 윤허해줄 것을 청하니 상이 말했다.

"근래에 정사(政事)가 있으면 마땅히 처리를 했다. (그런데) 최유경(崔有慶)의 경우에는 공사(公事)로 인해 온 것이 아니고 마침 (사사로운) 일 때문에 (대궐에) 왔다가 대원(臺員-사헌부 관원)이 수가(隨駕)하지 못한다는 말을 듣고서 이에 말한 것인데 내가 마땅하다고 여겨[義] 들어준 것이지 유경은 미워할 만한[可憎] 사람이 아니다."

얼마 안 가서[未幾] 유경을 복직시켰다.

○ 의정부에 명해 경상도 수군첨절제사(慶尙道水軍僉節制使) 노중제(盧仲濟)가 조운(漕運)하다가 배를 깨뜨린[敗船] 죄를 다스리게 했다. 애초에 중제(仲濟)가 조운선을 이끌고 전라도 지역에 들어갔는데 술에 취해 날씨[天氣]를 살피지 않고 여러 사람과 상의도 하지 아니하고 각(角)을 불어 배를 출발시켰다가 바람을 만나 배를 깨뜨렸다. 그때 대간(臺諫)이 중제에게 죄줄 것을 청했는데 상이 윤허하지 않았다가 이때에 이르러 마침내 그 사실을 알게 됐기 때문에 이런 명이 있었다.

○ 오도리(吾都里)[12]의 동맹가첩목아(童猛哥帖木兒)[13] 등 세 사람이 와서 조회했다.

신해일(辛亥日-10일)에 좌대언 겸 상서윤(尙瑞尹) 이승상(李升商, ?~1413년)[14]이 전(箋-짧은 글)을 올려 사직했으나 윤허하지 않았다.

김약채(金若采, ?~?)[15]를 충청도 도관찰사, 유정현(柳廷顯)을 전라도 도관찰사, 안원(安瑗, 1346~1411년)[16]을 경상도 도관찰사로 삼았다.

○ 좌정승 하륜이 해도(海道)의 만호·천호와 수군에게 첨설직(添設

---

12 원문에는 오도리(吾道里)로 돼 있는데 오도리(吾都里)의 잘못으로 보인다.

13 여진(女眞)의 대추장(大酋長)으로 동(童)은 성이다. 조선 정종 때 오음회(吾音會-會寧)에 들어왔는데 세종 15년(1433년)에 올적합(兀狄哈)의 양목답올(楊木荅兀)에게 피살됐다. 청나라 태조 누르하치의 6대조다.

14 1382년(우왕 8년) 성균시에 장원으로 합격하고 그 뒤 진사과에서도 합격했다. 특히 성균시에서 방원(芳遠)과 함께 합격했으므로 그 뒤 태종의 특별한 후대를 받았다. 1400년(정종 2년) 2차 왕자의 난, 즉 방간(芳幹)의 난을 평정하고, 태종이 왕위에 오르는 데 협력한 공으로 1401년(태종 1년) 좌명공신(佐命功臣) 4등에 책록됐다. 1402년 좌대언(左代言-좌승지)이 돼 태종의 측근에서 왕명의 출납을 맡았다. 1407년 이조판서 남재번(南在潘)과 함께 사신이 되어 명나라에 다녀왔으며 1412년 4월 형조판서에 올랐다.

15 성품이 강직해 권세가를 두려워하지 않았다. 1388년(우왕 14년) 이성계의 위화도회군 때 지신사(知申事)로 이에 항거했다 하여 외방에 유배됐다. 1400년(정종 2년) 문하부 좌산기(門下府左散騎)로 있을 때에는 훈친(勳親)들에게 사병을 허여하는 제도를 없애고 병권을 모두 중앙에 집중시키자고 역설해 단행하게 했다. 그 뒤 대사헌을 지내고 이때 충청도 도관찰사가 됐다.

16 고려 말의 유학자 안향(安珦)의 현손이며, 아버지는 정당문학 안원숭(安元崇)이다. 조선의 건국에 반대했고 그 후에 태조가 형조전서를 제수했으나 나아가지 않았다. 태종이 즉위해 몸소 찾아가 간청해 벼슬에 나아가니 1401년(태종 1년) 우군동지총제(右軍同知摠制)로서 사은사(謝恩使)가 돼 명나라에 건너가서 『대학연의(大學衍義)』, 『통감집람(通鑑集覽)』 등의 서책을 구해 왔다. 그리고 이때 경상도 도관찰사가 됐다. 1407년에는 사헌부 대사헌이 돼 태종의 밀명을 받고 외척으로서 횡포를 부리던 민무구(閔無咎) 형제를 탄핵해 외방으로 유배시켰다. 이어서 한성부 판사, 개성유후를 역임하고 병사했다.

職)¹⁷을 주자고 청했으나 윤허하지 않았다. 그 말은 이러했다.

"만호와 천호 등은 여러 해 동안 방어(防禦)했지만 싸움에 패한 자는 죄(罪)를 받고, 싸움에 이긴 자는 아무런 상(賞)이 없습니다. 수군들은 오랫동안 배 위에서 수고했으므로 장차 상벌(賞罰)을 분명히 하지 않으면 안 되니 마땅히 첨설(添設)의 직(職)을 허락하셔야 합니다."

상이 말했다.

"명기(名器-벼슬과 작위)가 넘치는 것 중에 첨설보다 심한 것이 없다. 그 단초가 일단 열리게 되면 말류(末流)를 막기는 어렵다."

임자일(壬子日-11일)에 삼계대초(三界大醮)¹⁸를 거행했다.

○ 달이 태미원(太微垣) 상장(上將) 동북(東北)에 들어갔다.

○ 우정승 성석린(成石璘)이 나이가 많고 병이 들어 사직을 청했으나 윤허하지 않았다. 상이 이승상(李升商)을 시켜 석린에게 이렇게 말했다.

"예로부터 재상(宰相)은 나라와 더불어 즐거움과 근심[休戚]을 함께하기 때문에 가벼이 떠나가서는 안 되는 것이라, 나라를 돌보지

---

17 특별한 여건 아래에서 군공을 세운 자들에게 상을 내릴 수 없을 때 임기응변으로 주어진 것이 첨설직이다. 처음에는 동반(東班) 3품 이하, 서반 5품 이하의 관직에 설치됐으나 나중에는 수가 늘면서 품계 이상에도 설치됐다. 처음에 군공을 세운 사인(士人), 양가 자제, 향리 출신 중 무예에 뛰어난 자들에게만 주던 것을 나중에는 농민과 공상천예(工商賤隷)에게까지 주었다.

18 도교의 제사다. 삼계란 천계(天界), 지계(地界), 인계(人界)의 세계를 말한다. 대초란 임금이나 왕비가 몸이 아프거나 가뭄 등 자연재해를 없애기 위해, 또는 진병(鎭兵)과 위병(爲兵) 등 군사적 행사를 위해 산천이나 대궐 등에서 거행하는 초례의 일종이었다.

않고 물러가 쉬는 것을 옛 뛰어난 사람들은 진실로 그렇게 하지 않았다. 경(卿)은 과인(寡人)에 대해 도와줄 만하지 못하다고 생각하는가? 어째서 갑자기 그만두려는 것인가? 마땅히 직(職)에 나아와서 끝과 시작[終始]을 오로지 한결같이 해야 할 것이다."

석린이 말했다.

"신이 재주와 다움이 없어 섭리(燮理)[19]의 임무에 능하지 못합니다. 지난번에[向=向者] 신으로 하여금 상국(上國-중국)에 사신의 명을 받들게 하시어 명을 듣자마자 곧바로 행했습니다만, 재상의 직은 힘이 미칠 바가 아닙니다. 그리하여 늘 사직하려고 했으나 상께서 허락하지 않으셨습니다. 늙어 병들어가는 것이 날로 심해지니 어찌 감당할 수 있겠습니까?"

○ 의정부 지사 이숙번(李叔蕃)이 병으로 사직(辭職)하니 그것을 따랐다.

계축일(癸丑日-12일)에 왜적이 (경기도) 남양(南陽)에 침입해 병선을 빼앗고 사람과 물건[人物]을 죽이고 노략질했다.

갑인일(甲寅日-13일)에 (충청도 태안 인근) 안행량(安行梁) 만호 이생년(李生年)이 왜적(倭賊)과 싸워 패했다[敗績].[20] 왜적의 대선(大船) 3척이 안행량에 이르러 개인 배 2척을 만나 싸우니 만호 이생년이

---

19 나라를 조화롭게 잘 다스리는 일을 말한다. 이는 판서보다는 정승의 임무다.

20 전투에서 자기편이 진 것을 패적(敗績)이라 한다.

병선 2척에 군인 79명을 거느리고 싸움에 나갔으나[赴戰] 이기지 못
하고 대여섯 명만이 겨우 죽음을 면했다. 상이 이를 듣고 애통해하
며 유사(有司)에 명해 부의(賻儀)를 주어 구휼(救恤)하고 사망자들의
집안의 부역(賦役)을 면제해주었다[復].

  김영렬(金英烈, ?~1404년)²¹을 삼도수군도지휘사, 첨총제(僉摠制) 박
자청(朴子青)을 체복사(體覆使)²²로 삼아 해도(海道)에서 능히 방어하
지 못한 자들에게 감결(甘結-서약서)을 받았다.

  ○ 조박(趙璞)을 예문관 대제학, 이빈(李彬)을 의정부 참찬사, 장사
길(張思吉, ?~1418년)²³을 우군도총제(右軍都摠制), 최운해(崔雲海)를
승추부 참판사, 윤저(尹柢)를 사평부 참판사, 김정경(金定卿)을 좌군

---

21 1400년(정종 2년)에 삼군부지사로 있을 때 2차 왕자의 난을 평정하고 태종을 왕위에 오
   르게 한 공으로 1401년(태종 1년)에 좌명공신 3등에 책록됐다. 1404년 승추부 참판사로
   있을 때 왜선 1척을 노획하고 왜병을 포로로 잡은 공으로 태종으로부터 표리(表裏-겉과
   속의 옷감)를 하사받았다.

22 원래는 고려 때 지방에 보내던 임시 사행(使行)이다. 왜구의 침입이 극심했던 공민왕 및
   우왕 연간에 집중적으로 파견됐다. 왜구가 침입한 지역의 민정을 살펴 보고하고 전투를
   독려하며 그 상황을 점검하는 등 출정군에 대한 감독을 주된 임무로 했다. 그리고 경우
   에 따라서는 전투를 몸소 지휘하기도 했다. 이들에게는 패전한 무장 및 지방관을 직접
   단죄할 수 있는 권한이 주어지는 경우가 많았기 때문에 대장군(大將軍), 판서(判書) 등을
   비롯해 왕의 총애를 받는 3품 이상의 고위 관원이 주로 임명됐다.

23 개국공신 사정(思靖)의 형이다. 1392년(태조 1년) 아우 사정과 함께 이성계를 추대해 개
   국공신 1등에 봉해지고, 중추원 지사로서 의흥친군위동지절제사(義興親軍衛同知節制使)
   를 겸해 이성계의 친병(親兵)을 통솔했다. 1398년 1차 왕자의 난 때 방원(芳遠)을 도와
   정사공신 2등으로 영가군(永嘉君)으로 개봉(改封)된 뒤 문하부 참찬사 등을 지내고 이어
   화산군(花山君)으로 개봉되었다. 1400년(정종 2년) 사헌부로부터 2차 왕자의 난 때 사정
   과 함께 반역을 모의했다는 탄핵을 받았으나 왕의 비호로 무사할 수 있었다. 이때 우군
   도총제를 지내고 이어 의정부 참찬사 등을 지낸 뒤 화산부원군(花山府院君)에 진봉돼 공
   직을 물러났다. 용맹이 뛰어나고 병략(兵略)에 익숙했으며 수염이 배까지 닿았다 한다. 첩
   기(妾妓)를 아내로 삼아 좋은 평을 얻지 못했다.

도총제, 전백영(全伯英, ?~?)²⁴을 승녕부윤(承寧府尹), 권홍(權弘)을 승추부 첨서사(簽書事), 남재(南在)를 개성유후, 허응(許應, ?~1411년)²⁵을 (경기) 좌우도 관찰사, 유용생(柳龍生)을 경상도 도절제사, 조말생(趙末生)·진준(陳遵)을 시학(侍學), 조흥(趙興)²⁶·유근(柳謹)²⁷을 시직(侍直)²⁸으로 삼았다. 이날 처음으로 원자 시직(元子侍直)을 두었는데 공신의 자제를 썼다. 또 오도리(吾都里) 동맹가첩목아(童猛哥帖木兒)를 상호군으로 삼고, 최야오내(崔也吾乃)를 대호군으로 삼고, 마월자(馬月者)·동어하주(童於何朱)·동어하가(童於何可)를 각각 호군으로 삼고, 장권자(張權子)를 사직(司直)으로 삼고, 무난 다루가치(無難達魯花赤)·다말차(多末且)를 사직(司直)으로 삼고, 장우견첩목아(張于見帖木兒)를 부사직(副司直)으로 삼고, 마자화(馬自和)를 사정(司正)으로 삼았다.

원자유선(元子諭善) 설칭(薛偁)과 시학(侍學), 시직(侍直) 등을 불러 박석명(朴錫命)을 시켜서 명했다.

---

24 여말선초의 문신이다. 숭유억불을 강하게 주장했다.

25 1391년(공양왕 3년) 시폐를 들어 배불론(排佛論)을 주장하다가 왕의 노여움을 샀다. 그 뒤 좌상시(左常侍)에 보직돼 이성계(李成桂)의 신진 세력에 가담해 시폐를 혁신할 것과 전제의 개혁을 주장했다. 조선이 개국된 뒤 여러 요직을 거쳐 태종 초에는 대사헌이 돼 배불정책을 강경하게 주장했고, 부녀의 정절을 중시해 과부의 개가(改家)를 금지하자고 주장했다. 1405년(태종 5년) 공안부윤(恭安府尹)으로서 사은사(謝恩使)가 돼 명나라에 다녀왔으며 뒤에 개성유후에 이르러 은퇴했다.

26 공신 조온(趙溫)의 아들이다.

27 공신 유량(柳亮)의 아들이다.

28 조선 초기 세자숙위사(世子宿衛司)의 정8품직으로 세자의 시위(侍衛)를 맡았는데 1418년(태종 18년) 세자숙위사(世子宿衛司)가 혁파되고 세자익위사(世子翊衛司)가 설치되자 익위사의 정8품직으로 바뀌었다. 정원은 2인이다.

"지금 원자를 위해 관료를 많이 둔 것은 항상 원자를 시종(侍從)하면서 가르치고 이끌어 그 다움[德]을 이루게 하고자 함이다. 나라의 운명[國祚=國運]의 길고 짧음과 생민(生民-백성)의 편안하고 걱정함[休戚]이 모두 (원자의 교육에) 달려 있으니 이에 소홀히 할 수 있겠는가? 어린아이[童子]를 가르치는 법은 비록 법도를 지키도록 하는 것을 큰 원칙으로 삼지만[爲宗] 역시 싫어하고 게을러지지 않게 해야만 그 가르침이 마침내 이뤄지는 것이다. 시직(侍直) 등을 모두 공신의 자제로 임명한 것은 원자로 하여금 미리 마음으로 가까이하고 사귀는 바가 두터워져서 그들을 믿고 의심하지 말게 하여 훗날의 보필(輔弼)이 되게 하려는 것이다. 내가 나라를 다스리는[禦國=治國] 때를 맞아 그 부형들이 열렬한 마음으로 보좌하니 나도 또한 그들을 마음으로 가까이하여 그들을 의심하지 않고 쓴 것이다. 원자가 정사를 듣게 되는[聽政] 날이 오면 이 자제들 또한 열렬한 마음으로 보좌하고 (그리하여 원자가 임금이 되어 그들을) 의심 없이 쓴다면 참으로 [亦] 아름답지 않겠는가? 다만 좋은 내용[善]으로 보호하고 기를 것이며 (쓸데없이) 지금 시대 사람들[時人]의 뛰어남에 대한 여부[顯否]나 장단점[得失]을 논해 훗날에 사달이 일어나는 실마리[釁端]를 만들어서는 결코 안 될 것이다. 스스로 그 안에서[自中] 영(令)을 엄격히 함으로써 결단코 그 같은 일이 있어서는 안 될 것이며, 만일 영을 어기는 자가 있으면 스스로 그 안에서 처벌을 시행하여 그를 징계해야 할 것이다.

시학 등은 당번을 나눠 날마다 강론하는 것을 주업무로 삼고 시직 등은 당번을 나눠 밤낮으로 시위(侍衛)하여 감히 조금이라도 게을리하지 말아야 할 것이다.”

○ 이날 사평부 좌우사(左右使)의 명칭을 사평부 참판사(參判事)로 고쳤다.

○ 경기와 개성의 대정(大井)의 물빛이 적백색(赤白色)이었다.

병진일(丙辰日-15일)에 상이 태상전에 조알하려고 했으나 비가 와서 결국 그만두었다.

정사일(丁巳日-16일)에 우정승 성석린과 참찬 권근 등에게 잔치를 베풀었다. 제릉(齊陵)의 비를 세웠기 때문이다. 석린에게 노비 다섯 구(口)와 안장 갖춘 말을, 권근에게 안장 갖춘 말을, 김첨(金瞻)과 이응(李膺)에게 각각 말 한 필을, 유한우(劉旱雨)[29]와 조희림(趙希琳)에게 겹의(裌衣)[30] 각각 한 벌을, 중 명호(明昊)에게 노비 12구와 주(紬)·목면(木緜-목화솜)·흑마포(黑麻布)·백저포(白苧布) 각각 한 필씩을 내려주었다. 근은 글을 짓고, 석린은 글씨를 쓰고, 첨은 액전(額篆-현판 등의 전각 글씨)을 쓰고, 명호는 돌에 각자(刻字)를 하고, 응은 역사를 감독하고, 한우는 터를 잡고, 희림은 비정(碑亭-비각)의 역사를 감독했기 때문이었다. 석린에게 패(牌)를 내려주었다. 패의 내용은 이러했다.

‘경은 태상왕의 훈구(勳舊)로서 오늘날에 이르기까지 여러 번 충

---

29 서운관원(書雲觀員)으로 이양달(李陽達)과 더불어 당시의 대표적인 풍수 전문가였다.
30 솜을 두지 않고 거죽과 안을 맞춰 겹으로 만든 옷이다.

성을 다했고, 계묘년(癸卯年)³¹에 사명(使命)을 받들고 (명나라) 조정에 들어가 전대(專對)³²하여 뛰어난 능력을 드러냄으로써[顯美] 삼가 과인에게 내려주는 면복(冕服)과 중궁(中宮)에게 내려주는 관복(冠服)을 받아 종묘사직을 빛나게 했다. (그리고) 이번에는 또 제릉의 비문을 잘 써서[繕寫] 후세에 밝게 보였으니 그 공로가 상을 줄 만하다. 노비 5구를 내려주니 나의 은명(恩命)을 간직하여 자손에게 전하도록 하라.'

○ 총제 이귀령(李貴齡, 1346~1439년)³³에게 (동북면) 안변(安邊)의 관비 1구를 주었는데 구령(貴齡)이 안변의 기생 화산월(花山月)을 가까이하여 낳은 아이였다. 상이 말했다.

"내가 잠저(潛邸)에 있을 때 군무(軍務)의 직책을 맡아 부지런히 수고하며 게을리하지 않았다."

기미일(己未日-18일)에 상이 태상전에 조알했다.

○ 동맹가첩목아(童猛哥帖木兒)에게 단의(段衣) 한 벌[稱], 꽃 모양

---

31 성석린이 명나라에 다녀온 것은 계묘년이 아니라 1403년 계미년(癸未年)이다. 원문의 착오로 보인다.

32 업무를 완전히 파악해 단독으로 상대국에 가서 자유로이 응답(應答)한다는 뜻이다. 원래 『논어(論語)』 「자로(子路)」편에 나오는 공자의 다음과 같은 말에서 비롯됐다. "『시경』 300편을 외우더라도 정사를 맡겼을 때 잘하지 못하고, 외국에 사신으로 나가 혼자서 응대하여 처결하지[專對] 못한다면 비록 많이 배웠다 한들 또한 어디에다 쓰겠는가?"

33 동생은 호조판서 귀산(貴山)이다. 태종 때 원종공신이 되어 두 번이나 명나라에 사신으로 다녀왔으며 좌군도총제, 병조판서, 변정도감제조(辨定都監提調), 삼군판부사(三軍判府事) 등을 지냈다. 1415년(태종 15년) 검교우의정(檢校右議政)을 거쳐 좌의정으로 사직했다. 관직을 그만둔 뒤 20여 년을 한거하다가 94세로 죽었다.

을 새긴[釵花] 은대(銀帶) 한 개[腰]와 갓, 신발을 내려주고 내신(內臣-
내관)에게 명해 음식을 대접했다. 그의 종자(從者) 10여 명에게 포백
(布帛)을 차등 있게 내려주었다.

임술일(壬戌日-21일)에 우대언 김과(金科)에게 명해 『대학혹문(大學
或問)』³⁴을 진강(進講)하게 했다.

○ 동맹가첩목아가 하직하고 돌아갔는데 그 아우와 양자(養子), 처
남[妻弟]을 머물러두어 시위(侍衛)하게 하니 상이 물품을 차등 있게
내려주고 또 최야오내에게는 주포(紬布)와 면포(綿布) 각각 한 필씩
을 주었다.

무진일(戊辰日-27일)에 사은사(謝恩使) 이빈(李彬), 민무휼(閔無恤)
과 하정사(賀正使) 김정경(金定卿) 등이 경사(京師)에서 돌아왔는데
예부(禮部)의 자문(咨文)을 싸 가지고[齎] 왔다. 그 글은 이러했다.
'하나, 종사(宗嗣)에 관한 일. 조선 국왕 이(李)【휘(諱)】가 아뢰기
를 "홍무(洪武) 35년 정월 초8일에 배신(陪臣) 조온(趙溫)이 경사에
서 돌아와 말하기를 '조훈조장(祖訓條章) 안에 신(臣)의 종계(宗系)
가 이인임(李仁任)의 후손이라 했다'고 하는데 생각건대 신(臣)의 아
비【구휘(舊諱)】 선세(先世)는 본래 조선(朝鮮)의 유종(遺種-오랜 종족)
으로 고려(高麗)를 섬겼고 뒤에 나라 사람들이 추대해 권지국사(權知

---

34 송나라 주희(朱熹)가 지은 것으로 사서 중의 하나인 『대학(大學)』을 문답 형식으로 풀어
   낸 것이다.

國事)로 삼았으므로 이에 갖춰 아뢰니 태조 고황제(太祖高皇帝)께서 명하시어 국왕(國王)으로 삼고 바꾼 나라 이름을 주셨으며, 신의 아비의 이름【구휘(舊諱-옛날 이름)】을 비로소 개명(改名)【금휘(今諱-지금 이름)】하도록 허락하셨습니다.[35] 또 이인임의 조상이 신의 종계(宗系)와는 아주 다르니 아뢰어 비옵건대 고쳐 기록해주시면 이 한 나라가 심히 다행이겠습니다"라고 했다. 본부 상서(本部尙書) 이지강(李至剛) 등이 성지(聖旨-황제의 뜻)를 삼가 받들었는데[欽奉] "조선 국왕이 아뢰기를 '이인임의 후손이 아니다'라고 했으니 생각건대 그 이전의 전해오던 설(說)은 틀린 것이다. 그의 말에 준해 개정하라"고 하셨으므로 그대로 삼가 기록했다[欽錄].

하나, 역일(曆日)과 서적(書籍)을 삼가 내려주는[欽賜] 일. 영락(永樂) 2년의 대통력(大統曆) 100본(本), 『고금열녀전(古今烈女傳)』110부(部)다.

하나, 조공(朝貢) 등에 대한 일. 지난날에 있었던 일로 인해 붙잡혔던 사람들을 모두 데려와서 다시 돌려보낸다. 삼가 준행하여[欽遵] 운남도사(雲南都司)에게 이문(移文)해서 먼저 조서(曺庶)[36] 등 5명을 찾아내 경사로 데려왔다. 명령에 의거해 상사(賞賜-상으로 내려주는 것) 외에는 자문(咨文)하여 알리는 바이다. 놓아 보내는 남자는 모두

---

35 성계(成桂)라는 이름을 백성들이 많이 쓰는 글자를 포함하고 있어 백성들에게 큰 불편을 준다 하여 단(旦)으로 바꿨다. '아침 단(旦)'이기 때문에 그 후에는 아침을 뜻할 때는 단(旦)을 쓰지 못하고 조(朝)를 쓰게 됐다.

36 태조 때의 문관으로 예조참의를 지냈으며 명나라에 사신으로 다녀왔다.

5명인데 조서(曹庶), 곽해룡(郭海龍),[37] 송희정(宋希靖), 오진(吳眞), 권일송(權一松)이다.'

애초에 고황제(高皇帝)가 표문(表文)의 글이 잘못되었다고 하여 글을 지은[製述] 사람과 글씨를 쓴[書寫] 사람들을 경사(京師)로 오게 하라는 명령이 있어 정총(鄭摠), 정탁(鄭擢), 권근(權近), 김약항(金若恒), 노인도(盧仁度)와 통사(通事) 오진, 해룡, 희정 등이 경사로 갔다. 제(帝)가 권근을 순유(醇儒)[38]라 하여 시 짓기를 명한 뒤에 칭찬하고서 아름답게 여겨 풀어서 돌려보냈다. 정탁은 형제(兄弟)가 함께 갔으므로 명하여 돌려보내 어미를 봉양하게 했다. 그 나머지는 혹은 중형(重刑)을 당하거나, 혹은 먼 지방[遐裔]으로 유배됐다. 그와 관련해 연전(年前)에 성석린이 청을 아뢰어 조서 등 다섯 사람이 돌아오게 됐다. 서는 얼굴에 심지어 묵형(墨刑)[39]을 당했다. 권일송은 종으로 있었다. 상이 청화정(淸和亭)에 나아가 이빈, 민무휼, 김정경과 조서 등 5인을 만나보고 말로써 위로하고 음식을 먹였다. 서 등 4인에게 각각 쌀과 콩을 아울러 30석을 주고, 권일송에게 15석을 주었다. 서의 아비는 나이 80세이고, 아내와 아들이 무탈했으며[無恙] 해룡은 아내가 다른 사람에게 시집가서 죽었고 희정은 입조(入朝)할 때 아내가 임신 중이었는데 아들을 낳아 이미 10세가 됐다. 삼부(三府)

---

37 여말선초의 역관(譯官)으로 1384년(우왕 10년) 중랑장 때 왕에게 건의해 무예도감을 설치했다. 조선 태조 때 성절사의 통사로 명나라에 갔다가 문서 착오로 구류되었으나 이때 조정의 요청으로 돌아왔다.

38 결백하고 순수한 유학자라는 뜻이다.

39 중국의 전통적인 다섯 가지 형벌 중의 하나로 얼굴에 먹물로 죄명을 새겨 넣는 형벌이다.

에서 종계(宗系)가 고쳐져 바로잡히고 붙잡혀 있던 사람들이 풀려나 돌아왔으므로 대궐에 나아와서 하례를 올렸다[稱賀].

○ 이조전서 김한로(金漢老)를 보내 궁온(宮醞)을 싸 가지고 평양(平壤)에 가서 왕가인(王可仁)[40]을 맞이하게 했다.

기사일(己巳日-28일)에 『대학혹문(大學或問)』 읽기를 마쳤다.

경오일(庚午日-29일)에 곽해룡이 산호로 된 모자의 구슬과 상아로 만든 얼레빗과 비녀를 바쳤다.

○ 각 도 도관찰사 안원(安瑗), 김약채(金若采), 허응(許應), 유정현(柳廷顯)과 경상도 도절제사 유용생(柳龍生) 등이 대궐에 나아와 하직하니 상이 말했다.

"나라를 다스리는 사람은 인구(人口)의 많고 적은 것을 몰라서는 안 된다. 경들은 군현(郡縣)을 순행하면서 더불어 잘 조사하여 후일의 물음에 대비하라."

○ 예조에 명해 각 품(品)과 서인(庶人)의 분묘(墳墓)에 대해 금지하는 바의 한계의 보수(步數)를 상정했다.

"1품(品)의 묘지는 90보(步) 평방(平方)에 사면(四面)이 각각 45보이고, 2품은 80보 평방, 3품은 70보 평방, 4품은 60보 평방, 5품은 50보 평방, 6품은 40보 평방이며, 7품에서 9품까지는 30보 평방

---

40 원래 여진 사람으로 동북면(東北面)의 향화인(向化人-귀화인)인데 태상왕의 잠저(潛邸) 때 휘하(麾下)가 되어 태상왕의 천발(薦拔)에 힘입어 벼슬이 추밀(樞密)에 이르렀다.

이고, 서인은 5보 평방인데, 이상의 보수는 모두 주척(周尺)을 사용한다. 사표(四標) 안에서 경작하고 나무하고 불을 놓는 것은 하나같이 모두 금지한다."

전조(前朝) 문왕(文王)[41] 37년에 정한 제도를 쓴 것이다.

충청도와 전라도 백성들 사이에 유언비어[訛言=訛傳]가 있었다. 그
_{와언} _{와전}
말은 이러했다.

"재상이 인졸(引卒)[42]을 갖출 때에는 대낮에 길을 가다가도 만일 범마(犯馬)하거나 회피(回避)하는 자가 있으면 바로 죽인다.

---

41 문종(文宗)을 가리킨다. 문종 37년은 1083년이다.
42 따르는 무리, 즉 구종(驅從)을 가리킨다.

壬寅朔 禁宴飮.
임인 삭 금 연음

司諫院劾司憲執義尹思永. 召司諫院掌務敎曰:"司憲府近來
사간원 핵 사헌 집의 윤사영 소 사간원 장무 교왈 사헌부 근래

事多遲緩. 慈恩寺僧與李薈相訟奴婢事及擊鼓啓下事 托以各位
사 다 지완 자은사 승 여 이회 상송 노비 사 급 격고 계하 사 탁 이 각위

不齊 久不決折 其所欲爲之事 則謂備三員而爲之. 臺諫相規
부제 구 불 결절 기 소욕위 지사 즉 위비 삼원 이 위지 대간 상규

自古然也 宜問其故."是以劾而請罪.
자고 연야 의 문 기고 시이 핵 이 청죄

召司憲府掌務敎曰:"爾等請留後朴可興之罪 何也?" 對曰:
소 사헌부 장무 교왈 이등 청 유후 박가흥 지 죄 하야 대왈

"以誤決人相訟家舍事也." 具言其狀 上曰:"不小宰相 欲輕易
이 오결 인 상송 가사 사야 구언 기상 상왈 부소 재상 욕 경이

鞫問 非矣."
국문 비의

癸卯 命議政府立考課決事官法.
계묘 명 의정부 입 고과 결사관 법

司諫院劾大司憲崔有慶. 以有慶持服詣闕 請憲司隨駕也.
사간원 핵 대사헌 최유경 이 유경 지복 예궐 청 헌사 수가 야

甲辰 下刑曹典書鄭符 正郞李承祚于巡禁司. 初 摠制徐益伴人
갑진 하 형조 전서 정부 정랑 이승조 우 순금사 초 총제 서익 반인

李興敏 嘗貸貨於刑曹杖首 不償. 杖首路遇興敏 欲徵之 興敏反
이흥민 상 대화 어 형조 장수 불상 장수 노우 흥민 욕 징지 흥민 반

毆杖首至出血. 承祚見而執之 照興敏不應爲事理重律 杖八十 充
구 장수 지 출혈 승조 견 이 집지 조 흥민 불응 위사 이 중률 장 팔십 충

典獄司吏; 加杖首不告官之罪 笞四十. 益以聞 請免興敏罪 上
전옥사 리 가 장수 불 고관 지죄 태 사십 익 이문 청면 흥민 죄 상

命案興敏罪 照鬪毆律 當笞三十. 上曰:"何不啓而擅杖乎?" 命
명안 흥민 죄 조 투구 율 당 태 삼십 상왈 하 불계 이 천장 호 명

巡禁司萬戶李伫問之; 放鄭符于牛峰; 承祚以功臣茂子 只罷職.
순금사 만호 이저 문지 방 정부 우 우봉 승조 이 공신 무자 지 파직

丙午 與宗親諸君置酒淸和亭射侯.

丁未 倭船二隻 寇忠淸道 奪兵船二艘 殺軍人六十餘.

戊申 司諫院上訴 請罪司憲府 不允. 司諫院復詣闕 請允前日
之疏 上曰: "近有政 當區處. 若①有慶 非因公而來 適因事②來
聞臺員不得隨駕 乃言之 吾義而聽之 有慶非可憎者也." 未幾復
有慶職.

命議政府 治慶尙道水運僉節制使盧仲濟漕運敗船之罪. 初
仲濟領漕運船入全羅道境 因醉不察天氣 不與衆謀 吹角發船 致
使遇風而敗. 時 臺諫請仲濟罪 上不允 至是乃知其實 故有是命.

吾都里 童猛哥帖木兒等三人來朝.

辛亥 左代言兼尙瑞尹李升商上箋辭 不允.

以金若采爲忠淸道都觀察使 柳廷顯爲全羅道都觀察使 安瑗
慶尙道都觀察使.

左政丞河崙 請授海道萬戶千戶及水軍添設職 不允. 其言曰:
"萬戶千戶等 累年防禦 敗績者得罪 戰勝者無賞. 水軍等久勞
船上 且賞罰不可不明 宜許添設之職." 上曰: "名器之濫 莫甚於
添設. 其端一開 末流難遏."

壬子 行三界大醮.

月入太微上將東北.

右政丞成石璘以③老病辭 不允. 上使李升商謂石璘曰: "自古

宰相 與國同休戚 不可輕去也 不顧國家而退休 古人亦不爲也.
卿以寡人爲不足相耶?④ 何遽欲免歟? 宜就職 終始惟一." 石璘
曰:"臣無才德 燮理之任 非所能也. 向使臣奉使上國 聞命卽行
若⑤宰相之職 非力所能致也 故每欲辭免 而上不許. 老病日深
何以能堪?"

　　知議政府事李叔蕃以病辭 從之.

　　癸丑 倭寇南陽 奪兵船 殺掠人物.

　　甲寅 安行梁萬戶李生年 與倭戰敗績. 倭大船三隻至安行梁 遇
私船二隻戰 萬戶李生年以二兵船 率軍人七十九 赴戰不克 五六
人僅免. 上聞之哀痛 命有司賻恤 復其戶.

　　以金英烈爲三道水軍都指揮使 以僉摠制朴子靑爲體覆 取
甘結於海道不能防禦者.

　　以趙璞爲藝文館大提學 李彬參贊議政府事 張思吉右軍
都摠制 崔雲海參判承樞府事 尹抵參判司平府事 金定卿左軍
都摠制 全伯英承寧府尹 權弘簽書承樞府事 南在開城留後
許應左右道觀察使 柳龍生慶尙道都節制使 趙末生 陳遵侍學
趙興 柳謹侍直. 是日 初置元子侍直 用功臣子弟. 又以吾都里
童猛哥帖木兒爲上護軍 崔也吾乃大護軍 馬月者 童於何朱
童於何可各護軍 張權子司直 無難達魯花赤多末且司直
張于見帖木兒副司直 馬自和司正.

召元子諭善薛俱及侍學侍直等 使朴錫命命之曰:
소 원자 유선 설칭 급 시학 시직 등 사 박석명 명지 왈

"今爲元子多設官僚者⑥ 欲其常侍從而敎導之 以成其德也.
금 위 원자 다설 관료 자 욕기 상 시종 이 교도 지 이성 기덕 야

國祚長短 生民休戚 咸係焉 其可忽諸! 敎童子之法 雖以執法
국조 장단 생민 휴척 함계 언 기 가홀 제 교 동자 지 법 수이 집법

爲宗 然亦使之不至於厭怠 其敎乃成. 侍直等皆以功臣子弟爲之
위종 연역 사지 부지 어 염태 기교 내성 시직 등 개이 공신 자제 위지

者⑦ 欲其預令元子 親近交厚信之無疑 以爲他日之輔弼. 當予
자 욕기 예령 원자 친근 교후 신지 무의 이위 타일 지 보필 당여

禦國 其父兄誠心輔翼 而予亦親近 用之無疑. 當元子聽政之
어국 기 부형 성심 보익 이여 역 친근 용지 무의 당 원자 청정 지

日 此子弟等亦能誠心輔翼 而用之無疑 不亦美乎! 但以善保養
일 차 자제 등 역능 성심 보익 이 용지 무의 불역 미호 단이 선보양

勿論時人賢否得失 以成他日釁端 自中嚴令 母得如此 如有犯令
물론 시인 현부 득실 이성 타일 흔단 자중 엄령 무득 여차 여유 범령

者 自中行罰以懲之. 侍學等分番 日以講論爲事 侍直等分番
자 자중 행벌 이징지 시학 등 분번 일이 강론 위사 시직 등 분번

日夜侍衛 母敢或怠."
일야 시위 무감 혹 태

是日 改司平府左右使爲參判司平府事.
시일 개 사평부 좌우사 위 참판 사평부 사

京畿 開城大井水色赤白.
경기 개성 대정 수색 적백

丙辰 上將朝太上殿 有雨乃止.
병진 상 장조 태상전 유우 내지

丁巳 宴右政丞成石璘 參贊權近等. 以立齊陵碑也. 賜石璘
정사 연 우정승 성석린 참찬 권근 등 이입 제릉 비야 사 석린

奴婢五口 鞍馬 近鞍馬 金瞻 李膺各馬一匹. 劉旱雨 趙希琳
노비 오구 안마 근 안마 김첨 이응 각 마 일필 유한우 조희림

裌衣各一 僧明昊奴婢十二口 紬 木緜 黑麻布 白苧布各一匹. 近
겹의 각 일 승 명호 노비 십이 구 주 목면 흑마포 백저포 각 일필 근

作文 石璘書字 瞻篆額 明昊刻石 膺監役 旱雨相地 希琳督碑亭
작문 석린 서자 첨 전액 명호 각석 응 감역 한우 상지 희림 독 비정

之役也. 賜石璘牌曰: '卿以太上王勳舊 式至今日 累增效忠. 歲
지 역야 사 석린 패왈 경이 태상왕 훈구 식지 금일 누증 효충 세

在癸卯 奉使朝廷 專對顯美 欽蒙賜與寡人冕服中宮冠服 有光
재 계묘 봉사 조정 전대 현미 흠몽 사여 과인 면복 중궁 관복 유광

宗社. 今又繕寫齊陵碑文 昭示後來 功勞可賞 賜奴婢幷五口. 服
종사 금우 선사 제릉 비문 소시 후래 공로 가상 사 노비 병 오구 복

我恩命 傳之子孫.
아 은명　전지 자손

賜摠制李貴齡 安邊官婢一口 貴齡畜安邊妓花山月而所生也.
사 총제 이귀령　안변 관비 일구　귀령 축 안변 기 화산월 이 소생 야

上曰:"予之在潛邸也 職掌軍務 勤勞不怠."
상왈　여지재 잠지 야 직장 군무 근로 불태

己未 上朝太上殿.
기미　상조 태상전

賜童猛哥帖木兒段衣一稱 鈒花銀帶一腰及笠靴 命內臣饋之.
사 동맹가첩목아 단의 일칭 삽화 은대 일요 급입화 명 내신 궤지

其從者十餘人 賜布帛有差.
기 종자 십여인 사 포백 유차

壬戌 命右代言金科 進講大學或問.
임술 명 우대언 김과 진강 대학 혹문

童猛哥帖木兒辭還 留其弟及養子與妻弟侍衛 上賜物有差 又
동맹가첩목아 사환 유기제급 양자 여 처제 시위 상 사물 유차 우

賜崔也吾乃紬布 緜布各一匹.
사 최야오내 주포 면포 각 일필

戊辰 謝恩使李彬 閔無恤 賀正使金定卿等 回自京師 齎禮部
무진 사은사 이빈 민무휼 하정사 김정경 등 회자 경사 재 예부

咨文來. 其文曰:
자문 래 기문 왈

'一, 宗嗣事. 朝鮮國王 李【諱】奏:"洪武三十五年正月初八日
일 종사 사 조선 국왕 이 휘 주 홍무 삼십 오년 정월 초 팔일

陪臣趙溫回自京師說稱: 祖訓條章內云:'臣宗系是李仁任之後.'
배신 조온 회자 경사 설칭 조훈 조장 내운 신 종계 시 이인임 지후

切念臣父【舊諱】先世 本朝鮮遺種 事高麗 後國人推戴 權知國事
절념 신부 구휘 선세 본 조선 유종 사 고려 후 국인 추대 권지국사

具奏 欽蒙太祖高皇帝命爲國王 賜改號 臣父【舊諱】 始改名
구주 흠몽 태조 고황제 명위 국왕 사 개호 신부 구휘 시 개명

【今諱】. 且李仁任祖 於臣宗系各別 奏乞改錄 一國幸甚."本部
금휘 차 이인임 조 어신 종계 각별 주걸 개록 일국 행심 본부

尙書李至剛等 欽奉聖旨:"朝鮮國王奏:'旣不係李仁任之後.'想
상서 이지강 등 흠봉 성지 조선 국왕 주 기 불계 이인임 지후 상

是比先傳說差了 準他改正."欽錄.
시 비선 전설 차료 준타 개정 흠록

一, 欽賜曆日書籍事. 永樂二年大統曆一百本 古今烈女傳
일 흠사 역일 서적 사 영락 이년 대통력 일백 본 고금 열녀전

一百一十部.
일백 일십 부

一, 朝貢等事. 比先爲事拘留之人 都取來放他回去. 欽遵行移

雲南都司 先行取到曹庶等五名到京 除欽依賞賜外 合行知會. 計

放回男子五名 曹庶 郭海龍 宋希靖 吳眞 權一松.'

初 高皇帝以表辭違誤有旨 製述及書寫人等來京 鄭摠 鄭擢

權近 金若恒 盧仁度及通事吳眞 海龍 希靖等赴京. 帝見近 以爲

醇儒 命作詩 襃嘉放還; 鄭擢以兄弟俱至 命歸養其母; 其餘或被

重刑 或長流遐裔. 因年前成石璘奏請 庶等五人得還. 庶於面上

亦被墨刑. 權一松 從人也.

上御淸和亭 引見李彬 無恤 定卿及曹庶等五人 賜言慰之饋之.

賜庶等四人各米豆幷三十石 權一松十五石. 庶父年八十 而妻與

兒無恙; 海龍妻適他死; 希靖之入朝 妻有孕 生子已十歲. 三府以

宗系改正 拘留人放還 詣闕稱賀.

遣吏曹典書金漢老 齋宮醞迎王可仁于平壤.

己巳 覽大學或問畢.

庚午 郭海龍獻珊瑚帽珠 象牙梳簪.

各道都觀察使安瑗 金若采 許應 柳廷顯 慶尙道都節制使

柳龍生等 詣闕辭 上曰: "治國者 不可不知人口之多少. 卿等巡行

郡縣 因便察知 以備後日之問."

命禮曹詳定各品及庶人墳墓禁限步數: 一品墓地方九十步

四面各四十五步; 二品方八十步; 三品方七十步; 四品方六十

步: 五品方五十步; 六品方四十步; 七品至九品方三十步; 庶人方
보   오품 방 오십 보   육품 방 사십 보   칠품 지 구품 방 삼십 보   서인 방

五步. 已上步數 竝用周尺. 標內田柴火焚 一皆禁止. 用前朝文王
오보   이상 보수   병용 주척   표내 전시 화분   일개 금지   용 전조 문왕

三十七年定制也.
삼십 칠 년 정제 야

　忠淸 全羅道民有訛言. 其言曰: "宰相具引卒 白晝行于道路 如
　충청   전라도 민 유 와언   기 언 왈   재상 구 인졸   백주 행 우 도로   여

有犯馬及回避者 輒殺之."
유 범마 급 회피 자 첩 살지

　│원문 읽기를 위한 도움말│

① 若有慶. 이때 若은 '~의 경우에는'이라는 뜻이다.
　약 유경   약

② 非因公而來 適因事來. 여기서는 因公과 因事가 짝을 이룬다. 因事는 곧
　비 인공 이 래 적 인사 래   인공   인사   인사
　因私다. 일반적으로 事는 공적인 성격을 갖는데 이런 경우에는 개인적인
　인사   사
　일이라는 뜻이다.

③ 右政丞成石璘以老病辭. 以는 '~때문에'라는 뜻이다. 즉 노병 때문에 사
　우정승 성석린 이 노병 사 이
　직한다는 말이다.

④ 卿以寡人爲不足相耶? 여기서는 '以~爲'의 전형적인 구문이다. 즉 과인
　경 이 과인 위 부족 상 야   이 위
　을, 돕기에 충분치 못한 사람으로 간주하느냐는 말이다.

⑤ 若宰相之職. 여기서 若도 앞의 ①과 마찬가지로 '~의 경우에는'이라는
　약 재상 지 직   약
　뜻이다.

⑥ 今爲元子多設官僚者. '~者'는 전체가 주격 절이 된다.
　금 위 원자 다설 관료 자

⑦ 侍直等 皆以功臣子弟爲之者. ⑥과 마찬가지로 '~者'는 전체가 주격 절
　시직 등 개 이 공신 자제 위지 자   자
　이 된다.

태종 4년 갑신년
4월

四月

신미일(辛未日-1일) 초하루에 삼부의 대신을 모아놓고 호패(號牌)[1]의 가부를 토의하게 했는데 하륜이 말했다.

"시행할 수 있으니 모름지기 마땅히 시행해야 합니다."

임신일(壬申日-2일)에 송충이를 잡았다. 송충이가 송악산(松嶽山)의 솔잎을 먹으니 오부(五部) 사람과 각 품(品)의 종인(從人)을 징발해 송충이를 잡아서 이를 묻었다.

계유일(癸酉日-3일)에 올량합 만호(兀良哈萬戶) 파을소(波乙所, ?~1410년)[2]와 백호(百戶)들에게 옷과 베를 내려주었다. 만호에게는 겹옷과 갓·신발 각각 하나, 면포·흑마포·백저포 각각 한 필씩을 주고,

---

1 오늘날의 주민등록증과 같은 것으로 호구 파악, 유민 방지, 역(役)의 조달, 신분질서의 확립, 향촌의 안정 유지 등을 통한 중앙집권을 강화하기 위해 실시됐다. 그 유래는 고려 말 1391년(공양왕 3년) 도평의사사(都評議使司)의 계청에 따라 군정(軍丁)에게 이를 패용하게 한 데서 시작됐다. 이는 원나라의 제도를 참작한 것이다. 조선시대에 들어와 1398년(태조 7년) 이래 이의 실시에 대한 논의가 꾸준히 제기됐다. 그러다가 1413년(태종 13년) 9월 전인녕부윤(前仁寧府尹) 황사후(黃土厚)의 건의를 받아들여 먼저 호패사목(號牌事目)을 작성하고 이에 따라 실시했다.

2 모련위(毛憐衛) 여진(女眞)의 추장(酋長)으로 성(姓)은 유(劉)씨다. 수주(愁州-동북면 종성(鍾城))의 벌시온(伐時溫) 지역을 중심으로 두만강(豆滿江) 일대의 모련(毛憐) 올량합(兀良哈)을 지배했다. 영락(永樂) 8년(1410년) 조연(趙涓)이 이끄는 조선(朝鮮)의 정벌군에게 죽음을 당했다.

백호 3명에게는 각각 흑마포 한 필·백저포 한 필을, 통사(通事)에게
는 흑마포 한 필을 주었다. 상호군 김정준(金廷雋)과 호군 조가물(趙
加勿) 등을 동북면(東北面)에 보내 사신에게 응대할 사안의 마땅함
[事宜]을 일러주었다. 왕가인(王可仁)이 장차 오기 때문이었다. 파을
소(波乙所)는 곧 파아손(把兒遜)이다.
사의

○ 상이 직접 (명나라에) 사은(謝恩)할 방물(方物-특산물)과 말들을
살펴보았다.

갑술일(甲戌日-4일)에 요동 천호 왕가인이 칙유(勅諭)를 받들고 오
니 상이 백관을 거느리고 서교(西郊)에서 맞이해 사신과 함께 태평
관에 이르러 백관을 거느리고서 칙서(勅書)에 절하고 머리 숙여 조
아린[叩頭=叩首] 다음에 사신과 사사로운 예[私禮]³를 행하고 잔치
고두   고수   사례
를 베풀었다. 칙서는 이러했다.

'삼산(參散),⁴ 독로올(禿魯兀)⁵ 등지의 여진(女眞) 지방의 관리와 백
성들에게 칙유하여 알리노라[知道]. 지금 짐이 대위에 올라서 천하가
지도
태평하고 사해(四海)의 안팎이 모두 한집이 되었다. (그런데도) 너희
가 이를 알지 못해 서로 통제 아래에 들어오지[統屬] 않을까 염려스
통속
럽다. 강한 자가 약한 자를 능멸하고 많은 무리가 적은 무리를 사납
게 다루면 어찌 편안히 쉴 때[寧息之時]가 있겠는가? 지금 짐의 말을
영식 지 시

---

3 비공식적으로 사사롭게 차리는 예를 말한다.
4 함경도 북청(北青)이다.
5 함경도 단천(端川)이다.

듣는다면 인신(印信)을 주어 스스로 서로 통속(統屬)하게 하여 사냥[打圍]하고 방목(放牧)하며 각자의 생업을 편하게 하게 될 것이며, 상업(商業)을 경영하고 거래를 하며 편한 대로 왕래케 하여 더불어 태평의 복(福)을 누리게 될 것이다. 지금 삼산, 독로올 등 11곳의 계관 만호(溪關萬戶) 영마합(寧馬哈), 삼산 천호 이역리불화(李亦里不花, ?~1424년),[6] 독로올 천호 동삼합(佟參哈)과 동아로(佟阿盧), 홍긍 천호(洪肯千戶) 왕올난(王兀難), 합란 천호(哈蘭千戶) 주번실마(朱蕃失馬), 대신 천호(大伸千戶) 고난(高難), 도부실리 천호(都夫失里千戶) 김화실첩목(金火失帖木), 해동 천호(海童千戶) 동귀동(童貴洞), 아사 천호(阿沙千戶) 주인홀(朱引忽), 간합 천호(幹合千戶) 유설렬(劉薛列), 아도가 천호(阿都歌千戶) 최교납(崔咬納)과 최완자(崔完者)를 불러 일깨우노라[招諭].'【이역리불화(李亦里不花)는 곧 이화영(李和英)이고, 최교납(崔咬納)은 곧 최야오내(崔也吾乃)이다.】

6　할아버지는 여진 금패 천호(金牌千戶) 아라불화(阿羅不花)이고, 아버지는 태조 배향공신(配享功臣)이며 개국공신 1등 청해백양렬공(靑海伯襄烈公) 지란(之蘭)이다. 부인은 태조 원종공신(原從功臣) 판사 동안로(童安老)의 딸이다. 화상(和尙)의 아우로 일문이 조선 건국의 군사적 기반을 제공한 동북면(東北面) 세력의 주축으로서, 이성계 정치집단의 핵심을 이뤄 조선 초기에 권문세가(權門勢家)로 군림했다. 여진 사람으로 18세에 낭장으로 벼슬길에 올랐는데 파격적인 대우였다. 이는 이성계가 동북면 병마사로서 여진의 여러 추장을 통할해 대군사집단을 이룩한 휘하의 중핵 인물인 원나라의 천호(千戶)를 습봉받은 지란의 아들에 대한 음직(蔭職)이자, 공민왕의 동북면 사람에 대한 우대책 때문이었다. 1400년 태종이 즉위해서도 아버지가 좌명공신(佐命功臣) 2등에 책봉되는 등 일족이 각별한 우대를 받았다. 아버지가 죽자 시묘(侍墓)를 하기 위해 북청에 기거하던 중 1402년(태종 2년) 이성계를 재옹립하려는 조사의(趙思義) 등 동북면 사람의 반란이 발생하자 탈출해 태종에게 귀부해 난을 조기에 종식시키는 데 공헌해 1403년 임오공신(王午功臣-조사의의 난 토평공신) 2등의 예에 준하는 사전(賜田) 40결을 특사(特賜)받았다. 1406년 도총제, 3년 후 의정부 지사를 거쳐 1415년 참찬, 1423년 판좌군도총제(判左軍都摠制)가 되고 판우군부사(判右軍府事)에 이르렀다.

○ 가인(可仁)은 본래 우리나라 동북면(東北面)의 향화인(向化人-귀화인)인데 태상왕이 잠저(潛邸)에 계실 때 휘하(麾下)가 되어 태상왕의 천거와 발탁에 힘입어 관직이 추밀(樞密)에 이르렀다. 고황제(高皇帝-주원장) 때 (명나라의) 부름을 받아 돌아가서 이름을 수(脩)라고 고쳤고, 이때에 이르러 이미 15년이 됐는데 처자(妻子)는 모두 잘 있었다[無恙].
무양

○ 왜선 3척이 전라도 영광군(靈光郡)에 침입하자 지군사(知郡事) 정정(鄭井)이 싸워서 물리쳤다[戰却]. 군인들 중에 화살을 맞은 자가 6~7명이었다.
전각

을해일(乙亥日-5일)에 왕가인이 대궐에 나아와 사사로운 예를 행하고, 이어서 태상전에 나아갔고 또 상왕전에 나아갔다.

병자일(丙子日-6일)에 상이 청화정(淸和亭)에서 왕가인에게 잔치를 베풀었다.

○ 강거신(康居信)[7]을 목 베었다. 애초에 거신(居信)이 도망쳤는데 이때에 이르러 (경상도) 진주(晉州)에 숨어 있다는 말을 듣고 순금사에서 거신의 아내를 형벌하고 그가 있는 곳을 물으니 아내가 처음에는 알지 못한다고 대답하다가 매를 많이 맞고서야 말했다.

"비록 첩의 몸을 무겁게 형벌하더라도 아무 소용이 없습니다. 내 남편이 목 베어 죽을죄를 범했으니 나타나면 반드시 죽을 것인데, 내

---

7 조사의의 난에 연루돼 도망 중이었다.

가 설사 그가 있는 곳을 알지라도 어찌 감히 내 목숨을 아껴 차마 말할 수 있겠습니까?"

유사(有司)는 그녀를 위해 탄식했다. 대호군 정경(鄭耕)을 진주로 보내 그를 붙잡아 목 베었다.

○ 각 품계에 따라 절하고 읍하는[拜揖] 예도(禮度)와 문자로 서로 소통하는 법식을 고쳐서 정했다. 예조에서 장(狀)을 올렸다.

'하나, 정1품이 서 있으면 종1품, 정2품, 종2품은 자리 앞에 나아가 서로 마주 보고 절한다. 그 머리를 숙이는 것[頓首]과 손을 모으는 것[拱手]은 이미 정한 예(禮)에 따른다.

하나, 종2품 중에서 먼저 온 자가 북향(北向)하여 서면 뒤에 온 자는 한 번 절을 한다. 정2품 이상이 오면 종2품은 뜰에서 맞이하여 당(堂)에 올라 북향하여 서고 한 번 절을 한다. 정2품 이상이 또 오면 다시 뜰에서 맞이하지 않고 함께 북향하여 서서 기다렸다가 절을 한다.

하나, 종2품이 정2품 이상을 맞을 때에는 절을 하고 나서 원래대로 몸을 세우고[平身] 손을 모으고 섰다가 상관(上官)이 행두(行頭)의 첫줄에 나아가서 서면 하관(下官)은 몸을 굽히고[躬身] 상관은 답읍(答揖)한다. 종1품·정2품·종2품이 정1품을 맞을 때에는 위와 같이 읍하고, 정1품은 서로 마주 보고 읍한다.[8]

8　읍(揖)이란 두 손을 맞잡아 얼굴 앞으로 들어올리고 허리를 앞으로 공손히 구부렸다가 몸을 펴면서 손을 내린다. 큰절을 하는 배(拜)보다는 가벼운 예법으로 공좌(公座)나 노상(路上), 마상(馬上) 등에서 이 예를 행했다.

하나, 1품 이하의 경우 차등(差等)이 있는 자[9]에게는 관직(의 등급)을 구분하지 않고 모두 손을 모아 답례하고, 한 등(等)의 차이가 나는 사람 이하는 이미 정한 예에 의하고, 친척과 스승이나 연장자[師長]에 대해서는 도타움에 따라 답례한다.

하나, 차등이 있는 자가 평신(平身)하고 자리에 서서 일을 아뢰면 서서 대답하고, 한 등(等)의 차이가 나는 자가 궁신(躬身)하고 자리에 서서 일을 아뢰면 앉아서 대답하고, 2등을 격한 이하 사람은 이미 정한 예에 의한다.

하나, 종1품 아문(衙門)과 종1품 사신(使臣)과 정·종2품 사신은 정1품 아문에 대해 첩정(牒呈)[10]을 행한다. 각 아문(衙門)과 사신(使臣)이 품계가 같은 자에게 대해서는 평관(平關)[11]하고, 한 등 이상 높은 아문에 대해서는 첩정(牒呈)하며, 그 행수(行首)[12]와 더불어 한 등(等)의 차이가 있는 외에 한 등의 차이가 나는 사람 이하는 모두 이름을 갖춰 쓰고 수결(手決)을 하는 것을 허락하지 않는다. 각 아문이 한 등의 차이가 나는 사람 이하의 아문에 대해서는 차부(箚付)[13]를 사용하고 사신(使臣)과 수령도 똑같다. 대소 사신(大小使臣)이나 차사원(差

---

9 같은 품계에서 정과 종의 차등을 가리킨다.

10 하급 관아에서 상급 관아로 올리는 공문서를 말한다.

11 각 아문(衙門)과 사신(使臣)이 동등한 자에게 보내던 관문(關文)이다. 그 서식인 평관식(平關式)의 기재 내용은 모(某) 아문이 모 사건에 대해 무엇무엇이라고 합행(合行) 이관(移關)하니 이 공문이 도착하는 대로 조험(照驗)하여 시행하기를 청한다는 것과 모 아문, 연·월·일, 모가 공문을 보낸다는 것 등이다.

12 동급의 품계나 신분을 가진 여러 사람 중에서 우두머리를 가리키는 말이다.

13 관아(官衙)의 장(長)이 사람을 보내 일을 처리할 때 같이 보내는 공문서를 가리킨다.

使員)이 수령에 대해서는 각각 직품(職品)에 따라 또한 동등(同等)·차등(差等)·격등(隔等)의 예(例)를 쓰고, 각 관(各官)의 수령이 각각 주군사(州郡司)에 대해서는 하첩(下帖)[14]을 쓴다.'

그것을 윤허했다.

기묘일(己卯日-9일)에 의정부 참지사 여칭(呂稱)을 보내 경사(京師)에 가게 했다. 종계(宗系)를 고쳐 바로잡고 붙잡아두었던 사람들을 풀어서 돌려보내고 『열녀전(列女傳)』[15]을 내려준 것에 사례(謝禮)하기 위함이었다.

○ 김승주(金承霔)를 승추부 참판사로 삼았다. 승주가 모친상 중이었는데[遭母喪] 이날 길복(吉服)을 입고 은혜에 감사했다. 곽해룡(郭海龍)을 군기감 판사(軍器監判事), 오진(吳眞)을 내자윤(內資尹)으로 삼았다. 조서(曹庶)와 송희정(宋希靖) 등은 모친상을 당했기[丁母憂] 때문에 관직을 더해주지 않았다.

○ 왕가인이 칙서를 받들고 여진 지방[地面]을 향해 떠나니 의정부에 명해 동교(東郊)에서 전송하게 하고, 김승주(金承霔)를 접반사(接伴使)로 삼아 그를 전송했다.

경진일(庚辰日-10일)에 달이 태미원(太微垣)에 들어갔다.

○ 곽해룡과 오진에게 갓과 신발 각각 하나와 옷 한 벌[稱]씩을 내

---

14 각 관아의 수령(守令)이 각각 주군사(州郡司)에 보내던 문서다. 하체로 읽기도 한다.
15 한나라 유학자 유향(劉向)이 지은 책을 가리키는 것으로 보인다.

려주었다.

신사일(辛巳日-11일)에 해의 남쪽에 햇무리[珥]가 있었다.
이

○ 주윤단(朱允端)에게 흑마포와 면포 각 한 필과 백저포 두 필을
내려주었다.

○ 서운관 판사(書雲觀判事) 황하준(黃河濬)을 (황해도) 수안(遂安)
으로 유배 보냈다. 송희정이 경사(京師)에 갔다가 장기간 유배됐는데
하준이 그의 아내를 자신의 처로 삼았다가 희정이 살아 있다는 말
을 듣고 이에 별거했다[異居]. 희정이 돌아오자 하준을 유배 보내고
이거
희정의 아내는 장(杖)을 때렸다. 오진의 아내도 역시 개가(改嫁)했기
때문에 장을 때렸다. 그녀가 개가했던 새 남편[後夫]은 이미 죽었다.
후부

계미일(癸未日-13일)에 연복사(演福寺) 오층탑 위에 연기와 같은 기
운이 있었는데 중들이 상서로운 기운[瑞氣]이라고 말했다.
서기

을유일(乙酉日-15일)에 문가학(文可學, ?~1406년)[16]을 순금사에 가
뒀다. 애초에 가학이 그의 처자(妻子)를 진주(晉州)에 데려다 놓고 돌
아오겠다고 청해 상이 이를 허락했는데 오래도록 돌아오지 않고 이
미 아홉 달이 됐다. 상이 말했다.

"가학이 지금까지 돌아오지 않으니 나를 속인 것이 너무도 심

---

16 여말선초 시대의 도사다. 기우제를 열어 비를 내리게 하는 재주가 있었다고 한다. 문익점
의 동생의 아들이다.

하다."

　순금사에 명해 진주(晉州)에 이문(移文)해서 칼[枷]을 씌워 보내도
록 했고 도착하자마자 곧바로 하옥시켰다가 얼마 뒤에[尋] 그를 풀
어주었다.

　정해일(丁亥日-17일)에 삼도 체복사(三道體覆使) 박자청(朴子青)이
돌아와 보고했다[復命].[17]

　무자일(戊子日-18일)에 (명나라) 조정 사신 장인사경(掌印司卿)[18] 한
첩목아(韓帖木兒), 홍려시서반(鴻臚寺序班) 오수(鄔修), 행인(行人-실무
외교관) 이영(李榮) 등이 왔다. 오수 등이 예부(禮部)의 자문(咨文)을
싸 가지고 이르렀다. (그 내용은 다음과 같다.)

　'그 하나, 농정(農政)의 일. 영락(永樂) 2년(1404년) 2월 22일에 (명
나라) 본부상서(本部尚書-예부상서) 이지강(李至剛)이 공부상서(工部
尚書) 황복(黃福) 등의 관원과 함께 아침 일찍 봉천문(奉天門)에 조
회(朝會)하여 성지(聖旨)를 삼가 받들었는데 이러했다. "근래에 건문
(建文)이 조훈(祖訓)을 따르지 않고 마음대로 군대의 사단[兵端]을
일으켜 군사와 백성들이 많이 동요하고 큰 해(害)를 입었다. (그러나)
지금은 천하가 태평하여 군사와 백성들이 각각 생업(生業)을 누리고

17　지난달 13일에 해도(海道)에서 능히 방어하지 못하는 자들에게 감결(甘結-서약서)을 받
　아 오라는 명을 내린 바 있다. 그 임무를 수행하고 돌아온 것이다.
18　인장 등을 담당하는 기관의 책임자란 뜻이다.

있는데 다만 요동(遼東)에는 소가 적다. 조선국은 요동과 국경을 맞대고 있고 소가 많이 난다. 너희[恁] 예부는 사람을 보내 조선 국왕에게 말해 이런 사정을 알려서 저들로 하여금 쓸 만한 경우(耕牛-밭가는 소) 1만 필을 골라 요동도사(遼東都司)에 보내게 하라. 소 한 마리에 견(絹) 한 필, 포(布) 4필로 하고, 그것을 2부(部)로 운반하여 요동으로 가서 요동도사에 넘기고, 진료(鎭遼)의 천호소(千戶所)에 시장을 세워 만약 저쪽 사람들이 물건을 가지고 와서 매매하기를 요구하거든 그 편의를 들어주라." 삼가 그대로 흠준(欽遵)하는 외에 지금 성지(聖旨)의 사의(事意)를 갖춰 본국(本國-조선)에 이자(移咨)하여 알린다.

그 하나, 진공(進貢)의 일. 근래에 조선국에서 보낸 자문에 화자(火者) 35명을 사역원 부사(司譯院副使) 강방우(康邦祐)를 시켜 경사(京師)로 데려가게 했다고 말했다. 중도에 병으로 죽은 2명을 제외하고 나만(羅萬) 등 33명이 도착해 이를 내부(內府)로 보내어 거두게 했다. 영락 2년 2월 23일에 본부상서 이지강 등 관원이 늦게 우순문(右順門)에 조회하여 앞의 사유를 써서 아뢰고 성지를 받들었는데 이러했다. "이들 화자 중에는 깨끗하지 못한 자가 있으니 도로 돌려보내고 국왕에게 말하여 별도로 몇 사람 좋은 자를 뽑아 보내게 하라." 삼가 이를 받들어 지금 온 사신 강방우를 시켜 이들을 이끌고 데려가게 하는 외에 본국에 이자하는 것이니, 삼가 이에 의거하여[欽依] 시행하라.'

상이 사신을 서교(西郊)에서 맞이하려고 막차(幕次)에 들어가 사신을 기다리다가 사신이 장차 도착한다고 하자 장막(帳幕) 밖에 나

와 서 있는데 사신이 말에서 내리지[下馬] 않고 사람을 시켜 상에게
빨리 말에 오르라고 고하니 상이 좋지 않은 안색[不豫色]을 띠었다.
대궐에 이르러 사신과 함께 전상(殿上)에 오르니 사신이 좌우를 물
리치고[屛左右] 상을 무릎 꿇게 하고서 오수(鄔修)가 높은 소리로 소
를 사겠다는 자문[買牛咨文]을 읊었다. 상이 듣다가 도로 일어나 말
했다.

"이것은 곧 자문(咨文)이니 내가 장차 친히 보도록 하겠소."

수는 곧바로 자문을 상에게 주었다. 한첩목아(韓帖木兒)가 짧은 종
이쪽지[短楮]를 상에게 주었는데 이는 곧 고황제(高皇帝) 때에 갔던
화자의 성명을 쓴 것인데 상이 그것들을 모두 살펴보았다. 예(禮)를
행하여 마치고 나와서 경연청(經筵廳)에 나아와 근신(近臣)들에게 일
러 말했다.

"오늘의 일은 불편했다. 설사 조서(詔書)를 받든 사신이라도 모두
나를 보면 말에서 내려 그 예(禮)가 매우 공손했다. (그런데) 이 사람
들은 다만 자문(咨文)뿐인데도 나를 보고 말에서 내리지 않고, (심
지어) 사람을 시켜 (나에게) 말에 오르라고 고했다. 경들은 어째서
[奈何] 나로 하여금 장막 밖에 나가서 보게 했는가?"

석명(錫命)이 대답했다.

"신은 어리석게도 비록 조서(詔書)를 받든 사신이라도 모두 말에
서 내렸으므로 이 무리들 역시 반드시 말에서 내릴 것이라고 여겼습
니다."

상이 말했다.

"심하구나! 오수의 속임수가. 좌우를 물리치게 하기에 나는 무슨

밀지(密旨)라도 있는가 여겼더니 기껏 소를 사겠다는 자문(咨文)을 읊었다."

그리고 또 제(帝)가 요구하는 것이 많다고 말했다. 김과(金科)가 말했다.

"옛날 (고대 중국에서 주나라의) 천왕(天王-천자)이 부의(賻儀)를 요구하고, 수레를 요구하고, 금(金)을 요구하니 『춘추(春秋)』에서 이를 비판했습니다."[19]

상이 말했다.

"이는 특별히 요구하는 것이 아니라 곧 서로의 이익을 위해 교역하는 것이다."

기축일(己丑日-19일)에 금성이 화성을 범했다.

○ 상이 태평관에서 사신에게 잔치를 열었다.

○ 진헌색(進獻色)[20]을 두어 소를 바꾸는 일을 맡도록 했다. 서울과 지방의 시산(時散-현직과 전직) 각 품(品)으로 하여금 품등(品等-품계)에 따라 소를 바치게 하고, 자원하여 소를 바치는 사람이 있으면 들어주게 했으며, 또 각 도 관찰사로 하여금 화자(火者)를 뽑아올리게 했다.

---

19 『춘추좌씨전(春秋左氏傳)』 「문공(文公)」 9년에 이런 말이 나온다. "임금다운 임금[王者]은 아무것도 요구하지 않는다고 했으니 금을 요구하는 것은 예가 아니다[非禮]."

20 조선시대 중국에 진헌할 때 그 물품을 마련하기 위해 임시로 둔 관청이다. 국왕에게 토산물을 바치는 일을 진상(進上)이라 한 데 반해 중국 임금에게 대한 그것은 진헌이라고 하여 구분해 사용했다. 정기적인 사행(使行)이나 임시 사행 때 모두 행했는데 주된 진헌물에는 말, 돗자리, 포피물(布皮物), 처녀 등이 있었다.

경인일(庚寅日-20일)에 형혹성(熒惑星-화성)이 태백성(太白星)을 범했다.

○ 한첩목아 등이 태상전에 나아왔다.

○ 한첩목아 등에게 겉감과 안감, 갓과 신발을 내려주었다.

신묘일(辛卯日-21일)에 제주(濟州)의 지역관직[土官]의 명칭을 고쳤다. 동도 천호소(東道千戸所)를 동도 정해진(東道靜海鎭)으로, 서도 천호소(西道千戸所)를 서도 정해진(西道靜海鎭)으로, 도천호(都千戸)를 도사수(都司守)로, 상천호(上千戸)를 상사수(上司守)로, 부천호(副千戸)를 부사수(副司守)로, 도지관(道之官)을 도주관(都州官)으로 바꿨다. 성주(星主)²¹를 도주관좌도지관(都州官左都知管)으로, 왕자(王子)를 도주관우도지관(都州官右都知管)으로 삼았다.

○ 전 판사(判事) 김관도(金觀道)를 보내 왕가인(王可仁)에게 궁온(宮醞-술)을 보내주었다.

을미일(乙未日-25일)에 의정부에서 각 도의 전답(田畓)과 호구수(戸口數)를 올렸다. 충청도(忠淸道)는 전지(田地)가 22만 3,090결(結), 호(戸)가 1만 9,561호, 인구가 4만 4,476명이고, 전라도(全羅道)는 전지가 17만 3,990결, 호가 1만 5,703호, 인구가 3만 9,151명이고, 경상도(慶尙道)는 전지가 22만 4,625결, 호가 4만 8,992호, 인구가

---

21 통일신라 때 제주의 고후(高厚)와 고청(高淸), 그리고 셋째가 바다를 건너와서 왕에게 조공을 바치자 왕은 고후에게 성주(星主), 고청에게 왕자(王子), 셋째에게는 도내(徒內)라 하는 관직을 주어 고려를 거쳐 이때까지 이어졌다.

9만 8,915명이고, 풍해도(豊海道-황해도)는 전지가 9만 922결, 호가 1만 4,170호, 인구가 2만 9,441명이고, 강원도(江原道)는 전지가 5만 9,989결, 호가 1만 5,879호, 인구가 2만 9,238명이고, 동북면(東北面-함경도)은 전지가 3,271결, 호가 1만 1,311호, 인구가 2만 8,693명이고, 서북면(西北面-평안도)은 전지가 6,648결, 호가 2만 7,788호, 인구가 5만 2,872명으로, 합계 전지가 78만 2,543결, 호가 15만 3,404호, 인구가 32만 2,786명이었다.

정유일(丁酉日-27일)에 상이 청화정에서 한첩목아, 오수, 이영 등에게 잔치를 베풀었다.

○ 춘추관 영사(春秋館領事) 하륜, 춘추관 지사 권근(權近)에게 명해 사고(史庫)를 열고 전조(前朝-고려)의 『예종실록(睿宗實錄)』을 상고하게 했다. 예종조(睿宗朝) 때 시중(侍中) 윤관(尹瓘)이 동여진(東女眞)을 치고 변경에 비(碑)를 세웠다. 제(帝)가 왕가인을 여진(女眞)에 보내 건주위(建州衛)[22]를 설치하려고 했기 때문에 이것에 의거해 대답하려고 한 것이다.

○ 일기주(一岐州) 지주(知州) 원양희(源良喜)가 사람을 보내 예물

---

22 위(衛)는 원래 군대의 연대 정도를 가리키는 말이었는데 이를 국외에 설치하게 되면서 그 부대가 주둔하는 부락의 명칭이 됐다. 위가 처음 설치된 것은 1403년이고 설치 장소는 건주, 즉 길림(吉林) 부근의 휘발천(輝發川) 상류에 있는 북산성자(北山城子)였다고 한다. 얼마 후 두만강 가의 회령(會寧)에 건주좌위(左衛)가 설치되었고, 이어 동쪽에 모련위(毛憐衛), 우위(右衛)가 증설됐다. 건주위는 후에 혼하(渾河) 부근으로 이전했는데 이때 좌우위가 같이 이동했다. 건주위는 한때 세력을 확대한 적도 있으나 조선 세조 때 명나라와 조선의 협격(挾擊)을 받은 후부터 세력이 쇠퇴했다. 청태조(淸太祖) 누르하치는 건주좌위 출신이다.

(禮物)을 바쳤다.

○사간원에서 (사간원) 좌정언 노이(盧異)를 탄핵했다. 이(異)가 (평소) 동사(同舍-사간원)와 더불어 일을 토의하는 데 적중함을 지나치는 것[過中=過中道]이 많고 혹은 실상과 동떨어진 것[不實]도 있었다.
마침내 노이는 이렇게 말했다.

"지난번에[向者] 이신(李伸)이, 약혼을 하고서 혼인할 해를 기다리고 있는[待年] 장군(將軍) 김보해(金寶海)의 누이를 궁중에 바쳤는데 상이 이를 알고 곧바로 내쳤다. 그러나 신과 보해 등이 총애를 얻으려고 여색을 바쳐[獻色] 아첨하고 상을 불의(不義)에 빠뜨리게 한 죄를 논하지 않았으니 마땅히 중론(重論)을 가해 다른 사람들에게 징계가 되게 해야 한다."

그 자리에 있던 사람들은 모두 응하지 않았다. 이에 (노이는) 홀로 우정언 신효(申曉)[23]와 더불어 의견을 정했는데 처음에는 동료들과 의견이 합치되지 않았다. 좌헌납 박초(朴礎)가 비로소 이와 마음을 같이하여 좌사간 조휴(趙休) 등을 탄핵하고자 하니 이가 말했다.

"불가하오. 직책이 언관(言官)에 있은 지가 지금 이미 여러 달이 되었는데 시정(時政)의 득실(得失)은 말하지 않고 도리어[反] 동료를 탄핵하면 사람들이 장차 뭐라 하겠소."

초(礎)는 이의 뜻을 알아차리고 도리어 휴(休)와 더불어 동사(同

---

23 1402년(태종 2년) 식년문과에 장원급제해 1404년 사간원 우정언이 돼 바로 이때 노이(盧異), 이양명(李陽明) 등과 궁중의 비밀을 발설하여 탄핵을 받아 연안에 유배됐다. 2년 만에 풀려났으나 행주에 은거하여 81세로 죽었다. 세종 때 형 신개가 재상으로 있으면서 다시 관직에 나올 것을 권하고 천거했으나 끝까지 나오지 않았다.

舍)를 청해 금경사(金經寺)에 앉아서 공사(公事)를 누설했다고 청탁
하여 이를 탄핵했다.

 무술일(戊戌日-28일)에 (동북면) 길주(吉州)의 아란리(阿蘭里) 동쪽
석벽(石壁)이 저절로 탔는데 그 깊이가 3척, 너비가 8척이었다.
 ○ 대호군 매원저(梅原渚)²⁴를 보내 1차분[初運] 소 1,000필을 몰고
요동(遼東)으로 가게 했다.

 기해일(己亥日-29일)에 한첩목아가 화원(花園)에 이르러 석전(石戰)
놀이²⁵를 구경했다.

 경자일(庚子日-30일)에 왕자가 죽었는데[卒] 나이 2세였고 조회를
3일 동안 정지했다. 삼부(三府)가 대궐에 나와 위로를 드렸고[陳慰]
도감(都監)을 두어 장사를 지냈다.
 ○ 한첩목아가 대궐에 나아왔으나 상이 재계(齋戒)를 해야 했기 때
문에 만나보지 않았다.
 ○ 손효종(孫孝宗)²⁶의 아내를 순금사(巡禁司)에 가뒀다가 얼마 뒤
에[尋] 풀어주었다. 순금사에서 그의 남편 효종이 가 있는 곳[去處]

---

24 아버지 매군서(梅君瑞)는 중국 산둥성 제남(濟南) 출신으로 고려에 귀화해 관직이 행성
   제공(行省提控)에 이르렀다. 매원저는 조선 태종 때 관직이 가선의주목사(嘉善義州牧使)
   에 이르렀다. 3대손 매우(梅佑)는 통례문 봉례랑(奉禮郎)을 지냈다.
25 원래는 음력 정월 대보름날 각 지방에서 행하던 남성의 돌던지기 놀이로 편쌈이라고 하
   며 편전(便戰)이라고도 한다.
26 조사의의 난에 연루돼 수배가 되자 달아났다.

을 국문하니 이렇게 대답했다.

"지금 비록 남편이 간 곳을 물으나 부부(夫婦)의 정리상 설사 그것을 안다 해도 차마 말할 수 없는 것인데 하물며 알지 못하는 것이겠습니까? 여러 관리 분들도 모두 아내가 있을 터이니 처지를 바꿔 생각해보기를 바랍니다. 죽음이 있을 뿐이지 어찌 감히 그것을 말하겠습니까?"

만호(萬戶) 찬성사(贊成事) 남재(南在)가 그 말에 감동을 받아 이를 아뢰니 그녀를 풀어주라고 명했다.

辛未朔 會三府大臣 議號牌可否 河崙曰:"可行 須當爲之."
신미 삭 회 삼부 대신 의 호패 가부 하륜 왈 가행 수당 위지

壬申 捕松蟲. 蟲食松嶽山松葉 發五部人及各品從人 捕而
임신 포 송충 충식 송악산 송엽 발 오부 인급 각품 종인 포이

埋之.
매지

癸酉 賜兀良哈萬戶波乙所及百戶衣布. 萬戶袂衣笠靴各一
계유 사 올량합 만호 파을소 급 백호 의포 만호 겹의 립화 각일

縣布黑麻布白苧布各一匹 百戶三人各黑麻布一匹 白苧布一匹
면포 흑마포 백저포 각 일필 백호 삼인 각 흑마포 일필 백저포 일필

通事黑麻布一匹. 遣上護軍金廷雋 護軍趙加勿等于東北面 諭以
통사 흑마포 일필 견 상호군 김정준 호군 조가물 등 우 동북면 유이

使臣應對事宜. 以王可仁將至也. 波乙所卽把兒遜也.
사신 응대 사의 이 왕가인 장지 야 파을소 즉 파아손 야

上親視謝恩方物馬匹.
상 친시 사은 방물 마필

甲戌 遼東千戶王可仁奉勅諭至 上率百官迎于西郊 偕使臣至
갑술 요동 천호 왕가인 봉 칙유 지 상 솔 백관 영우 서교 해 사신 지

太平館 率百官拜勅書叩頭 與使臣行私禮設宴. 勅云:
태평관 솔 백관 배 칙서 고두 여 사신 행 사례 설연 칙운

'勅諭參散 禿魯兀等處女眞地面官民人等知道. 今朕卽大位
칙유 삼산 독로올 등처 여진 지면 관민인 등 지도 금 짐 즉 대위

天下太平 四海內外 皆同一家 恐爾等不知 不相統屬 强凌弱
천하 태평 사해 내외 개동 일가 공 이등 부지 불상 통속 강릉약

衆暴寡 何有寧息之時! 今聽朕言. 給與印信 自相統屬 打圍
중포과 하유 영식 지시 금청 짐언 급여 인신 자상 통속 타위

牧放 各安生業: 經商買賣 從便往來 共享太平之福. 今招諭
목방 각안 생업 경상 매매 종편 왕래 공향 태평 지복 금 초유

參散 禿魯兀等一十一處 溪關萬戶甯馬哈參散千戶李亦里不花
삼산 독로올 등 일십 일처 계관 만호 영마합 삼산 천호 이역리불화

禿魯兀千戶佟參哈佟阿蘆 洪肯千戶王兀難 哈蘭千戶朱蹓失馬
독로올 천호 동삼합 동아로 홍긍 천호 왕올난 합란 천호 주번실마

大伸千戶高難 都夫失里千戶金火失帖木 海童千戶童貴洞
대신 천호 고난 도부실리 천호 김화실첩목 해동 천호 동귀동

阿沙千戶朱引忽 幹合千戶劉薛列 阿都歌千戶崔咬納崔完者.
아사 천호 주인홀 간합 천호 유설렬 아도가 천호 최교납 최완자

【李亦里不花卽李和英. 崔咬納卽崔也吾乃.】
이역리불화 즉 이화영 최교납 즉 최야오내

可仁 本我朝東北面向化人 爲太上潛邸時麾下 賴太上王薦拔
가인 본 아조 동북면 향화인 위 태상 잠저 시 휘하 뢰 태상왕 천발

官至樞密. 高皇帝時召還 改名脩 至是已十五年 妻子皆無恙.
관 지 추밀 고황제 시 소환 개명 수 지시 이 십오 년 처자 개 무양

倭船三隻 寇全羅道靈光郡 知郡事鄭井與戰却之. 軍人中箭者
왜선 삼척 구 전라도 영광 군 지군사 정정 여전 각지 군인 중 전자

六七人.
육칠 인

乙亥 王可仁詣闕行私禮 次詣太上殿 又詣上王殿.①
을해 왕가인 예궐 행 사례 차 예 태상전 우 예 상왕전

丙子 上宴王可仁于淸和亭.
병자 상 연 왕가인 우 청화정

誅康居信. 初 居信逃 至是聞匿於晉州 巡禁司刑居信妻 問其
주 강거신 초 거신 도 지시 문 익 어 진주 순금사 형 거신 처 문 기

所在 妻初以不知答之 至被杖多曰: "雖重刑妾身 無益矣. 吾夫罪
소재 처 초 이 부지 답지 지 피장 다 왈 수 중형 첩신 무익 의 오부 죄

于誅死 出必見殺② 妾雖知其所在 豈敢愛吾生忍言之乎?" 有司
우 주사 출 필 견살 첩 수 지 기 소재 기감 애 오생 인언 지호 유사

爲之嘆息. 遣大護軍鄭耕于晉州 捕獲誅之.
위지 탄식 견 대호군 정경 우 진주 포획 주지

更定各品拜揖禮度及文字相通式. 禮曹狀申:
경정 각품 배읍 예도 급 문자 상통 식 예조 장신

'正一品立 從一品正從二品就坐前 相對而拜. 其頓首拱手 依
정일품 립 종일품 정 종이품 취 좌전 상대 이 배 기 돈수 공수 의

已定禮.
이 정례

一, 從二品 先至者北向立 後至者一行拜. 正二品以上至從二品
일 종이품 선지 자 북향립 후지 자 일행배 정이품 이상 지 종이품

庭迎上堂 北向立 一行拜. 正二品以上又至 更不庭迎 俱北向立
정 영상 당 북향 립 일 행배 정이품 이상 우지 갱 불 정영 구 북향 립

待而拜.
대 이 배

一, 從二品迎正二品以上 平身拱手立 上官就行頭一行立 下官
일 종이품 영 정이품 이상 평신 공수 립 상관 취 행두 일행 립 하관

躬身而上官答揖. 從一品正從二品迎正一品揖如上. 正一品相對而揖.

一, 一品以下於差等者 不分官職 俱拱手答禮 隔等以下者 依已定禮 其系親戚師長者 從優答禮.

一, 差等者平身立 稟事 立而答之. 隔一等者 躬身立稟事 坐而答之. 隔二等以下者 依已定禮.

一, 從一品衙門 從一品使臣 正從二品使臣 於正一品衙門 行牒呈; 各衙門及使臣於同等者 平關; 差一等以上衙門 牒呈; 與其行首差一等外隔一等以下者 俱著名 不許著署. 各衙門於隔一等以下衙門 用箚付; 使臣及守令同. 大小使臣差使員於守令 各以職品 亦用同等差隔等例; 各官守令 各於州郡司用下帖.'

允之.

己卯 遣參知議政府事呂稱如京師. 謝改正宗系 放還拘留人 賜列女傳也.

以金承霔爲參判承樞府事. 承霔遭母喪 是日從吉謝恩. 以郭海龍判軍器監事 吳眞內資尹 曹庶 宋希靖等 丁母憂 故不加職.③

王可仁奉勑書向女眞地面 命議政府餞于東郊 以金承霔爲接伴使以送之.

庚辰 月入太微.

賜郭海龍 吳眞 笠靴各一 衣各一稱

辛巳 日南有珥.

賜朱允端黑麻布緜布各一匹 白苧布二匹.

流判書雲觀事黃河澍于遂安. 宋希靖赴京長流 河澍娶其妻 聞
希靖存 乃異居. 希靖至 流河澍而杖其妻 吳眞妻亦改嫁 故杖之.
其後夫則已死矣.

癸未 演福寺五層塔上有氣如烟 僧徒謂之瑞氣.

乙酉 囚文可學于巡禁司. 初 可學請置妻子於晉州而還 上
許之 久而不至 已九月矣. 上曰: "可學至今不來 其誑予甚矣." 命
巡禁司移文晉州枷送 至卽下囚 尋釋之.

丁亥 三道體覆朴子靑復命.

戊子 朝廷使臣掌印司卿韓帖木兒 鴻臚寺序班鄔修 行人李榮
等來. 鄔修等齎禮部咨文至:

'其一爲農政事. 永樂二年二月二十二日 本部尙書李至剛同
工部尙書黃福等官 早朝於奉天門 欽奉聖旨: "近因建文不遵
祖訓 擅起兵端 軍民多被擾害. 如今天下太平 軍民各安生業 但
遼東少些牛用. 朝鮮國與遼東接境 多産牛隻 恁禮部便差人去 說
與朝鮮國王知道 着他選堪用的耕牛一萬隻 送付遼東都司. 每
一頭絹一匹 布四匹 着二部運去遼東與他. 就着遼東都司於鎭遼
千戶所立市 若那裏人要將物貨來做買賣的 聽從其便." 欽此 除

欽遵外④ 今將聖旨事意 備云移咨本國知會.
흠준 외 금 장 성지 사의 비운 이자 본국 지회

其一爲進貢事. 近該朝鮮國咨 送火者三十五名 差司譯院副使
기일 위 진공사 근 해 조선국 자 송 화자 삼십 오명 차 사역원 부사

康邦祐 管送赴京. 除中途病故二名外 見到羅萬等三十三名 進送
강방우 관송 부경 제 중도 병고이명외 견도 나만 등 삼십 삼명 진송

內府收訖. 永樂二年二月二十三日 本部尙書李至剛等官 晩朝於
내부 수흘 영락 이년 이월 이십 삼일 본부 상서 이지강 등관 만조 어

右順門 題奏前因 奉聖旨是:"內中有不乾淨的 還敎領回去. 說與
우순문 제주 전인 봉 성지 시 내중 유불 건정 적 환 교령 회거 설여

國王 別選幾箇好的來." 欽此 除今來使康邦祐領去外 宜合移咨
국왕 별선 기개 호적 래 흠차 제 금래사 강방우 영거 외 의합 이자

本國 欽依施行.'
본국 흠의 시행

上迎使臣于西郊 入幕次以待 使臣將至 出帳外立 使臣不下馬
상 영 사신 우 서교 입 막차 이대 사신 장지 출장 외립 사신 불 하마

使人告上速上馬 上有不豫色. 至闕 與使臣升殿 使臣屛左右 令
사인 고상 속 상마 상유 불예색 지궐 여 사신 승전 사신 병 좌우 영

上跪 鄔修高聲誦買牛咨文. 上聞之 還起曰:"此乃咨文也 予將
상궤 오수 고성 송 매우 자문 상문지 환기왈 차내 자문 야 여장

親見之."修卽以咨文授上. 韓帖木兒以短楮授上 乃書高皇帝時
친견 지 수즉이 자문 수상 한첩목아 이 단저 수상 내서 고황제 시

出來火者姓名 上皆覽之. 行禮畢 出御經筵廳 謂近臣曰:"今日
출래 화자 성명 상개 람지 행례 필 출어 경연청 위 근신 왈 금일

之事不便. 雖奉詔使臣 皆見予而下馬 其禮甚恭. 此人等但咨文
지사 불편 수 봉조 사신 개 견여이 하마 기례 심공 차인 등 단 자문

耳 見予而不下馬 使人告上馬. 卿等奈何使予出帳外見之?"
이 견여이불 하마 사인 고 상마 경등 내하 사여 출장 외 견지

錫命對曰:"臣愚以爲雖奉詔使臣 皆下馬 此輩亦必下馬."上曰:
석명 대왈 신우 이위 수 봉조 사신 개 하마 차배 역필 하마 상왈

"甚矣. 鄔修譎也! 使屛左右 予以爲有密旨 乃誦買牛咨文 又言
심의 오수 휼야 사병 좌우 여 이위 유 밀지 내송 매우 자문 우언

帝多所求."金科曰:"昔天王求購求車求金 春秋非之."上曰:"此
제 다 소구 김과 왈 석 천왕 구부 구거 구금 춘추 비지 상왈 차

非特求也 乃以利易之也."
비 특구 야 내 이리 역지 야

己丑 金星犯火星.
기축 금성 범 화성

上宴使臣於太平館.
상 연 사신 어 태평관

置進獻色 掌牛隻易換事. 令中外時散各品隨品納牛 有自願

納牛者聽 且令各道觀察使抄火者.

庚寅 熒惑犯太白.

韓帖木兒等詣太上殿.

贈韓帖木兒表裏笠靴.

辛卯 改濟州土官號: 以東道千戶所爲東道靜海鎮 西道千戶所

爲西道靜海鎮 都千戶爲都司守 上千戶爲上司守 副千戶爲

副司守 道之官爲都州官. 以星主爲都州官左都知管 王子爲

都州官右都知管.

遣前判事金觀道 送宮醞于王可仁.

乙未 議政府上各道田畓戶口數: 忠淸道田二十二萬三千九十

結, 戶一萬九千五百六十一, 口四萬四千四百七十六. 全羅道

田一十七萬三千九百九十結, 戶一萬五千七百三, 口三萬

九千一百五十一. 慶尙道田二十二萬四千六百二十五結, 戶

四萬八千九百九十二, 口九萬八千九百十五. 豐海道田九萬

九百二十二結, 戶一萬四千一百七十, 口二萬九千四百四十一.

江原道田五萬九千九百八十九結 戶一萬五千八百七十九, 口

二萬九千二百三十八. 東北面田三千二百七十一結, 戶一萬

一千三百十一, 口二萬八千六百九十三. 西北面田六千六百四十八

結, 戶二萬七千七百八十八, 口五萬二千八百七十二. 都計

田七十八萬二千五百四十三結, 戶一十五萬三千四百四, 口
三十二萬二千七百八十六.

丁酉 上宴韓帖木兒 鄔修 李榮等于淸和亭.

命領春秋館事河崙 知春秋館事權近開史庫 考前朝睿宗實錄.

睿宗朝侍中尹瓘擊東女眞 立碑于境上. 帝遣王可仁于女眞 欲設

建州衛 故欲據此對之也.

一岐州知主源良喜 使人獻禮物.

司諫院劾左正言盧異. 異與同舍議事 多過中 或有不實. 乃言:

"向者李伸 以將軍金寶海許嫁待年之妹 納于宮中 上知而卽黜之.

然不論李伸 寶海等欲得寵幸 獻色諂媚 陷主不義之罪 宜加重論

以懲其餘." 坐中皆不應. 於是 獨與右正言申曉定議 始與同僚

不協. 左獻納朴礎始與異同心 欲劾左司諫趙休等 異曰: "不可.

職在言官 今已數月 不言時政得失 反劾同僚 則人將謂何?" 礎

知異意 反與休請同舍坐於金經寺 托以公事漏泄 劾異.

戊戌 吉州阿蘭里東石壁自焚 深三尺廣八尺.

遣大護軍梅原渚 押初運牛一千隻赴遼東.

己亥 韓帖木兒至花園 觀石戰戲.

庚子 王子卒 年二歲 輟朝三日. 三府詣闕陳慰 設都監以葬之.

韓帖木兒詣闕 上因齋戒不見.

囚孫孝宗妻于巡禁司 尋釋之. 巡禁司鞫其夫孝宗去處 對曰:

"今雖問以夫之去處 夫婦之情 雖或知之 所不忍言. 況不知乎!
금 수 문 이 부 지 거처 부부 지 정 수 혹 지지   소불인언   황 부 지 호

諸官皆有室家 請易地思之. 有死而已 何敢言之!"萬戶贊成事
제관 개 유 실가 청 역지사지   유 사 이 이 하감 언지   만호   찬성사

南在感其言以聞 命釋之.
남재 감 기언 이 문 명 석지

| 원문 읽기를 위한 도움말 |

① 王可仁詣闕行私禮 次詣太上殿 又詣上王殿. 여기서처럼 세 가지 내용
   왕가인 예궐 행 사례 차 예 태상전 우 예 상왕전
   이 열거될 때 두 번째부터는 '~次~又~'의 표현법을 쓴다. '~한 다음에는
                                차 우
   ~하고 또다시 ~한다'는 것이다.

② 出必見殺. 見殺의 見은 수동형을 만들어주는 일종의 조동사다.
   출 필 견살 견살 견

③ 承霖遭母喪 是日從吉謝恩. 以郭海龍判軍器監事 吳眞內資尹 曹庶
   승주 조 모상 시일 종길 사은 이 곽해룡 판 군기감 사 오진 내자윤 조서
   宋希靖等 丁母憂 故不加職. 遭母喪과 丁母憂는 같은 뜻이다. 이때 丁도
   송희정 등 정 모우 고 불 가직 조 모상   정 모우   정
   '만나다, 당하다[當]'라는 뜻이다.
                      당

④ 除欽遵外. '除~外'라는 표현은 연이어 계속 나오는데 '~를 제외하고'라
   제 흠준 외 제 외
   는 뜻이다.

태종 4년 갑신년
5월

五月

신축일(辛丑日-1일) 초하루에 사간원에서 사헌지평 한옹(韓雍, 1352~1425년)[1]을 탄핵했다. 검교전서(檢校典書) 김귀진(金貴珍)은 본래 도관(都官)[2]의 종[奴]이었는데 음식을 잘 만들어 (상의) 총애를 받았다. 도관에서 그 어미를 잡아다가 근각(根脚)[3]을 캐었더니 그 어미가 자복하기를 "본래 도관의 종[婢]이었습니다"라고 했다. 그래서 귀진을 다시 종으로 만들었다[從賤]. 귀진이 사헌부에 양민(良民)이라 호소했으나 사헌부에서 다시 종천(從賤)으로 결정했다. 임금이 옹(雍)을 불러서 물었다.

"무슨 까닭으로 귀진을 종천시켰는가?"

옹이 대답했다.

"귀진의 어미가 일찍이 도관에 공사(供辭)를 바쳤기 때문에 천인(賤人)으로 판정했습니다."

상이 도관에서 강압적으로 형벌을 가해[強刑] 공사를 받았는지를

---

1 여말선초의 문신으로 세종 때까지 줄곧 관찰사 등을 두루 지냈다.
2 고려시대 형부(刑部)에 소속되어 노비의 부적(簿籍) 및 결송(決訟)에 관한 업무를 맡은 관청이다.
3 원래는 일종의 신원조사서와 같은 것을 가리킨다. 공물(貢物)이나 관수품(官需品)을 서울로 운반하는 선주(船主) 등의 신원을 조사해 이름, 생년월일, 거주지, 가족사항 등을 적어 호조(戶曹)에 미리 등록했다. 조선시대의 범죄자 기록표를 가리키기도 한다. 죄를 범한 자의 죄상, 이름, 생년월일과 그 얼굴이나 몸의 특징, 그리고 조상들에 관한 사항을 기록한 서류다.

의심해 옹에게 집으로 물러가 있으라고 명했다. 사헌부에서는 상의 뜻을 알지 못하고 출근을 평상시와 같이 했다. 상이 듣고 대언(代言)에게 명했다.

"너희가 말하는 것으로 해서 사헌부 도리(都吏)를 불러 말하기를 '너희 부(府)의 관원은 마땅히 그 행동거지[行止]를 면밀하게 살펴야 한다[詳審]'라고 하라."

간원(諫院-사간원)에서 이를 알아차리고 그를 탄핵했다. 상이 박석명(朴錫命)에게 일러 말했다.

"귀진이 부왕(父王) 때부터 음식 만드는[烹飪]⁴ 일을 맡았는데 내가 정안군(靖安君)으로 있을 때 매번 나에게 그만두게 해줄 것[乞身]을 청했는데 내가 즉위한 뒤에는 그로부터 그만두게 해달라는 청을 들을 수가 없었으니 내가 그 때문에 그를 불쌍하게 여기는 것이다."

○사간원 좌사간대부 조휴(趙休) 등이 소를 올려 노이(盧異) 등의 죄를 청했다. 소는 대략 이러했다.

'신 등은 가만히 보건대 직책이 언관(言官)에 있으면 속이지 말고

---

4 임(飪)은 삶거나 고아서 요리한다는 뜻이다. 조선시대 때 음식 만드는 일을 책임지는 사람을 임부(飪夫)라고 했다. 임부는 조선시대 사옹원(司饔院)의 정9품 잡직(雜職)이다. 임(飪)은 화숙(火熟-불로 익히다)의 뜻이며, 음식을 만드는 식관(食官) 가운데 하나였다. 궁궐 내 각 전(殿), 각 궁(宮)의 음식 조리 책임자로서 그 아래 별사옹(別司饔-육류 담당), 적색(炙色), 반공(飯工), 주색(酒色), 병공(餠工) 등을 지휘하여 요리를 준비했다. 오늘날의 주방장에 해당한다. 이들은 궁중 차비노(差備奴)의 일종으로 미천한 신분 출신이었으나 궁중에서의 직무 때문에 비록 잡직이지만 품계와 직위가 주어졌다. 즉 왕과 왕비 수라간(水剌間-주방)의 재부(宰夫-종6품), 문소전(文昭殿)과 대전 다인청(大殿多人廳)의 선부(膳夫-종7품), 왕비전 다인청의 조부(調夫-종8품), 세자궁과 빈궁의 임부(飪夫), 팽부(烹夫-종9품) 등이 그것이다. 여기서 재(宰), 선(膳), 조(調), 임(飪), 팽(烹)은 모두 음식을 만드는 일을 뜻한다.

(임금의 안색을) 범(犯)하는 것이 마땅히 해야 할 일이라 여깁니다. 지금 정언 노이와 신효(申曉) 등은 모두 용렬(庸劣)한 재주뿐임에도 (전하의) 빼어나신 눈 밝음[聖明]을 만나[遭遇] 관직을 얻어 이 자리에 이르렀으면 마땅히 더욱 충성과 절의[忠節]를 닦아 조금이라도 [涓埃]⁵ 보답하려고 도모해야 할 것입니다. (그런데) 사려하는 바가 이에 미치지 못해 망령되이 공손치 못한 말로 지존(至尊)을 기망(欺罔)했으니 불경(不敬)의 죄가 이보다 더 클 수 없으므로 징계하지 않을 수 없습니다. 엎드려 바라옵건대 상께서 이를 헤아려 시행하셔야 합니다.'

궁중에 머물러두고 (해당 부서에) 내려보내지 않았다.

임인일(壬寅日-2일)에 우박이 떨어졌는데 크기가 배와 밤만 했다.

계묘일(癸卯日-3일)에 사간원에서 다시 노이(盧異)를 탄핵하니 명하여 전리(田里-고향)로 내쫓았다. (사간원에서) 이(異)에게 상(上)을 향해 공손치 못한 말을 하고 그것을 바깥사람들에게 떠들어 말한 [揚言] 까닭을 물으니 이가 이렇게 대답했다.

"내가 말한 것이 불손한 것이 아니라 곧게 말하는 것[直言]은 진실로 간관의 직무다. 또 밖에 떠들어 말한 것이 아니라 다만 동료들과 그것을 말한 것뿐이다."

휴(休-조휴) 등이 소를 올려 말했다.

---

5 연(涓)과 애(埃)는 각각 물방울과 티끌을 뜻하며 아주 작은 것을 의미한다.

'좌정언 노이가 지존을 향해 함부로 고분고분하지 못한[不順= 不遜] 말을 지어냈고 밖에다 대고 사람들에게 떠들었으니 청컨대 직 첩(職牒)을 거두고 저 해외(海外-먼 바닷가)로 물리쳐야 합니다. 우정 언 신효도 이를 거들어 말했으니 마땅히 함께 죄를 주어야 합니다.'

애초에 휴 등이 이를 탄핵할 것을 토의하니 효가 말했다.

"이는 내가 그와 함께 토의한 것이다."

휴(休) 등은 이에 효를 아울러 탄핵하여 죄줄 것을 청한 것이다.

휴 등은 또 종친과 공신들에게 일러 말했다.

"이(異)가 말하기를 '상께서 겉을 꾸미는 것[外飾]에만 힘쓰고 실질 적인 다움[德]은 없어 썩은 참외와 같다. (그러니) 남의 처첩을 빼앗 아 궁중에 들인 것이다'라고 했습니다."

상이 이를 듣고서 이(異)와 효(曉)를 불러 물어보니 이가 이렇게 대답했다.

"옛날 소신(小臣)이 사관일 때 해주(海州)에 어가를 따라가서 [扈駕] 어리석은 속마음[衷=衷曲=心曲]을 우러러 올렸더니 곧 아름 답게 여기고 받아들여 주심을 입었습니다. 이로 말미암아 감격하여 항상 남몰래 생각하기를 만일 언관이 되어 말해야 할 것이 있으면 앞뒤를 돌아보지 않고 남김없이 다 말해야겠다고 여겼습니다. 지난번 에 말하고자 한 것은 다른 것이 아니라 상께서 실질적인 다움(을 닦 는 것)에는 힘쓰지 않으시고 겉으로만 어짊과 의로움[仁義]을 다 갖 춘 양 꾸미신다는 것이었습니다. 이신(李伸), 김보해(金寶海) 등이 여 색(女色)을 바쳐 전하를 속였는데도 일찍이 죄를 받지 않아 죄를 청 하려고 그랬던 것입니다. 썩은 참외의 비유와 남의 처첩을 빼앗았다는 말은 신이 한 발언이 아닙니다. 효(曉)의 경우에는 이에 참여하지 않았으니 그것은 들은 자가 잘못 들은 것일 뿐입니다."

그러고는 드디어 (이번 일의) 본말(本末)을 끝까지 다 말하니 상이 말했다.

"네가 이와 같이 할 말이 있었으면 어찌하여 날 찾아와 진달하지 [面陳] 않고 사사로운 자리에서 말했느냐?"
면진

이(異)가 대답했다.

"신은 사사로운 자리에서 말한 것이 아니라 단지 동료들과 더불어 원의(圓議)⁶에서 말했을 뿐입니다."

상이 말했다.

"옛날에 백이(伯夷)와 숙제(叔齊)⁷는 주(周)나라에 벼슬을 하지 않았다. 너는 분명 백이·숙제와 같은 뜻을 갖고 있어 이런 말을 했을 것이다. 지금 마땅히 전리(田里)로 돌아가게 해주겠다."

이가 말했다.

"신의 죄는 주살에 해당되건만 전리로 돌아갈 수 있게 해주시니 은택이 지극히 두텁습니다[渥=厚]. 그러나 신이 백이·숙제와 같은
악 후

---

6 대간(臺諫)이 비밀리에 풍헌(風憲)에 관계되는 일이나 탄핵에 관계되는 일 또는 배직(拜職)한 사람의 서경(署景)을 의논하는 것을 말한다. 완의(完議)라고도 한다.

7 백(伯)과 숙(叔)은 장유(長幼)를 나타낸다. 묵태씨(墨胎氏)로, 백이는 이름이 윤(允)이고, 자는 공신(公信)이다. 본래는 은(殷)나라 고죽국(孤竹國)의 왕자였는데, 아버지가 죽은 뒤 서로 후계자가 되기를 사양하다가 끝내 두 사람 모두 나라를 떠났다. 그 무렵 주나라 무왕(武王)이 은나라의 주왕(紂王)을 토멸하여 주왕조를 세우자, 무왕의 행위가 인의(仁義)에 위배되는 것이라 하여 주나라의 곡식을 먹기를 거부하고 수양산(首陽山)에 몸을 숨기고 고사리를 캐 먹고 지내다가 굶어 죽었다. 태종의 말은 노이가 처음부터 자신의 즉위 과정을 부정적으로 보고 있었던 것이 아니냐는 것이다.

마음이 있었다면 마땅히 일찍이 물러났지 어찌 오늘에 이르렀겠습니까? 간관이 되어 한번도 미미한 충성[微忠]이나마 바치지 못하고 갑자기 전리로 돌아가게 되니 이것이 한스럽습니다."

상이 말했다.

"너의 이런 말을 들으니 나 또한 슬프구나. 눈앞에서 오랫동안 일을 맡겼던 사람을 하루에 내치니 어찌 슬프지 않겠는가?"

효는 집에 머물러 있으라고[沈] 명하고 그 소(疏)는 (궁중에) 머물러두고 (해당 부서에) 내려보내지 않았다. 좌헌납 박초(朴礎)가 대궐에 나아와 말씀을 올렸다.

"노이는 죄가 무거운데 벌이 가볍고 효는 이와 죄가 같은데 벌이 다릅니다."

상이 말했다.

"이가 말한 바는 근거 없는 일이 아닌데 어떻게 죄를 주겠는가? 다만 이가 사관 때부터 오늘에 이르기까지 가까이에서 나를 모신 지가 이미 오래인데 나에 대해 평하기를 '겉으로는 옳은 척하고 속은 그르다[外是而內非]'고 했으니 내가 이를 가려보려고 했지만 내가 (실제로) 다움이 없기 때문에 그렇게 말한 것일 뿐이다. 급암(汲黯)이 한무제(漢武帝)에게 '안으로는 욕심이 많으면서 겉으로는 어짊과 의로움을 베푸는 척한다'고 했는데, 무제(武帝)의 웅대한 재주[雄才]와 큰 계략[大略]은 내가 미칠 바는 못 되나 진정 급암과 같은 신하가 있으니 그것으로 충분하다. 노이와 신효의 말은 다만 여러 사람에게서 들은 것일 뿐이다."

초(礎)가 다시 아뢰었다.

"이의 죄가 작지 않으니 마땅히 중벌(重罰)을 가해야 합니다. 효는 죄가 같은데 홀로 면하게 되니 이 역시 불가합니다."

상이 말했다.

"노이의 말은 모두 곧으니 내가 죄주지 않으려고 하지만 일단[姑] 너희의 청을 따랐고, 또 그의 벼슬하지 않으려는 마음[不仕之心]을 이뤄주려고 전리로 놓아 돌려보내는 것일 뿐이다. 게다가 이런 말은 누구나가 쉽게 할 수 있는 말이 아닌데 어찌 신효가 한 말이겠는가? 그래서 그냥 집에 돌아가게 한 것일 뿐이니 다시는 말하지 말라."

갑진일(甲辰日-4일)에 상이 태상전에 조알했다.

을사일(乙巳日-5일)에 상왕이 제릉(齊陵)에 참배했다.

○ 상이 인소전(仁昭殿)에 몸소 제사를 지냈다[親祭].[8]

○ 경차관(敬差官)을 나눠 보내 군대의 준비태세[軍容]를 점검했다 [點考]. 전라도에는 대호군 이유(李愉), 경상도에는 서운관 판사(判書雲觀事) 민약손(閔若孫), 충청도에는 대호군 김단(金端)을 보냈다.

○ 죽은 정당문학(政堂文學) 서균형(徐鈞衡, 1340~1391년)[9]의 집 여종이 아들 세 쌍둥이를 낳았다.

---

8 신의왕후(神懿王后) 한씨(韓氏)를 모신 혼전(魂殿)이다. 앞서 상왕이 참배한 제릉은 한씨 의 능이다.

9 1389년(공양왕 1년) 정당문학(政堂文學)으로 재직 시 왕명을 받아 폐왕 우왕을 강릉에서 살해했고 1390년 예문관 대제학으로서 조준(趙浚), 이지(李至) 등과 함께 세자의 사부 (師傅)가 됐으며 1391년 양광도 도관찰사를 지냈다.

○ 왕가인(王可仁)이 동북면(東北面)에서 돌아왔다. 여진(女眞) 사람 중에 (황제의) 칙지(勅旨)에 응하지 않는 자가 매우 많았다.

○ 사역원 지사 장홍수(張洪壽)를 보내 두 번째 운반 소[二運^{이운}] 1,000마리를 몰고 요동(遼東)에 가게 했다.

정미일(丁未日-7일)에 달이 태미(太微)에 들어갔다.

○ 한첩목아 등 3인이 대궐에 이르자 상은 다례를 시행했다.

○ 왕가인이 또 대궐에 나아오니 상이 청화정(淸和亭)에 나아가 접견했다.

○ 상이 옛 태평관에서 왕가인에게 잔치를 베풀었다. 거가(車駕)가 장차 나가려고 하자 하륜이 들어와 아뢰었다.

"반드시 먼저 한첩목아를 만나본 뒤에 왕가인의 사관(舍館)으로 가셔야 합니다."

상이 태평관에 가서 한첩목아 등에게 일러 말했다.

"내가 왕 천호(王千戶)의 출발을 위로하려고 하오."

다례(茶禮)를 행하고서 마침내 옛 태평관에 이르러 잔치를 베풀었다.

기유일(己酉日-9일)에 사간원에서 소를 올려 원자(元子)를 도와 길러주는[輔養^{보양}] 방법을 진달했다. 소(疏)는 이러했다.

'가만히 생각건대 원자는 나라의 근본입니다. 그가 빼어나게 되는지 여부는 평소 길러주는 것이 좋으냐 좋지 못하느냐[善不善^{선 불선}]에 달려 있습니다. (그런데) 지금 원자께서 하늘이 내려준 자질[天資=天稟^{천자 천품}]

이 깎아지를 듯 뛰어나고 하늘에서 내려받은 본성[稟性]이 귀 밝고 눈 밝습니다[聰明]. 전하께서 국학(國學)에 들어가도록 명해 빼어난 이가 정치를 하는 도리[爲治之道]를 배우게 했으니 아마도 나라의 근본[國本]을 위해 염려하시는 바가 지극하다고 하겠습니다. 그러나 원자의 춘추(春秋)가 적고 마음가짐[執心]이 튼실하지 못하니 이는 곧 안 좋은 조짐[幾]으로 나아가기 쉬운 때이므로 참으로 조심하지 않을 수 없습니다. 옛날에 태자(太子)가 마침내 태어나면 진실로 예(禮)로써 거행하여 유사(有司-해당 부서)가 재계(齋戒)하고 단면(端冕-예복)을 갖춰 태자를 업고 남교(南郊)에서 뵙고 또 사부(師傅)의 직책을 세워 가르치고 길러서 보고 듣는 바가 바른 말[正言]과 바른 일[正事]이 아닌 것이 없으므로 왕위(王位)에 나아간 뒤에는 몸에 쌓인 것이 인·의·예·지(仁義禮智)의 다움[德]이 아닌 것이 없고 정사(政事)에 나타나는 것이 인·의·예·지의 쓰임[用]이 아닌 것이 없습니다. (이렇게 한다면) 국가가 어찌 다스려지지 않으며, 천하가 어찌 태평하지 않겠습니까? 『주역(周易)』에 이르기를 "어린아이[蒙]를 바르게 기르는 것이야말로 빼어난 (이가 되게 해주는) 공부[聖功]다"[10]라고 했고, 『예기(禮記)』에 이르기를 "바른 사람과 함께 있기를 오래 하면 바르게 되지 않을 수 없다"라고 했으니 아마도 이를 두고 한 말일 것입니다. 신 등은 생각건대[以謂=以爲] 스승이 그에 적합한 사람이면 가르치고 길러주는 것도 그 바름을 얻게 되고 벗이 좋은 사람[善人]이 아니면 경계하여 바로잡는 바가 없게 됩니다. 지금 원자(元

---

10 몽(蒙)괘(☶ ☷) 단(彖)에 나오는 말이다.

子)가 크게 훌륭한 사람[元良]이 되기를 바라면서 스승과 벗을 잘 가
려서 보호하고 길러주지 않을 수 있겠습니까? 하물며 환시(宦侍-환
관)의 무리들은 오직 뜻에 아첨하고 무조건 순종하여 기쁘게만 하려
고 하니 어찌 늘 원자의 좌우에 있게 할 수 있겠습니까? 신 등은 생
각건대 안평부원군(安平府院君) 이서(李舒, 1332~1410년)[11]와 의정부
참찬사 권근(權近) 같은 이는 모두 스승으로서의 모범[師範]이 될 만
한 사람들입니다. 바라건대 전하께서 명하시어 (이들을) 동궁(東宮)
의 스승으로 삼고 또 덕행(德行)과 도예(道藝)가 있는 선비를 잘 골
라 유선(諭善)[12]과 시학(侍學)[13]의 직책에 있게 하고 환시(宦侍) 등 옆
에서 아첨이나 하는 사람들을 쫓아내 (동궁의) 앞과 뒤를 바로잡아
야 합니다.'

---

11 1357년(고려 공민왕 6년) 문과에 급제해 여러 벼슬을 거쳐 군부좌랑(軍簿佐郞)에 올랐
   으나 세상이 어지럽고 정치가 문란해지자 관직을 버리고 고향으로 돌아가 은둔했다.
   1376년(우왕 2년) 우헌납에 임명됐으나 노부모의 봉양을 이유로 거절하고 친상(親喪)을
   당하자 6년간 여묘(廬墓)살이를 했다. 1388년 내부소윤(內府少尹)에 임명됐으나 상이 끝
   나지 않았다는 이유로 거절했다. 국가에서는 그의 효행을 높이 기리기 위해 정문을 세워
   주었다. 이해 겨울 이성계(李成桂)가 실권을 장악하자 유일인사(遺逸人士)로서 그를 선발
   해 내서사인(內書舍人)에 제수했다.
   1392년(태조 1년) 이성계 추대에 참여해 개국공신 3등에 책록돼 안평군(安平君)에 봉해
   지고 형조전서(刑曹典書)에 임명됐다. 1394년 대사헌이 되고 1396년 신덕왕후(神德王后)
   가 죽자 3년간 정릉(貞陵)을 수묘(守墓)했다. 1398년에 문하부 참찬사에 오르고 1400년
   태종이 즉위하자 문하시랑찬성사에 이어 우정승으로 부원군(府院君)에 봉해졌다.
   1402년(태종 2년) 사임하고, 앞서 1398년 1차 왕자의 난 때 상심해 함흥에 가 있던 태조
   를 중 설오(雪悟)와 함께 안주(安州)에 나가 맞아 귀경하게 했으며 1404년 다시 우정승
   이 됐다. 이듬해 75세의 고령으로 치사(致仕)했다가 다시 영의정에 올랐고 기로소에 들어
   간 뒤 만년을 향리에서 보내다가 죽었다.
12 좋은 생각과 행동을 길러준다는 뜻으로 행실을 가르치는 데 비중이 크다. 그대로 세자시
   강원의 관직명이 됐다.
13 공부를 도와준다는 뜻이다.

상이 소를 다 읽어보고 나서 말했다.

"그렇다. 다만 환시는 청소하는 임무를 맡고 있으니 없앨 수는 없다."

○ 이방간(李芳幹)을 다시 익주(益州)에다 두었다. 사간원에서 소를 올려 말했다.

'회안대군(懷安大君) 이방간은 종실의 지친(至親)으로서 분수(分數)에 맞지 않는 짓을 꾀해 죄를 범했으니 그 죄가 용서할 수 없는 것인데도 전하께서 다만[止=但] 남주(南州-남쪽 지방)에 두어 목숨을 보전하게 하셨으니 그 임금다움이 지극히 두터웠습니다[至渥]. 심지어[又] 대군(大君)의 칭호를 내려주어 그를 존귀하게 했으니 마음에서 우러나는 우애가 아니면 능히 이렇게 할 수 있었겠습니까? 그러나 사람이란 제 속마음대로 되지 않으면 원망을 품게 됩니다. 방간이 이것을 감사하게 여기지 않고 도리어[反] 유배 간 것을 원망할지 어찌 알 수 있겠습니까? 또 분함과 원한을 이기지 못해 도리어[還=反] 변란을 일으킬 마음이 있을지 어찌 알겠습니까? 게다가[且] 순천(順天)은 부(府)이면서 바다에 접한 해안가라 왜구(倭寇)가 쉽게 침범하는 곳입니다. 그 고을의 수령(守令)이 병마(兵馬)의 직책을 겸하고 있어 한번만 변경에 무슨 일이 있어도 모조리 쫓아나가 막아야 합니다. 이때를 당해 설사 성곽(城郭)이 완전하다 해도 누구와 더불어 지키겠습니까? 왜구가 이르기만 하면 방간 등이 사로잡히는 것을 면하기 어려울까 두렵습니다. 또 방간 부자(父子)의 용맹은 보통 사람들보다 뛰어나니 만의 하나[萬一] 왜구와 더불어 한 당(黨)이 되어 그 뜻을 이루려고 한다면 국가의 근심이 될 것이 분명합니다.『서경(書經)』에 이르기를 "아직 드러나지 않았을 때 (사전에) 도모하라"[14]
고 했습니다. 바라건대 전하께서는 성(城)이 견고하고 바다에서 멀리
떨어진 고을을 골라 그들을 옮겨두고, 충직(忠直)한 사람을 명해 그
수령으로 삼아 항상 감시를 더해 예기치 못한[不虞] 변란에 대비하
셔야 합니다.'
_{불우}

상이 말했다.

"혹시라도 왜구에게 잡혀갈까 걱정이다. 전에 있던 익주(益州)로
옮겨두도록 하라."

신해일(辛亥日-11일)에 사간원(관원들)이 대궐에 나아와 다시 노이
(盧異)의 죄를 청하면서 아뢰어 말했다.

"상께서 노이에게 말하고자 하는 바를 물으셨는데도 죄다[畢] 진
_필
달하지 않았으니 이는 심히 곧지 못합니다[不直]."[15]
_{부직}

박석명이 말했다.

"그렇지 않소. 일찍이 들건대 이(異)는 말하고 싶은 것을 숨김없이
다 말했다고 했소."

조휴(趙休) 등이 말했다.

"만약 이가 옳다면 죄가 신들에게 있고 만약 신들이 옳다면 죄가
이에게 있소."

---

14 「하서(夏書)」 '오자지가(五子之歌)'에 나오는 말로 어떤 일이 싹트기 전에 미리 조치를 취
　　해야 한다는 뜻이다.
15 앞서 태종이 노이를 용서해준 것은 그가 곧다[直]고 보았기 때문에 사간원에서는 그가
　　　　　　　　　　　　　　　　　　　　　　　　　　　_직
　　곧지 못하다고 말한 것이다.

석명이 갖춰 아뢰니 상이 말했다.

"만일 그 곡직(曲直)을 끝까지 캔다면 너희라고 해서 어찌 잘못[曲]이 없겠는가?"

석명에게 명하여 술을 먹여서 보냈다.

○ 봉상영(奉常令-봉상시 영) 설내(偰耐)[16]를 보내 세 번째 운반[三運] 소 1,000마리를 몰고 요동에 가게 했다.

임자일(壬子日-12일)에 강원도에 우박이 내려 보리와 콩의 싹이 상했다.

○ 경외(京外-서울과 지방)의 속죄(贖罪)한 대가로 받은 재물을 회계(會計) 처리하여 국용(國用-국고)으로 삼았다.

○ 노이(盧異)의 직첩(職牒)을 거둬 영구히 서용(敍用)하지 않고 그 자손을 금고(禁錮)[17]했다. 신효(申曉)는 연안부(延安府)에 안치(安置)했다.[18] 사간원에서 글을 올렸다.

'신 등이 어제 이와 효 등의 불경한 죄를 소(疏)로 갖춰 아뢰었는데도 전하께서 마침내 이를 자원(自願)에 따라 안치(安置)하게 하셨으니 신 등이 볼 때 죄는 무겁고 벌은 가벼워 (그들의) 불경(不敬)한 마음을 징계하는 바가 없었습니다. 전(傳)에 이르기를 "다른 사람의 신

---

16 설장수(偰長壽)의 아들로 통사(通事)다.

17 벼슬길을 막아 쓰지 않는 것을 가리킨다.

18 일정한 장소에 죄인을 격리시키는 것으로서 왕족이나 고관(高官) 등이 그 적용 대상이었다. 안치되는 곳은 본향(本鄕), 절도(絶島), 위리(圍籬), 주군(州郡), 자원처(自願處) 등으로 일정하지 않았다.

하가 되어서는 삼감[敬]에 오래 머문다"[19]고 했고 또 말하기를 "신하
는 임금을 진실함[忠]으로 섬긴다"[20]고 했습니다. 신하가 임금을 대
함에 있어 어찌 함부로 고분고분하지 못한[不順=不敬] 말을 지어내
임금의 임금다움[德]을 비방하고 훼손하며[非毁=誹毁] 밖으로 다른
사람들에게 떠들어 말할 수가 있습니까? 불경한 죄가 이미 죄다 발
각되어 전하께서 특별히 깨끗하게 물으셨을 때 이로써 해야 할 최선
의 태도는 마땅히[宜當] 스스로 자신이 죄를 청해 만 번 죽어도 사
양하지 않아야 할 것인데, 마침내 간관(諫官)의 직책으로 꾸며서 말
하여 (임금을) 비방하고 훼손하는 말을 함부로 지어낸 죄를 자복하
지 않았으니 안으로 흉포한 마음을 품고 밖으로 교묘하게 속여서 꾸
민 것이 심합니다. 또한 신효도 노이의 뜻에 따라 서로 더불어 사사
로이 통하며 (임금이 처벌을 내리는 것을) 비방하고 훼손했으니 죄가
진실로 무겁습니다. 그리하여 신 등이 아울러 그 죄를 청했건만 전
하께서는 조금도 거론(擧論)하는 바가 없으시니 신 등은 실망스럽습
니다. 하물며 신 등이 듣건대 이가 아뢰기를 "신효는 범(犯)한 것이
없습니다"라고 말했다 하니 (전하의) 하늘과도 같은 귀 밝음[天聰]을
속여 희롱하고 신하답지 못한[不臣] 죄가 정말 심하지 않습니까? 전
하께서 다만 자원(自願)에 따라 안치하게 하셨으니 신 등이 생각건대
는 잘못을 징계하는 것이 아니라고 여깁니다. 바라건대 전하께서는

---

19 『대학(大學)』에 나오는 말이다. 지(止)는 '그친다'고 옮겨서는 안 된다. '오래 머무르다'라는
   뜻이다. 즉 그런 마음을 오래 품고 있어야 한다는 말이다.
20 『논어(論語)』「팔일(八佾)」편에 나오는 말이다.

유사(攸司)에 명하시어 직첩(職牒)을 거두고 저 해외(海外)로 추방해 영구히 서용하지 말고 그 자손을 금고(禁錮)해야 합니다. 신효의 죄 또한 용서할 수 없으니 바라건대 그 직첩을 거두고 먼 지방[遐方]으로 내쫓아[竄逐] 그 마음을 징계해야 합니다.'

○사간원에 명해 김귀진(金貴珍)이 양민인지 천민인지를 변별하게 하니, 사간원에서는 양천(良賤)을 변별하는 것은 자신들의 맡은 바가 아니라 하여 소(疏)를 올려 형조(刑曹)로 옮길 것을 청했으므로 그대로 윤허했다.

계축일(癸丑日-13일)에 원자 좌유선(左諭善) 설칭(薛偁)과 우유선(右諭善) 김조(金稠)에게 출사(出仕)하도록 명했다. 상이 말했다.

"비록 빈사(賓師)를 둔다 해도 어떻게 매일 가르칠 수가 있겠느냐? 유선(諭善) 등은 전과 같이 가르치도록 하라."

설칭 등은 간원(諫院)에서 소를 올려 동궁(東宮)의 스승을 두고 덕행(德行)과 도예(道藝)가 있는 사람을 잘 골라 유선(諭善)과 시학(侍學)의 직책에 있게 하라고 청했기 때문에 혐의를 피하고 출근하지 않았으므로 이런 명이 있었다.

을묘일(乙卯日-15일)에 송림(松林), 장단(長湍), 우봉(牛峰) 등지에 큰 비가 내렸다.

○사헌부 대사헌 최유경(崔有慶) 등을 파직했다. 사간원에서 소(疏)를 올렸다.

'대사헌 최유경의 아들 사위(士威)가 무진년(戊辰年-1388년)에 도관좌랑(都官佐郞)이 되어 귀진(貴珍-김귀진)의 어미를 잡아다가 조사하여 문안(文案)에 서명했으니[署文] 유경(有慶)에게는 상피(相避)가 됩니다.²¹ 집의(執義) 이지직(李之直)은 사위(士威)와 함께 도관좌랑이 되었고 장령(掌令) 민설(閔渫)은 신사년(辛巳年-1401년)에 도관 겸 의랑(都官兼議郞)이 되어 종천(從賤)의 의결에 참여했으니 지금 귀진이 양인이라고 호소함에 있어 모두 마땅히 회피(回避)해야 할 것입니다. 그러나 버젓이[任然] 이를 청단(聽斷)하여 모두 상피(相避)의 법을 범했으니 (그 죄를) 논하지 않을 수 없습니다. 하물며 전월(前月) 27일에 상께서 지평 한옹(韓雍)에게 귀진을 종천시킨 까닭을 묻고 집에 물러가 있으라고 명하고 말씀하시기를 "마땅히 잘 생각하여 처리하라"고 하셨는데 지직(之直) 등은 역시 이를 듣고서도 태연하게[恝然] 제좌(齊坐)하여 위로는 임금의 명을 업신여기고 아래로는 헌사(憲司)의 직책을 그르쳤으니 더욱 (그 죄를) 논하지 않을 수 없습니다."

그래서 모두 파직했다.

○ 김희선(金希善, ?~1408년)²²을 사헌부 대사헌, 김자지(金自知)를 집의로 삼았다.

○ 사간원에서 소를 올려 의정부 지사 이첨(李詹), 전 승추부 제학

---

21 일정 범위 내의 친족 간에는 같은 관사(官司)나 통속관계(統屬關係)에 해당하는 관사(官司)에 나아가지 못하게 하거나 혹은 청송관(聽訟官), 시관(試官) 등이 될 수 없게 하는 제도다. 본질적으로 인정(人情)에 의한 권력의 집중을 막아서 관료체제가 정당하고 원활하게 운영되도록 하기 위한 필요성에서 제정됐다.

22 얼마 후에 호조판서가 됐으며 의학에 정통해 중요한 의학서적들을 저술했다. 편저로는 『향약제생집성방(鄕藥濟生集成方)』, 『우마의방(牛馬醫方)』 등이 있다.

박돈지(朴惇之, 1342~?)[23]와 형조전서 이사영(李士穎) 등의 죄를 청했다. 소는 이러했다.

'신 등이 가만히 생각건대 사사(士師)[24]가 되어 감히 법이 아닌 것[非法=不法]을 행하고 사사를 꾀어 죄적(罪籍)[25]을 없애려 하는 것은
비법   불법
모두 임금다운 법치[王法]에서 용서할 수 없는 죄입니다. (그런데) 지
왕법
금 형조의 관문(關文-공문서)과 영사(令史) 등이 공술(供述)한 내용을 살펴보면 의정부 지사 이첨은 홍무(洪武) 26~27년(태조 2~3년) 사이에 이흥무(李興茂)[26]에게 왕씨(王氏)의 기운과 운세의 성쇠(盛衰)를 여러 차례 점치다가 발각돼 형조에서 소(疏)를 갖춰 죄를 청해 그 판지(判旨-임금의 결정)를 받은 장문(狀文)이 형부(刑部)에 보관돼 있었는데 이는 대체로 후세(後世)에 경계를 남기려고 한 것입니다만 전서 이사영(李士穎)과 의랑(議郎) 김분(金汾), 허해(許晐) 등이 첨의 꼬임을 듣고서 그 장문을 훔쳐내 사영이 도리(都吏)를 시켜 몰래 첨의

<hr>

23 1360년(공민왕 9년) 문과에 급제해 1374년(공민왕 23년) 관직이 문하사인(門下舍人)에 이
르렀다. 1374년 장모(丈母) 홍씨(洪氏)와 간통을 하여 세상의 지탄을 받기도 했다. 고려
말 우왕(禑王) 때 다시 발탁되어 비서감(秘書監)을 지냈다. 1388년(창왕 1년) 10월에 명
나라 신년 축하 사절단인 하정사(賀正使)의 한 사람으로 이색(李穡), 이숭인(李崇仁), 김
사안(金士安) 등과 함께 명나라의 수도인 난징[南京]에 가게 되었는데 박돈지가 평소 이
                    남경
숭인과 쌓아놓은 친분으로 발탁됐던 것이다. 이때 박돈지와 이숭인은 명나라 난징 시장
에서 고려에서 가져간 물품들을 몰래 팔았는데 당시 명나라에서는 법으로 사무역(私貿
易)을 금하고 있었다. 이런 사실이 귀국 후에 발각돼 사신의 명예를 훼손시켰다는 이유로
이숭인과 함께 탄핵을 받고 먼 지방으로 유배되어 그곳에서 사망했다고 한다. 그러나 이
날의 기사를 보면 그 문제는 어느 정도 해결된 듯하고 오히려 장모와의 간통 문제로 도
망다니며 이름을 바꿔 다시 관직에도 나아온 것으로 보인다.
24 금령과 형벌을 관장한 관원이다.
25 죄인의 사건 전말을 기록한 도류안(徒流案), 형명부(刑名簿) 등을 말한다. 죄안(罪案)이라
고도 한다.
26 여말선초의 유명했던 맹인 점술가다.

집으로 보냈습니다. 이처럼 간교한 마음을 품고 법을 무너뜨린 사실에 대해 듣게 된 사람치고 이를 갈지 않는 이가 없습니다. 이에 그치지 않습니다[不止此也]. 전 제학 박돈지(朴惇之)는 일찍이 간율(奸律)을 범해 그 죄가 문안(文案-죄적)에 갖춰 실려 있었는데 전서 사영과 의랑 김분, 허해 그리고 정랑(正郎) 정종성(鄭宗誠), 좌랑(佐郎) 조안평(趙安平) 등이 또 그 직책을 돌아보지 않은 채 오직 돈지의 말만을 듣고 그 문안을 찾아내고 사영은 손수 진한 먹으로 동그라미를 쳤사오니 심히 법을 맡아 지키는[執法] 뜻이 아닙니다. 『서경(書經)』에 이르기를 "사구(司寇)는 나라에서 금지하는 일들[邦禁]을 관장해 간특(奸慝)함을 다스리고 포악하게 어지럽히는 자들을 형벌한다"[27]라고 했고, 맹자(孟子)는 (순임금의 명재상이던) 고요(皐陶)가 사사(士師)가 된 것을 논해 말하기를 "법대로 집행했을 뿐이다"[28]라고 했습니다.

지금 사영 등이 방금(邦禁)을 맡아 꾀를 부려[運謀] 법을 무너뜨린 것이 이와 같으니 전후(前後)의 벼슬에 있으면서 일을 처리했던[處事] 마음을 자연스레 알 수가 있습니다. 또 첨과 돈지는 모두 문학(文學-유학)에 통달한 유자[達儒]인데도 첨은 모역(謀逆)을 범했고 돈지는 간율(奸律)을 범해 오랫동안 사람들에게 끼이지[見齒] 못했습니다. 다행히 빼어난 은혜를 입어 벼슬이 재보(宰輔)에 이르렀으니 참으로 마땅히 각자 충직함과 의로움[忠義]에 힘써 이에 맡은 바에 이바지하고, 의로움이 아닌 일을 해서 법을 무너뜨리지 말아야

---

27 「주서(周書)」 '주관(周官)'에 나오는 말이다.
28 『맹자(孟子)』 「진심장구(盡心章句)」에 나오는 말이다.

할 것인데 마침내 가만히 사영 등을 몰래 꾀어서[陰誘] 장문을 훔쳐
　　　　　　　　　　　　　　　　　　음유
내게 해 자기 집에 감춰놓고 문안에 동그라미를 쳐서 그 자취를 없
애, 드디어 죄명(罪名)을 후세에 전하지 못하게 해 나라의 법이 그로
인해 어지러워졌으니 첨과 돈지는 벼슬을 얻은 날로부터 마음이 항
상 과거의 허물[前愆]을 덮는 데 있어 그렇게 했다는 것을 알 수 있
　　　　　전건
습니다. 성인(聖人-공자)께서 『춘추(春秋)』를 지으신 것은 왕법(王法)
을 남겨[寓] 후세에 전하려고 한 것이요, 형부에서 죄적을 보존한 것
　　　　우
은 그 악한 것을 기록하여[志=記] 풍속을 징계하려는 것입니다. 신
　　　　　　　　　　　　지　기
등이 보건대 사영, 분, 해 등은 장문을 훔쳐 문안에 동그라미를 그렸
고 첨과 돈지는 음모를 꾸며 법을 어지럽혔으니 모두 징계하지 않을
수 없고 종성, 안평 등도 문안에 동그라미를 그리자는 의견에 참여
했으니 모두 다 왕법에서 용서할 수 없는 바입니다. 엎드려 바라옵건
대 전하께서는 (이들을) 유사(攸司)에 내려 그 직첩을 거두고 그 까닭
을 국문하여 그 죄를 밝게 바로잡음으로써 뒤에 오는 사람들을 일깨
워야 합니다.'

　돈지(惇之)의 옛 이름은 계양(啓陽)인데 어릴 때 등과(登科)하여 크
게 현달했다[光顯]. 어떤 사람이 그가 장모(丈母)와 간음했다[蒸]고
　　　　　　광현　　　　　　　　　　　　　　　　　　　　증
고소해 전법사(典法司)[29]에서 그를 잡아다 국문하려고 하니 계양은
달아났다. 법사(法司)에서는 도망 중에 옥사(獄事)가 이뤄졌으므로
그의 이름을 죄안(罪案)에 기록했는데 뒤에 마침내 지금의 이름으로
바꿨다.

───────

29　고려시대 법률, 사송(詞訟), 상언(詳讞)에 관한 일을 관장하던 중앙관서다.

○ (개경) 서부(西部) 장대동(長大洞)에 있는 우물에서 우레 같은 소리가 나니[鳴] 물 긷던 사람들이 깜짝 놀라 사방으로 흩어졌다 [四散]. 이와 같이 한 것이 세 번이었다.

병진일(丙辰日-16일)에 (상의) 탄신일이므로 이죄(二罪)[30] 이하를 사면했다. 상이 임오년(壬午年)[31]에 동북면(東北面)의 수령(守令)으로 있던 자를 아울러 사면해 외방(外方)에 편한 데로 가서 살게[從便] 하려고 했으나 정부(政府)에서 불가하다고 하여 그쳤다.

○ 청화정에 나아가 종친과 정승들에게 잔치를 베풀어 마음껏 즐기고서 밤에 끝났다. 태상전과 상왕전에서 술과 안주[酒饌]를 보냈기 때문이다.

○ 사역원 판관 오의(吳義)를 보내 네 번째 운반[四運] 소 1,000마리를 몰고서 요동으로 가게 했다.

정사일(丁巳日-17일)에 날씨가 가을과 같았다. 이틀 동안 계속됐다.

○ 경상도 하양(河陽-경산), 영주(永州), 계림(鷄林) 등지에 우박이 떨어졌다.

○ 사간원에서 공조전서 양홍달(楊弘達)[32]을 파직할 것을 청했으나

---

30 일죄(一罪)에 해당하는 십악(十惡) 이외의 경죄(輕罪)로서 대개 강도와 절도를 일컫는다. 일죄는 곧 사형(死刑)에 해당되는 죄를 말한다. 사직(社稷)에 관계되는 불충(不忠)과 풍속에 관계되는 불효(不孝), 살인 등이 이에 속했다.

31 조사의의 난이 일어났던 해다.

32 1397년(태조 6년) 왕의 발병에 의원으로서 신속히 입궐하여 대처하지 않은 죄로 한동안 축산(丑山)에 유배됐다가 풀려나 형제가 왕궁의 창고 관리인인 별좌감찰(別坐監察)이 되

윤허하지 않았다. 홍달의 어미가 천인(賤人)이었는데도 상이 윤허하지 않은 것은 태상의 명을 따른 것이다. 헌사에서 홍달에게 그 어미의 사조(四祖) 호구(戶口-족보)를 바치게 하니 상이 집의(執義) 김자지(金自知)를 불러 명하여 말했다.

"홍달의 어미는 많은 사람이 다 아는 바인데 어찌 꼭 호구를 바치게 하는가? 다만 홍달은 부왕(父王) 때부터 의약(醫藥)을 전담해서 맡았고[傳任] 내가 즉위하고서도 또한 그 임무에 부지런했다. 이번에 부왕의 명으로 그 자리를 준 것이다."
전임

무오일(戊午日-18일)에 상이 청화정에서 왕가인(王可仁)에게 잔치를 베풀었다.

○ 사간원에서 소를 올려 전 영광군지사(靈光郡知事) 박익문(朴益文)에게 죄줄 것을 청하니 그대로 따랐다.

'익문(益文)이 임소(任所)에 있을 때 그의 장모가 죽었는데 아내로

었으나 정종의 특명으로 사대부와 같이 벼슬하도록 허락받았다. 이는 부왕(父王)인 태조의 질병을 두 차례나 성심껏 치료하여 총애를 받았기 때문이다. 1401년(태종 1년) 일본의 귀화 의승(醫僧)인 평원해(平原海)와 함께 매일 대궐에 입궐하라는 지시를 받고 복무 중 행전의감(行典醫監)이 돼 익주(益州-지금의 익산)에 유배 가 있던 회안대군(懷安大君) 이방간(李芳幹)의 질병 진료차 다녀오기도 했다. 이때 탁월한 의술을 인정받아 공조전서에 임명됐고, 그 이듬해에는 2품의 검교승녕부윤(檢校承寧府尹)에 이르렀으나 천녀(賤女)의 소생이라는 사헌부의 탄핵을 받아 한때 해직되었다. 1407년 세자인 이제(李褆-양녕대군)가 하정사(賀正使)로 명나라에 갈 때에는 전의감 판사의 직책으로 수행의원이 됐다. 1412년 왕비인 원경왕후(元敬王后) 민씨의 해산을 잘 돌보아 다시 검교한성윤이 됐으며, 전답 43결(結)을 특별히 하사받았다. 세종 때에는 좌의정 박은제(朴訔第)의 질병과 진평대군(晉平大君) 이유(李瑈)의 창진(瘡疹) 및 이조판서 황희(黃喜)의 병환을 치료하여 그의 아들 양제남에게까지 3품을 제수하게 하는 등 어의(御醫)로서 총애와 예우를 두텁게 받았다.

하여금 달려가 상례를 치르게[奔喪]³³ 하지 않고 이미 5~6개월이 지
나서야 교대할 때가 되어 신관(新官)이 오기를 기다려서[俟=待] 가
족을 데리고[挈家=挈眷=率家] 갔습니다. 청컨대 유사(攸司)에 내려
그 직첩을 거두고 먼 지방으로 유배 보내게 하고, 또 아내도 분상하
지 않은 죄를 아울러 다스려 풍속(風俗)을 바로잡아야 할 것입니다.'

○ 왕가인의 아내에게 쌀과 콩을 아울러 50석을 내려주고 그 아들
치(致)에게 갓, 옷, 신을 내려주었다.

기미일(己未日-19일)에 갈까마귀[鴉] 떼가 (서북면) 백록산(白鹿山)
에 모여들었다가 날면서 울었다.

○ (동북면) 길주(吉州)에서 큰 돌에 불이 붙어 점점 타 들어가 재
가 됐다.

○ 왕가인(王可仁)이 경사(京師)로 돌아가니 상이 서교(西郊)에서
전송했다.

○ 계품사(計稟使)³⁴ 예문관 제학(藝文館提學) 김첨(金瞻)을 보내 경

---

33 분상(奔喪)은 상례 중에서 중요한 절차의 하나다. 옛날에는 상고(喪故)가 있을 때 외지에
   있는 복인(服人)에게 인편으로 부음을 전달했다. 이 부음을 전해 듣는 것을 문상(聞喪)이
   라 하며, 복인은 문상 후에 일정한 절차에 따라 행동하도록 되었다. 문상하게 되면 부음
   을 전해 온 사람에게 상고의 경위를 자세히 묻고 곡을 한 다음에 옷을 갈아입는다. 이때
   남자는 관과 웃옷을 벗으며, 여자는 장식과 패물 등 각종 화려한 치장을 제거하고 머리
   를 푼다. 또한 버선까지도 벗어 맨발이 되며, 밥을 먹지 않고 수시로 통곡한다. 집으로 출
   발할 때의 복색은 베로 만든 사각건(四角巾)과 백포(白布)의 삼(衫)을 착용하고 허리에는
   노끈을 두른다. 친상을 당했을 경우라도 밤길 걷는 것을 피해 새벽 별이 올라올 때 출발
   해 저녁에 별이 보일 무렵에는 여숙에 들며, 통상 하루에 100리를 걷는 것으로 한정했다.
34 명나라에 아뢸 일이 있어 가는 사신을 말한다. 주로 당대의 현안 해결을 위해 보내던 사
   신이다.

사(京師)에 가게 했다. 첨(瞻)은 왕가인과 함께 갔다. 주본(奏本)은 이 러했다.

'살펴보건대[照得]³⁵ 본국의 동북(東北) 지방은 공험진(公嶮鎭)으로 부터 공주(孔州), 길주(吉州), 단주(端州), 영주(英州), 웅주(雄州), 함 주(咸州-함흥) 등의 고을이 모두 본국의 땅에 속해[係] 있습니다. 요 (遼)나라 건통(乾統) 7년(1107년)에 동여진(東女眞)이 난을 일으켜 함 주(咸州) 이북(迤北)의 땅을 빼앗아 근거지로 삼고 있었습니다. 고려 (高麗)의 예왕(睿王-예종) 왕우(王俁, 1079~1122년)³⁶가 요(遼)에 고 해 토벌할 것을 청하고서 군사를 보내 회복했습니다. 원(元)나라 초 년(初年) 무오년(1258년)에 이르러 몽고(蒙古)의 산길보지(散吉普只) 등 관원이 여진(女眞)을 거둬 복속시킬 때 본국의 반민(叛民) 조휘 (趙暉, ?~1273년)³⁷와 탁청(卓靑) 등이 그 땅을 가지고 항복하니 조휘

---

35 문서(文書)를 서로 대조(對照)하여 본다는 뜻이다. 원래는 중국 송(宋)·원(元)·명(明)대에 상사(上司)에서 아래 관부에 보내던 공문서의 첫머리에 상투적으로 사용하던 용어다. '참고해보건대' 정도의 뜻이다.

36 1107년(예종 2년)에 윤관(尹瓘)에게 명해 여진(女眞)을 치게 하고 1108년에 9성(九城)을 쌓게 했으며 1109년에 구성을 여진에게 반환해 1116년에 요(遼)와 금(金)이 침입했다. 1119년에 금(金)과 사신 내왕이 있었다. 왕은 학문을 좋아해 학교를 세우고 육경(六經)을 강론해 학자와 문신이 배출돼 유학이 크게 융성했다.

37 1258년(고종 45년)에 몽고병이 동북 지방에 침입하자 정주인(定州人) 탁청(卓靑) 및 등주 (登州-함경남도 안변), 문주(文州-함경남도 문천) 등 제성(諸城)의 사람들과 함께 몽고병을 인도했다. 이때 동북면 병마사 신집평(愼執平), 등주부사(登州副使) 박인기(朴仁起), 화주 부사(和州副使) 김선보(金宣甫), 경초군(京抄軍) 등을 죽이고 철령(鐵嶺) 이북을 들어 몽고 에 붙음으로써 몽고로 하여금 화주(和州-함경남도 영흥)에 쌍성총관부를 설치하게 하고 그 총관(摠管)이 됐다. 이듬해 몽고병을 이끌고 한계성(寒溪城)을 치다가 방호별감(防護 別監) 안홍민(安洪敏)이 이끄는 야별초(夜別抄)에 패배를 당했다. 왕이 몽고병에게 보내는 사자(使者)와 선물을 약탈하기도 하고, 동진국(東眞國)의 군사를 이끌고 춘주(春州-강원 도 춘천)의 천곡촌(泉谷村)을 침범하기도 하며, 양주(襄州-양양)의 난민을 도와 지주사(知 奏事)를 잡아가게 하는 등 고려인으로서 고려를 크게 괴롭혔다. 쌍성총관부의 총관은 그

를 총관(摠管)으로 삼고, 탁청을 천호(千戶)로 삼아 군민(軍民)을 관할하게 했습니다. 이로 말미암아 여진의 인민들이 그 사이에 섞여 살아서 각각 자신들의 방언(方言)으로 그들이 사는 곳을 이름 지어 길주(吉州)를 해양(海陽), 단주(端州)를 독로올(禿魯兀), 영주(英州)를 삼산(參散), 웅주(雄州)를 홍긍(洪肯), 함주(咸州)를 합란(哈蘭)이라 불렀습니다. 지정(至正) 16년(1356년)에 이르러 공민왕(恭愍王) 왕전(王顓)이 원나라 조정에 신달(申達)하여 모두 혁파하고 그로 인해 공험진 이남을 본국에 환속(還屬)시키고 관리를 정해 관할하여 다스렸습니다. 성조(聖朝-명나라) 홍무(洪武) 21년(1388년) 2월에 호부(戶部)의 자문(咨文)을 받들어 받아보았는데[承準] 호부시랑(戶部侍郞) 양정(楊靖) 등 관원이 태조 고황제(太祖高皇帝)의 성지(聖旨)를 삼가 받들었으니 해당 절목에 이르기를[節該] "철령(鐵嶺) 이북(迆北)·이동(迆東)·이서(迆西)는 원래 개원(開原)에 속했으니 관할 군민(軍民)들을 그대로 요동(遼東) 관할에 소속시키라"고 했습니다. 본국에서 즉시 상항(上項)의 일로 인해 배신(陪臣) 밀직제학(密直提學) 박의중(朴宜中, 1337~1403년)[38]을 보내 삼가 표문(表文)을 받들고 조정(朝廷-명

아들 양기(良琪), 종증손 소생(小生) 등으로 이어지다가 1356년(공민왕 5년)에 동북면 병마사 유인우(柳仁雨)에 의해 공멸됨으로써 약 100년 만에 그 종말을 보게 됐다.

38 목은 이색의 제자다. 1362년(공민왕 11년) 문과에 장원으로 급제해 전의직장(典儀直長)으로 등용됐다. 그 뒤 헌납(獻納)이 됐고 우왕 때 문하사인(門下舍人), 대사성 등을 거쳐 밀직제학(密直提學)이 됐다. 1388년(우왕 14년)에 명나라에 사신으로 가 그들이 옛 영토라고 주장하면서 설치한 철령위(鐵嶺衛)의 철폐를 교섭해 성취하고 돌아와 그 공으로 창왕 때 공신에 봉해졌다. 공양왕 때 서운관(書雲觀)에서 이미 개경의 지운(地運)이 다했다는 이유를 들어 도읍을 한양으로 옮겨야 한다는 소를 올리자 음양에 의한 지리설의 허황됨을 역설해 이를 막았다. 그 뒤 예문관 제학 겸 대사성이 됐고 1392년(태조 1년)에 조준(趙浚), 정도전(鄭道傳) 등과 함께 『고려사』를 수찬할 때 그 공정성을 기하는 데 크게 이

나라 조정)에 가서 호소하여 공험진 이북은 요동에 환속하고, 공험진 이남에서 철령까지는 본국에 환속시켜 주기를 빌었습니다. 같은 해 6월 12일에 박의중이 경사(京師)에서 돌아와 예부(禮部)의 자문(咨文)을 받아보니 본부상서(本部尙書) 이원명(李原明) 등 관원이 그 해 4월 18일에 성지(聖旨)를 삼가 받들었는데 해당 절목에 이르기를 [節該] "철령의 일로 인해 왕국(王國-고려)에서 말이 있다[王國有辭]" 고 하시고 예전과 같이 관리를 정해 관할하여 다스리도록 했습니다. 지금 파견하신[欽差] 동녕위(東寧衛) 천호(千戶) 왕수(王脩)가 싸 가 지고 온 칙유(勅諭)를 받들어 보니 "삼산(參散), 독로올(禿魯兀) 등지의 여진 지역의 관민인(官民人) 등을 불러서 타이르겠다[招諭]"고 하셨습니다. 삼가 가만히 살펴보건대 삼산 천호 이역리불화(李亦里不花)[39] 등 10곳의 인원이 비록 여진의 인민에 속해 있기는 하나 본국 지역에 와서 산 지 햇수가 오래됐고, 오랑캐[胡人] 나하추(納哈出)[40] 등의 군사와 왜구의 침략을 여러 번 겪었기 때문에 쇠잔하여 거의 다 없어지고 그 유종(遺種) 중에서 남아 있는 것이 거의 없습니다. 또 본국의 인민과 서로 혼인하여 자손을 낳고 길러 (우리의) 부역(賦役)에 이바지하고 있습니다. 또 신(臣)의 조상이 일찍이 동북 지방에 살았으므로 현조(玄祖-고조) 안사(安社)의 분묘가 현재 공주(孔州)에

바지했다. 그 뒤 태종이 검교참찬의정부사(檢校參贊議政府事)를 내려 여러 번 불렀으나 나아가지 않았다. 특히 성리학에 밝았으며 문장이 우아하기로 유명했다.

39 조선 개국공신인 이지란(李之蘭)의 아들 이화영(李和英)이다.

40 중국 원(元) 및 명(明)나라의 무장(武將)이다. 동북면 쌍성[永興]을 치고자 침입했으나 이성계가 이끄는 고려군에게 참패하고 달아났다. 북원이 세워진 후 고려와 화친을 맺었고 후에 명나라에 항복, 운남(雲南) 정벌에 나섰다가 병으로 사망했다.

있고, 고조(高祖) 행리(行里)와 조(祖) 자춘(子春)의 분묘가 모두 함주에 있습니다. 가만히 생각건대[竊念] 소방(小邦-조선)이 성조(聖朝)를 만난 이래로 여러 번 고황제의 조지(詔旨)를 받았사온데 화외(化外)[41]를 구분하지 않고 일시동인(一視同仁)[42]했습니다. 또 성조(聖朝)의 호율(戶律) 내(內)의 한 조목에 따르면 "홍무(洪武) 7년 10월 이전에 다른 고을로 떠돌아 옮겨서 일찍이 그곳의 호적에 등재되어 부역에 종사하고 있는 자는 논하지 말라"고 했습니다. 소방은 이미 동인(同仁)의 가운데에 있고, 공험진 이남이 또 고황제의 "왕국유사(王國有辭)"라는 뜻을 입었사오니 그곳에 살고 있는 여진 유종(遺種)의 인민들을 본국에서 전과 같이 관할하게 해주시면 온 나라가 다행이겠습니다. 이 때문에 지금 배신 예문관 제학 김첨을 보내 주본과 지형도본(地形圖本-지도)을 받들고 경사에 가게 해 주달(奏達)하는 바입니다.'

경신일(庚申日-20일)에 부슬부슬 비가 내렸다.

신유일(辛酉日-21일)에 종묘사직(社稷宗廟)과 산과 바다와 강, 명산대천(名山大川) 및 소격전(昭格殿)에 비를 빌고, 원통한 옥사[冤獄]를 원옥
심리(審理)하고, 빈궁한 사람을 진휼하고, 드러난 백골과 시체를 묻어주고 또 문가학(文可學)을 시켜 비 오기를 빌었다.

---

41 교화가 미치는 지역과 그 밖의 지역을 말한다.
42 모두를 평등(平等)하게 보아 똑같이 사랑한다는 뜻이다.

○사역원 부사(副使) 강방우(康邦祐)를 보내 다섯 번째 운반[五運]
소 1,000마리를 몰고 요동에 가게 했다.

임술일(壬戌日-22일)에 술을 끊고 이어 금주령을 내렸다.

○상이 몸이 불편해[違豫=不豫] 정사를 듣지 못했다.

계해일(癸亥日-23일)에 태백성이 낮에 보였다.

○각 도(各道) 각 관(各官)에 명해 민호(民戶)의 빈부(貧富)와 강약
(强弱)을 나눠 조호(助戶)⁴³를 주게 했다. 의정부에서 아뢰었다.

'외방(外方-지방)의 민호(民戶)가 부유하고 강한 자는 조호를 많이
얻고 가난하고 어려운 자는 도리어 조호를 얻지 못해 유리(流離)하
여 살 곳을 잃어서 군액(軍額)이 날로 감축되오니 바라건대 각 도로
하여금 차등(差等)에 따라서 상정(詳定)하게 해야 합니다.

하나, 갑사(甲士)는 2~3결(結) 이하는 봉족(奉足) 2호(戶)를 주고,
4~5결 이하는 1호를 주고, 6~7결 이상은 주지 말아야 합니다.

하나, 시위군(侍衛軍)과 완산자제패(完山子弟牌)⁴⁴는 1~2결 이하는
봉족 2호를 주고, 3~4결 이하는 봉족 1호를 주고, 5~6결 이상은 주
지 말아야 합니다.

하나. 기선군(騎船軍)은 2~3결 이하는 봉족 2호를 주고, 4~5결

---

43 병역에 복무하는 사람의 뒷바라지를 하는 집을 말한다. 이런 제도를 봉족(奉足)이라고도
한다.
44 조선 전기에 전주(全州)가 왕실(王室)의 발상지라 하여 그 사대부(士大夫) 자제들로 편성
한 군대를 말한다.

이하는 봉족 1호를 주고, 7~8결 이상은 스스로 1령(領)을 세우고, 15결 이상은 스스로 2령(領)을 세워야 합니다.

하나, 진속군(鎭屬軍)과 취련군(吹鍊軍)[45]·철소간(鐵所干)은 1~2결 이하는 1호를 주고, 3~4결 이상은 주지 말아야 합니다.

하나, 수성군(守城軍)과 일수양반(日守兩班)[46]은 3~4결 이하의 사람만으로 쓰고, 5~6결 이상의 사람은 쓰지 말되, 또한 봉족을 주지 말아야 합니다.

하나, 각사(各司)의 이전(吏典)·대장(隊長)·대부(隊副)·정리(丁吏)·조례(皂隸)·도부외수공(都府外守公)·군기감별군(軍器監別軍)·속모치(速毛赤)[47]·취라치(吹螺赤)[48]는 1~2결 이하는 봉족 1호를 주고, 3~4결 이상은 주지 말아야 합니다.

하나, 향리(鄕吏)는 1~2결 이하는 동류 봉족(同類奉足) 1호를 주고, 3~4결 이상은 주지 말아야 합니다.

하나, 역리(驛吏) 수참간(水站干)[49]은 1~2결 이하는 동류 봉족 1호를 주고, 3~4결 이상은 주지 말아야 합니다.

---

45 철장(鐵場)에서 쇠를 제련하던 사람을 취련군(吹鍊軍)이라 한다.

46 지방의 각 관아나 역에서 잡무에 종사하던 자로 일수양반(日守兩班)이라고도 했다. 이들은 관일수(官日守)와 역일수(驛日守)로 구분됐는데 각 관과 역의 대소에 따라 그 정액이 고정되어 있었다.

47 조선 초기 병조의 군기감(軍器監)에 딸린 장인(匠人)으로 정원은 12인이다. 세조 연간 이후에는 기록이 나타나지 않아 혁파된 것으로 보인다. 또한 태종 연간에는 숙위사(宿衛司)에 소속돼 세자를 호위하던 근위병으로 나타나고 있어 그 성격이 명확하지 않다.

48 군중(軍中)에서 나각(螺角)을 부는 군사를 가리킨다.

49 조선시대 수참(水站)에 소속되어 배를 부리는 등의 일을 하던 천역자(賤役者)를 가리킨다. 뒤에는 수부(水夫)라고 했다.

하나, 공아(公衙)의 구종(丘從)과 원주(院主)의 진척(津尺)도 같이 하도록 해야 합니다. 무릇 여러 봉족호(奉足戶)는 모두 2~3결 이하의 사람을 쓰고 4~5결 이상의 사람은 쓰지 말아야 합니다. 상항(上項)의 봉족을 정해주는 외에 각색(各色)의 상역(常役)이 있는 자는 모두 봉족을 주지 말아야 할 것입니다.'

그대로 따랐다.

갑자일(甲子日-24일)에 큰비가 내렸다.

을축일(乙丑日-25일)에 태백성이 낮에 보였다.

○ 이사영(李士穎)을 충주(忠州)로, 이첨(李詹)을 원평(原平-파주)으로, 박돈지(朴惇之)를 인주(仁州-인천)로 유배 보냈다. 애초에 대간이 각각 상소하여 이첨, 박돈지, 이사영 등에게 죄줄 것을 청하니 첨 등을 순금사에 내렸다. 순금사에서 이첨, 박돈지의 죄상을 물으니 첨이 말했다.

"내가 대사헌으로 있을 때 사영이 와서 말하기를 '네가 왕씨(王氏)를 위해 그 흥망성쇠를 점친 죄과장(罪科狀)이 형조의 상자[笥] 속에 보관되어 있는데 후세 사람이 보아서는 안 될 것이다. (그런데) 내가 꺼내 너에게 주려고 한다'고 해서 나도 또한 청했더니 후일에 영사(令史)에게 주어서 보냈습니다."

돈지가 말했다.

"내가 갑인년에 죄를 얻었는데 경신년에 이르러 도평의사사가 말하기를 '잘못 죄를 입었으므로 왕지(王旨)를 받들고 죄안(罪案)에 동그라미를 치게 했는데, 글씨의 획이 가늘어서 동그라미를 치지 않은 것과 같다'고 했으므로 내가 사영에게 말하기를 '기왕에 잘못 죄를 입어서 동그라미를 친다면 흔적이 없도록 해달라'고 했더니 사영이 허락했습니다."

사영(士穎)과 안평(安平)의 말도 첨(詹)과 돈지(惇之)의 말과 같았다. 상이 말했다.

"이첨과 박돈지는 평소 공로가 있으며, 허해(許晐)는 나의 은문(恩門)의 사위이고[50] 김분(金汾)은 공신(功臣)의 사위다. 그리고 정종성(鄭宗誠)과 조안평(趙安平)은 비록 죄안에다 동그라미를 치는 데는 참여했으나 장문(狀文)을 물리는 것은 알지 못했으니 모두 자원(自願)에 따라 부처(付處)하고 이사영은 행수(行首)로서 수창(首唱)했으니 직첩을 거두고 외방에 부처하라."[51]

○ 의장 법도(儀章法度)를 바로잡았다. 예조에서 소를 올려 말했다.

'(지금) 국가의 의장 법도(儀章法度)는 위로는 조정(-명나라 조정)의 제도를 따르고 혹은 전조(前朝-고려) 때의 전통[舊]을 이어받았으니, 찬란하여 큰 차서(次序)가 있다 하겠습니다. 그러나 그사이에 제도가 오히려 아직 갖춰지지 못한 것이 있습니다. 신 등이 엎드려 조정의 제도를 보건대 당상관(堂上官)[52]은 교의(交倚)[53]에 앉을 수 있지만 여

---

50 허해는 이숭인(李崇仁)의 사위다. 태종은 이숭인을 스승으로 대접하고 있다.
51 그래서 이사영이 세 사람 중에서는 가장 먼 충주로 유배를 갔다.
52 정책 결정에 참여하고 정치적 책임을 갖는 정3품 이상의 자리를 가리킨다. 정3품에 당상관과 당하관이 있었다. 조정에서 정사를 논의할 때 당(堂) 위에 올라앉을 수 있는 관직이라는 뜻에서 유래했다.
53 옛날에 임금이나 3품 이상의 당상관(堂上官)이 앉았던 의자다. 당하관(堂下官)은 승상(繩

러 낭관(郎官)은 당(堂)에 올라 가까이 붙어 앉아서는 안 됩니다. 그리고 전조에서도 전서(典書)는 발이 없는 평상(平床)에 앉고 여러 낭관은 원의(圓議)를 해야 할 경우 당(堂)에 올라 남쪽 줄에 앉되 단석(單席-외겹으로 짠 돗자리)에 앉고, 토의가 끝나면 곧바로 나갔습니다. (그런데) 지금은 여러 낭관이 당상관과 함께 교의(交倚)에 앉아서 일을 처리하니 이미 상국(上國)의 제도를 잃었고 더욱이 전조의 전통도 아닙니다.

지금부터 일을 토의할 때에는 당에 올라[升堂] 남쪽 줄에 동쪽을 위로 하여 단석에 앉게 하고, 당상관은 임시로[權=姑] 아랫자리에 앉게 하며[下坐] 토의가 끝나면 여러 낭관은 본청(本廳)에 내려와 공무(公務)를 받들어 행하게 해야 합니다. 또 교의(交倚)의 제도가 교상(交床)보다는 높으니 이제부터는 각 아문(衙門)에 본품(本品-해당 품계)이 교상(交床)이 없는 자는 교의(交倚)에 앉지 말고 승상(繩床)에 앉게 하소서. 또 예전에는 한량(閑良)으로 일찍이 전서(典書) 이상을 지낸 자는 의장(儀章)을 모두 본품(本品)에 따랐었는데, 지금은 의장(儀章)이 없이 여항(閭巷)에 출입하여 소 치는 아이나 말 끄는 종과 아울러 몰려다니니, 작명(爵命)을 가볍게 하고 욕되게 하는 것이 이보다 더 심할 수 없습니다. 일찍이 전서(典書), 대언(代言) 이상을 지낸 자[54]는 품대(品帶)와 교상(交床)을 모두 본품(本品)에 의하게 해야 합니다.

또 예(禮)를 살펴보면 부인이 중문(中門)을 나오면 반드시 얼굴을

床)에 앉았다.

54 이들은 모두 정3품 당상관이다.

가리고 길을 갈 때면 가마나 수레를 타야 한다고 했으니 이는 혐의(嫌疑)를 분별하고 미리 안 좋은 일들을 막기 위함입니다. 우리나라 풍속에 부녀자가 나들이를 하려면 평교자(平轎子)를 타는데 종들로 하여금 사면에서 매게 하고, 막고 가린 것이 없어서 복례(僕隷-노비)와 더불어 옷깃을 접하고 어깨를 비비게 되어 흉허물 없이 가까이하고 업신여기어 식자(識者)가 부끄럽게 여기는 바임에도 지금까지 고치지 못했으니 어찌 궐전(闕典)[55]이 아닙니까? 지금부터는 3품의 정처(正妻)는 지붕이 있는 가마를 타게 하고, 그 나머지는 말을 타고 평교자를 타지 못하게 해야 합니다. 이런 것은 모두 예를 잃은 바[失禮]가 실례

심한 것이라 신 등의 직책이 예의(禮儀)를 맡고 있어서 감히 말하지 않을 수 없습니다. 바라건대 전하께서 깊이 살피시고 시행하시어 이를 어기는 자는 헌사에서 규찰하여 다스리게 해야 합니다[糾理].' 규리

병인일(丙寅日-26일)에 좌정승 하륜, 우정승 성석린, 지신사 박석명 등에게 명해 태평관에서 사신들에게 잔치를 베풀었다. 한첩목아(韓帖木兒)가 대궐에 이르러 자기 나라로 돌아가는 것을 고하려 했으나 상이 종기로 인해 보지 못했기 때문에 (상은) 한낮에 이르러서야 연(輦)을 타고 태평관에 가서 사신을 보고 돌아왔다.

○ 조정(朝廷-명나라 조정)에 가는 화자(火者) 20명에게 포필(布匹)을 내려주었다.

○ 사역원 판관 임밀(林密)을 보내 여섯 번째 운반[六運] 소 1,000마
육운

---

55 의례나 법전에 맞지 않는다는 말이다.

리를 몰고 요동에 가게 했다.

정묘일(丁卯日-27일)에 큰비가 내렸다. 의정부에서 대궐에 나와 술
을 올리니 받아주었다.

○ 갈까마귀[鴉] 떼가 (서북면) 백록산(白鹿山)에 모여들었다가 날
아
면서 울었다.

○ 백신 해괴제(百神解怪祭)[56]와 금성 독초(金星獨醮)[57]를 거행했다.

기사일(己巳日-29일)에 동북면 경력(經歷) 이명선(李明善), 단주 만
호(端州萬戶) 옥산기(玉山奇), 갑주 만호(甲州萬戶) 박원기(朴元奇)를
파직(罷職)시켰다. 도순문사(都巡問使) 함부림(咸傅霖)이 보고하기를
그 직임을 감당하지 못한다고 했기 때문이다.

---

56 나라에서 괴이한 사건이 생겼을 때 지내던 제사다. 주로 지진 등이 있을 때 지냈다.

57 독초란 조선 초기 행해졌던 초제(醮祭)의 일종이다. 초제란 도가류(道家類)의 제사 의식
으로서 고려 이전부터 전통적으로 왕실에서 행해졌다. 고려시대에는 초제의 대상이 천
신, 지신, 산천신 등을 비롯해 개별적인 성신(星辰)도 그 대상이 됐다. 여기서는 금성에
초제를 지낸 것이다. 조선시대의 초제는 왕실의 안녕과 천재지변 등을 물리치는 방편으
로 주로 성신에 대한 제사로 정착했다.

辛丑朔 司諫院劾司憲持平韓雍. 檢校典書金貴珍 本都官奴
신축 삭 사간원 핵 사헌 지평 한옹 검교 전서 김귀진 본 도관 노

也. 以善烹飪得幸. 都官執其母 究其根脚 其母服曰: "本都官
야 이선 팽임 득행 도관 집 기모 구기 근각 기모 복왈 본 도관

婢也." 故以貴珍從賤. 貴珍訴良于司憲府 司憲府又從賤決之.
비야 고이 귀진 종천 귀진 소량 우 사헌부 사헌부 우 종천 결지

上召雍問曰: "何故賤貴珍耶?" 雍對曰: "貴珍之母 曾納辭於
상소옹 문왈 하고 천 귀진 야 옹 대왈 귀진 지모 증 납사 어

都官 故賤之." 上疑都官强刑而取其辭 命雍退于家. 司憲府不知
도관 고 천지 상의 도관 강형 이취 기사 명옹 퇴우가 사헌부 부지

上意 出仕如常. 上聞之 命代言曰: "以汝等之言 召司憲府都吏
상의 출사 여상 상 문지 명 대언 왈 이 여등 지언 소 사헌부 도리

語曰: '汝府官員 當詳審其行止.'" 諫院知而劾之. 上謂朴錫命
어왈 여부 관원 당 상심 기행지 간원 지이 핵지 상위 박석명

曰: "貴珍自父王時 掌烹飪之事 予之爲靖安也 每乞身於予 及予
왈 귀진 자 부왕 시 장 팽임 지사 여지 위 정안 야 매 걸신 어여 급여

卽位 未聞其乞身也. 予以是憐之."
즉위 미문 기 걸신 야 여 이시 연지

司諫院左司諫大夫趙休等上疏 請盧異等罪. 疏略曰:
사간원 좌사간대부 조휴 등 상소 청 노이 등죄 소 약왈

'臣等竊謂 職在言官 勿欺而犯之 所當爲也. 今正言盧異 申曉
신등 절위 직재 언관 물기 이 범지 소당위 야 금 정언 노이 신효

等 俱以庸劣之才 遭遇聖明 得官至此 當益礪忠節 圖報涓埃. 慮
등 구이 용렬 지재 조우 상명 득관 지차 당 익려 충절 도보 연애 여

不及此 妄以不遜之言 欺罔至尊 不敬之罪 莫大於此 不可不懲.
불급 차 망이 불손 지언 기망 지존 불경 지죄 막대 어차 불가 부징

伏惟上裁施行.'
복유 상재 시행

留中不下.
유중 불하

壬寅 雨雹 大如梨栗.
임인 우박 대여 이율

164

癸卯 司諫院復劾盧異 命放歸田里. 問異向上發不遜之言 而

揚言於外之故 異答以: "非言之不遜也 直言固諫官之職也. 亦非

揚言於外 但與同僚言之耳." 休等上疏曰:

'左正言盧異 向至尊妄造不順之言 外揚於人 請收職牒 屏諸

海外. 右正言申曉 亦助異爲言 宜幷罪之.'

初 休等議劾異 而曉曰: "此吾所與議." 休等乃幷劾曉而請罪.

休等又謂宗親功臣曰: "異謂上務外飾 而無實德 如朽瓜: 奪人

妻妾 納于宮中." 上聞之 召異 曉問之 異對曰: "昔小臣爲史官

扈駕海州 仰達愚衷 卽蒙嘉納 由是感激 常竊以爲①若爲言官

有可言者 不顧前後而盡言. 向之欲言者無他 以上不務實德 而

外飾仁義. 李伸 金寶海等 獻色而欺殿下 曾不受罪 欲請罪則

然矣. 朽瓜之譬 奪人妻妾 非臣所言. 若曉則②不與焉 以聞者過

耳." 逐極陳本末 上曰: "汝有如此之言 何不面陳而言於私乎?"

異對曰: "臣非言於私 但與同僚言於圓議耳." 上曰: "昔夷 齊不仕

于周. 汝必有夷 齊之志 然後出此言也. 今當放歸田里." 異曰: "臣

罪當誅 得歸田里 澤至渥也. 然臣有夷 齊之心 則當早退 豈至于

今日乎? 得爲諫官 不得一貢微忠 遽歸田里 是可恨也." 上曰:

"聞汝此言 予亦悲矣. 眼前久任之人 一日黜之 豈不悲哉!" 命曉

沈于家 留其疏不下. 左獻納朴礎詣闕上言: "盧異罪重罰輕 曉與

異罪同罰異." 上曰: "異所言 非無根之事 何以罪之? 但異自史官

至于今日 近侍已久 謂予以爲外是而內非 吾欲辨之 然予無德也
지우 금일 근시 이구 위여이위 외시이내비 오욕변지 연여무덕야

故云爾.③ 汲黯以漢武帝爲內多慾而外施仁義. 武帝雄才大略 非
고 운이 급암 이한 무제 위내 다욕 이외시 인의 무제 웅재 대략 비

予所及 然亦有汲黯之臣則足矣. 異 曉之言 但聞諸人而已." 礎
여 소급 연역유 급암 지신 즉족의 이 효지언 단문저인이이 초

更啓曰: "異之罪不細 宜加重罰. 曉罪同而獨免 亦不可." 上曰:
갱 계왈 이지죄 불세 의가중벌 효죄동이독면 역불가 상왈

"盧異之言皆直 予欲不罪 姑從汝等之請 且遂其不仕之心 放歸
노이 지언개직 여욕부죄 고종 여등 지청 차수기 불사 지심 방귀

田里而已. 又此言非人人之所能言 豈申曉之所言也? 故但令
전리 이이 우 차언비 인인 지 소능언 기 신효 지 소언 야 고 단영

歸家而已 更勿復言."
귀가 이이 갱 물 부언

甲辰 上朝太上殿.
갑진 상조 태상전

乙巳 上王拜齊陵.
을사 상왕 배 제릉

上親祭于仁昭殿.
상 친제 우 인소전

分遣敬差官 點考軍容. 全羅道大護軍李愉 慶尙道判書雲觀事
분견 경차관 점고 군용 전라도 대호군 이유 경상도 판 서운관 사

閔若孫 忠淸道大護軍金端.
민약손 충청도 대호군 김단

卒政堂文學徐鈞衡家婢一産三男.
졸 정당문학 서균형 가비 일산 삼남

王可仁回自東北面. 女眞人不應勑旨者甚多.
왕가인 회자 동북면 여진 인 불응 칙지 자 심다

遣知司譯院事張洪壽 押二運牛一千隻赴遼東.
견 지 사역원 사 장홍수 압 이운 우 일천 척 부 요동

丁未 月入太微.
정미 월입 태미

韓帖木兒等三人至闕 上行茶禮.
한첩목아 등 삼인 지궐 상행 다례

王可仁又詣闕 上御淸和亭接見.
왕가인 우 예궐 상 어 청화정 접견

上宴王可仁于古太平館. 駕將出 河崙入告: "必先見韓帖木兒
상 연 왕가인 우 고 태평관 가장 출 하륜 입고 필 선견 한첩목아

而後 適王可仁所館." 上如太平館 謂韓帖木兒等曰: "欲慰王千戶
이후 적 왕가인 소관 상 여 태평관 위 한첩목아 등왈 욕위 왕 천호

之行.” 行茶禮 乃至古太平館設宴.

己酉 司諫院上疏陳輔養元子之法. 訴曰:

'竊謂元子國之本也. 其作聖與否 在素養之善不善. 今元子天資岐嶷 稟性聰明. 殿下命入國學 俾學④聖人爲治之道 其爲國本慮可謂至矣. 然元子春秋少 執心未固 此正易以貢于非幾之時 誠不可不謹也. 古者 太子乃生 固擧以禮 有司齊肅端冕 負見南郊 又建師傅之職 敎養之 所見所聞 無非正言正事 故及其卽位 蘊之於身者 無非仁義禮智之德; 著之於政事者 無非仁義禮智之用. 國家何由而不治 天下何自而不平乎! 易曰: “蒙以養正 聖功也.” 禮記曰: “習與正人居 不能不正.” 其此之謂歟! 臣等以謂師得其人 則敎養得其正 友非善人 則箴規無所得. 今欲元子之元良 不擇師友以保養之可乎? 況宦寺之徒 唯阿意順旨以悅之 豈可使常在元子之左右乎? 臣等以謂若安平府院君李舒 參贊議政府事權近 皆可爲師範者也. 願殿下命爲東宮之師 又擇德行道藝之士 俾居諭善侍學之職 斥去宦寺側媚之人 以正前後.'

上覽之曰: “可. 但宦寺掃除之任 不可闕.”

復置芳幹于益州. 司諫院疏曰:

'懷安大君芳幹 以宗室至親 謀犯非分 罪在不宥 而殿下止置南州 俾獲保全 德至渥也. 又錫大君以貴之 非因心之友 則能如是乎? 然人不得其情則怨. 安知芳幹不以此爲感 反有怨於

見謫⑤乎? 又安知不勝憤怨 還有生變之心乎? 且順天爲府 接
_견 _적 _호 _우 _{안지} _{불승} _{분원} _{환유} _{생변} _{지심호} _차 _{순천} _{위부} _접

海之濱 倭寇所易侵也. 其邑之守 職兼兵馬 一有邊警 則卷土
_{해지} _빈 _{왜구} _{소이침} _야 _{기읍} _{지수} _{직겸} _{병마} _{일유} _{변경} _즉 _{권토}

追禦. 當此時 城郭雖完 誰與爲守? 盜苟至 則恐芳幹等 難免於
_{추어} _당 _{차시} _{성곽} _{수완} _{수여위수} _{도구지} _{즉공} _{방간등} _{난면} _어

虜掠也. 又芳幹父子 驍勇過人 萬一與倭寇爲黨 欲行其志 則
_{노략} _야 _우 _{방간} _{부자} _{효용} _{과인} _{만일} _여 _{왜구} _{위당} _{욕행} _{기지} _즉

爲患於國家必矣. 書曰: "不見是圖." 願殿下擇堅城阻海之州 移
_{위환} _어 _{국가} _{필의} _{서왈} _{불현시도} _원 _{전하} _택 _{견성} _{조해} _{지주} _이

置之. 命有忠直者爲其宰 常加考察 以備不虞.'
_{치지} _{명유} _{충직} _{자위} _{기재} _{상가} _{고찰} _{이비} _{불우}

上曰: "爲寇所掠 或可畏也. 移置前所益州."
_{상왈} _{위구} _{소략} _혹 _{가외} _야 _{이치} _{전소} _{익주}

辛亥 司諫院詣闕 更請盧異之罪. 啓曰: "上問異以所欲言者
_{신해} _{사간원} _{예궐} _{갱청} _{노이} _{지죄} _{계왈} _{상문} _{이이} _{소욕언} _자

不爲畢陳 此甚不直." 朴錫命曰: "不然. 所曾聞異所欲言 無所隱
_{불위} _{필진} _{차심} _{부직} _{박석명} _왈 _{불연} _{소증문} _이 _{소욕언} _무 _{소은}

而皆陳之." 趙休等曰: "若以異爲是⑥ 則罪在臣等 若以臣等爲是
_{이개} _{진지} _{조휴} _{등왈} _{약이} _{이위시} _즉 _{죄재} _{신등} _{약이} _{신등} _{위시}

則罪在異." 錫命具以啓 上曰: "若窮推其曲直 則汝等豈無曲乎?"
_즉 _{죄재} _이 _{석명} _{구이계} _{상왈} _약 _{궁추} _기 _{곡직} _즉 _{여등} _기 _{무곡} _호

命錫命饋酒以送.
_명 _{석명} _{궤주} _{이송}

遣奉常令偰耐 押三運牛 一千隻赴遼東.
_견 _{봉상} _영 _{설내} _압 _{삼운} _우 _{일천} _척 _부 _{요동}

壬子 江原道雨雹 傷麥與豆苗.
_{임자} _{강원도} _{우박} _{상맥} _여 _{두묘}

會計京外贖罪之貨 爲國用.
_{회계} _{경외} _{속죄} _{지화} _위 _{국용}

收盧異職牒 永不敍用 子孫禁錮; 安置申曉於延安府. 司諫院
_수 _{노이} _{직첩} _{영불} _{서용} _{자손} _{금고} _{안치} _{신효} _어 _{연안부} _{사간원}

上言:
_{상언}

'臣等昨日具疏 異 曉等不敬之罪以聞 而殿下乃令異自願安置
_{신등} _{작일} _{구소} _이 _{효등} _{불경} _{지죄} _{이문} _이 _{전하} _{내령} _이 _{자원} _{안치}

臣等以爲罪重而罰輕 不敬之心 無所懲矣. 傳曰: "爲人臣 止於
_{신등} _{이위} _{죄중} _{이벌경} _{불경} _{지심} _{무소징} _의 _{전왈} _{위인신} _{지어}

敬". 又曰: "臣事君以忠." 臣之於君 豈可妄造不順之言 以非毁
_경 _{우왈} _신 _{사군} _{이충} _{신지} _{어군} _{기가} _{망조} _{불순} _{지언} _이 _{비훼}

上德 而外揚於人哉? 不敬之罪 旣已發覺 而殿下特垂淸問 爲異
상덕 이 외양 어인 재 불경 지 죄 기이 발각 이 전하 특수 청문 위 이

計者 宜當以身請罪 萬殞不辭 乃飾以諫職爲言 不服妄造非毁之
계자 의당 이신 청죄 만운 불사 내식 이 간직 위언 불복 망조 비훼 지

言之罪 其內懷凶暴 外飾巧詐甚矣. 且申曉亦從其意 相與非毁於
언지 죄 기 내회 흉포 외식 교사 심의 차 신효 역종 기의 상여 비훼 어

私門 罪亦重矣. 故臣等幷請其罪 而殿下略無擧論 臣等失望. 況
사문 죄역 중의 고 신등 병청 기죄 이 전하 약무 거론 신등 실망 황

臣等聞異啓曉無所犯 其冒弄天聰不臣之罪 不其甚乎? 殿下只令
신등 문이 계효 무 소범 기 모롱 천총 불신 지죄 불기 심호 전하 지령

自願安置 臣等以爲非所以懲惡也. 願殿下 命攸司收其職牒 屛諸
자원 안치 신등 이위 비 소이 징악 야 원 전하 명 유사 수기 직첩 병저

海外 永不敍用 子孫禁錮. 申曉之罪 亦不可宥 望收其職牒 竄逐
해외 영불 서용 자손 금고 신효 지죄 역 불가 유 망수 기 직첩 찬축

遐方 以懲其心.'
하방 이 징 기심

命司諫院辨金貴珍良賤 司諫院以辨良賤非所任 上疏請移刑曹
명 사간원 변 김귀진 양천 사간원 이변 양천 비 소임 상소 청이 형조

允之.
윤지

癸丑 命元子左諭善薛偁 右諭善金稠出仕. 上曰: "雖置賓師
계축 명 원자 좌유선 설칭 우유선 김조 출사 상왈 수치 빈사

豈能每日敎誨? 諭善等依前敎誨." 偁等以諫院上疏請置東宮之
기능 매일 교회 유선 등 의전 교회 칭등 이 간원 상소 청치 동궁 지

師 擇有德行道藝之人 俾居諭善侍學之職 避而不仕 故有是命.
사 택 유덕행 도예 지인 비거 유선 시학 지직 피이 불사 고유 시명

乙卯 松林 長湍 牛峰等處大雨.
을묘 송림 장단 우봉 등처 대우

罷司憲府大司憲崔有慶等. 司諫院上疏曰:
파 사헌부 대사헌 최유경 등 사간원 상소 왈

'大司憲崔有慶之子士威 於戊辰年 爲都官佐郎 執貴珍之母
대사헌 최유경 지자 사위 어 무진년 위 도관 좌랑 집 귀진 지모

推案署文 於有慶爲相避: 執義李之直與士威 同爲都官佐郎 掌令
추안 서문 어 유경 위 상피 집의 이지직 여 사위 동위 도관 좌랑 장령

閔漑 於辛巳年 爲都官兼議郎 與於從賤之議. 今貴珍之訴良也
민설 어 신사년 위 도관 겸 의랑 여어 종천 지의 금 귀진 지 소량 야

皆當回避 任然聽斷 俱犯相避之法 不可不論. 況於前月二十七日
개당 회피 임연 청단 구범 상피 지법 불가 불론 황어 전월 이십 칠일

上問持平韓雍以貴珍從賤之故 命退于家曰: "宜精慮以處." 之直
상문 지평 한옹 이 귀진 종천 지고 명퇴 우가 왈 의 정려 이처 지직

等亦得聞之 恝然齊坐 上以慢君命 下以失憲職 尤不可不論也.'
등 역 득 문 지　괄연　제좌　상 이 만 군명　하 이 실 헌직　우 불가 불론 야

故皆罷之.
고 개 파지

以金希善爲司憲府大司憲 金自知執義.
이 김희선 위 사헌부 대사헌 김자지 집의

司諫院上疏 請知議政府事李詹 前承樞府提學朴惇之及刑曹
사간원 상소 청 지 의정부 사 이첨 전 승추부 제학 박돈지 급 형조

典書李士穎等之罪. 疏曰:
전서 이사영 등 지죄 소왈

'臣等竊謂 爲士師而敢行非法 誘士師而欲去罪籍 皆王法不赦
신등 절위 위 사사 이 감행 비법 유 사사 이 욕거 죄적 개 왕법 불사

之罪也. 今案刑曹關及令史等所供
지 죄야 금안 형조 관급 영사 등 소공

知議政府事李詹 於洪武二十六七年間 與李興茂 屢卜王氏
지 의정부 사 이첨 어 홍무 이십 육칠 년간 여 이흥무 누복 왕씨

氣運之衰旺 及發覺 刑曹具疏請罪 其受判之狀 藏之刑部 蓋欲
기 운 지 쇠왕 급 발각 형조 구소 청죄 기 수판 지장 장지 형부 개욕

垂戒於後世也 而典書李士穎 議郎金汾 許晐等 聽詹之誘 竊出
수계 어 후세 야 이 전서 이사영 의랑 김분 허해 등 청 첨지유 절출

其狀 士穎使都吏 潛送詹家. 其懷奸壞法 聞者莫不切齒. 不止
기장　사영 사 도리 잠송 첨가 기 회간 괴법 문자 막불 절치 부지

此也 前提學朴惇之 曾犯奸律 其罪具載於案 而典書士穎 議郎
차야 전 제학 박돈지 증 범간률 기죄 구재 어안 이 전서 사영 의랑

金汾 許晐 正郎鄭宗誠 佐郎趙安平等 又不顧其職 惟惇之之言
김분 허해 정랑 정종성 좌랑 조안평 등 우 불고 기직 유 돈지 지언

是聽 搜出其案 士穎手以濃墨周之 甚非執法之意也. 書曰:"司寇
시청 수출 기안 사영 수 이 농묵 주지 심비 집법 지의 야 서왈 사구

掌邦禁 詰奸慝 刑暴亂." 孟子論皐陶之爲士師曰:"執之而已矣."
장 방금 힐 간특 형 폭란 맹자 논 고요 지위 사사 왈 집지 이이의

今士穎等 職掌邦禁 其運謀壞法如此 則前後當官處事之心 從
금 사영 등 직장 방금 기 운모 괴법 여차 즉 전후 당관 처사 지심 종

可知已. 且詹與惇之 皆文學達儒 而詹犯謀逆 惇之犯奸律 久不
가지 이 차 첨여 돈지 개 문학 달유 이 첨 범 모역 돈지 범 간률 구불

見齒於人. 幸蒙聖恩位至宰輔 誠宜各勤忠義 以供乃職 勿爲非義
견치 어인 행몽 성은 위지 재보 성의 각근 충의 이공 내직 물위 비의

以壞法可也 乃陰誘士穎等 竊其狀而藏其家 周其案而滅其迹 遂
이 괴법 가야 내 음유 사영 등 절 기장 이 장 기가 주 기안 이 멸 기적 수

使罪名無傳於後世 而邦法以亂 可以見詹與惇之 自得官之日 心
사 죄명 무전 어 후세 이 방법 이란 가이 견 첨여 돈지 자 득관 지일 심

常在於欲蓋前愆而然也. 聖人之作春秋 所以寓王法而垂後世
상 재 어 욕 개 전 건 이 연 야　　성 인 지 작 춘 추　소 이 우 왕 법 이 수 후 세

也; 刑部之存罪籍 所以志其惡而懲風俗也. 臣等以謂士穎 汾 晐
야　형 부 지 존 죄 적　소 이 지 기 악 이 징 풍 속 야　신 등 이 위 사 영　분　해

等竊狀周案; 詹與惇之陰謀亂法 俱不可不懲 而宗誠 安平等 亦
등 절 장 주 안　첨 여 돈 지 음 모 난 법　구 불 가 부 징　이 종 성　안 평 등　역

與於周案之議 俱非王法之所可宥也. 伏望殿下 下攸司收其職牒
여 어 주 안 지 의　구 비 왕 법 지 소 가 유　야　복 망 전 하　하 유 사 수 기 직 첩

鞫問其故 明正其罪 以懲後來.'
국 문 기 고　명 정 기 죄　이 징 후 래

　惇之 古名啓陽 少登科光顯矣. 有人訴其蒸於妻母 典法司欲執
　돈 지　고 명 계 양　소 등 과 광 현 의　유 인 소 기 증 어 처 모　전 법 사 욕 집

而鞫之 啓陽逃. 法司以在逃獄成 載其名於罪案 後乃改今名.
이 국 지　계 양 도　법 사 이 재 도 옥 성　재 기 명 어 죄 안　후 내 개 금 명

　西部長大洞井鳴如雷 汲者驚駭四散. 如是者三.
　서 부　장 대 동 정 명 여 뢰　급 자 경 해 사 산　여 시 자 삼

　丙辰 誕辰 宥二罪以下. 上欲幷宥壬午年爲東北面守令者 令
　병 진　탄 신　유 이 죄 이 하　상 욕 병 유 임 오 년 위 동 북 면　수 령 자　영

外方從便 政府不可而止.
외 방 종 편　정 부 불 가 이 지

　御淸和亭 宴宗親及政丞 歡甚夜罷. 以太上殿及上王殿送酒饌
　어 청 화 정　연 종 친 급 정 승　환 심 야 파　이 태 상 전 급 상 왕 전 송 주 찬

也.
야

　遣司譯院判官吳義 押四運牛一千隻赴遼東.
　견 사 역 원 판 관 오 의　압 사 운 우 일 천 척 부 요 동

　丁巳 天氣如秋二日.
　정 사　천 기 여 추 이 일

　慶尙道 河陽 永州 雞林等處雨雹.
　경 상 도　하 양　영 주　계 림 등 처 우 박

　司諫院請罷工曹典書楊弘達職 不允. 以弘達母賤故也 上
　사 간 원 청 파 공 조 전 서 양 홍 달 직　불 윤　이 홍 달 모 천 고 야　상

之不允 從太上之命也. 憲司令弘達納其母四祖戶口 上召執義
지 불 윤　종 태 상 지 명 야　헌 사 영 홍 달 납 기 모 사 조 호 구　상 소 집 의

金自知命曰: "弘達之母 衆所共知 何必令納戶口! 但弘達 自
김 자 지 명 왈　홍 달 지 모　중 소 공 지　하 필 영 납 호 구　단 홍 달　자

父王時傳任醫藥 及予卽位 亦勤其任. 今以父王之命授職.
부 왕 시 전 임 의 약　급 여 즉 위　역 근 기 임　금 이 부 왕 지 명 수 직

　戊午 上宴王可仁于淸和亭.
　무 오　상 연 왕 가 인 우 청 화 정

司諫院上疏 請前知靈光郡事朴益文之罪 從之. '益文在任而
사간원　상소　청전지 영광군 사 박익문 지죄 종지　　익문 재임 이

妻母死 不使妻奔喪 旣五六月得代 俟新官至 挈家乃行. 請下
처모 사 불사 처 분상 기 오육 월 득대 사 신관 지 설가 내행　청하

攸司 收其職牒 竄逐遐方 幷治其妻不奔喪之罪 以正風俗.'
유사 수기 직첩 찬축 하방 병치 기처 불 분상 지죄 이정 풍속

賜王可仁妻米豆幷五十石 子致笠衣靴.
사 왕가인 처 미두 병 오십 석 자 치입 의 화

己未 群鴉集白鹿山飛鳴.
기미 군아 집 백록산 비명

吉州有大石火生 漸燒爲灰.
길주 유 대석 화생 점소 위회

王可仁還京師 上餞于西郊.
왕가인 환 경사 상전 우 서교

遣計稟使藝文館提學金瞻如京師. 瞻與可仁偕行. 奏本云:
견 계품사 예문관 제학 김첨 여 경사　첨 여 가인 해행　주본 운

'照得 本國東北地方 自公嶮鎭歷孔州 吉州 端州 英州 雄州
조득　본국 동북 지방 자 공험진 역 공주　길주　단주　영주　웅주

咸州等州 俱係本國之地. 至遼 乾統七年 東女眞作亂 奪據咸州
함주 등주 구계 본국 지지 지요　건통 칠년　동여진 작란　탈거 함주

迤北之地. 高麗睿王王俁告遼請討 遣兵克復. 及至元初戊午年間
이북 지지 고려 예왕 왕우 고요 청토 전병 극복 급지 원초 무오 년간

蒙古散吉普只等官 收付女眞之時 本國叛民趙暉 卓青等 以其地
몽고 산길보지 등관 수부 여진 지시 본국 반민 조휘 탁청 등 이 기지

迎降 以趙暉爲摠管 卓青爲千戶 管轄軍民. 由是女眞人民 雜處
영항 이 조휘 위 총관 탁청 위 천호 관할 군민 유시 여진 인민 잡처

其間 各以方言 名其所居 吉州稱海陽 端州稱禿魯兀 英州稱
기간 각 이 방언 명기 소거 길주 칭 해양 단주 칭 독로올 영주 칭

三散 雄州稱洪肯 咸州稱哈蘭. 至至正十六年間 恭愍王王顓
삼산 웅주 칭 홍긍 함주 칭 합란 지 지정 십육 년간 공민왕 왕전

申達元朝 竝行革罷 仍以公嶮鎭迤南 還屬本國 委定官吏管治.
신달 원조 병행 혁파 잉 이 공험진 이남 환속 본국 위정 관리 관치

聖朝洪武二十一年二月 承準戶部咨 該侍郎楊靖等官 欽奉太祖
성조 홍무 이십 일 년 이월 승준 호부 자 해 시랑 양정 등관 흠봉 태조

高皇帝聖旨節該 "鐵嶺迤北迤東迤西 原屬開原 所管軍民 仍屬
고황제 성지 절해　철령 이북 이동 이서 원속 개원 소관 군민 잉속

遼東所管." 欽此 本國則將上項事 因差陪臣密直提學朴宜中 齎
요동 소관　흠차 본국 즉 장 상항 사 인 차 배신 밀직제학 박의중 재

擎表文 前赴朝廷控訴 乞將公嶮鎭迤北 還屬遼東: 公嶮鎭迤南
경 표문 전부 조정 공소 걸 장 공험진 이북 환속 요동 공험진 이남

至鐵嶺 還屬本國. 至當年六月十二日 朴宜中回自京師 承準

禮部咨 該本部尙書李原明等官 於當年四月十八日 欽奉聖旨

節該: "鐵嶺之故 王國有辭." 欽此 仍舊委定官吏管治. 今奉欽差

東寧衛千戶王脩齎來勑諭內: "招諭三散 禿魯兀等處女眞地面

官民人等." 欽此竊詳 三散千戶李亦里不花等一十處人員 雖係

女眞人民 來居本國地面 年代已久 累經胡人納哈出等兵及倭寇

侵掠 凋瘁殆盡 其遺種存者無幾. 且與本國人民交相婚嫁 生長

子孫 以供賦役. 又臣祖上曾居東北地面 玄祖先臣安社墳墓 見

在孔州; 高祖先臣行里 祖先臣子春墳墓 皆在咸州. 竊念小邦

遭遇聖朝以來 累蒙高皇帝詔旨 不分化外 一視同仁. 又欽準

聖朝戶律內一款: "其在洪武七年十月以前 流移他郡 曾經附籍

當差者勿論." 欽此 小邦旣在同仁之內 公嶮鎭迤南 又蒙高皇帝

王國有辭之旨 所據女眞遺種人民 乞令本國管轄如舊 一國

幸甚. 爲此 今差陪臣藝文館提學金瞻 齎擎奏本及地形圖本 赴京

奏達.'

　庚申 陰雨.

　辛酉 禱雨于宗廟 社稷 嶽海瀆 名山大川及昭格殿. 審理冤獄

賑恤窮乏 掩骼埋胔 又使文可學祈雨.

　遣司譯院副使康邦祐 押五運牛一千隻 赴遼東

　壬戌 止酒 仍下禁酒令.

上違豫不聽政.
상 위예 불 청정

癸亥 太白晝見.
계해 태백 주견

命各道各官 分其民戶貧富强弱 以給助戶. 議政府啓:
명 각도 각관 분 기 민호 빈부 강약 이 급 조호 의정부 계

'外方民戶 富强者多得助戶 而貧乏者反不得助戶 流移失所
외방 민호 부강자 다득 조호 이 빈핍자 반 부득 조호 유이 실소

軍額日減 願令各道差等詳定.
군액 일감 원령 각도 차등 상정

一, 甲士二三結以下 給奉足二戶; 四五結以下 一戶; 六七結
일 갑사 이삼 결 이하 급 봉족 이호 사오 결 이하 일호 육칠 결

以上不給.
이상 불급

一, 侍衛軍及完山子弟牌一二結以下 給奉足二戶; 三四結以下
일 시위군 급 완산 자제패 일이 결 이하 급 봉족 이호 삼사 결 이하

給奉足一戶; 五六結以上不給.
급 봉족 일호 오육 결 이상 불급

一, 騎船軍二三結以下 給奉足二戶; 四五結以下 給奉足一戶;
일 기선군 이삼 결 이하 급 봉족 이호 사오 결 이하 급 봉족 일호

七八結以上 自立一領. 十五結以上 自立二領.
칠팔 결 이상 자립 일령 십오 결 이상 자립 이령

一, 鎭屬軍及吹鍊軍鐵所干一二結以下 一戶; 三四結以上
일 진속군 급 취련군 철소간 일이 결 이하 일호 삼사 결 이상

不給.
불급

一, 守城軍及日守兩班止用 三四結以下者 不許用; 五六結
일 수성군 급 일수양반 지용 삼사 결 이하자 불허 용 오육 결

以上者 亦不給奉足.
이상 자 역 불급 봉족

一, 各司吏典 隊長 隊副 丁吏 皂隷 都府外守公 軍器監別軍
일 각사 이전 대장 대부 정리 조례 도부 외 수공 군기감 별군

速毛赤 吹螺赤 一二結以下 給奉足一戶; 三四結以上 不給.
속모치 취라치 일이 결 이하 급 봉족 일호 삼사 결 이상 불급

一, 鄕吏一二結以下 給同類奉足一戶; 三四結以上 不給.
일 향리 일이 결 이하 급 동류 봉족 일호 삼사 결 이상 불급

一, 驛吏 水站干一二結以下 給同類奉足一戶; 三四結以上
일 역리 수참간 일이 결 이하 급 동류 봉족 일호 삼사 결 이상

不給.
불급

一. 公衙丘從 院主津尺同. 凡諸奉足戶 皆用二三結以下者 不
許用四五結以上者.

上項奉足定給外 各色有常役者 俱不給奉足.'

從之.

甲子 大雨.

乙丑 太白晝見.

竄李士穎于忠州 李詹于原平 朴惇之于仁州. 初臺諫各上疏

請李詹 朴惇之 李士穎等罪 命下詹等于巡禁司. 巡禁司問李詹

朴惇之罪狀 詹曰: "我爲大司憲時 士穎來曰: '汝爲王氏卜興衰

罪科狀 藏在刑曹笥裏 不可使後人見之. 吾欲出而與汝.' 故吾

亦請之 後日授令史送之." 惇之曰: "我於甲寅年得罪 至庚申年

都評議使司以爲 誤蒙奉王旨 使周其罪案 筆畫細如不周. 我謂

士穎曰: '旣以誤蒙而周之 乞令無迹.' 士穎許之." 士穎 安平 如

詹與惇之所言. 上曰: "李詹 朴惇之 素有功勞; 許晐 予恩門之壻;

金汾 功臣之壻; 鄭宗誠 趙安平 雖與於周案 退狀則不知 皆自願

付處. 李士穎 以行首首唱爲之 收其職牒 外方付處."

正儀章法度. 禮曹上疏曰:

'國家儀章法度 上遵朝廷之制 或因前朝之舊 可謂粲然有倫

矣. 然其間制度 尙有未備者焉. 臣等伏見朝廷之制 堂上官得坐

交倚 諸郎不得升堂接坐; 在前朝 典書坐無足平床 諸郎當圓議

則升堂 於南行單席而坐 議畢卽出. 今諸郎堂上同坐交倚署事
즉 승당 어 남행 단석 이좌 의필 즉출 금 제랑 당상 동좌 교의 서사

旣失上國之制 又非前朝之舊. 自今應議事則升堂 南行東上席坐
기실 상국 지제 우비 전조 지구 자금 응 의사 즉 승당 남행 동 상석 좌

堂上官權宜下坐 議罷 諸郎下本廳 承行公務.
당상관 권의 하좌 의파 제랑 하 본청 승행 공무

且交倚之制 尊於交床 自今各衙門本品無交床者 不得坐交倚
차 교의 지제 존어 교상 자금 각 아문 본품 무 교상 자 부득 좌 교의

許坐繩床. 又古者 閑良曾經典書以上者 儀章竝從本品 今無
허좌 승상 우 고자 한량 증경 전서 이상 자 의장 병종 본품 금무

儀章 出入閭巷 牛僮馬僕 竝驅以行 輕辱爵命 莫此爲甚. 其曾任
의장 출입 여항 우동 마복 병구 이행 경욕 작명 막차 위심 기 증임

典書代言以上者 品帶交床 竝依本品.
전서 대언 이상 자 품대 교상 병의 본품

又按禮 婦人出中門 必擁蔽其面 行則乘轎車 所以別嫌疑而預
우 안예 부인 출 중문 필 옹폐 기면 행즉 승 교거 소이 별 혐의 이예

防閑也. 國俗 婦女有行 乘平轎子 令丁癸四面扶之 無所障隔
방한 야 국속 부녀 유행 승 평교자 영 정부 사면 부지 무소 장격

至與僕隷接袵肩摩 褻狎陵侮 識者羞之 而至今不革 豈非闕典?
지 여 복례 접임 견마 설압 능모 식자 수지 이 지금 불혁 기비 궐전

自今三品正妻 乘有屋轎子 其餘騎馬 不許乘平轎子. 凡此皆失禮
자금 삼품 정처 승 유옥 교자 기여 기마 불허 승 평교자 범차 개 실례

之甚者 臣等職掌禮儀 不敢不言 伏惟殿下 裁察施行 違者憲司
지 심자 신등 직장 예의 불감 불언 복유 전하 재찰 시행 위자 헌사

糾理.'
규리

丙寅 命左政丞河崙 右政丞成石璘 知申事朴錫命等 宴使臣于
병인 명 좌정승 하륜 우정승 성석린 지신사 박석명 등 연 사신 우

太平館. 韓帖木兒至闕告還 上以腫氣不見 至日午 乘輦如太平館
태평관 한첩목아 지궐 고환 상 이 종기 불견 지 일오 승연 여 태평관

見使臣而還.
견 사신 이환

賜赴朝廷火者二十名布匹.
사 부 조정 화자 이십 명 포필

遣司譯院判官林密 押六運牛一千隻赴遼東.
견 사역원 판관 임밀 압 육운 우 일천 척 부 요동

丁卯 大雨. 議政府詣闕進酒 許之.
정묘 대우 의정부 예궐 진주 허지

群鴉集白鹿山飛鳴.
군아 집 백록산 비명

176

行百神解怪祭及金星獨醮.
<small>행 백신 해괴제 급 금성 독초</small>

己巳 罷東北面經歷李明善 端州萬戶玉山奇 甲州萬戶朴元奇
<small>기사 파 동북면 경력 이명선 단주 만호 옥산기 갑주 만호 박원기</small>

職. 以都巡問使咸傅霖報不能其任也.⑦
<small>직 이 도순문사 함부림 보 불능 기임 야</small>

| 원문 읽기를 위한 도움말 |

① 常竊以爲若爲言官 有可言者 不顧前後而盡言. 以爲는 '~라고 생각하다'
<small>상 절 이위 약 위 언관 유 가언자 불고 전후 이 진언 이위</small>
라는 뜻인데 여기서는 문장 끝까지 다 걸린다.

② 若曉則. '若~則'은 '~의 경우에는'이라는 뜻이다.
<small>약 효 즉 약 즉</small>

③ 然予無德也故云爾. 앞서 자주 나온 耳, 而已, 也而已 등과 마찬가지로
<small>연 여 무덕 야 고 운 이 이 이이 야이이</small>
爾도 문장 끝에 오면 '뿐이다'라는 뜻이다. 爾已도 마찬가지다.
<small>이 이이</small>

④ 俾學聖人爲治之道. 俾는 使와 마찬가지로 '~하게 하다'라는 일종의 조
<small>비 학 성인 위 치 지 도 비 사</small>
동사다. 그래서 뒤에 이어지는 동사와 함께 붙여서 풀이하는 게 좋다. 여
기서는 '배우게 하다'이고 이후 俾居가 나오는데 이는 '머물게 하다'라고
<small>비거</small>
옮긴다.

⑤ 反有怨於見謫乎? 見은 이어지는 동사를 수동형으로 만든다.
<small>반 유 원 어 견적 호 견</small>

⑥ 若以異爲是. '以~爲~'는 '~를 ~로 간주하다'라는 뜻이다.
<small>약 이 이 위 시 이 위</small>

⑦ 以都巡問使咸傅霖報不能其任也. '以~也'는 '왜냐하면 ~하기 때문이다'
<small>이 도순문사 함부림 보 불능 기임 야 이 야</small>
라는 뜻이다.

태종 4년 갑신년
6월

六月

경오일(庚午日-1일) 초하루에 부사직(副司直) 당몽룡(唐夢龍)을 보내 일곱 번째 운반[七運]_{칠운} 소 1,000마리를 몰고 요동에 가게 했다.

신미일(辛未日-2일)에 누런 기운[黃暈]_{황운}이 신방(申方)¹에서 일어나 인방(寅方)²에 이르러 사라졌는데 너비가 포(布)만 했다.

○ 사신 한첩목아(韓帖木兒)가 돌아갔는데 상이 병으로 나가서 전송하지 못하니 하륜 등에게 명해 서보통(西普通)에서 전송하게 했다. 통사 장유신(張有信)을 보내 홍무(洪武) 28년(1395년)에 고향으로 돌아온 화자 최신계(崔臣桂) 등 10명과 새로 뽑은 화자 김득부(金得富) 등 10명을 데리고서[押=押領]_{압 압령} 첩목아를 따라 경사(京師)에 가게 했다.

계유일(癸酉日-4일)에 큰비가 내렸다.

○ 사헌부에서 소를 올려 충청·전라·경상도의 병선을 점검하는[點考]_{점고} 경차관(敬差官)을 파할 것을 청하니 윤허했고, 의정부에 명해 농한기[農隙]_{농극}를 기다려 (나머지 경차관들을) 보내도록 했다.

---

1 24방위(方位)의 하나로 서남서(西南西)를 가리킨다.
2 24방위(方位)의 하나로 동동북(東東北)을 가리킨다.

을해일(乙亥日-6일)에 태백성이 낮에 보였다.

○ 하륜(河崙), 성석린(成石璘), 이저(李佇), 이직(李稷)을 파직했다. 조준(趙浚)을 좌정승, 이서(李舒)를 우정승, 오사충(吳思忠)을 사평부 판사, 남재(南在)를 의정부 찬성사, 이빈(李彬)을 사평부 참판사, 노숭(盧嵩)을 의정부 참찬사, 이지(李至)를 의정부 지사, 유량(柳亮)을 예문관 대제학, 이행(李行)을 개성유후, 유용생(柳龍生)을 충청도 도절제사, 김승주를 길주도 도안무찰리사로 삼았다.

(그에 앞서) 하륜, 성석린 등이 대궐에 나와 벼슬에서 물러날 것[致仕]을 청하니 상이 말했다.
치사

"경들이 무슨 까닭으로 사직을 청하는지 모르겠다."

륜이 대답했다.

"천변(天變)과 지괴(地怪)가 여러 번 나타났는데 신들이 재주도 없이 재보(宰輔)³에 있으니 뛰어난 사람에게 길을 열어주려고 피하기를 청하는 것입니다."

상이 말했다.

"경들이 자리를 피하면 나는 장차 어찌하겠는가? 또 조정 신하 중에 누가 경들을 대신할 만한 사람인가?"

륜이 대답했다.

"원수(元首-임금)와 고굉(股肱-신하)은 한 몸이니 대신(大臣)이 자리

---

3 국왕을 보필하던 최고위 정치 담당자를 부르던 칭호다. 재신(宰臣), 재추(宰樞), 대신(大臣), 상공(相公)이라고도 한다. 어원적으로 보면 재(宰)는 요리를 하는 자, 상(相)은 보행을 돕는 자를 일컫는 말이었다. 진(秦)나라 이래로 최고행정관을 뜻하는 것으로 전용됐다.

를 피하면 어찌 조금이라도 천심(天心)에 사죄하는 바가 되지 않겠습니까? 또 신들의 자리를 대신할 사람은 신들이 감히 의견을 낼 바가 아니오니 상께서 스스로 고르십시오."

상이 그대로 따랐다.

○ 사역원 지사 유거해(兪巨海)를 보내 여덟 번째 운반[八運] 소 1,000마리를 몰고 요동에 가게 했다.

병자일(丙子日-7일)에 상이 태상전에 조알하고 헌수(獻壽)하니 극진히 즐기고 밤늦게 끝났다.

무인일(戊寅日-9일)에 예조에서 여제(厲祭)⁴를 지내는 절차[儀]를 상정해 아뢰었다.

'경중(京中-개경)과 외방(外方-지방) 각 관(各官)에서 매년 봄 청명일(淸明日)과 가을 7월 15일, 겨울 10월 초하루에 제사를 지내주는 사람이 없는 귀신(鬼神)을 제사하되 그 단(壇)은 성북(城北)의 교간(郊間)에 설치하고 그 제물(祭物)은 경중에서는 희생(犧牲)으로 양 세 마리와 돼지 세 마리를 쓰며 반미(飯米)는 45두(斗)로 하고 외방

---

4   여귀(厲鬼)에게 지내는 제사다. 여귀란 여러 가지 사정으로 인해 제사를 받을 수 없는 무사귀신(無祀鬼神) 또는 무적귀신(無籍鬼神)을 말한다. 이들 무사귀신은 사람에게 붙어 탈이 나기 때문에 이를 제사 지냄으로써 미연에 방지하고자 한 것이다. 조선시대에는 예조에서 사관(祀官)을 파견하여 매년 2회(7월 15일, 10월 1일) 북교(北郊)에 있는 여단(厲壇)에서 성황(城隍) 1위와 무사귀신 15위를 제사지냈다. 이때 제관은 한성부윤이 했는데, 15위의 신위가 봉상시에 모셔진 것으로 보아 알 수 있다. 동서 2좌로 동좌는 6위이고 서좌는 9위다. 동좌는 주로 도둑이나 강도하다가 죽은 사령을 비롯해 도덕적으로 악행을 한 자의 사령을 모셨고, 서좌는 전사자나 무후사자(無後死者) 등 불행한 사자를 모셨다.

에서는 지관(知官)⁵ 이상은 경중보다 3분의 1을 감(減)하고, 현령(縣
令)·감무(監務)는 지관(知官)보다 반을 줄이되 양은 혹 노루나 사슴
으로 대신 쓸 수 있으며, 주제관(主祭官)은 경중에서는 개성유후사
당상관(開城留後司堂上官)이나 한성부 당상관(漢城府堂上官)으로 하
고, 외방에서는 각각 그 고을의 수령으로 해야 합니다.'

○ 한량관(閑良官)⁶이 숙위(宿衛)하는 법을 거듭[申] 엄하게 했다.
승추부(承樞府)⁷에서 이런 내용으로 말씀을 올렸다.

'전제(田制)에 따르면 한량관(閑良官)이 부모의 상장(喪葬)과 질병
을 제외하고 까닭 없이 삼군부(三軍府) 숙위(宿衛)에 나오지 아니하
여 100일을 채운 자는 그 전지를 다른 사람이 진고(陳告)하여 넘겨
받는 것[科受]을 허락하게 되어 있습니다. (그런데) 지금 경패(京牌)⁸
소속의 대소 인원(大小人員)이 외방(外方)에 살면서 아들이나 사위,
아우나 조카로 대신하고, 심한 자는 종으로 대신하고 아우나 조카라
고 망칭(妄稱)하여 숙위가 허술해지고 존비(尊卑)가 어지러워집니다.
밭을 받아 외방(外方)에 있는 인원은 8월 초하루까지 서울에 오지
않는 자는 각각 사는 곳에 충군(充軍)하고, 받은 밭은 급전사(給田

---

5 조선 초기 종4품의 지사(知事)를 장관(長官)으로 하는 주(州)·부(府)·군(郡)·현(縣) 등
   의 고을 또는 그 장관을 가리킨다.
6 여말선초에는 유향품관(留鄕品官) 또는 한량관(閑良官)이라 하여 지방의 유력자나 벼슬
   에서 은퇴한 자를 택해 지방의 풍속 교정, 향리의 부정 방지 등 지방자치에 활용했다.
7 1401년(태종 1년) 7월에 의흥삼군부(義興三軍府)를 고친 이름이다. 갑병(甲兵)에 관한 일
   을 맡아보았는데 1403년(태종 3년) 6월에 삼군도총제부(三軍都摠制府)로 개편되면서 따
   로 독립했다가 1405년(태종 5년) 1월에 혁파해 병조에 귀속시켰다.
8 조선시대 서울에 번상(番上)하면서 궁궐의 숙위(宿衛)를 담당하던 부대의 하나로서 그
   대가로 전지(田地)를 지급받았다.

司)⁹로 하여금 그 아들이나 사위, 아우나 조카로서 숙위할 만한 자에게 과(科)에 따라 대신 주고, 그 나머지 전지와 아들이나 사위나 아우나 조카가 없는 사람이 받은 전지는 새로 와서 종사하는 사람에게 주되, 본부(本府)에 서류를 올려[牒呈] 삼군경패(三軍京牌)에 나
_{첩정}
눠 소속시켜 숙위를 실속 있게 해야 합니다. 종으로 대신한 자는 다른 사람이 진고하여 대신 받는 것을 허락하소서.'

기묘일(己卯日-10일)에 (명나라) 조정 사신 내사(內史) 양진보(楊進保)와 급사중(給事中) 오유선(敖惟善)이 조서(詔書)를 받들고 오니 조서를 맞이하기를 전례(典禮)에 따라 했다. 먼저 온[先來]¹⁰ 사신 오수
_{선래}
(鄔修), 이영(李榮) 등이 대궐 계단 위에서 조서에 절한 뒤 개독(開讀)했다. 봉천승운(奉天承運) 황제의 조서는 다음과 같다.

'짐(朕)이 듣건대 제왕(帝王)의 도리는 사랑을 세움에 있어 오직 혈친을 사랑하는 것이 가장 중요하다[立愛惟親]¹¹고 했으니 사람의 자
_{입애 유 친}
식이 되어 삼가는 마음이 없으면[不祗=不敬] 아버지조차 제대로 사
_{부지 불경}
랑할 수 없다. 짐의 황고(皇考-돌아가신 아버지) 성신문무흠명계운준덕성공통천대효(聖神文武欽明啓運峻德成功統天大孝) 고황제(高皇帝)

9　조선 전기 호조에 소속되어 관리·관청에 토지를 나눠 준 관청이다. 영업전(永業田), 구분전(口分田), 과전(科田), 직전(職田), 공해전(公廨田), 궁방전(宮房田) 등을 관장했다.

10　선래 사신이나 선래통사는 어떤 중요 사안이 있을 때 먼저 와서 그 사실을 고하는 사신이나 통사를 말한다.

11　『서경(書經)』「상서(商書)」'이훈(伊訓)'에 나오는 말이다. 남을 사랑함에 있어 순서가 있으니 가장 먼저 부모를 사랑하고[孝] 이어 형제를 사랑하며[友愛] 이어 차례대로 다른 사
_효_{우애}
람을 사랑해가라는 말이다.

와 황비(皇妣) 효자소헌지인문덕승천순성(孝慈昭憲至仁文德承天順聖) 고황후(高皇后-마황후)께서 모두 한결같은 다움이 있으시어 능히 하늘의 마음을 받아서[咸有一德 克享天心][12] 기업(基業-국가 대업)을 창건하고 대통(大統)을 드리워 만세(萬世)에 전하셨다. (그런데) 짐의 대형(大兄) 의문황태자(懿文皇太子)가 하늘이 내려준 수명[降年][13]이 오래지 못하고 윤자(胤子)[14] 윤문(允炆)이 어린 나이로[幼沖] 자리를 이어받아 사리에 어둡고 어리석으며[昏愚] 몹시 사나워서[自暴] 옛 법도[舊章]를 뒤집어엎고서 간사하고 굽은 사람[奸回]을 높이고 믿어 골육(骨肉)을 죽이거나 해치고[戕害] 군사를 일으켜 짐을 공격해 반드시 모두 다 죽여서[劉=殺] 한 사람도 남기지 않으려 하니 천하가 텅 비고[蕩然] 사직(社稷)이 거의 망하려 했다. 짐은 오로지 조종(祖宗)께서 부지런히 다움을 쌓으심[積德]과 부황(父皇)·모후(母后)께서 어렵게 창업(創業)하신 바를 생각하여 어쩔 수 없이 그에 맞서 병사를 일으켰는데[應兵] 하늘의 도우심에 힘입어 내부의 어려움[內難]이 깨끗이 정리가 됐다[廓淸=肅淸]. 윤문의 죄악(罪惡)이 가득 차서[貫盈] 궁문(宮門)을 닫고 불에 타 죽으니 여러 왕과 신하들이 같은 말로[同辭] (대위(大位)에) 나아갈 것을 권유했다. 짐은 종묘사직을 중하게 여겨[爲重] 억지로[勉=强] 여망(輿望)에 따라[循=從] 대보(大寶)에 군림(君臨)했다. (그러면서) 장형(長兄)의 여러 아들인 윤통(允

---

12 『서경(書經)』「상서(商書)」'함유일덕(咸有一德)'에 나오는 말이다.

13 강년(降年)은 수명을 높여 부르는 말로 『서경(書經)』「상서(商書)」'고종융일(高宗肜日)'에 나오는 표현이다.

14 왕위를 계승한 사자(嗣子)를 가리킨다.

熥), 윤견(允熞), 윤희(允熙)에게 그대로[仍] 왕작(王爵)을 내주었다. (그런데) 생각지도 않게 윤통과 윤견이 스스로를 살필 줄 모르고 스스로 의심과 원망[疑懟]을 품었다. (그러나) 짐은 장형의 지극한 정을 생각해 차마 견책(譴責)은 하지 못하고 면직만 시켜 서인(庶人)으로 삼아 (목숨은) 보전하게 했건만 짐의 마음이 아프고 절절하여 항상 염려했다. 장형은 아직 제사를 받드는 이가 없었는데 (이제) 장형의 넷째 아들 윤희가 14세가 되었다. 그릇과 자질[器資]이 올바르고 진중하여[端重] 구령왕(甌寧王)으로 고쳐서 봉해[改封] 대대로 의문황태자(懿文皇太子)의 제사를 지키게 했다. 아아! 협화(協和-화합)의 도리는 친족(親族)에게 화목(和睦)하는 것이 가장 우선이고, 돈독하게 베푸는 어짊[惇敍之仁]은 제사(祭祀)를 잇는 것이 가장 크다. 나의 동기(同氣)의 정(情)을 펼쳐서 혈친을 제 몸과 같이 여기는 뜻[親親之意]을 최대한 다하겠다[庶盡].'

또 조서(詔書)에서 말했다.

'태자를 세움으로써 종묘(宗廟)를 높이고 사직(社稷)을 무겁게 했고 왕국(王國)을 세워줌으로써 번보(藩輔-번병, 즉 나라의 울타리)를 넓히고 근본과 가지[本支=皇室]를 번성하게 하는 것은 한 집안의 사사로움이 아니라, 천하의 공적인 일[公]이 된다. 하(夏)·상(商)·주(周)·한(漢)·당(唐)·송(宋)나라가 번성한 것도 이런 도리를 쓴 때문이다. 짐의 황고(皇考) 고황제(高皇帝)와 황비(皇妣) 고황후(高皇后)의 빼어나신 신령[聖靈]께서 오르내리며[陟降] 짐의 몸을 붙들고 도우시어 대보(大寶)에 군림하게 되니 밤낮으로[夙夜] 편안한 겨를이 없이 생각은 오로지 뛰어난 다움[賢德]을 갖춘 사람을 찾으려 했고 차서(次

序)를 유성(維城)[15]에 전해 신명(神明)의 계통을 계속 잇도록 하여 고비(考妣-고와 비)의 광화(光華-영광)가 되게 하려고 깊이 살펴보고 잘 넘겨주기 위해[簡畀] 지금까지 고심해왔다. 주왕(周王)이 종실(宗室)의 어른으로서 여러 번 표(表-표문)를 올려 태자를 세우고 여러 왕을 봉해 세울 것을 청했고, 종실과 여러 신하 및 백성들이 말을 합쳐[合辭=同意] 여러 차례 표를 올려 짐의 장자(長子)가 충분히 종묘를 이어받을 만하고 여러 아들이 모두 방가(邦家-국가)를 도울 수 있을 것이라 하여 짐은 천하의 보편적인 의리[通義]를 생각하고 많은 이의 뜻이 모두 합치하는 바[僉同]를 따르기로 했다. 이에 영락(永樂) 2년(1404년) 4월 초4일에 장자 고치(高熾)를 세워 황태자로 삼고 책(冊)과 보(寶)를 주어 동궁(東宮)에 바르게 자리하게 했고[正位], 둘째 아들 고후(高煦)를 한왕(漢王)으로 삼고, 셋째 아들 고수(高燧)를 조왕(趙王)으로 삼았다. 평소에 늘 종친(宗親)을 중하게 생각해 은례(恩禮)를 널리 베풀어서 초왕(楚王)의 다섯째 아들 맹위(孟煒)를 봉해 숭양왕(崇陽王), 여섯째 아들 맹약(孟爚)을 봉해 통산왕(通山王), 일곱째 아들 맹찬(孟燦)을 통성왕(通城王), 여덟째 아들 맹소(孟炤)를 경릉왕(竟陵王), 아홉째 아들 맹관(孟爟)을 악양왕(岳陽王)으로 삼았다. (또) 촉왕(蜀王)의 둘째 아들 열요(悅耀)를 화양왕(華陽王), 셋째 아들 열존(悅燇)을 숭녕왕(崇寧王), 넷째 아들 열흔(悅炘)을 숭경왕(崇慶王), 다섯째 아들 열소(悅焇)를 보령왕(保寧王)으로 삼았다. 대왕(代王)의 장자 손단(遜耑)을 대(代)의 세자로 삼고, 둘째 아들 손민(遜牐)을 광녕

---

15 '나라의 근간이 되는 성'이라는 뜻으로 황태자를 가리킨다.

왕(廣寧王)으로 삼았다. 요왕(遼王)의 둘째 아들 귀합(貴焓)을 장양왕(長陽王), 셋째 아들 귀섭(貴燮)을 원안왕(遠安王), 넷째 아들 귀난(貴煗)을 홍산왕(興山王), 다섯째 아들 귀훤(貴煊)을 파동왕(巴東王), 여섯째 아들 귀돈(貴炖)을 잠강왕(潛江王), 일곱째 아들 귀령(貴烆)을 의도왕(宜都王), 여덟째 아들 귀흔(貴炘)을 송자왕(松滋王)으로 삼았다. 영왕(寧王)의 장자 반식(盤烒)을 영(寧)의 세자로 삼고, 민왕(珉王)의 장자 휘야(徽焲)를 민(珉)의 세자로 삼고, 둘째 아들 휘유(徽燇)를 진남왕(鎭南王)으로 삼았다. 곡왕(谷王)의 장자 부작(賦灼)을 곡(谷)의 세자로 삼고, 둘째 아들 부흡(賦熻)을 예릉왕(醴陵王)으로 삼았다. 한왕(韓王)의 장자 충불(沖㷉)을 한(韓)의 세자로 삼고, 둘째 아들 충목(沖㷋)을 양릉왕(襄陵王), 셋째 아들 충우(沖㷇)를 임분왕(臨汾王)으로 삼았다. 진왕(秦王)의 장자 지균(志均)을 진(秦)의 세자로 삼고, 진왕(晉王)의 장자 미규(美圭)를 진(晉)의 세자로 삼는다.

아아! 다스림은 전왕(前王)을 본받고, 계통(繼統)은 대대의 빼어난 임금들을 잇도록 하라. 내외(內外)가 서로를 지탱해주어 종사(宗祀) 만세(萬世)의 복(福)을 보전하고 중국과 사방 이웃나라[華夷]가 함께 즐겨 고금(古今)의 전성(全盛)의 기업(基業)을 이어나가야 할 것이다.'

상이 사신과 함께 태평관에 이르러 잔치를 베풀었는데 오수(鄔修)와 이영(李榮) 등도 참여했다.

○ 요동 천호(遼東千戶), 삼만위 천호(三萬衛千戶) 등이 칙유(勅諭)와 상사(賞賜)를 싸 가지고 양내사(楊內史)와 함께 와서 뒤따라 들어왔는데 이는 아마도 건주위(建州衛)로 향하려고 함이었다. 각사(各司)의 한 사람씩을 명해 교외에서 맞이하게 하고 옛 태평관(太平館)

에 숙소를 정해주었다. 이조전서 김한로(金漢老)를 관반(館伴)으로 삼아 잔치를 베풀었다.

경진일(庚辰日-11일)에 상이 태평관에 가서 사신에게 잔치를 베풀었다. 길이 옛 태평관을 지나게 돼 있어 그곳에 들어가 칙서(勅書)에 절을 한 뒤 태평관에 이르렀다. 오수와 이영이 잔치에 참여했다. 상이 궁으로 돌아온 뒤에 오수가 이영에게 말했다.

"우리가 먼저 이 나라에 왔으니 잔치하고 남은 술로 뒤에 온 사신들을 위로하는 것이 어떻겠소?"

영이 말했다.

"안 됩니다. 국왕이 이미 큰 잔치로 위로했는데 우리가 다시 잔치를 열면 국왕이 어떻게 생각하겠소? 그리고 또 이 술 역시 이 나라의 술이오."

오수가 말했다.

"그러면 식사할 때 한잔을 권하는 것이 어떻겠소?"

영이 말했다.

"좋소[諾]._낙"

식사 때가 되자 오수와 오유선이 각각 기생을 데리고 음악을 몹시 즐기니 영이 이를 싫어하여 자리에서 일어나 밖으로 나와서 문밖에 서 있었다. 수가 영을 꾸짖으니[叱]_질 영은 곧 도로 들어가서 자기도 수를 꾸짖고 이에 더해 주먹으로 때린 다음에 마침내 흩어졌다. 뒤에 영이 의로움을 들어 수를 나무라며 말했다.

"제(帝)께서 신들에게 말씀하시기를 '조선(朝鮮)은 예의(禮義)의 나

라이니 너희는 행동거지[儀]를 삼가고 조심해야 할 것이다'라고 하셨
소. 그 말씀이 아직도 귀에 그대로 있건만 그대는 어찌하여 이처럼
못되게 구는 것이오[作慝]? 내 마땅히 아뢰어 보고할 것이오."
_{작특}

수는 한마디도 하지 못한 채 머리를 숙이고[俛首] 있을 뿐이었다.
_{면수}

○ 사재소감(司宰少監) 임군례(任君禮, ?~1421년)¹⁶를 보내 아홉 번
째 운반[九運] 소 1,000마리를 몰고 요동에 가게 했다.
_{구운}

신사일(辛巳日-12일)에 상이 요동 천호 등에게 무일전에서 잔치를
베풀었다.

갑신일(甲申日-15일)에 사신 양진보(楊進保)와 이영(李榮)이 대궐에
이르니 상이 청화정에서 잔치를 베풀었다. 이에 앞서 양진보가 금강
산(金剛山)에 가서 놀려고 하니 통사 곽해룡(郭海龍)이 이를 말렸다
[止=沮止]. 진보가 원망을 품고[銜] 있다가 이날 해룡(海龍)에게 화
_지 _{저지} _함
를 내며 말했다.

---

16 부친은 개국공신에 녹훈된 역관 임언충(任彦忠)으로 한족(漢族)이다. 임군례는 사람됨
   이 욕심이 많고 야비하며 역관으로서 여러 번 명나라에 사신을 따라가 큰 부자가 됐으면
   서도 일시라도 기세 있는 자면 반드시 아부하므로 사람들은 오방저미(五方猪尾)라고 불
   렀다. 충호위(忠扈衛)의 제거(提擧)가 돼 관의 목수를 자기 집을 위해 사적으로 부렸고 또
   관의 재정을 도적질한 일로 제거직에서 파직됐다. 그러자 임군례가 이를 원망하여 태종
   에게 글을 올렸는데 말이 매우 거만할 뿐 아니라 이징의 참소라는 말이 있으므로 태종
   이 노해 임군례를 의금부에 하옥시키고 교사한 정안지(鄭安止)를 심문했다. 그 과정에서
   임군례가 한 "상왕이 무시로 놀러다니니, 신우(辛禑)가 호곶(壺串)에 가서 놀며 즐거하던
   일과 다를 것이 무엇인가"와 "정종이 병이라 칭탁하고 왕위를 전위한 것을 황제가 만약
   안다면 (고려 때) 충혜왕(忠惠王)의 뒤집힌 전철이 있을 것이다"라는 말이 알려지게 되면
   서 1421년 임군례는 대역죄로 다스려져 백관을 저자에 모아놓고 다섯 수레로 찢어 죽여
   사방에 조리돌리고 그 가산은 적몰했으며 처자는 노비가 됐다.

"자네는 임금에게 말할 때는 꿇어앉아 하면서 내게 말할 때는 서서 하니 무슨 예(禮)인가?"

해룡을 밖으로 나가게 했다. (사신들이) 잔치를 끝내고 돌아갔다. 상이 해룡에게 당부했다.

"저 사람이 화가 났다고 해서 가까이하지 않아서는 안 되니 말을 잘해서[善辭] 풀도록 하라."

○ 요동 천호 등이 대궐에 이르러 하직을 고했다. 건주위(建州衛)로 향하기 때문이었다.

을유일(乙酉日-16일)에 사역원 판관 강유경(姜庾卿)을 보내 열 번째 운반[十運] 소 1,000마리를 몰고 요동에 가게 했다.

병술일(丙戌日-17일)에 충청도에 이틀 동안 큰비가 내려 물이 넘치고[漲] 곡식이 상했으며 민호(民戶)가 물에 떠내려가거나 잠겨[漂沒] 많은 사람이 익사했다.

기축일(己丑日-20일)에 상이 태평관에 가서 사신들에게 잔치를 베풀었다.

경인일(庚寅日-21일)에 사신 4명이 대궐에 이르렀다. 귀국을 고하기 위함이었다.

신묘일(辛卯日-22일)에 의정부 지사 이지(李至)와 총제(摠制) 조희민

(趙希閔)을 보내 경사(京師)에 가게 했다. 황태자의 책봉을 축하하기 위함이었다.

○사신 양진보, 오유선, 오수, 이영이 경사로 돌아가니 상이 영빈관(迎賓館)에 나가 전송했다. 군기감 판사 곽해룡(郭海龍)을 보내 (명나라) 조정(朝廷)과 무역한 소 1만 마리의 수목(數目)과 10차례 운반한 소를 맡아서 몰고 간[管押] 사람의 성명(姓名)에 대한 주본(奏本)을 싸 가지고 사신을 따라서 경사에 가게 했다.

임진일(壬辰日-23일)에 사간원 지사 안등(安騰, ?~?)[17]이 대사헌 김희선(金希善)과 집의 김자지(金自知) 등을 탄핵했다.

계사일(癸巳日-24일)에 사간원에서 (사간원) 좌헌납(左獻納) 박초(朴礎, 1367~1454년)[18]를 탄핵했다. 전날 헌부(憲府)를 탄핵할 때 다른 의견을 냈기 때문이다. 초(礎)가 탄핵하는 글[劾書]을 받지 않고 (상에게) 글을 올려 말했다.

'안등(安騰) 등이 사감을 갖고서[挾私] 헌부를 탄핵했습니다.'
상이 사간원 장무(掌務)인 정언 유장(柳暲)을 불러서 물었다.

---

17 훗날 형조판서에 올랐다.

18 1391년(공양왕 3년) 불교배척 상소문으로 사형을 받게 됐으나 정몽주(鄭夢周)의 변호로 사면됐다. 1404년(태종 4년)에 좌헌납으로 재직 중 그 전에 선공감승(繕工監丞)으로 있을 때 관용의 철[官鐵]을 사사로이 사용한 사실로 인해 장형(杖刑)에 처해졌다. 1413년 수군도 만호(水軍都萬戶)로 회례사(回禮使)가 되어 일본에 다녀왔고 그해에 전라도 수군도 만호 겸 해진군사(全羅道水軍萬戶兼海珍郡事)를 역임했다. 1418년(태종 8년) 병조참의를 거쳐 이듬해 좌군절제사, 전라도 수군도절제사, 경상우도 수군처치사, 1421년 도안무사(都安撫使)를 지내고 좌군동지총제(左軍同知摠制)를 역임했다.

"무슨 까닭으로 사헌부를 탄핵했는가?"

장(暲)이 대답했다.

"감찰(監察) 등이 작당(作黨)하여 서로 힐난하고 장관(長官-대사헌)에게 고했는데 대사헌은 이의 시비(是非)를 가리지도 않은 채 그들로 하여금 화해(和解)하게 했기 때문에 탄핵했습니다."

상이 말했다.

"해당되는 사람만 탄핵하도록 이미 법(法)에 정해져 있다. (그런데) 무슨 까닭으로 헌사의 관원을 모조리 탄핵했는가? 또 어제 박초가 와서 고하기를 너희가 사감(私感)을 갖고 있다고 했다. 초가 탄핵을 당하고 와서 말하는 것을 내가 옳다고는 여기지 않는다만, 그의 말로 인해 살펴보면 너희는 이미 사감을 갖고 있고, 또 영(令)을 범했으니 어찌 옳은 것이겠느냐?"

드디어 지사간(知司諫) 안등, 헌납(獻納) 김음(金愔)과 정언 유장·송희경(宋希璟) 등을 순금사에 내려보냈다. 이튿날 또 박초를 순금사에 내려보내 안등과 대질 심문하고[憑問] 내보냈다.
                                                    빙문

○ 좌사간대부 조휴(趙休)가 다시 박초를 탄핵했는데 그 이유는 탄핵하는 글은 받지 않고 대궐에 나아가 글을 올려 동료를 해치려 꾀하고[謀害] 자기의 죄는 면하려고 도모했다[規免=圖免]는 것이다.
          모해   규면   도면

○ 노비를 사사로이 주고 사사로이 받는 것[私與私受]을 금지했다.
                                          사여 사수
형조 도관(都官)이 말씀을 올렸다.

'지금 이후로는 서울과 지방에서 대소 인원(大小人員)이 그 자식이나 수양자(收養子), 시양자(侍養子)에게 허여(許與)하는 노비와 증여(贈與)하는 노비를 모두 수목(數目)에 써서 친히 소재지의 관사(官

司-관청)에 고하게 해야 합니다. 그러면 그 관사에서는 그 주인의 본
뜻을 상고하여 문안(文案)을 주도록 해야 합니다. 갑자기 죽어서 나
눠 주지 못한 자의 노비는 그 자손으로 하여금 명목(名目)을 바치게
하여 관(官)이 재주(財主)가 되어 고르게 나눠 주도록 해야 합니다.
소재지의 관사가 만일 좋아하고 싫어함으로 인해 공평하게 나눠 주
지 않는 자가 있으면 범장(犯贓-장물죄)으로 논죄(論罪)해야 합니다.
금년 7월 10일 이후에 사사로이 주고 사사로이 받는 노비는 아울러
모두 속공(屬公)하게 해 이를 영구히 항식(恒式)을 삼아야 합니다.'

갑오일(甲午日-25일)에 상이 상왕전에 나아가 헌수했다.

정유일(丁酉日-28일)에 안등(安騰)을 (경상도) 상주(尙州)로, 김음(金
愔)을 (전라도) 창평(昌平)으로, 송희경(宋希璟)을 담양(潭陽)으로, 유
장(柳暲)을 (충청도) 청주(淸州)로 유배 보냈다.

庚午朔 遣副司直唐夢龍 押七運牛一千隻赴遼東.
경오 삭 견 부사직 당몽룡 압 칠운 우 일천 척 부 요동

辛未 黃暈起於申 至寅地而滅 廣如布.
신미 황운 기 어 신 지 인지 이 멸 광 여포

使臣韓帖木兒還 上以疾不得出餞 命河崙等餞于西普通. 遣
사신 한첩목아 환 상 이질 부득 출전 명 하륜 등 전 우 서보통 견

通事張有信 押洪武二十八年還鄉火者崔臣桂等一十名及新選
통사 장유신 압 홍무 이십 팔 년 환향 화자 최신계 등 일십 명 급 신선

火者金得富等一十名 隨帖木兒如京師.
화자 김득부 등 일십 명 수 첩목아 여 경사

癸酉 大雨.
계유 대우

司憲府上疏 請罷忠淸 全羅 慶尙道兵船點考敬差官 允之 命
사헌부 상소 청파 충청 전라 경상도 병선 점고 경차관 윤지 명

議政府待農隙發送.
의정부 대 농극 발송

乙亥 太白晝見.
을해 태백 주견

河崙 成石璘 李佇 李稷罷. 以趙浚爲左政丞 李舒右政丞
하륜 성석린 이저 이직 파 이 조준 위 좌정승 이서 우정승

吳思忠判司平府事 南在議政府贊成事 李彬參判司平府事 盧嵩
오사충 판 사평부 사 남재 의정부 찬성사 이빈 참판 사평부 사 노숭

參贊議政府事 李至知議政府事 柳亮藝文館大提學 李行開城
참찬 의정부 사 이지 지 의정부 사 유량 예문관 대제학 이행 개성

留後 柳龍生忠淸道都節制使 金承霍吉州道都安撫察理使.
유후 유용생 충청도 도절제사 김승주 길주도 도안무찰리사

河崙 成石璘等詣闕請致仕 上曰:"未知卿等何故而請辭?"崙
하륜 성석린 등 예궐 청 치사 상왈 미지 경등 하고 이 청사 륜

對曰:"天變地怪屢見 臣等以不才居宰輔 請避賢路."上曰:
대왈 천변 지괴 누현 신등 이 부재 거 재보 청피 현로 상왈

"卿等避位 予將何如? 且廷臣誰可代卿等者?"崙對曰:"元首
경등 피위 여 장 하여 차 정신 수 가대 경등 자 륜 대왈 원수

196

股肱一體 大臣避位 則豈不少謝天心乎? 且代臣等之位者 非
<small>고굉 일체 대신 피위 즉기 불소 사 천심 호 차 대 신등 지위자 비</small>

臣等所敢議 請上自擇" 上從之.
<small>신등 소감의 청상 자택 상종지</small>

遣知司譯院事兪巨海 押八運牛一千隻赴遼東.
<small>견지 사역원 사 유거해 압 팔운 우 일천 척부 요동</small>

丙子 上朝太上殿獻壽 極歡夜罷.
<small>병자 상조 태상전 헌수 극환 야파</small>

戊寅 禮曹詳定厲祭儀以聞: '京中及外方各官 每歲春淸明日
<small>무인 예조 상정 여제 의이문 경중 급 외방 각관 매세 춘 청명일</small>

秋七月十五日 冬十月初一日 祭無祀鬼神 其壇設於城北郊間.
<small>추 칠월 십오 일 동 십월 초 일일 제 무사 귀신 기단 설어 성북 교간</small>

祭物 京中牲用羊三豕三 飯米四十五斗: 外方知官以上視京中減
<small>제물 경중 생용 양 삼 시 삼 반미 사십 오 두 외방 지관 이상 시 경중 감</small>

三分之一 縣令監務視知官減半 羊或以獐鹿代用. 主祭官 京中
<small>삼분 지 일 현령 감무 시 지관 감반 양 혹 이 장록 대용 주제관 경중</small>

開城留後司堂上官 漢城府堂上: 外方各其官.'
<small>개성 유후사 당상관 한성부 당상 외방 각 기관</small>

申嚴閑良官宿衛之法. 承樞府上言以爲①:
<small>신엄 한량관 숙위 지법 승추부 상언 이위</small>

'田制 閑良官除父母喪葬疾病外 無故不赴三軍府宿衛滿百日
<small>전제 한량관 제 부모 상장 질병 외 무고 불부 삼군부 숙위 만 백일</small>

者 其田許人陳告科受. 今京牌屬大小人員 居於外方 代以子壻
<small>자 기전 허인 진고 과수 금 경패 속 대소 인원 거어 외방 대이 자서</small>

弟姪 甚者代之以奴 妄稱弟姪 宿衛虛疎 尊卑混雜. 其受田在外
<small>제질 심자 대지 이노 망칭 제질 숙위 허소 존비 혼잡 기 수전 재외</small>

人員 八月初一日不及赴京者 各於所居處充軍 所受田地 令
<small>인원 팔월 초 일일 불급 부경 자 각어 소거처 충군 소수 전지 영</small>

給田司 其子壻弟姪可當宿衛者 依科遞給 其餘田及無子壻弟姪
<small>급전사 기 자서 제질 가당 숙위 자 의과 체급 기여 전 급 무 자서 제질</small>

人所受之田 給於新來從仕者 牒呈本府 分屬三軍京牌 以實宿衛.
<small>인 소수 지전 급어 신래 종사 자 첩정 본부 분속 삼군 경패 이실 숙위</small>

其代以奴者 許人陳告遞受.'
<small>기 대이 노자 허인 진고 체수</small>

己卯 朝廷使臣內史楊進保 給事中敖惟善 奉詔書至 迎詔如儀.
<small>기묘 조정 사신 내사 양진보 급사중 오유선 봉 조서 지 영조 여의</small>

先來使臣鄔修 李榮等 拜詔於殿階上而後開讀. 奉天承運皇帝詔
<small>선래 사신 오수 이영 등 배조 어저 계상 이후 개독 봉천 승운 황제 조</small>

曰:
<small>왈</small>

'朕聞帝王之道 立愛惟親 爲子不祗 不及於父. 朕皇考聖神
文武欽明啓運峻德成功統天大孝高皇帝 皇妣孝慈昭憲至仁文德
承天順聖高皇后 咸有一德 克享天心 創業垂統 傳之萬世. 朕
大兄懿文皇太子 降年不永 胤子允炆幼沖嗣立 昏愚自暴 顛覆
舊章 崇信奸回 戕害骨肉 擧兵攻朕 必欲咸劉 俾無噍類② 天下
蕩然 社稷幾墜. 朕惟祖宗積德之勤 父皇母后創業艱難 不得已
而應兵 賴天之佑 內難廓清. 允炆罪惡貫盈 闔宮赴火 諸王群臣
同辭勸進. 朕以宗社爲重 勉循輿望 君臨大寶. 長兄諸子允熥
允熑 允熙 仍錫王爵. 不意允熥 允熑 不知省躬 自生疑懟. 朕以
長兄至情 不忍譴責 免爲庶人以保全之 朕痛切于心 常存念慮.
長兄未有承祀 其第四子允熙 生十有四年矣. 器資端重 改封
甌寧王 世守懿文皇太子之祀. 於戲! 協和之道 睦族爲先; 惇敍
之仁 繼祀爲大. 展予同氣之情 庶盡親親之意.'

又詔曰:

'立太子 以尊宗廟重社稷: 樹王國 以廣藩輔隆本支 非一家
之私 爲天下之公. 夏 商 周 漢 唐 宋之盛 用此道也.③ 朕皇考
高皇帝 皇妣高皇后 聖靈陟降 扶佑朕躬 君臨大寶 夙夜未寧.
思惟賢德 傳序維城 繼續神明之統紀 以爲④考妣之光華 監觀
簡畀 延歷于兹. 周王以宗室之長 屢表請立太子 封建諸王; 宗室
群臣百姓 合辭累表 謂朕長子足以嗣承宗廟 諸子皆足以挾輔

邦家 朕惟天下之通義 徇衆志之僉同. 乃於永樂二年四月初
_{방가} _{짐유} _{천하} _{지통의} _순 _{중지} _지 _{첨동} _{내어} _{영락} _{이년} _{사월} _초

四日 立長子高熾爲皇太子 授册寶正位東宮 第二子高煦爲漢王
사일 입 장자 고치 위 황태자 수 책보 정위 동궁 제이 자 고후 위 한왕

第三子高燧爲趙王. 常念宗親溥施恩禮 封楚王第五子孟煒爲
제삼 자 고수 위 조왕 상념 종친 부시 은례 봉 초왕 제오 자 맹위 위

崇陽王 第六子孟熿爲通山王 第七子孟燦爲通城王 第八子孟炤
숭양왕 제육 자 맹약 위 통산왕 제칠 자 맹찬 위 통성왕 제팔 자 맹소

爲竟陵王 第九子孟爟爲岳陽王. 蜀王第二子悅耀爲華陽王 第三
위 경릉왕 제구 자 맹관 위 악양왕 촉왕 제이 자 열요 위 화양왕 제삼

子悅燇爲崇寧王 第四子悅炘爲崇慶王 第五子悅爲保寧王. 代王
자 열존 위 숭녕왕 제사 자 열흔 위 숭경왕 제오 자 소 위 보령왕 대왕

長子遜煓爲代世子 第二子遜煓爲廣寧王 遼王第二子貴焓爲
장자 손단 위 대 세자 제이 자 손민 위 광녕왕 요왕 제이 자 귀합 위

長陽王 第三子貴燮爲遠安王 第四子貴煖爲興山王 第五子貴煊
장양왕 제삼 자 귀섭 위 원안왕 제사 자 귀난 위 흥산왕 제오 자 귀훤

爲巴東王 第六子貴炖爲潛江王 第七子貴燁爲宜都王 第八子
위 파동왕 제육 자 귀돈 위 잠강왕 제칠 자 귀령 위 의도왕 제팔 자

貴炘爲松滋王. 寧王長子盤烒爲寧世子 珉王長子徽焌爲珉世子
귀흔 위 송자왕 영왕 장자 반식 위 영 세자 민왕 장자 휘화 위 민 세자

第二子徽煣爲鎮南王. 谷王長子賦灼爲谷世子 第二子賦熻爲
제이 자 휘유 위 진남왕 곡왕 장자 부작 위 곡 세자 제이 자 부흡 위

醴陵王 韓王長子冲烕爲韓世子 第二子冲㶊爲襄陵王 第三子
예릉왕 한왕 장자 충불 위 한 세자 제이 자 충목 위 양릉왕 제삼 자

冲焐爲臨汾王. 秦王長子志均爲秦世子 晉王長子美圭爲晉世子.
충우 위 임분왕 진왕 장자 지균 위 진 세자 진왕 장자 미규 위 진 세자

於戲! 治法前王 統承列聖. 內外相維 保宗社萬世之福; 華夷
어희 치 법 전왕 통승 열성 내외 상유 보 종사 만세 지복 화이

同樂 亘古今全盛之基.'
동락 선 고금 전성 지기

上與使臣至太平館設宴 鄔修 李榮等亦與焉.
상여 사신 지 태평관 설연 오수 이영 등 역 여언

遼東千戶 三萬衛千戶等 齎勅諭及賞賜 與楊內史偕來 隨後而
요동 천호 삼만위 천호 등 재 칙유 급 상사 여 양 내사 해래 수후 이

入 蓋以向建州衛也. 命各司一員迎于郊 館于古太平館 以吏曹
입 개 이 향 건주위 야 명 각사 일원 영우교 관우고 태평관 이 이조

典書金漢老爲館伴設宴.
진서 김한로 위 관반 설연

庚辰 上如太平館宴使臣. 道經古太平館 入拜勅書 而後至館
경진 상여 태평관 연 사신 도경 고 태평관 입배 칙서 이후 지 관

鄔修 李榮與宴. 上還宮 鄔修與李榮曰:"吾等先至此國 以宴
餘酒 慰後來使臣若何?"榮曰:"不可. 國王旣以大宴慰之 我等
更開宴 則國王以爲何如? 且此酒亦此國之酒也."鄔修曰:"然則
飯時勸一杯若何?"榮曰:"諾."至食時 修與惟善 各率妓樂極歡
榮惡之 起出立於戶外. 修叱榮 榮卽還入 亦叱修 仍拳歐之 乃散
後榮擧義責修曰:"帝敎臣等曰:'朝鮮 禮義之邦 汝等敬愼其儀'.
言有在耳 汝何故如此作慝乎? 予當奏聞."修無一言 俛首而已.

遣四宰少監任君禮 押九運牛一千隻赴遼東.

辛巳 上宴遼東千戶等于無逸殿.

甲申 使臣楊進保 李榮至闕 上宴于淸和亭. 先是 楊進保欲遊
金剛山 通事郭海龍止之 進保銜之. 是日怒海龍曰:"汝進言於君
則跪 言於我則立 何禮耶?"使出之 罷宴而去. 上敎海龍曰:"毋
以彼怒而不近 善辭以解."

遼東千戶等 至闕告辭. 以向建州衛也.

乙酉 遣司譯院判官姜庾卿 押十運牛一千隻赴遼東.

丙戌 忠淸道大雨二日 水漲害穀 漂沒民戶 人多溺死.

己丑 上如太平館 宴使臣.

庚寅 使臣四人至闕. 告歸也.

辛卯 遣知議政府事李至 摠制趙希閔如京師. 賀册封皇太子也.

使臣楊進保 敖惟善 鄔修 李榮還京師 上出餞于迎賓館. 遣判

軍器監事郭海龍 齎朝廷易換牛一萬隻數目及十運管押人姓名
奏本 隨使臣赴京.

壬辰 知司諫院事安騰 劾大司憲金希善 執義金自知等.

癸巳 司諫院劾左獻納朴礎. 以前日之劾憲府 有異議故也. 礎
不受劾書 上書言: '安騰等挾私劾憲府.' 上召司諫院掌務正言
柳暲 問曰: "何故劾司憲府?" 暲對曰: "監察等作黨相詰 告于
長官 大司憲不辨是非 使之和解 故劾之." 上曰: "劾當該員吏 已
有成法. 何故盡劾憲司之員? 且昨朴礎來告汝等之挾私. 礎之
被劾而來言 予不謂之是矣 然因其言而觀 則汝等旣挾私 又犯令
豈爲是也?" 遂下知司諫安騰 獻納金愔 正言柳暲 宋希璟等于
巡禁司. 翼日 又下朴礎于巡禁司 與安騰等憑問而放出.

左司諫大夫趙休 復劾朴礎 以不受劾書 詣闕上書 謀害同僚
規免己罪也.

禁奴婢私與私受. 刑曹都官上言:

'今後京外大小人員子息及收養侍養 許與奴婢 贈與奴婢 皆
寫數目 親告所在官司. 官司閱考其主本意 給文案; 其暴卒未分
者奴婢 令子孫納名目 官作財主 平均分給; 其所在官司 如有因
好惡 不公分給者 以犯贓論; 今年七月十日以後 私與私受奴婢
竝皆屬公 永爲恒式.'

甲午 上詣上王殿獻壽.

丁酉 流安騰于尙州 金愔于昌平 宋希璟于潭陽 柳暲于淸酒.
정유　유 안등 우 상주　김음 우 창평　송희경　우 담양　유장 우 청주

| 원문 읽기를 위한 도움말 |

① 承樞府上言以爲. 여기서 以爲는 '~라고 생각하다' 혹은 '다음과 같은 견
　　승추부　상언　이위 　　　　이위
해를 갖고 있다'라는 뜻이다. 상언의 내용을 가리키는 것이다.

② 噍類. 초류(噍類)란 먹을 것을 씹어서 먹는 종류(種類)라는 뜻으로, 사람
　　초류
과 길짐승을 통틀어 이르는 말이다. 초(噍)란 '씹다, 먹다'라는 뜻이다.

③ 用此道也. 用 앞에 以가 빠져 있다. '以~也'는 '왜냐하면 ~이기 때문
　　용 차도 야 용　　　　이　　　　　이 야
이다'라는 뜻이다.

④ 以爲. 이는 '~로 여기다'라는 뜻이 아니고 앞의 내용 전체를 以가 받아
　　이 위　　　　　　　　　　　　　　　　　　　　　　　　이
서 爲로 연결하기 때문에 각각 떼어 읽었다.
　　위

태종 4년 갑신년
7월

七月

경자일(庚子日-1일) 초하루에 김희선(金希善)을 대사헌, 윤향(尹向)을 사간원 지사, 이치(李致)와 이진(李震)을 (사헌부) 장령, 허지(許遲)와 조사수(趙士秀)를 (사간원) 좌헌납과 우헌납, 이임(李稔)과 허모(許謨)를 (사헌부) 지평(持平), 탁신(卓愼)과 노인구(盧仁矩)를 (사간원) 좌정언과 우정언으로 다시 임명했다.

○ 왜선(倭船) 33척이 전라도로 향하니 김영렬(金英烈, ?~1404년)[1]에게 명해 전함(戰艦)을 이끌고서[領] 방어하게 했다.
<small>영</small>

임인일(壬寅日-3일)에 본궁(本宮)에 행차해 영선(營繕-건축)하는 것을 살펴보고 이어서 송림사(松林寺)에서 의안대군(義安大君) 화(和-이화)를 병문안한 다음 이어서 익안대군(益安大君) 이방의(李芳毅)의 집에 행차해 연회(宴會)를 베풀었다.

○ 전라도의 조운선 여러 척이 침몰했다.

---

1 조선 전기의 무신이다. 1394년에 전서(典書)로 있던 중 그해 경기우도 수군첨절제사가 됐다. 그때 연해를 노략질하는 왜구를 물리치는 계책을 올려 1395년에 수군절제사로 발탁됐다. 1400년(정종 2년) 삼군부 지사로 있을 때 2차 왕자의 난을 평정하고 태종을 왕위에 오르게 한 공으로 1401년(태종 1년)에 좌명공신(佐命功臣) 3등에 책록됐다. 1404년 이때 승추부 참판사(參判承樞府事)로 있으면서 싸움에 나아가 왜선 1척을 노획하고 왜병을 포로로 잡은 공으로 태종으로부터 표리(表裏-겉과 속의 옷감)를 하사받게 된다. 의성군(義城君)으로 봉작되고 우의정에 증직(贈職-죽은 뒤에 품계와 벼슬을 추증하던 일)됐다.

을사일(乙巳日-6일)에 판사(判事) 곽경의(郭敬儀)를 보내 (중국) 조정 사신 급사중(給事中)² 마영종(馬榮宗)과 내관(內官) 주신(朱信)을 전라도에서 위로하고 보내주었다. 영종 등이 조서(詔書)를 받들고 일본국(日本國)으로 향하다가 폭풍을 만나 전라도 탐진포(耽津浦)³에 이르러 머물며 바닷길[海路]을 일러달라고 청했기 때문이다.
해로

병오일(丙午日-7일)에 상이 태상전에 조알하고 헌수했다.

무신일(戊申日-9일)에 전 승추부 참판사(參判事) 최운해(崔雲海, 1347~1404년)가 죽었다[卒]. 운해는 통주(通州-평안북도 선천) 사람
졸
으로 호군(護軍) 최록(崔祿)의 아들이다. 상투를 틀면서부터[結髮]
결발
종군(從軍)하여 용맹과 지략이 여러 사람 가운데 뛰어났고[出衆]
출중
순흥부사(順興府使-경상도 영주)가 되었을 때 왜구가 한창 설쳐대니 운해(雲海)는 자기의 사사로운 즐거움을 물리치고 적은 물건까지도 남에게 나눠 주어[折甘分少] 능히 (부하들로 하여금) 사력(死
절감 분소
力)을 다하게 했고 먼저 적진(敵陣)에 올라 함락시켜 여러 번 큰 승리를 거두니 이로 말미암아 이름이 알려졌다[知名]. 충주(忠州), 전
지명
주(全州), 광주(廣州)의 목사(牧使)를 지내고 계림부윤(鷄林府尹)이 되어 마음을 다해[盡心] 백성을 어루만지고 길러주니[撫字=
진심   무자
撫育] 가는 곳마다 백성 사랑을 남겼다. 경상·충청·전라도의 절제
무육

---

2   황제(皇帝)를 시종(侍從)하면서 간(諫)하고 백관(百官)의 잘못을 규찰(糾察)했다
3   지금의 전라남도 강진이다.

사를 지내고 이성(泥城), 강계(江界)의 안무사가 되고 서북면(西北面)의 순문사(巡問使)가 되어 위엄과 은혜[威惠]가 아울러 드러나고 전
위혜
공(戰功)이 최고[最]에 있었으니 명장(名將)이라고 불렸다. 일찍이 태
최
상왕(太上王)을 따라 위화도(威化島)에서 돌아왔으므로 원종공신을 내려주었고 이때에 이르러 병으로 죽으니 나이가 58세였다. 3일 동안 조회를 그쳤고[輟朝] 예(禮)에 따라 부의(賻儀)를 했다. 아들이
철조
넷으로 윤덕(閏德, 1376~1445년),⁴ 윤복(閏福), 윤온(閏溫), 윤례(閏禮)다.

기유일(己酉日-10일)에 의정부에 명해 종친의 여러 군(君)들과 삼부(三府)⁵의 기로(耆老-원로)들이 모여서 도읍(都邑)에 관한 일에

---

4 최윤덕(崔潤德)으로 쓰기도 한다. 1402년(태종 2년) 낭장이 되고 곧 호군을 거쳐 이듬해 대호군이 되었다. 1410년 무과에 급제해 상호군이 됐다. 동북면 조전병마사(東北面助戰兵馬使)가 됐다가 이듬해 우군동지총제(右軍同知摠制)에 올랐다. 1413년 경성등처절제사(鏡城等處節制使)가 돼 동맹가첩목아(童孟哥帖木兒)를 복속시켜 야인들의 준동을 막았다. 영길도 도순문찰리사(永吉道都巡問察理使), 우군총제, 중군도총제 등을 역임했다. 1419년(세종 1년)에 의정부 참찬으로 삼군도통사가 돼 체찰사 이종무(李從茂)와 함께 대마도를 정벌했다. 1421년에는 공조판서가 돼 정조사(正朝使)로 명나라에 다녀와서 곧 평안도 도절제사가 됐다. 1426년 좌군도총제부사, 1428년에 병조판서에 올랐다. 1433년 파저강(婆猪江)의 야인인 이만주(李滿住)가 함길도 여연(閭延)에 침입했을 때 평안도 도절제사가 돼 이만주를 대파했고 이 공으로 우의정에 특진됐다. 이듬해 적이 또 변방을 침입하자 평안도 도안무찰리사(平安道都安撫察理使)로 나가 이를 진압했다. 돌아와서는 무관으로서 재상의 직에 있을 수 없다는 소를 올려 무관직에 전임할 수 있도록 요청했으나 허락되지 않았다. 1435년에 좌의정으로 승진했고 이듬해 영중추원사에 전임된 뒤 1445년에 궤장(几杖)을 하사받았다. 성품이 자애롭고 근검해서 공무의 여가를 이용하여 묵은 땅에 농사를 지었다.

5 이 당시로서는 의정부(議政府), 사평부(司平府), 승추부(承樞府)를 가리킨다.

대해 의견을 내게 했다[議]. 의정부 사인(舍人)⁶을 불러 가르쳐 말
의
했다.

"지난번에 이곳 송경(松京-개경)으로 옮겨온[移御] 것은 영구적인
이어
천도[永遷]가 아니라 재이를 피하기 위한 일시적인 피신[避方]이었을
영천   피방
뿐이다.⁷ 그래서 종묘와 사직은 그대로 한경(漢京)에 두었던 것인데,
차일피일 끌면서[猶豫] 결정을 하지 못한 지가 이제 6년이다. 요사이
유예
천변(天變)과 지괴(地怪)가 여러 번 경고(警告)를 드러내니 이 어찌
종묘와 사직은 멀리 한경(漢京)에 있고 도읍은 정해지지 않아 인심
(人心)이 평안치 못해 그러한 것이 아니겠는가? 오랫동안 이곳에 살
아 사람들은 모두 현재 살고 있는 땅에 만족하고[懷土] 생업(生業)에
회토
익숙해져 천사(遷徙-천도)하기를 어렵게 여기니 (정 그렇다면) 종묘사
직을 이 도읍으로 옮겨서 안치하는 것[移安]이 어떠한가? 내일 이에
이안
대한 의견을 내 아뢰도록 하라."

종실의 여러 군(君)과 삼부의 기로가 모여서 토의했는데 한경(漢
京)을 도읍으로 정하는 것과 송경(松京)에 종묘를 옮겨서 안치하는
것 두 가지를 가지고 그 가부(可否)의 의견을 수렴하니 여러 대신은
모두 종묘를 옮겨와서 안치하는 것이 좋겠다고 했다. (그러나 의정부)

---

6 조선시대 의정부(議政府)에 소속되어 있던 관직으로 임금과 의정부 대신 사이에서 양자
   간의 의견을 전달하고 중재하는 구실을 담당하던 관원이다. 오늘날의 국무조정실장이 이
   에 해당한다.

7 1399년(정종 1년) 2월 종척(宗戚-종친)과 공신을 모아 도읍을 옮길 것을 토의했다. 서운
   관에서 까마귀가 모여 울고 집을 짓는 등 재이(災異)가 여러 번 보였으니 피방(避方)할 것
   을 상언하자 조준 등 여러 재상과 의논해 송경으로 환도하기로 결정했다. 여기서 태종은
   '뿐이다[耳]'라고 말하고 있다. 이를 통해 태종의 의중을 간접적으로 읽어낼 수 있다. 기
   이
   존 실록 번역은 대체로 이런 뉘앙스를 빠뜨린 번역을 하고 있다.

찬성사(贊成事) 남재(南在)가 말했다.

"옮겨와서 안치하는 것은 중대한 일[重事]이니 경사(經史)를 널리
$$\underset{중사}{}$$
상고해서 여러 옛법을 알아본 뒤에 시행하는 것이 좋습니다."

좌정승 조준(趙浚)이 즉시 찾아서 상고하게 하니 마침내 성주(成
周)[8] 때 양경제도(兩京制度)를 찾아냈다. 한경(漢京-한양)은 태조(太
祖)가 창건한 도읍지이고, 송경(松京)은 백성들이 생업을 편안하게 여
기는 땅이므로 둘 다 폐기할 수 없으니 송도(松都)에 따로 종묘를 세
우고 신주를 만들어 사계절의 제사를 두 곳 모두에서 거행하여 주
(周)나라의 (양경이었던) 호경(鎬京)과 낙읍(洛邑)의 제도를 본받자는
안을 아뢰었다.

상이 삼부의 기로들에게 명해 자문(紫門)[9]에 모여 양경(兩京) 가운
데 의견을 정해 아뢰도록 하니 그 의견도 역시 전날과 같았지만 한
마디를 더했다.

"한경은 그저 종묘가 있을 뿐이지만 송경은 장차 자손 만세의 땅
이 될 것입니다."

의정부에 가르쳐 말했다.

"한경은 태조께서 창건하신 땅이고 또 종묘가 있는 곳이니 때에
따라가기도 하고 때에 따라오기도 하면서 양도(兩都)를 폐지함이 없

---

8   주(周)나라가 낙읍(洛邑)에 도읍(都邑)을 정했던 시대를 가리킨다. 성왕(成王) 때 주공단
    (周公旦)이 동이(東夷)를 평정하고 낙읍(洛邑)을 부도(副都)로 정해 이때부터 주나라는 호
    경(鎬京)을 서도(西都)라 하고 낙읍을 동도(東都)라 했다.

9   선공감(繕工監)의 한 직소(職所)로 궁중(宮中)의 영선(營繕), 공작(工作) 등에 관한 일을
    맡아보았다.

도록 하고 이제부터는 다시 토의하는 일이 없을 것이다."

신해일(辛亥日-12일)에 큰비가 내렸다.

○ 밤에 큰 바람이 불어 나무가 뽑히고 벼가 상했다.

○ 내신(內臣)을 근교(近郊)에 보내 바람이 벼와 곡식들을 손상시킨 상황[狀]을 살펴보게 했다.

계축일(癸丑日-14일)에 비가 내렸다.

○ 상호군 박령(朴齡, ?~1434년)[10]을 동북면 선위사(東北面宣慰使)로 삼았다. 의정부에서 아뢰었다.

"사람을 동북면에 보내 맹가첩목아(猛哥帖木兒), 파을소(波乙所) 등이 사신에게 변고를 일으키지 못하게 해야 합니다."

상이 말했다.

"그 도의 안무사(安撫使)가 마음을 다해 가르치고 달래 (사전에) 변고를 일으키지 않도록 하는 것이 상책(上策)이다. 만약 이를 따르지 않는다면 법으로 위협해야 할 것이다. 그러니 이렇게 말하도록 하라. '지난번에 왕가인(王可仁)이 반포한 칙서(勅書)의 뜻은 장차 너

---

10 그 후 1419년(세종 1년) 황해도 도절제사 겸 판해주목사가 됐다. 이때 태종과 함께 세종이 해주 등 여러 곳을 순행하자 관찰사 이숙무(李叔畝)와 같이 맞이했는데 세종은 비록 도백과 수령의 차서(次序)가 있으나 박령이 구신(舊臣-선대의 신하)임을 들어 관찰사보다 상좌에 앉도록 명하고 어의(御衣)를 하사하는 한편 환궁 뒤 자헌대부(資憲大夫)로 승품시켰다. 1421년 좌군도총제(左軍都摠制)에 오르고 그해 사은사(謝恩使)로 명나라에 다녀왔다. 근검하고 문신이면서도 무예에 능통했다.

희에게 땅을 버리고 돌아가라는 것이 아니라 다만 각기 생업(生業)을 영위하면서 타위(打圍)[11] 방목(放牧)하게 하자는 것뿐이었다. 그래서 지금 사신이 온 것이다. 우리나라에서 너희로 하여금 칙서를 공경히 맞이하게 하여 흔극(釁隙-일의 발단)을 이루지 말게 하는 것은 위로는 (중국) 조정에 죄를 짓지 아니하고, 아래로는 너희로 하여금 생업에 전념케 하고자 함일 뿐이다. (그런데) 지금 너희가 이 뜻을 따르지 않는다면 우리나라에서는 너희 때문에 중국에 죄를 얻게 되는 것이다.[12] 그래도 따르지 않는다면 군마(軍馬)로 경계하고 지켜서[把直] _{파직} 변고를 일으키지 못하게 하여 사신으로 하여금 무사히 되돌아가게 하라.[13] 그러니 말을 잘하는[善言] 사람을 보내 속히 안무사에게 통 _{선언} 보하라."

이리하여 령(齡)이 간 것이다.

갑인일(甲寅日-15일)에 비가 내렸다.

을묘일(乙卯日-16일)에 어제처럼 비가 내렸다.

병진일(丙辰日-17일)에 큰비가 내려 성안의 냇가 민호(民戶) 가운데 물에 떠내려간 것이 6~7호였다.

---

11 몰이하여 사냥하는 것을 말한다.

12 여기까지가 중책(中策)이다.

13 여기까지가 하책(下策)이다.

○ 일본의 (구주(九州-규슈)의) 전평전(田平殿) 원원규(源圓珪)가 사람을 보내 토산물을 바쳤다.

정사일(丁巳日-18일)에 종묘사직 산천단(山川壇)과 불우(佛宇-절) 신사(神祠)에 날이 개기를 빌었다. 의정부의 청을 따른 것이다.

무오일(戊午日-19일)에 큰비가 내려 도성 안에 물이 불어나[漲] 시가(市街)에 물의 깊이가 10여 척(尺)이나 됐다. 풍반교(楓反橋)의 수문(水門)이 허물어져 성(城)이 이 때문에 무너졌다[圮=壞]. 도성 안의 인호(人戶) 가운데 물에 떠내려간 것이 35호였고 반쯤 떠내려간 것이 69호였으며, 사람 가운데 빠져 죽은 자가 12명이었고 빠져 죽은 말이 40여 필이었다.

○ 서울과 지방의 이죄(二罪) 이하의 죄수들을 사면했다.[14]

○ 경기도, 풍해도(豊海道), 동북면(東北面)에 큰 홍수가 나서 산이 곳곳에서 무너졌다.

기미일(己未日-20일)에 세자 봉숭도감(封崇都監)[15]을 두었다.

---

14 자연재해를 하늘의 견책으로 받아들인 때문이다.

15 책례도감(冊禮都監)의 하나로 임시 기구이므로 필요할 때만 설치됐다. 조선이 건국 후 거행한 최초의 책봉 의례는 왕비와 왕세자 책봉 의례였다. 1392년(태조 1년) 7월 17일에 즉위한 조선의 건국 시조 태조 이성계는 8월 7일 강씨를 왕비로 책봉하고 현비(賢妃)로 했다. 이어서 8월 20일에 방석을 왕세자로 책봉했다. 조선시대에는 왕비나 왕세자 책봉 이외에 상왕이나 현왕 또는 대비에게 존호(尊號)를 올릴 경우에도 봉숭도감(奉崇都監)을 설치, 의례를 거행했는데 이런 봉숭도감 역시 책례도감의 일종이다. 도감은 오늘날의 위원회다.

○ 경상도 경차관(慶尙道敬差官) 김단(金端)이 (충청도) 옥주(沃州-옥천)에 이르러 갑자기 죽었다. 상이 듣고 불쌍히 여겨 내수(內竪-내시)를 보내 그 집에 조문하고, 쌀과 콩을 아울러 30석과 종이 100권을 내려주고 단의 동생 주서(注書) 김위민(金爲民)에게 명해 역마(驛馬)를 타고[乘駟] 옥주에 가서 장사를 치르게 했다. 단(端)이 청주(淸州)를 지날 때 청주의 수령이 소주를 권하니 단이 과음을 했던 때문이다.

○ 이날 개성(開城)의 대정(大井-큰 우물)이 약간 붉고 희며 흐렸는데 25일까지 이어졌다.

○ 수재(水災)를 근심해 눈물을 흘리고 어선을 물렸다[輟膳=撤膳]. 집이 물에 떠내려가고 빠져 죽은 호(戶)에는 쌀과 콩 각각 3석을, 집이 반쯤 떠내려가고 빠져 죽은 호에는 쌀 3석과 콩 2석을, 물에 떠내려간 호에는 쌀 2석과 콩 1석을, 반쯤 떠내려간 호에는 쌀과 콩 각각 1석을, 물에 빠져 죽은 사람의 호에는 쌀과 콩 각각 2석을 내려주었다.

갑자일(甲子日-25일)에 내신(內臣)을 흥국사(興國寺)와 낙산사(洛山寺)에 보내 날씨가 개기를 비는[祈請] 법회를 베풀었다.

을축일(乙丑日-26일)에 날이 개었다. 12일에서부터 25일까지 하루도 비가 오지 않은 날이 없다가 이날에 이르러 개었다.

기사일(己巳日-30일)에 일본에서 사신을 보내 찾아왔고[來聘] 또

토물(土物)을 바쳤다. 일본 국왕[16]은 원도의(源道義)였다. 일본국 방장
자사(防長刺史) 대내다다량성견(大內多多良盛見)도 예물을 바쳤다.

---

16 일본의 쇼군을 가리킨다. 1402년 족리의만(足利義滿)이 막부의 장군으로서 명의 책봉(冊
封)을 받았다. 족리의만은 명과의 책봉관계가 진전되는 과정에서 조선과의 통교에도 적
극적으로 나섰다. 이에 조선과는 1404년 정식으로 외교관계를 맺게 됐다. 당시 족리의만
은 '일본 국왕 원도의(源道義)'라고 칭하며 조선에 사신을 보냈고, 조선이 이를 접수함으
로써 양국 중앙정부 간에 정식으로 국교가 체결됐다. 하지만 당시의 무로마치 정권은 일
본 전역을 통괄하는 위치에 있지 못했으므로 이 외교관계를 국가 단위의 공식 외교체제
였다고 보기는 어렵다. 오히려 조선은 실정 정권 외에도 서부 일본이나 구주 지방의 실권
자들과도 독자적인 통교관계를 갖는 다원적인 통교체제를 취하고 있었다. 조선은 무로마
치 정권과의 관계를 일본 각 지방의 제장(諸將)과의 관계보다 한 단계 격이 높은 것으로
인식하고 있었을 따름이었다. 신숙주의 『해동제국기(海東諸國記)』에 의하면 조선 정부는
일본으로부터 오는 사신들을 일본국왕사, 거추사(巨酋使), 구주탐제사(九州探題使) 및 대
마도주특송사, 제추사(諸酋使)의 4등급으로 나눠 접대했다.

원문

庚子朔 復以金希善爲大司憲 尹向知司諫院事 李致李震掌令

許遲趙士秀左右獻納 李稔許謨持平 卓愼盧仁矩左右正言.

倭船三十三隻向全羅道 命金英烈領戰艦禦之.

壬寅 幸本宮觀營繕 又視義安大君和疾于松林寺 遂幸

益安大君芳毅第設宴.

全羅道漕船數隻沒水.

乙巳 遣判事郭敬儀 慰送朝廷使臣給事中馬榮宗 內官朱信于

全羅道. 榮宗等奉詔書 向日本國 阻風到泊全羅道耽津浦 請指

海路也.

丙午 上朝太上殿獻壽.

戊申 前參判承樞府事崔雲海卒. 雲海 通州人 護軍祿之子.

結髮從軍 勇略出衆 其爲順興府使 倭寇方熾 雲海折甘分少

能得死力 先登陷陣 屢致克捷 由是知名. 牧①忠全廣州 尹①

雞林府 盡心撫字 所至有遺愛: 節制①慶尙 忠淸 全羅 按撫①

泥城 江界 巡問①西北面 威惠幷著 戰功居最 號爲名將. 嘗從

太上王 還自威化島 賜原從功臣 至是病卒 年五十八. 輟朝三日

贈以禮. 四子 閏德 閏福 閏溫 閏禮.
부이례 사자 윤덕 윤복 윤온 윤례

己酉 命議政府會宗親諸君三府耆老 議都邑事. 召議政府舍人
기유 명 의정부 회 종친 제군 삼부 기로 의 도읍 사 소 의정부 사인

教曰:
교왈

"往者移御此京 非爲永遷 乃避方耳. 故宗廟社稷 仍在漢京 然
왕자 이어 차경 비위 영천 내 피방 이 고 종묘 사직 잉재 한경 연

猶豫未定 于玆六年. 近者 天變地怪 屢彰警告 豈非以宗廟社稷
유예 미정 우자 육년 근자 천변 지괴 누창 경고 기 비이 종묘 사직

遠在漢京 都邑未定 人心未寧而然耶? 久居于此 人皆懷土安業
원재 한경 도읍 미정 인심 미녕 이 연야 구거 우차 인개 회토 안업

難於遷徙 移安宗廟社稷于此都何如? 明日議以聞."
난 어 천사 이안 종묘 사직 우 차도 하여 명일 의 이문

宗室諸君三府耆老會議 以定都漢京 移安宗廟于松京二者 收
종실 제군 삼부 기로 회의 이 정도 한경 이안 종묘 우 송경 이자 수

其可否 諸大臣皆以移安宗廟爲可.② 贊成事南在曰:"移安重事
기 가부 제 대신 개 이 이안 종묘 위가 찬성사 남재 왈 이안 중사

也. 博考經史 質諸古法 然後行之可也." 左政丞趙浚卽令搜考
야 박고 경사 질 저 고법 연후 행지 가야 좌정승 조준 즉 영 수고

乃得成周兩京之制 以漢京太祖創建之都 松京人民安業之地 兩
내 득 성주 양경 지제 이 한경 태조 창건 지도 송경 인민 안업 지지 양

不可廢 於松都別立宗廟作主 四時之祀 兩處皆行 以法周鎬京
불가 폐 어 송도 별립 종묘 작주 사시 지사 양처 개 행 이법 주 호경

洛邑之制以聞.③
낙읍 지제 이문

上命三府耆老 會于紫門 兩京中定議以聞 其議又如前日而
상 명 삼부 기로 회우 자문 양경 중 정의 이문 기의 우 여 전일 이

曰:"漢京但有宗廟而已 松京將爲子孫萬世之地也." 教議政府曰:
왈 한경 단유 종묘 이이 송경 장위 자손 만세 지지야 교 의정부 왈

"漢京 太祖所創之地 且宗廟所在 或往或來 無廢兩都 自今無更
한경 태조 소창 지지 차 종묘 소재 혹왕 혹래 무폐 양도 자금 무갱

有議."
유의

辛亥 大雨.
신해 대우

夜 大風 拔木傷禾.
야 대풍 발목 상화

遣內臣于近郊 審風損禾穀之狀.
견 내신 우 근교 심 풍손 화곡 지상

癸丑 雨.
계축 우

以上護軍朴齡爲東北面宣慰使. 議政府啓: "遣人于東北面 使
이 상호군 박령 위 동북면 선위사 의정부 계 견인 우 동북면 사

猛哥帖木兒 波乙所等 不得生變於使臣." 上曰: "其道按撫使
맹가첩목아 파을소 등 부득 생변 어 사신 상왈 기도 안무사

盡心敎誘 使不生變爲上策. 若不從 則威之以法. 且言曰: '前者
진심 교유 사불생변 위 상책 약부종 즉 위지이법 차 언왈 전자

王可仁所布勅書之意 非將汝等卷土以歸 但使各安生業 打圍
왕가인 소포 칙서 지의 비장 여등 권토 이귀 단사각안 생업 타위

放牧而已. 故今使臣之來也 我國使汝等敬迎勅書 毋生釁隙 上
방목 이이 고금 사신 지래야 아국 사 여등 경영 칙서 무생 흔극 상

不得罪於朝廷 下欲使汝等安業耳. 今汝等不從此意 則我國因
부득 죄어 조정 하 욕사 여등 안업 이 금 여등 부종 차의 즉 아국인

爾等而得罪於上國乎.' 又不從 則以軍馬把直 使不得生變 令
이등 이 득죄 어 상국 호 우 부종 즉 이 군마 파직 사 부득 생변 영

使臣無事回還. 其遣善言者 速通于按撫使." 齡乃行.
사신 무사 회환 기견 선언 자 속통 우 안무사 령 내행

甲寅 雨.
갑인 우

乙卯 亦如之.
을묘 역 여지

丙辰 大雨 城中川邊民戶漂流者六七.
병진 대우 성중 천변 민호 표류 자 육칠

日本 田平殿 源圓珪 使人獻土物.
일본 전평전 원원규 사인 헌 토물

丁巳 祈晴于宗廟社稷山川壇及佛宇神祠. 從議政府之請也.
정사 기청 우 종묘 사직 산천단 급 불우 신사 종 의정부 지청 야

戊午 大雨 城中水漲 市街上水深十餘尺. 楓反橋水門頹 城
무오 대우 성중 수창 시가 상 수심 십여 척 풍반교 수문 퇴 성

爲之④圮. 城中人戶漂流者三十五 爲半漂流者六十九 人溺死者
위지 비 성중 인호 표류 자 삼십오 위반 표류 자 육십구 인 익사자

十二名 馬四十餘匹.
십이 명 마 사십 여 필

宥京外二罪以下.
유 경외 이죄 이하

京畿 豐海 東北面大水 山多崩.
경기 풍해 동북면 대수 산 다붕

己未 設世子封崇都監.
기미 설 세자 봉숭 도감

慶尙道敬差官金端 至沃州暴死. 上聞而哀之 遣內竪弔于其家
경상도 경차관 김단 지옥주 폭사 상문이애지 견내수 조우 기가

賜米豆幷三十石 紙百卷 命端弟注書爲民乘馹至沃州葬之. 端過
사 미두 병 삼십 석 지백권 명단제 주서 위민 승일 지옥주 장지 단 과

淸州 州守勸燒酒 端過飮故也.
청주 주수 권 소주 단 과음 고야

是日 開城大井微紅白濁 至于甲子.
시일 개성 대정 미홍백 탁 지우 갑자

憂水災泣下 輟膳. 賜漂流溺死戶米豆各三石 爲半漂流溺死
우 수재 읍하 철선 사 표류 익사 호 미두 각 삼석 위반 표류 익사

戶米三石豆二石 漂流戶米二石豆一石 爲半漂流戶米豆各一石
호 미 삼석 두 이석 표류 호 미 이석 두 일석 위반 표류 호 미두 각 일석

溺死人戶米豆各二石.
익사 인호 미두 각 이석

甲子 遣內臣于興國寺及洛山寺 設祈晴法會.
갑자 견 내신 우 흥국사 급 낙산사 설 기청 범회

乙丑 晴. 自辛亥至甲子 無日不雨 至是晴.
을축 청 자신해 지 갑자 무일 불우 지시 청

己巳 日本遣使來聘 且獻土物. 日本國王 源道義也. 日本國
기사 일본 견사 내빙 차 헌 토물 일본 국왕 원도의 야 일본국

防長刺史大內多多良盛見亦獻禮物
방장 자사 대내다다량성견 역 헌 예물

① 牧忠全廣州 尹雞林府 盡心撫字 所至有遺愛; 節制慶尙 忠淸 全羅 按撫
  목 충 전 광주 윤 계림부 진심 무자 소지 유애 절제 경상 충청 전라 안무

泥城 江界 巡問西北面. 牧, 尹, 節制, 按撫, 巡問은 모두 동사로 목사,
이성 강계 순문 서북면 목 윤 절제 안무 순문

윤, 절제사, 안무사, 순문사를 맡았다는 뜻이다.

② 諸大臣皆以移安宗廟爲可. '以~爲~'의 구문이다.
  제 대신 개 이 이안 종묘 위가 이 위

③ 以聞. 여기서 聞은 '보고하다'라는 뜻이다. 즉 좌정승 조준 이하 以 앞까
  이 문 문 이

지의 내용 전체를 보고했다는 말이다. 따라서 以는 앞의 내용 전체를 받
이

는다.

④ 城爲之圮. 여기서 爲之는 '그것 때문에'라는 뜻이다.
  성 위지 비 위지

태종 4년 갑신년
8월

八月

경오일(庚午日-1일) 초하루에 음산하게 궂은비가 내렸다.

○ 바른말을 구하는[求言] 교서(敎書)를 내렸다. 가르쳐 말했다.¹

'내가 임금다움이 적은 사람[涼德=薄德]으로서 한 나라 신민(臣民)
의 위에 기대 위를 우러러[仰] 태상왕께서 창업하신 어려움[不易=
艱難]을 생각하고 아래로 굽어보아[俯] 소자(小子)가 유지하고 지켜
내는[持守] 어려움[艱難]을 깊이 염두에 두어 밤낮으로 삼가고 두려
워하며[祇懼] 하늘을 공경하고 백성들에게 부지런히 하느라 항상 백
성들의 실상[下情]이 위에 다 전달되지[上達] 못할까 근심하여 신문
고(申聞鼓)를 두어 원통하고 억울한 사정을 펴게 했다. (그런데도) 마
침내 과매(寡昧)²가 임금다움에 밝지 못한 것으로 인해 보위(寶位)에
오른[涖祚=莅祚=卽位] 이래로 재이(災異)가 거듭[荐] 찾아와 재차 교
지(敎旨)를 내려 곧은 말[讜言=直言]을 듣고자 했더니 모두 쓸 만한
말이었으나 아직 다 실행하지 못해 신뢰를 잃은 바가 많게 되었다.
요사이 큰바람이 불어 나무가 뽑히고 오랫동안 비가 내려 곡식을 해

---

1 황제의 가장 공식적인 명령이 조(詔)이고 그 글이 조서(詔書)이듯 제후의 가장 공식적인
   명령이 교(敎)이고 그 글이 교서(敎書)다. 그래서 교를 동사적으로 표현했다. 황제의 그다
   음 명령은 제(制)이고 제후의 그다음 명령은 전(傳)이다.
2 식견(識見)이 천루(淺陋)하고 사리에 밝지 못함을 일컫는 말로 임금이 자신이 덕(德)이 없
   음을 나타내는 겸사(謙辭)다. 과인(寡人)보다 더 자신을 낮춘 표현이다.

치고, 산악(山岳)이 무너지고, 백성들의 민호와 농가들[廬舍]이 물에
떠내려가니 음습한 기운[陰沴]으로 인한 재해(災害)가 오늘날보다 처
참했던 적이 없었다. 화기(和氣)가 손상되고 재이(災異)가 찾아오니
그 허물은 실로 나에게 있으므로 통렬히 스스로를 꾸짖기를 마치
깊은 연못에 빠진 것처럼 하고 있다.

나의 임금다움에 허물어진 곳이 있으니 어떻게 그것을 수습할 것
이고, 나라의 정사에 잘못이 있으니 어떻게 이를 고치겠는가? (정사
를) 베풀어 행하는 것[施爲]은 어찌해야 하늘(의 뜻)에 부합하고, 제
사를 올리는 일[享祀]은 어찌해야 신령을 감동시키는가? 전례(典禮)
가 어찌 다 차례대로 베풀어질 것이며 법도(法度)가 어찌 다 밝게 닦
아지겠는가? 사람을 쓰고 버리는 것[用舍=用捨]이 어찌 다 적재적소
에 마땅할 것이며, 인정이나 뇌물로 인한 사사로운 청탁[請謁]이 어
찌 전혀 행해지지 아니했겠는가! 사람을 고르고 뽑는 일[銓選]은 어
찌하여 옹색(壅塞)함이 있고, 사송(詞訟-송사)은 어찌하여 오래 지체
되는가? 풍속(風俗)은 어째서 아름답지 않고 부역(賦役)은 어째서 고
르지 않은가[不均]!? 호강(豪强-막강한 권문세가)이 어찌 그 법을 흔들
지 않을 것이며 간활(姦猾-간사하고 교활한 관리)이 어찌 그 횡포를
부리지 않겠는가? 형벌(刑罰)에 어찌 원통하고 억울함[冤屈]이 없고
법령(法令)이 어찌 어지러이 개정한 바가 없겠는가? (그런데도) 원망
과 허물[怨咎]이 아무런 형체도 없이 숨어 있어 나타나지 않고, 재앙
과 우환[禍患]은 우리가 소홀히 여기는 바람에 숨겨져 나타나지 않
는 것인가? 말을 하다가 이에 미치니 심히 두렵고 무섭다[惕厲]. 재
해(災害)가 이르는 까닭은 무엇 때문이며, 재해를 없애는[弭災] 방법

은 어디에 있는가?

아! 너희 대소 신료들에게 묻는 것이니 시직(時職)과 산직(散職)[3] 6품 이상으로서 (정사에 관해) 말하고자 하는 바가 있는 자는 위로는 과매의 허물과 과실에서부터, 아래로는 민생(民生)의 유익함과 병통[利病]에 이르기까지 들춰내 곧게 바로잡는 일을 꺼림칙해하지 말고, 권귀(權貴)를 꺼리지 말며 마음속에 품은 바를 지적하여 말하되 모든 말을 숨김이 없도록 다하라. 내가 받아들이고 채택하여 치도(治道)에 도움이 되게 하겠으며 비록 그 말이 사안에 맞지 않더라도 진실로 도탑게 여겨 받아들여 줄 것이다. 아아! 오로지 실덕(失德)이야말로 재이를 이르게 한 까닭이니 마땅히 나 자신을 죄책하여 닦고 반성할 것이다. 대개 구언(求言)은 장차 허물을 고치려고 하는 바이니 어찌 감히 빈 마음으로 그냥 듣고서 따르지 아니하겠는가? 각기 너희[乃=爾] 마음을 다해 나의 다스림을 도와야 할 것이다.'

계유일(癸酉日-4일)에 태백성이 낮에 보였다. 다음 날도 이와 같았다.

을해일(乙亥日-6일)에 원자 이제(李禔)를 봉해 왕세자(王世子)로 삼고 교서(教書)를 내려 중외에 널리 알리고 나라 안[境內]을 사면했다[宥]. 교서는 이러했다.

---

3 '산직'이란 일정한 직임이 없는 관직을 일컫는 말이다. 실직(實職)의 숫자는 제한되어 있는데 관직 진출을 희망하는 사람이 많아 이를 해결하기 위해 설치한 것이다. 실직이 곧 시직이다.

'예로부터 제왕(帝王)이 서둘러[무] 저부(儲副)⁴를 세운 것은 나라
의 근본[國本]을 높여 백성의 뜻을 정하기 위함이었다. 내가 임금다
움이 없는 사람[否德]이면서 선조(先祖)가 오랫동안 쌓아올린 다움
을 이어받고[承] 태상왕이 창업하여 내려주신 대통(大統)을 물려받
아[紹] 짊어진 짐이 무거워 과연 그것을 감내할 수 있을지 두렵다.
처음에[載] 저 왕화(王化-임금의 교화)는 반드시 내조(內助)에 힘입
는 것이라 이에 천조(踐祚-즉위)하던 초기에 즉시 정비(靜妃) 민씨(閔
氏)에게 명해 중궁(中宮)의 자리를 바로잡게 하여[正位] 전례(典禮)를
따른 바 있다. 저 원자 제(禔)는 적장자의 지위에 있고 남달리 영특
한 자질[岐嶷之資]을 갖고 있다. 그러나 아직 예의와 겸양[禮讓]을 알
지 못하니 장차 어찌 뛰어난 이를 제 몸처럼 여길 것이며[親賢]⁵ 옛
가르침[古訓]을 익히지 못했으니 또한 어찌 정치를 돕겠는가[補治]?
그래서 마침내[肆=遂] 배움에 나아가게 한 지 대개 10여 년이 됐다.
최근에[比者=邇者] 종친(宗親)과 태보(台輔)⁶ 모두가 말하기를 "간절
히 청하건대 종묘를 주관하며 선조들의 제사를 받드는 일[主鬯承祧]
은 진실로 비워둘 수 없고 국사(國事)를 감독하고 군사를 위무(慰撫)
하는 일 또한 마땅히 깊이 생각해야 할 것인데 원자는 타고날 때부

---

4   왕세자를 지칭하는 말로 그 밖에도 동궁(東宮), 원량(元良), 이극(貳極), 저군(儲君), 저궁
    (儲宮), 저위(儲位), 저이(儲貳), 춘궁(春宮), 춘저(春邸) 등이 있었다. 여기서 저(儲)란 '버금
    간다[亞]'라는 뜻이다.

5   원문 '親賢(친현)'을 그대로 옮긴 것이다. 그런데 '親賢'을 '親親賢賢(친친현현)'의 줄임말로
    볼 경우에는 '혈친들을 제 몸같이 여기고 뛰어난 이를 그에게 걸맞게 대우하고 높인다'라
    는 뜻이 된다. '親親賢賢'은 공자의 가르침을 요약한 말로 군주의 처신이 어떠해야 하는
    지를 단적으로 보여준다.

6   삼부(三府)의 대신(大臣)을 가리킨다.

터 어질고 효성스러우며[仁孝], 학문은 날로 나아가니 마땅히 저위
(儲位)에 있게 하여[宅] 많은 사람의 마음을 안정시켜야 합니다"라고
했다. 나는 이에 힘써 많은 사람의 생각[輿情]을 따라서 이달 초6일
에 옥책(玉册)과 금인(金印)을 주어 (제를 세워) 왕세자(王世子)로 삼
는다.

이런 큰 경사를 맞아 마땅히 특별한 은혜[殊恩]를 베풀어야겠다.
영락(永樂) 2년 8월 초6일 새벽[昧爽] 이전에 이뤄진 모반(謀叛)[7]과
대역(大逆),[8] 조부모나 부모를 죽인 죄, 처첩(妻妾)이 남편을 죽인 죄,
노비가 주인을 죽인 죄, 고독(蠱毒)[9]과 염매(魘魅),[10] 강도(强盜), 사람
을 모살(謀殺) 혹은 고살(故殺)한 죄를 제외하고는 이미 발각됐거나
발각되지 않았거나, 이미 판결됐거나 판결되지 않았거나 죄(罪)의 가
볍고 무거움을 가리지 않고 모두 용서하여 그 죄를 없앤다. 아아! 모
든 너희 중외(中外) 신료들은 그 열렬함을 다하기를 힘써 생각해 원
량(元良)의 다움을 함께 돕고[毗=助] 너희가 맡은 직책[乃職=爾職]을
서로 닦아 길이 태평성대의 기반을 세우도록 하라.'

세자가 전(箋)을 올려 은혜에 감사했다.

○ 최유경(崔有慶)을 한성부 판사, 이지(李至)를 공안부 판사(恭安

---

7 십악(十惡)의 첫 번째 죄(罪)다. 나라와 임금을 저버리고 적국(賊國)을 따르는 것을 말
   한다. 모반(謀反)과는 다르다. 모반(謀反)은 국가를 전복하려고 기도한 내란죄(內亂罪)인
   데 비해 모반(謀叛)은 본국을 배반하는 외환죄(外患罪)다.
8 십악(十惡)의 두 번째 죄다. 임금이나 아버지를 죽이고, 종묘와 임금의 능(陵)을 파헤치는
   것을 가리킨다.
9 독충 등을 이용해 사람을 저주하는 것을 말한다.
10 사람을 죽이거나 병에 걸리게 하려고 귀신에게 빌거나 방술을 쓰는 행위를 말한다.

府判事),¹¹ 김영렬(金英烈)을 승추부 참판사, 이귀령(李貴齡)을 승녕부
판사(承寧府判事),¹² 민무질(閔無疾)을 의정부 지사 겸 좌군총제, 권홍
(權弘, 1360~1446년)¹³을 영가군(永嘉君), 함부림(咸傅霖)을 동북면 도
순문찰리사(東北面都巡問察理使) 겸 병마도절제사 겸 영흥부윤(永興
府尹)으로 삼았다.

○ 경승부(敬承府)에 사윤(司尹), 소윤(少尹), 판관(判官), 승(丞), 주
부(注簿)를 각각 1원(員)씩 두었다. 세자의 부(府)다.¹⁴

정축일(丁丑日-8일)에 정전(正殿)에 나아가 의정부와 백관의 진하
(陳賀)를 받았다. 세자를 봉한 것을 하례한 것이다.

○ 수군도지휘사 김영렬(金英烈)에게 겉감과 안감[表裏]을 내려주
었다. 영렬이 왜선 1척을 잡았는데 산 채로 잡은[生擒=生捕] 자가
6명이었다. 첨절제사(僉節制使) 장중기(張仲奇), 윤세진(尹世珍)에게는

---

11 1400년(정종 2년) 11월 상왕으로 물러난 정종을 위해 태종(太宗)이 설치한 관부로 정종
비를 위해서도 인녕부(仁寧府)를 따로 두었다.

12 조선 태조가 정종에게 양위하고 상왕으로 있을 때 세운 관서다. 이후에도 상왕이 있을
때에는 상왕을 위해 설치했다.

13 1382년(고려 우왕 8년) 과거에 급제해 춘추관검열에 임명됐고 여러 번 전직한 뒤 사헌
규정(司憲糾正)이 됐다. 1388년 우정언(右正言)에 오르고 이조와 병조의 좌랑을 지낸 뒤
1391년(공양왕 3년)에 우헌납(右獻納)으로 옮겼으나 김진양(金震陽) 등과 함께 조준(趙
浚), 정도전(鄭道傳) 등을 탄핵했다가 면직됐다. 그 때문에 조선 태조가 즉위한 직후 장류
(杖流)에 처해졌다. 1400년(정종 2년)에 좌보궐(左補闕)에 임명되고 사헌시사(司憲侍史)로
승진했다가 성균악정(成均樂正)으로 옮겨진 뒤 1402년(태종 2년) 딸이 태종의 빈이 되자
이때 영가군(永嘉君)에 봉해졌다.

14 경승부(敬承府)는 1402년(태종 2년) 5월에 세자전(世子殿)을 공궤(供饋-지원)하기 위해 특
별히 설치한 관청이다. 1418년(태종 18년) 6월에 양녕대군(讓寧大君) 제(褆)가 폐세자되자
순승부(順承府)로 바뀌게 된다.

226

단자(段子-비단) 각 1필씩을 내려주었다.

무인일(戊寅日-9일) 배꽃이 피었다.

기묘일(己卯日-10일)에 사간원에서 소(疏)를 올렸다. 소는 이러했다.
'수령(首領)의 맡은 바는 몸소 문부(文簿-문서)를 맡아 상관에게
품결(稟決-결재)을 받는 것이 그 임무입니다. 의정부의 사인(舍人)과
사평부(司平府)의 경력(經歷)[15]은 모두 4품인데 각 도 감사의 수령(首
領)은 모두 다 3품이니 자급(資級-품계)의 높기가 혹은 통정대부(通
政大夫)[16]에 이릅니다. 바라건대 이제부터 중외(中外)의 경력은 한결
같이 의정부 사인의 예에 의해 모두 4품으로 제수해야 합니다.'
이를 윤허했다. 군관(軍官)의 경우에는 한 위계(位階)가 그 위계에
맞도록 엄격하게 하고 승추부(承樞府) 경력은 통정대부로 한정했다.

경진일(庚辰日-11일)에 상이 태상전에 조알했다.
○ 전 정당(政堂) 이원굉(李元紘, ?~1405년)[17]과 전 전서(典書) 하

---

15 고려 말부터 조선시대에 걸친 주요 부서의 실무 담당 종4품 관직이다.
16 정3품 당상관(堂上官)의 품계다.
17 고려 말 우왕 초에 대언을 지내고 뒤에 연산군(蓮山君)에 봉해졌다. 1384년(우왕 10년)
   사신으로 명나라에 가서 세공을 바치고 돌아온 뒤 문하평리(門下評理)를 거쳐 정당문
   학(政堂文學)이 됐으며 1391년 다시 경원군(慶源君)에 봉해졌다. 이듬해 그의 딸이 공양
   왕의 세자 석(奭)의 비(妃)가 되고 같은 해 삼사좌사(三司左使)를 거쳐 다시 정당문학에
   올라 과거를 관장했다. 1392년 조선 개국 뒤에는 개성유후사유후(開城留後司留後)를 지
   냈다.

자종(河自宗, ?~1433년),[18] 정목(鄭睦), 송의번(宋義蕃)을 순금사에 내렸다. 애초에 전보문(全普門)[19]의 아내 송씨(宋氏)가 음란한 짓을 하다가[淫奔] 죄를 입게 되어 그 노비들이 모두 속공(屬公)됐다. 송씨는 나라의 귀성(貴姓)이었으므로 그 나머지 노비들 또한 많았다. 송씨의 족친(族親)과 송씨 외가인 강씨(姜氏)의 족친이 모두 조정에 가득했다. 고(故) 판서(判書) 허금(許錦, 1340~1388년)[20]이 송씨의 양자(養子)라고 칭하고 그 노비를 모두 차지했었다. 국초(國初)에 송씨의 족친은 평양부원군(平壤府院君) 조준(趙浚), 여흥부원군(驪興府院君) 민제(閔霽) 같은 이었고, 강씨의 족친은 흥안군(興安君) 이제(李濟), 진산부원군(晉山府院君) 하륜(河崙), 성산군(星山君) 이직(李稷) 등과 같은 이었는데 사대부 수십 집안이 서로 소송하다가 마침내 속공됐다. 금(錦)의 아들 기(愭)가 도로 차지하고자 하여 신문고(申聞鼓)를 치

18 조선 초 영의정을 지낸 하연(河演)의 아버지다. 고려 말에 병부상서(兵部尚書)를 역임했다. 조선 건국 후인 1407년(태종 7년) 공조참의로 공물(貢物)로 바치는 말 50필을 명나라로 운반했으며 이때 명나라 황제가 하사한 『고황후전(高皇后傳)』을 가지고 돌아왔다. 홍주목사, 공안부윤, 청주목판사 등을 지냈다.

19 공민왕이 세자로 원나라에 있을 때 수종(隨從)한 공로로 1352년(공민왕 1년) 1등공신에 올랐고 판도판서(判圖判書)가 됐다. 그 뒤 전리판서(典理判書)에 제수됐고 1354년 동지밀직사사(同知密直司事)를 거쳐 지밀직사사(知密直司事)로 승진하고 나서 곧 원나라에 하정사(賀正使)로 파견됐으며 귀국 후 판밀직사사(判密直司事)가 됐다. 1356년 삼사우사(三司右使)로 천직됐다가 관제를 구제도로 바꿨기 때문에 수사공우복야(守司空右僕射)로 고쳐 제수됐다. 1358년 문하평장사(門下平章事), 1363년 경상도 도순문사, 1365년 판삼사사(判三司事)에 올랐다. 이듬해 원나라에 하정사로 갔다가 이곳에서 한림시강학사지제고동수국사(翰林侍講學士知制誥同修國史)에 제수되고 귀국했다.

20 1357년(공민왕 6년) 당시 정당문학(政堂文學) 이인복(李仁復)의 문하에서 급제해 교서교감(校書校勘)에 제수됐으며 이후 여러 벼슬을 거쳐 예의정랑(禮儀正郎)이 됐다. 우왕을 옹립하는 데 반대했으며 윤소종(尹紹宗), 조인옥(趙仁沃), 조준(趙浚) 등 훗날 조선왕조 개국의 주역들과 친교가 있었다.

니 상이 대간(臺諫)과 형조로 하여금 토의하여 결정하게 했는데 역시 이번에도 모두 속공(屬公)했다. 강씨의 족친인 자종, 목, 의번 등 수십 인이 어가 앞에서[駕前] 글을 올렸다. 상이 평소 그 실상[實=情]을 알고 있었기 때문에 모두 순금사에 내려 자종 등 수모자(首謀者) 4인은 유배 보냈고[流] 원굉(元紘)은 내쫓았다[放].

갑신일(甲申日-15일)에 상이 인소전(仁昭殿)에 친히 제사하고 드디어 상왕전에 나아가 헌수했다.

○ 성산군(星山君) 이직(李稷), 평원군(平原君) 조박(趙璞), 전 지의정부사(知議政府事) 이첨(李詹), 전 부윤(府尹) 한리(韓理, ?~1417년),[21] 전 계림부윤(鷄林府尹) 유관(柳觀), 전 승추부 제학(承樞府提學) 이정견(李廷堅)에게 명해 날마다 성균관(成均館)에 나아가 학생들[諸生]을 가르치게 했다.

을유일(乙酉日-16일)에 오얏나무, 살구나무, 능금나무[林檎]에 꽃이 폈다.

기축일(己丑日-20일)에 의정부에 명해 사헌부와 사간원[臺諫]에서

---

21 예의판서(禮儀判書)를 지냈으며 계림부원군(鷄林府院君)에 봉해졌다. 조선이 건국된 뒤에는 태조의 명으로 고려 왕실인 왕씨의 제사를 관장했다. 1405년(태종 5년) 노비변정 사업이 추진되는 과정에서 양인인 박상문(朴尙文) 등을 민제(閔霽), 권홍(權弘)이 천인으로 만들어 사역시켰던 사실이 알려졌다. 태종은 사헌부와 형조로 하여금 진상을 조사시켰는데 그도 이 일에 연루되어 안성으로 유배되기도 했다.

(각각) 올린 소(疏)를 토의해 보고하도록 했다. 사헌부가 올린 소는 이러했다.

'하나, 전(傳)에 이르기를 "뛰어난 이를 구하려는 데 수고하게 되면 사람을 얻게 되어 편안해진다[勞於求賢逸於得人]"[22]라고 했으니 이는 임금이라면 마땅히 깊이 새겨야 할[體念] 바입니다. 진실로 뛰어난 인재[賢才]를 뽑아서 여러 관직에 배치해 그 과업을 이루도록 책임을 맡기게 되면 일이 거행되지 못할 것이 없어 아마도[其] 모든 일들[庶績]이 이뤄질 것이고 부서(簿書-문서), 옥송(獄訟)과 같은 자질구레한 일[瑣屑之事=瑣小之事]의 경우에는 유사(有司-해당 부서)가 있으니 임금이 다 알아야 할 바가 아닙니다. 온갖 옥송과 소소한 일들[庶獄庶愼]에 대해서는 (주나라) 문왕(文王)이 감히 알려 하지 않았는데[23] 이것이 바로 문왕이 성주(成周)의 다스림을 이룩해낸 까닭입니다. 바라건대 이제부터는 『경제육전(經濟六典)』과 본부(本府)의 수판(受判)[24]의 범위 내에 입각해 소송자로 하여금 각각 유사(攸司-해당 부서)에 고소하게 해야 합니다. 그 대신 대내(大內-대궐)에 직접 자기가 뜻하는 바를 정소(呈訴-고소)하는 것을 일절 금지해야 할 것입니다.

하나, 전(傳)에 이르기를 "백성이야말로 오직 나라의 뿌리[邦本]이

---

22 범엽(范曄)의 『후한서(後漢書)』 「왕당전(王堂傳)」에 나오는 말이다.

23 이 말은 『서경(書經)』 「주서(周書)」 '입정(立政)'에 나오는 말로 주나라 문왕의 통치철학을 서술한 것이다. 이는 임금은 임금답고 신하는 신하다워야 한다[君君臣臣]는 공자의 정신을 잘 보여주는 것으로 임금이 신하가 해야 할 일에 관여해서는 안 된다는 뜻이다.

24 수교(受敎)와 같은 말로 임금의 판단을 받은 사항이라는 뜻이다.

230

니 뿌리가 튼튼해야 나라가 안녕하다"[25]라고 했습니다. 전하께서는 깊이 구중궁궐(九重宮闕)에 머무시어 단정히 팔짱을 끼고 옷자락을 드리우시니 저 초야(草野)의 증민(蒸民-백성)들이 추위나 더위나 비를 기도할 때 원망하고 탓하는 정상(情狀)을 어찌 능히 두루 살피실 수 있겠습니까? (반면 백성들을 직접 대하는) 수령(守令)이란 자리는 백성을 가까이 접하는[近民] 직책이므로 민간의 이해(利害)를 알지 못하는 바가 없습니다. 바라건대 지금부터는 수령으로 하여금 민간의 이해를 캐묻고 찾아서[採訪] 매번 봄과 가을에 감사(監司)에게 보고하게 하여 그 득실(得失)을 고찰한 다음 하나는 대내(大內)에 올리고[申], 하나는 도당(都堂-의정부)에 보고하고[報], 하나는 헌사(憲司)에 넘기게[關=關文] 해야 할 것입니다. 이를 바탕으로 잘 심사해 그 이로운 것은 취하고, 해로운 것은 버리는 것을 항식(恒式)으로 삼는다면 (전하의) 귀 밝음과 눈 밝음[聰明]은 넓어져 아래 백성들의 실상[下情]이 위에 전달되고[上達] 임금다움의 혜택은 넉넉해져 나라의 뿌리가 안녕하게 될 것입니다.

하나, 재내제군(在內諸君)[26]과 이성제군(異姓諸君)이 근래에 간혹 조회(朝會)나 행행(行幸-행차)에 빠지고, (중국) 조정 사신을 맞이하거나 전송할 때조차도 호종(扈從)하는 데 태만합니다. 지금부터 무릇

---

25 이 말은 『서경(書經)』 「하서(夏書)」 '오자지가(五子之歌)'에 나오는 말이다. 우왕(禹王)이 후손들에게 남긴 교훈이다. 진(秦)나라처럼 강하고 수(隋)나라처럼 부유해도 나라의 뿌리인 백성들이 튼튼하지 못하면 얼마 안 가서 멸망할 뿐이라는 뜻으로 풀이한다.

26 임금의 적비(嫡妃)의 아들인 대군(大君), 빈잉(嬪媵)의 아들인 군(君), 친형제인 대군(大君), 친형제 적실(嫡室)의 맏아들인 군(君) 등을 말한다. 한마디로 이씨(李氏)의 동성제군을 말한다.

조회하거나 행행하거나 영송할 때 모두 함께 백관의 예(例)에 따르도록 하는 것을 성대한 조정[盛朝]의 성법(成法)으로 삼아야 합니다.

하나, 경기(京畿)에서 바치는[所仰=所供] 사재(司宰),[27] 선공(繕工)[28] 사복(司僕),[29] 유우소(乳牛所),[30] 동서의 와요(瓦窯)[31] 등의 각사(各司)에 바치는 정탄(正炭-숯), 소목(燒木-땔나무), 곡초(穀草) 및 모든 실어다 바치는 물건들을 감사와 수령이 능히 시기에 맞게 감독하여 바치지 못하고서 마침내 농사가 한창 바쁜 때를 맞아 제대로 거두지 못했다고 칭하며 아주 급하게 징수하여 바치게 하니 농업을 내팽개치게 만들어 백성들이 안심하고 생활하지[聊生] 못합니다. 바라건대 이제부터 정탄, 소목, 곡초 및 각사에 바치는 공물은 1년 경비의 총합을 계산해 모름지기 추수한 이후부터 농사가 시작되기 전(의 농한기)에 감독해 바치는 것을 끝내도록 하여 예전의 폐단을 없애야 할 것입니다.

하나, 작은 나라로서 큰 나라를 섬기는 것[以小事大][32]은 옛날이나

---

27 사재감(司宰監)을 가리키는 것으로 조선시대 궁중에서 사용하는 어류(魚類), 수육(獸肉), 식염(食鹽), 연료, 횃불, 진상물(進上物)에 관한 일을 맡아본 관청이다.

28 선공감(繕工監)을 가리키는 것으로 고려시대와 조선시대 토목과 영선에 관한 일을 관장하기 위해 설치했던 관청이다.

29 사복시(司僕寺)를 가리키는 것으로 고려시대와 조선시대 궁중의 가마, 마필, 목장 등을 관장한 관청이다.

30 몽고와의 교류 뒤에 국가의 상설기관으로 유우소(乳牛所) 또는 목우소(牧牛所)를 두었다가 조선시대에는 타락색(駝酪色)으로 이름을 바꿨다.

31 기와를 굽는 가마다.

32 이 말은 『맹자(孟子)』「양혜왕장구(梁惠王章句) 하(下)」에 있는 제나라 선왕과 맹자의 대화에서 나온 말이다. 제나라 선왕이 물었다. "주변 나라와 교류함에도 도리가 있느냐?" 맹자가 답했다. "있습니다. 참으로 어진 자[仁者]만이 대국으로서 소국을 능히 섬길 수 있습니다[爲能以大事小]. 이 때문에 탕왕(湯王)이 갈(葛)나라를 섬기셨고 문왕(文王)이 곤이(昆夷)를 섬기셨던 것입니다. (그리고) 참으로 사리를 아는 자[智者]만이 소국으로서 대국

지금이나 통하는 마땅함[通義]입니다. 하물며 우리 조정은 바다 구석[海陬] 후미진 곳에 있어 어음(語音-언어)이 아주 다르기 때문에 통역이 있어야만 통하게 됩니다. 그래서 사역(司譯)의 임무는 참으로 중요합니다. (그런데) 근래에 사역의 학습은 다만 한어(漢語)만을 익힐 뿐 경사(經史)[33]의 학문을 알지 못해 (중국) 조정 사신의 말이 경사(經史)에 이르는 경우가 있으면 몽매하게[懞然] 알지를 못해 응대하는 데 잘못이 있으니 국가의 수치(羞恥)가 되는 바가 심합니다. 바라건대 이제부터 한어를 잘하고 경학에 밝은 자를 골라서 훈도관(訓導官)으로 삼아 도탑게 후진을 깨우쳐서 역어(譯語)에 널리 통하면서도 경학(經學)에 상세하게 밝도록 하여 조정 사신의 뜻을 제대로 전달하게 해야 합니다.

하나, 응봉사(應奉司)[34]는 한 나라의 문서를 맡고 있어 문장을 배

을 능히 섬길 수 있습니다[能以小事大]. 그래서 태왕(太王-대왕(大王))이 훈육(獯鬻)을 섬기셨고 구천(句踐)이 오(吳)나라를 섬기셨던 것입니다. 대국으로서 소국을 섬기는 자는 하늘(의 이치)을 즐기는 자[樂天者]요, 소국으로서 대국을 섬기는 자는 하늘(의 이치)을 두려워하는 자[畏天者]입니다. 하늘을 즐기는 자는 천하를 보전하고 하늘을 두려워하는 자는 그 나라를 보전합니다. 『시경』에 이르기를 '하늘의 위엄을 두려워하여 이에 그것을 보전한다'고 했습니다."

33 유학의 경전과 중국의 역사를 말한다.

34 고려시대부터 조선 초기까지 사대교린(事大交隣)의 외교문서를 작성하던 기관으로 승문원(承文院)의 전신이다. 고려 때 처음 문서감진색(文書監進色)이라는 비상설기구를 설치하고 별감(別監)을 두어 외교문서를 담당하게 했다가 뒤에 문서응봉사로 개칭하고 사(使), 부사, 판관 등의 관원을 두었으나 모두 다른 부서 관직자들로 겸직시켰다.
조선 건국 뒤에도 그대로 존치돼오다가 1409년(태종 9년) 기구를 확장해 지사(知事), 첨지사(僉知事), 검토관(檢討官), 교리(校理), 수찬관(修撰官), 서기(書記) 및 수습관원인 권지(權知) 등을 두어 외교문서 작성에 만전을 기하도록 했다. 그러나 이때까지도 관원들은 모두 전임직이 아닌 타 관원들의 겸직이었다. 업무의 성격 때문에 현직 관원이나 퇴직 관원을 불문하고 외교문서에 능숙한 자들을 골라 임명했다. 1411년 문서응봉사를 승문원으로 개칭하고 그 관원들도 정규직화해 판사, 지사, 첨지사, 교리, 부교리, 정자(正字), 부

웠다는 선비들이 모두 다 속(屬)해 있지만 한어(漢語)와 이문(吏文)[35]에 이르러서는 오로지 당성(唐誠)[36]만이 맡고 있습니다. (그런데) 만약 하루아침에 사고라도 있게 된다면 그것들을 배우지 못한 사람이 그 직임을 제대로 맡기[辦]가 어려울 것입니다. 바라건대 이제부터 문한(文翰)[37]을 익힌 선비 가운데 귀 밝고 눈 밝으며 널리 배우고 기예(技藝)에도 뛰어난 사람을 뽑아 미리 이문(吏文)을 익히도록 해서 앞으로의 쓰임에 대비해야 할 것입니다.

하나, 근래에 화통군(火㷁軍)[38]을 추가로 더 정하면서 노비의 많고 적음이나 나이의 늙고 어림을 고려하지 않고 오직 전적(田籍)에만 의거해 이를 정하다 보니 마땅히 덜어내야 할 데 더한 것이 있고 거꾸로 마땅히 더해야 할 데 덜어낸 것이 있습니다. 만약 다시 고쳐서 정하지 않는다면 그 역(役)을 견디지 못해 유망(流亡)하는 이가 서로 이어질 것입니다[相繼].[39] 빌건대 각 도의 관찰사로 하여금 각사(各司)

정자(副正字)의 체제로 정비했다.

35 중국의 속어를 섞어서 쓴 순한문이며, 중국과의 외교에서 사용된 글이다.

36 귀화한 중국인으로 밀양 당씨(密陽唐氏)의 시조다. 고려 말에 귀화해 사대이문(事大吏文)을 전장(專掌)했으며, 조선조에 들어와 호조·예조·공조 전서(典書)와 공안부윤(恭安府尹)을 지냈다.

37 글 짓는 것에 관계되는 일 또는 문장에 능한 사람을 가리킨다.

38 고려 후기 최무선(崔茂宣)이 화약을 이용해 만든 총포인 화통을 발사하는 군인을 가리킨다. 당시 최무선에 의해 발명된 화약과 무기는 고려 말 남해 인근에 출몰하던 왜구를 격퇴하기 위해 실전에 투입돼 진포전(鎭浦戰)과 진도전(珍島戰)에서 큰 위력을 발휘했다. 따라서 그 당시 빈번한 왜구의 침입에 대비하기 위해 1378년(우왕 4년) 4월에 서울과 지방의 여러 관청의 경비를 위해 투입했다. 대형 관청에는 3인, 중형 관청에는 2인, 소형 관청에는 1인으로 각각 편제됐다. 화통방사군(火桶放射軍) 혹은 화통군(火桶軍)이라고도 했다.

39 서로 이어진다는 것은 그만큼 많을 것이라는 뜻이다.

나 각 관(各官)의 노비천적(奴婢賤籍)을 상세히 고찰하게 하여 15세 이상, 50세 이하의 나이와 명수(名數)를 갖춰 기록해 정보(呈報-보고) 하게 하고 도당(都堂-의정부)에서 다시 상정(詳定)을 더해 화통(火㷁) 의 역(役)을 완전하게 해야 할 것입니다.

하나, 침장고(沈藏庫)⁴⁰의 제거(提擧), 별좌(別坐), 향상(向上), 별감 (別監)이 맡은 임무는 실로 번잡하므로[繁劇] 매번 세말(歲末)이 되 _{번극}면 모두 그 자리를 떠나게 해[去官] 그 노고에 대해 보상을 주니 이 _{거관}는 진실로 선비를 권면하는 아름다운 뜻입니다. 그러나 그 직임이 다 만 1년 안입니다. 이 때문에 사려하는 바가 다음 해의 임무에 미치 지 못해 각종 채소의 종자들을 때에 맞춰 거두지 않고 밭에 거름을 주거나 소를 키우는 일에도 진실로 열의를 쏟지[經意] 않습니다. 그 _{경의}리고 밭 갈고 씨 뿌리는 때에 이르러서야 각종 채소 종자들의 값을 관청에서 지급합니다. 이리하여 채소의 종자들은 다 떨어지고[匱] 밭 _궤가는 소들[耕牛]은 야위어지며 밭에 거름을 주는 데 때를 맞추지 못 _{경우}해 밭이 기름지지 못합니다. 이는 다름이 아니라 이런 관직에 있는 자가 이를 준비하는 데 아무런 (열심히 해야 할) 이유가 없는 까닭입 니다. 바라건대 이제부터 제거, 별좌, 향상, 별감의 각 자리는 1인이 그 자리를 떠나면 (다른) 1인은 그대로 두어야 할 것입니다. 이렇게 하면 관(官)을 비워두고 직무를 내팽개치는 잘못은 없을 것입니다. 또 제조(提調)로 하여금 수시로 살피게 하여 그 태만한 자들을 징

---

40 조선 초기 궁중의 제사와 각 전(各殿)에서 소요되던 채소의 재배와 공급을 관장하던 관 청이다. 1414년(태종 14년) 잠시 혁파돼 다방(茶房)에 이속(移屬)됐다가 2년 후에 다시 설 치됐고 1466년(세조 12년)에 사포서(司圃署)로 이름이 바뀌었다.

치(懲治)하게 해야 합니다. 동서 와요(瓦窯)의 판관(判官) 또한 이 예(例)에 준해 일시에 그 자리를 떠나게 해서는 안 될 것입니다.'

의정부에서 토의하니 여기서도 헌부(憲府)에서 올린 의견과 같았다. (또 헌부에서 올린 항목 하나다.)

'하나, 『문공가례(文公家禮)』에 이르기를 "몸이 주혼(主婚)하는 데 미치는 자는 기복(朞服-1년상) 이상의 상이 없는 경우에는 마침내 혼인을 이룰 수 있다[成婚]"고 했음에도 우리 조정의 사대부 집에서는 몸이 주혼(主婚)에 미치는 자가 비록 최질(衰絰-삼년상) 중에 있는데도 혹 혼가(婚嫁-혼인)를 허락하고 혼인을 이루는 일이 있으니 이는 단지 고례(古禮)에 어긋날 뿐만 아니라 풍속이 경박해지는 것이 이보다 심할 수가 없습니다. 바라건대 이제부터 사대부 가운데 혼인하는 집은 모두 『문공가례』를 본받게 하고 어기는 자는 엄격히 다스려야 할 것입니다.'

의정부에서 이렇게 결론 내렸다. "부모의 상(喪) 3년 내와 기년(朞年)의 상(喪) 100일 내에서는 혼례를 금지하고,[41] 기복 이상의 상이 있는 경우에는 주혼자(主婚者)를 금지하지 말라."

사간원이 올린 소(疏)는 이러했다.

'하나, 오부 교수관(五部敎授官)[42]은 경전(經典)에 통달하고 성품이

---

41 이것이 결정의 핵심이다.

42 조선시대 한성부의 행정구역을 동·서·남·북·중의 오부 방위로 구분해 표시하게 된 것은 삼국시대부터 그 기원을 찾을 수 있다. 그러나 확실한 문헌상 왕조의 수도를 방위로 구분, 구획한 것은 고려 태조가 개경에 동·남·서·북·중 오부를 둔 것으로 조선왕조가 성립된 뒤 한성 천도 후에도 그대로 계승하여 한성 오부가 성립된 것이다. 교수관이란 문과(文科) 출신으로서 파견된 향교(鄕校)의 교관이며 종6품직이다.

깨끗하며 조신한[醇謹] 선비를 골라 제수해서 생도(生徒)들을 가르치고 기르도록 하고, 그 생도 가운데『효경(孝經)』,『소학(小學)』, 사서(四書),『문공가례(文公家禮)』에 능통한 자는『소학(小學)』으로 올려서 성균 정록소(成均正錄所)[43]로 하여금 더욱 돈독하게 가르침과 길러줌을 더하게 해야 할 것입니다. 삼경(三經) 이상에 통달하고 효제(孝悌)하며 근후(謹厚)한 이는 감시(監試)[44]에 나아가는 것을 허락하고 성균관(成均館)에 올려야 할 것입니다. 오경(五經)과『통감(通鑑)』에 능통하면서 다움과 행실[德行]이 두드러져 이름이 알려진 자를 골라 바야흐로 문과에 나아갈 것[赴試]을 허락해야 할 것입니다. 경박하고 조신하지 아니하는 무리는 설사 재주와 학식이 다른 사람보다 뛰어나다 해도 막고 물리쳐서[屛斥] 받아들여서는 안 될 것입니다. 그들의 성명(姓名)을 기록할 때에는 반드시 그 부형(父兄)이나 친척이나 친우로 하여금 그 실제의 다움과 행실을 기록하여 유사(有司)에 고(告)하게 하고, 유사는 그 시험에 합격한[中試] 자의 다움과 행실 및 보거인(保擧人)[45]의 직명(職名)을 헌사(憲司)에 보내 헌사에서 장부에 기록해 보관해두었다가 훗날 시험에 합격한 생도(生徒) 가운데 조신하지 않은 죄를 범

---

43 성균관에는 문묘(文廟), 명륜당(明倫堂)을 비롯해 동서재(東西齋), 정록소(正錄所,) 양현고(養賢庫), 식당(食堂) 등의 건물이 있었다. 정록소란 문과와 생원시, 회시(會試)의 녹명(錄名-인적사항과 신원보증서를 제출받아 과거에 응시할 자격이 있는지를 확인하고 응시원서를 접수하는 일) 절차, 즉 과거 응시 자격 심사를 관장하고 생원시 초시(初試) 통과자에게 사서(四書) 등의 시험을 시행하는 기능을 담당하던 곳이다.

44 생원과 진사를 뽑는 과거로 사마시(司馬試) 혹은 소과(小科)라고도 한다.

45 학덕이나 재주가 뛰어난 사람을 천거할 때 그 사람 됨됨이나 가문(家門) 등의 내용들을 정리해 보증하는 사람으로 신원보증인(身元保證人)이다. 보거주(保擧主) 혹은 보원(保員)이라고도 한다.

하는 자가 있으면 보거(保擧)한 사람도 아울러 죄주게 하고 이를 영구히 항식(恒式)으로 삼아야 합니다.

한편 지방의 주(州)와 현(縣)의 향교(鄕校)에서도 경전(經典)에 능통하고 노성(老成)한 선비를 골라 교수(敎授)에 채워 넣고, 수령(守令)으로 하여금 그 부지런하고 태만한 것[勤怠]을 점검하게 해야 합니다. 수령들 중에서 이를 군더더기 일[餘事]이라 여겨 힘써 도탑게 기르지[敦養] 않는 자는 감사(監司-관찰사)가 즉각 견책하게 해야 합니다. 수령을 포폄(褒貶)할 때 생도를 인재로 길러냈는지 유무(有無)와 다소(多少)를 수령의 이름 아래 아울러 기재해야 할 것입니다. 그 감시(監試)와 향시(鄕試)에 나가는 자는 한결같이 위 항목의 조건들을 준수하게 해야 할 것입니다.

옛날에 한(漢)나라 명제(明帝)[46]가 벽옹(辟雍)[47]에 나아가 노인에게 절을 하고, 당(唐)나라 태종(太宗)이 친히 국학(國學)에 나아가 몸소 아랫사람에게 예를 행하며 학교(學校)를 숭상하니 기문(期門)[48]과 우림(羽林)[49]의 군사가 모두 앞장서 글을 읽고, 고창(高昌)[50]과 토번(吐

---

46 광무제(光武帝)의 넷째 아들로 후한의 두 번째 황제다. 환영(桓榮)에게 사사해 『춘추(春秋)』와 「상서(尙書)」에 통달했다. 즉위한 뒤에 유학자를 고관에 임명해 예교주의(禮敎主義)에 힘쓰고 빈민구제, 농업진흥, 조부(租賦)·형여자(刑餘者)의 감면에 힘쓰는 등 내정 충실을 꾀했다. 또 소당강(燒當羌)을 토벌하고 북흉노를 격퇴하는 등 외정에도 관심이 컸다.

47 천자(天子)가 세운 대학(大學)이다.

48 중국 한(漢)나라 무제(武帝) 때 설치한 관명(官名)으로 그 장(長)은 복야(僕射)다. 병(兵)을 맡아 시종(侍從)하는 일을 관장했다.

49 중국에서 천자(天子)의 숙위(宿衛)를 맡아보던 금위(禁衛)의 이름이다. 한(漢)나라 무제(武帝)가 우림(羽林)을 처음으로 두었는데 당대(唐代)에는 좌우 우림위(左右羽林衛)를, 송대(宋代)에는 우림장군(羽林將軍)을, 명대(明代)에는 우림위(羽林衛)를 각기 두었다.

50 중국 서역(西域)에 있었던 나라 이름이다. 오늘날 중국 신장성(新疆省)의 토로번(土魯番-

蕃)⁵¹의 추장이 아들들을 보내 입학시켜 유풍(儒風)이 크게 변하고 선비의 습속[士習]이 바야흐로[鼎=方] 새로워져 영평(永平)⁵²의 치세와 정관(貞觀)⁵³의 정치를 이룩했습니다. 지금 전하께서는 만기(萬機)를 다스리시는 여가에 한두 명의 유신(儒臣)과 더불어 부지런히[孜孜] 강론하여 일찍이 조금도 해이(解弛)해지지 않고 혹은 밤중[夜分]에까지 이르시니 그 배움을 좋아하고 도리를 즐기시는 아름다움[好學樂道之美]이 진실로 전대(前代)에 조금도 부끄러울 것이 없습니다. 바라건대 친히 국학(國學)에 나아가시어 기로(耆老), 유신(儒臣)을 예로써 맞이하고[迎禮] 도리와 의로움[道義]을 강구하여 밝히신다면[講明] 거의 중외 인민(中外人民)들이 우러러보고 감동하며 흠모하여 초목이 바람에 쓰러지듯[靡然] 뒤따를 것이요, 다움을 이루고 재예(才藝)에 통달한 선비가 왕성하게[蔚然] 세상에 쓰이게 될 것입니다.'

의정부에서 의견을 냈다.

'감시(監試)는 처음 배우는[初學] 무리들을 권장하기 위한 것이니 전조(前朝-고려)에서는 십운시(十韻詩)로 시험했고⁵⁴ 그 동당(東

투르판) 지역 일대다. 한(漢)나라 때 서역(西域) 36국의 하나였는데 당(唐)나라 때 중국에 멸망당했다.

51 중국의 서남에 있었던 나라 이름으로 오늘날 서장(西藏), 곧 티베트다. 그 계통은 서강(西羌)에서 나왔는데 당(唐)나라 때 국왕 섭종롱찬(葉宗弄贊)은 인도(印度)와 교통하고, 또 당(唐)나라 태종(太宗)과 화호(和好)하여 양국의 문물을 받아들여 크게 번창했으나 그 후 세력을 떨치지 못했다.

52 후한 명제의 연호다.

53 당나라 태종의 연호다.

54 고려시대 선비를 관료로 뽑는 과거로는 명경업(明經業)과 함께 제술업(製述業)이 있어 이 둘을 양대업(兩大業)이라 하여 중시했으며 그중에서도 제술업이 주종을 이뤘다. 그 시험 과목은 감시(監試)에서 부(賦)와 6운·10운시(六韻·十韻詩)로 간단히 시험을 치르고 이어

堂)⁵⁵에서 하나의 경전에라도 통달한 자에게 시험에 나아가는 것 [赴試=應試]을 허락했습니다. (그런데) 지금에 와서 만약 모름지기 세
부시   응시
가지 경전[三經]에 능통한 자에게만 감시에 나아가는 것을 허락한다
삼경
면 이는 배움을 권장하는 뜻에 어긋날 뿐만 아니라 문무 자제(文武
子弟)도 모두 문과(文科)가 어려운 점을 들어 꺼려서 글을 읽고 시험
에 나아갈 자가 드물어질 것입니다. 그 시험에 나아가 성명(姓名)을
기록할 때에는 부형(父兄)이나 친척이나 벗들로 하여금 그 실제 다
움과 행실을 기록하여 유사(有司)에 고하게 하고, 뒤에 만약 죄를 범
하는 바가 있어 보거(保擧)한 자를 아울러 죄준다면 사람들은 모두
문과를 감당하지 못해 장차 문학(文學-글과 학문)이 폐기되고 끊어
지게 만들 것입니다. 그 경박하고 근신하지 아니하는 무리를, 비록
재주와 학문이 다른 사람보다 뛰어난데도 배척하고 받아들이지 않
는다고 했지만 대체로 성품과 기운[性氣]이 가볍고 쾌활한 자가 학
성기
문에 능통한 경우가 많고 또 광자(狂者)나 견자(狷者)와 같은 선비
들을 공자의 문하[聖門]에서도 받아들였습니다.⁵⁶ 만약 사람이 다 함
성문

예부시(禮部試)에서 시(詩)·부(賦)·송(頌)·시무책(時務策) 및 논(論)·경학(經學) 등의 과목을 초장(初場)·중장(中場)·종장(終場)으로 구분해 시험했다. 이 3장에서 모두 합격해야 급제가 되는데 이를 3장연권법(三場連卷法)이라 불렀다.

55 우리나라에서는 과거의 본고시를 의미하는 용어로 계속 사용되어 고려시대에는 예부시(禮部試)로, 조선시대에는 문과(文科)가 동당시(東堂試)로 불렸다.

56 이 문장에 대한 기존의 번역은 원문의 광견(狂狷)을 이해하지 못해 전혀 엉뚱하게 번역했다. 광견(狂狷)은 『논어(論語)』「자로(子路)」편에 나오는 공자의 다음과 같은 말을 먼저 이해해야 한다. "적중된 도리를 행하는 사람을 얻어 함께할 수 없다면, 반드시 광자나 견자와 함께하겠노라! 광자는 진취가 있고 견자는 삼가며 하지 않는 바가 있다." 공자는 일관되게 중항(中行), 즉 중도와 중용 그리고 중화(中和)의 정신을 갖춘 인재를 최고로 여겼다. 그러나 현실적으로 그런 인재를 구하기란 요원하다. 그래서 공자는 차선책으로 광

240

께 아는 바[所共知]대로 경박하고 근신하지 않는 자라면 배척해야겠
으나 그 재주를 시기하는 무리가 문학(文學)에 능통한 자에 대해 경
박하다고 일컬으며 배척한다면 장차 뛰어난 이[賢者]를 잃고 재주가
있는 이를 틀어막는[失賢蔽才] 데 이르게 될 것이니 그 폐단이 작지
않습니다. 이 세 가지 조목 이외에는 아울러 대간이 올린 바와 같이
하는 것이 어떠하겠습니까?'

'하나, 선유(先儒)가 말하기를 "재주와 다움[才德]을 함께 갖췄으면
[兼全] 이를 일러 빼어난 이[聖人]라 하고 재주와 다움을 함께 갖추
지 못했으면 이를 일러 어리석은 사람[愚人]이라 하며, 다움이 재주
를 이기면 이를 일러 군자(君子)라 하고 재주가 다움을 이기면 이를
일러 소인(小人)이라 한다"[57]고 했습니다. 무릇 사람을 취하는 방법에

자(狂者)와 견자(狷者)의 문제를 논의한다.

먼저 공자는 중도의 인재를 구할 수 없다면 (그다음으로) '반드시' 광자(狂者)와 견자(狷
者)를 취할 것이라고 말한다. 적어도 이 두 가지 유형은 중도의 인재 바로 다음의 인재라
는 것을 알 수 있다. 여기서 광자(狂者)란 미친 사람이란 뜻이 아니다. 공자의 말대로 진
취(進取), 즉 앞으로 나아가려는 사람이다. 제자리에 머물러 있으려는 사람[固-고집불통]
으로는 도리에 이르게 할 수 없다는 뜻이다. 여기서 광자란 요즘 식으로 풀이하자면 대
단한 열정을 가진 사람이라고 할 수 있다. 이런 사람은 방향만 제대로 잡아주면 얼마든
지 도에 이를 수 있다는 것이 공자의 생각이다.

이어 견자(狷者)를 논한다. 견(狷)은 일반적으로 고집스럽다는 뜻이다. 견자에 대한 공자
의 풀이, 즉 뭔가 하지 않는 바가 있다는 것과 통한다. 여기서는 어떤 일에 대한 지조와
굳셈이 있는 인물을 뜻한다. 이런 사람을 잘 일깨워 도를 향해 나아가도록 한다면 한눈
팔지 않고 마침내 도에 이를 수 있다는 것이 공자의 생각이다.

따라서 의정부에서 올린 취지를 더욱 명확하게 이해할 수 있을 것이다. 참고로 기존의 번
역을 함께 싣는다. 비교의 기회가 되기 바란다. "그 경박하고 근신하지 아니하는 무리를,
비록 재주와 학문이 다른 사람보다 뛰어나더라도 배척하고 받아들이지 아니한다면, 대저
성기(性氣)가 가볍고 쾌활한 자가 학문을 능히 통(通)해도, 미치고 고집스러운 선비를 성
문(聖門)에서 취하게 됩니다."

57 사마광(司馬光)이 『자치통감(資治通鑑)』에서 한 말이다.

서 소인을 얻기보다는[與] 어리석은 사람을 얻는 것이 더 낫다[不若=不如]고 한 것은 소인이 자신의 재주를 끼고서 나쁜 짓을 할까 깊이 두려워한 까닭입니다. 신 등이 가만히 살펴보건대 근래에 사람을 쓰는 데 오로지 재주가 화려함[才華]만 숭상하고 그 사람의 다움과 행실[德行]은 더 이상 살펴보지 않으니 사람의 뛰어남과 그렇지 못함[賢否]을 논하는 자가 반드시 재기(才器)를 일컫기는 하면서도 다움과 행실과 도리와 학예(學藝)에 관해 이야기하는 것은 결코[絶] 들을 수 없었습니다. 이로 말미암아 선비된 자는 부서기회(簿書期會)의 재능과 응대를 요령 있고 민첩하게 하는 기교로써 명예를 얻는 것을 구하는 데는 온 힘을 쓰면서도 효제(孝悌-효도와 공순)나 충신(忠信)하는 데 이르면 어떻게 해야 하는지를 알지도 못합니다.

부박(浮薄)한 기풍이 이로 말미암아 이뤄지고 서로 다투고 헐뜯는 습속이 여기에서 심해집니다. 무릇 옛사람들은 조신하고 도타우며[謹厚] 따스하고 조화를 중시하는[溫和] 행실은 부지런하게 하고 사람을 가르치는 일은 느리게 했습니다. 이로써 지금을 살펴본다면 근후하고 온화한 것을 부지런히 하는 것은 괜찮지만 사람을 가르치는 일을 느리게 하면 당대에는 죄인이 되겠지만, 오히려 이것을 귀하게 여겼으니 이것이 어찌 모든 일을 빨리 하고자 하면 반드시 착오가 생기고 마땅함을 잃게 되어 다시 구제하기가 불가능하기 때문이 아니겠습니까? 바라건대 이제부터 사람을 쓸 때는 오로지 따뜻하고 반듯하며[溫良] 도탑고 조심조심해[敦謹] 재주와 행실이 잘 닦아져 드러난 자를 취할 것이요, 그 인륜(人倫)의 도리에 있어서 불친불목(不親不睦)한 자는 설사 절륜고세(絶倫高世)의 재주가 있다 해도 초

야에 내쳐 물리쳐[擯斥] 조정에 나란히 설 수 없게 함[不齒=不列]으
로써 풍속을 두텁게 해야 할 것입니다.'[58]

의정부에서 의견을 냈다.

'아비가 자애로운데 아들이 효도하지 않고, 형이 우애가 있는데 동
생이 고분고분하지 않을 경우에 마땅히 불친불목(不親不睦)의 형벌
을 가해야 합니다. (하지만) 부모가 미워하고 사랑하는 것에도 혹 치
우치는 바가 있고, 형제(兄弟)가 뛰어나고 불초(不肖)한 것에도 혹 자
못 차이가 있을 수 있으며, 사람이 헐뜯고 칭찬하는 것에도 혹 사리
에 맞지 않을 수 있습니다. 만약 실상과 이유[情由]를 잘 따져보지
않고서 싸잡아 모두 내쳐 물리친다면 높은 재주를 가진 인재[高才]
가 버림을 받게 되어 원통하고 억울한 것을 면하지 못할까 두려우니
(반드시) 그 실상을 캐물은[覈實] 다음에야 내치거나 물리치는 것이
어떻겠습니까?'

'하나, 『서경(書經)』에 이르기를 "관직은 반드시 갖춰야 할 것은 아
니되 오직 거기에 맞는 사람[其人]이 있으면 써야 한다"[59]라고 했고,
또 "관작(官爵)이 다움이 좋지 않은 자[惡德]에게 미쳐서는 안 되
고 오직 뛰어난 이가 맡아야 한다"[60]라고 했습니다. 전(傳)에 이르기
를 "관직을 베풀고 관리를 두는 것은 백성을 위한 것이다"[61]라고 했

---

58 이 부분은 문맥상으로 보아 의정부의 의견에 대한 사헌부와 사간원의 재반박으로 보
인다. 이하의 경우도 마찬가지다.
59 「주서(周書)」 '주관(周官)'에 나오는 말이다.
60 「상서(商書)」 '열명(說命)'에 나오는 말이다.
61 사마광의 『자치통감(資治通鑑)』에 실려 있는 후한 광무제의 조서에 나오는 말이다.

으니, 그렇다면 관부(官府)를 설치하고 직임을 나눈 것은 (벼슬하는) 사람을 귀하게 해주려는 데 있는 것이 아니라, 사람의 재능을 써서 천위(天位-임금의 지위)를 함께하고 천공(天工)[62]을 대신하게 하기 위함입니다. 오늘날 부유한 집[膏粱] 자제(子弟)가 더벅머리 어린아이[髫稚] 때부터 이미 현달(顯達)한 관직을 제수(除授)받으니 어찌 백성들의 일[民事]의 간난(艱難)함을 알 것이며, 다스리는 요체[治體]의 완급(緩急)을 알겠습니까? 또한 어린 더벅머리의 무식한 무리나 용속(庸俗)하고 미천(微賤)한 무리가 육관(六官)의 관원으로 간혹 끼이게 되는 것을 용납한다면 그 천위(天位)를 함께하여 천공(天工)을 대신한다는 뜻에 있어서는 어떻게 되겠습니까? 바라건대 지금부터는 비록 공신(功臣)과 종친의 후사라 해도 나이가 아직 성년[冠]이 되지 못한 자는 아울러 모조리 벼슬을 그만두게 하고[停罷], 나이가 들기를 기다려 책을 읽어 재기(才器)를 이룩한 뒤에 그 재주를 헤아려 직임을 맡기고 그 어리석고 둔하며 용렬하고 천한 무리에게는 조정의 관직을 허락하지 아니하여 천작(天爵)을 높임으로써 뛰어난 인재[賢才]를 제대로 대우해야 할 것입니다.'

의정부에서 의견을 냈다.

'이상의 조목은 모두 (대간에서) 아뢴 바[所申]대로 하는 것이 어떻겠습니까?'

'하나, 환과고독(鰥寡孤獨-홀아비와 과부와 고아와 의지할 데 없는 노인)은 우리 백성들 가운데 몹시 가난한데도[顚連] 하소연할 데가 없

---

62 하늘의 직사(職事), 곧 천하를 다스리는 일을 가리킨다.

는 자들입니다. 옛날의 뛰어난 임금들[先王]은 정사를 행해 어짊을
선왕
베풀[發政施仁]⁶³ 때 반드시 이 넷을 우선시했습니다. 그래서 한(漢)
발정 시인
나라 문제(文帝)⁶⁴는 즉위하던 원년에⁶⁵ 곤궁한 이들을 진휼하고 노인
을 위문하여 비단을 하사품으로 내려주었습니다. 이는 사민(斯民-자
기 백성)을 진휼하여 기르는 것이야말로 임금다운 정치[王政]의 급선
왕정
무임을 알았던 것입니다. 이제 전하께서 중외(中外)에 의창(義倉)⁶⁶을
설치해 백성들[元元]을 진휼하시고, 흉년을 만나게 되면 사신을 보
원원
내 창고를 열어 굶주리는 백성들을 먹여 기르시니 어짊을 베푸시는
바[施仁]가 지극하십니다. 바라건대 이제부터 경중(京中)과 여러 군
시인
(郡)에 양민원(養民院)을 두어 백성들 가운데 늙어 아내가 없거나,
남편이 없고 아들이 없거나, 어려서 아비가 없는 무리와, 옆에 의지
하여 살아갈 만한 친척이 없는 사람들을 모두 이 원(院)에 모아 사
람 수를 헤아려 쌀과 베를 주어 이들로 하여금 스스로를 기르고 스
스로 살아가게 하며 그 죽음에 미쳐서는 들판에 뼈가 드러나지 말

---

63 『맹자(孟子)』에 나오는 표현이다.

64 고조(高祖)의 아들로 대왕(代王)에 책봉돼 중도(中都)에 도읍했다가 여씨(呂氏)의 난이 평
정된 후 황제의 자리에 올랐다. 그의 치세는 한나라 초창기 말엽이어서 여씨의 난 진압
에 공적이 있던 고조(高祖) 이후의 공신을 중용하는 한편 가의(賈誼), 조조(晁錯) 등 새
관원도 두각을 나타냈고 또 선거에 의해 지방의 유지가 새 관원으로 등용됐다. 어진 정
치를 폈다는 평가를 듣는다.

65 곧 즉위하자마자 이런 조치를 취했음을 강조하는 표현이다.

66 조선은 개국 초인 1392년(태조 1년)에 의창을 통해 궁민에게 관곡을 무이자로 대여했다
가 그 본수(本數)만을 거둬들이게 했다. 그런데 국초에 흉년이 자주 들어 기민을 구호하
느라 의창의 곡식이 부족하게 돼 군자곡(軍資穀)으로 이를 보충하는 수밖에 없었다. 그
리하여 1423년(세종 5년)에 의창곡과 군자곡을 엄격히 분리하는 동시에 군자곡 106만
9,000여 석을 각 도 의창에 분배해 의창 원곡수(元穀數)로 했다. 그리고 원곡 수의 유지
를 위해 대여하는 의창 곡 1석마다 이자 3승(升)을 수납하도록 했다.

게 하며[67] 어려서 아비가 없는 자는 나이가 장성하기를 기다려 농장
[南畝]([남무])[68]에 내보내도록 해야 할 것입니다.'

의정부에서 의견을 냈다.

'나라의 재용[國用]([국용])은 유한한데 궁핍한 백성은 무궁합니다. (그렇게
할 경우) 나라의 재용이 다 없어질 뿐만 아니라 궁핍한 백성도 역시
모두 양민원(養民院)에서 먹는 것을 의지하게 될 것이므로 이리 되면
농사일에 힘쓰지 아니할 것입니다.'

'하나, 수령(守令)은 백성을 가까이에서 접하는 직임이니 백성의 평
안함과 근심[休戚]([휴척])이 그들에게 달려 있습니다. 그래서 한(漢)나라 광
무제(光武帝)는 말하기를 "낭관(郎官)은 위로는 열수(列宿)에 응하고,
나아가서는 사방 백리(百里)를 다스린다. 진실로 적임자[其人]([기인])가 아니
면 백성들이 그 재앙을 받게 된다"고 했습니다.[69] 신 등이 가만히 살
펴보건대 근래에 수령은 대부분 보거(保擧)하는 데서 나오므로 권문
(權門)에서 청탁하는 무리나 길거리의 용렬한 무리가 간혹 서로 섞
여 포진하고 있는데도 감사(관찰사)가 전최(殿最-인사고과)를 잘못해

---

67 제대로 장례를 치르게 해준다는 말이다.

68 농장이나 전답은 남향인 경우가 이상적이고 일반적인 까닭에 전답이나 농장 일반을 통
칭하여 남무(南畝)라고 했다.

69 『후한서(後漢書)』 「명제기(明帝記)」에 "임금이 여러 신하에게 이르기를 '낭관(郎官)은 위로
열수(列宿)에 응하고, 나가서 백리(百里)를 다스린다'고 했다"라고 돼 있다. 따라서 위의
광무제(光武帝)는 명제(明帝)의 오기(誤記)인 듯하다. 천문(天文)으로 보면 낭관(郎官)의
자리는 제좌(帝坐)인 오성(五星)의 뒤에 있는 십오성(十五星), 곧 열수(列宿)에 해당하는
데, 이는 낭관이 조정에 있을 때는 천자(天子)의 뒤에 열수(列宿)처럼 늘어서는 것을 말
하며, 한(漢)나라 지방 제도는 1현(縣)의 넓이가 사방 100리 정도였으므로 백리는 현(縣)
을 말함이니 낭관이 나가서는 현을 다스리는 수령(守令)이 된다는 뜻이다.

전(殿)의 첫머리[殿序]⁷⁰에 있는 자도 견책을 당했다는 말을 듣지 못
했으니 죄가 거주(擧主)에게 미치는 법이 땅에 떨어져 행해지지 못
하기 때문입니다. 원하건대 이제부터 마땅히 경술(經術)⁷¹이 있고 의
리에 밝으며, 일찍이 이직(吏職)을 경험하고 정사(政事)에 통달한 자
를 골라 그 재주를 잘 헤아려 직임을 제수하고, 그가 제대로 배우지
못하고 경술(經術)이 없으며, 어려서 일을 경험하지 못한 자나 출신
이 서리(胥吏)인 자는 함부로 직임을 받는 것을 허락하지 말아야 할
것입니다. 감사로 하여금 포폄(褒貶)하여 계문(啓聞)하고 헌사(憲司)
에 이문(移文)하게 하면 헌사에서는 즉시 견책하되 먼저 거주(擧主)
에게 죄를 주어야 할 것입니다. 바라건대 당(唐)나라 태종(太宗)이 당
인홍(黨仁弘)⁷²에게 한 것처럼 비록 제아무리 가깝고 총애를 받았다
[親幸] 하더라도 진실로 사유(赦宥-사면)하지 아니한다면 요행을 바
라는 무리가 함부로 벼슬에 나아올 수는 없을 것입니다.'

의정부에서 의견을 냈다.

'사람이 뛰어나고 뛰어나지 못한 것은 출신과 관계가 없습니다. 대
개 이서(吏胥) 출신이라 하여 수령에 제수하지 아니하면 나라에서
사람을 쓰는 마땅함에 어긋남이 있을 것이니 그 재주와 능력이 있는
자를 골라서 맡기고 써야 할 것입니다.'

'하나, 감사가 맡은 바는 무겁습니다. 수령의 뛰어나고 뛰어나지 못

---

70 전최(殿最)를 행할 때 전(殿)의 첫머리에 있는 것으로, 곧 그 성적이 나쁜 것을 말한다.

71 유교의 경의(經義)를 토대로 한 통치력을 뜻한다.

72 개국공신이었으나 독직 사건에 연루돼 결국 사형에 처해졌다.

한 것과 장수의 선하고 그렇지 못한 것과 민생(民生)의 편안하고 근심되는 것과 법령의 폐기되고 시행되는 것이 모두 이 한 몸에 관계됩니다. 그 가운데서 한 가지라도 적중함을 잃게 되면[失中] 만 가지 일이 어그러지니 그 맡은 바가 어찌 무겁지 않겠습니까? 신 등이 가만히 생각건대 감사의 직임에는 명예를 바라고 권세에 아부하거나, 이익을 따지는 데 너무 세세하거나[秋毫], 용렬하고 우매하거나, 강퍅(剛愎)하고 교만하며 사치하는 무리는 심히 꺼리는 것입니다. 무릇 용렬하고 우매하면 시정(施政)을 베푸는 데 어둡고, 강퍅하면 행동거지가 잘못되고, 교만하고 사치하면 세궁민(細窮民)이 편하게 가까이 할 수가 없어 아래 백성들의 실상[下情]이 위로 전달되지[上達] 못하고, 명예를 바라고 권세에 아부하면 공리(功利)에 급해서 공도(公道)를 내팽개치게 됩니다. 대개 이익을 따지는 데 너무 세세히 하는 것은 상홍양(桑弘羊)[73]과 공근(孔僅)[74]의 무리가 한(漢)나라 무제(武帝)를 섬기면서 인민을 힘들게 한 술법이니 성대한 조정[盛朝]에서 교화(敎化)를 돈독하게 하고 민생을 편리하게 하는 도리가 아닙니다. 전(傳)에 이르기를 "취렴(聚斂)하는 신하를 가지는 것보다는 차라리 도적질하는 신하를 가지는 것이 낫다"[75]라고 했으니 바로 그것을 말하

---

73 한(漢)나라 무제(武帝) 때의 시중(侍中)으로, 유명한 염철법(鹽鐵法)과 균수평준법(均輸平準法)을 실시해 국가의 이익을 따지는 데 있어 백성의 아주 미세한 것까지 했으므로 국가의 이익은 매우 컸다. 그러나 후세의 유학자(儒學者)들로부터 한 무제 말기에 군도(群盜)가 일어난 것은 이같이 가혹한 경제적 수탈(收奪) 때문이었다고 비난을 받았다.

74 한나라 무제 때 대농승(大農丞)으로 상홍양(桑弘羊)과 함께 염철(鹽鐵)의 전매법(專賣法)을 실시하고 평준법(平準法)으로 물가(物價)를 조절했으며, 주거(舟車-배와 수레)에 세금을 매기고 민전(緡錢)을 주조해 화폐의 유통을 이룩했다.

75 『대학(大學)』에 나오는 말이다.

는 것입니다. 이 때문에 수령의 전최(殿最)가 간혹 권세의 위협에 압박을 받거나 혹은 노관(路館)의 수즙(修葺)과 황폐(荒廢)에서 나옵니다. 부서기회(簿書期會)를 혹 각박하게 하는 것이 있거나, 뜬소문과 비방하는 말을 혹 믿게 되어 그 포장(襃獎)을 받는 자는 대개 간교(姦巧)하고 민첩한 무리가 많고 가만히 자리를 지키고 순리대로 정치를 베푸는 관리나 세상을 널리 구제하는 사명을 떠맡고 있는 인물은 달수를 따져 계산하니, 재주 있는 자가 도리어 전(殿)⁷⁶의 첫머리에 있게 됩니다. 이렇게 되면 출척(黜陟)에 있어 옳고 그른 도리가 어디에 있습니까? 바라건대 이제부터 대신(大臣)과 삼부(三府)와 더불어 강명정대(剛明正大)하고 관후(寬厚)한 신하를 토의하여 골라서 대간(臺諫)과 육조(六曹)에 그 가부(可否)를 유시(諭示)하여 물은 뒤에 여러 도(道)에 나눠 보내되 자주 바꿔 보내지 말고, 그 정사(政事)의 공적(功績)을 책임 지울 것이요, 간혹 사정(私情)에 따라서 출척(黜陟)의 임무를 밝게 하지 못하는 자가 있으면 헌사(憲司)에서 탄핵(彈劾)하고 규찰(糾察)하기를 엄하게 하여 전최(殿最)의 법을 밝히도록 해야 할 것입니다.'

의정부에서 의견을 냈다.

"대간(臺諫)으로 하여금 후보자를 천거하게 해서[薦望] 임명하여
천망
보내면 될 것입니다."

모두 윤허했다.

---

76 좋지 않은 평가를 받은 유형이다.

경인일(庚寅日-21일)에 명해 삼부(三府)의 2품 이상 각각 1원(員)이 조회 때마다 예궐(詣闕)하여 계사(啓事-일을 보고)하는 것을 항식(恒式)으로 삼게 했다.

○사간원에서 소를 올려 박만(朴蔓), 임순례(任純禮) 그리고 장사정(張思靖, ?~?)[77]을 벨 것을 청했으나[請誅] 윤허하지 않았다. 소는 대략 이러했다.
_{청주}

'노국(魯國)이 형벌을 잃어[失刑][78] 서리가 내려도 풀들이 죽지 않
_{실형}
았으니 큰 죄[大眚]를 풀어준 것 때문이라며 『춘추(春秋)』에서 그것
_{대생}
을 기롱(譏弄)했습니다. 무릇 사의(思義-조사의)의 난에 관여한 자들은 모두 복주(伏誅)됐는데 박만과 임순례는 도장을 맡아 병사를 징발하던[調兵=徵兵] 자들입니다. 그런데도 즉각 형(刑)에 처하지 않
_{조병}　_{징병}
고 외방에 유배하여 내쫓았다가 지금은 이미 사면의 은혜를 입었습니다. 화성군(花城君) 장사정은 지난해 도성의 길거리에서 사람을 죽였고 지금 또 마음대로[擅] 인명을 죽였으니 그 죄의 중함은 용서할
_천
수가 없습니다. 모두 유사(攸司)로 하여금 그 죄를 밝혀 바로잡게 해야 합니다.'

77　장사길(張思吉)의 동생으로 1392년(태조 1년) 개국공신이 돼 대장군에 등용됐다. 1397년 중추원부사가 됐다가 곧 조전절제사로 전임돼 풍해도(豊海道) 서북 연해에서 양민을 약탈하는 왜구를 무찌르고 많이 사로잡았다. 1398년 상의중추원사(商議中樞院事)로 있을 때 이방원(李芳遠)을 도와 정도전(鄭道傳), 남은(南誾) 등을 급습하여 이른바 방석(芳碩)의 난에 협력한 공으로 정사공신(定社功臣) 2등에 책록되고 화성군(花城君)에 봉작됐으며 1411년(태종 11년) 성절사(聖節使)가 돼 명나라에 다녀오게 된다. 1417년 전주에 유배 중인 방간(芳幹)의 첩을 거두어 동거하다가 함부로 버린 죄로 탄핵돼 상주에 유배됐다가 다음 해 덕천에 자원안치(自願安置)됐다.

78　이는 죄에 대한 처벌이 사안에 적중하지 못했다는 뜻이다.

임진일(壬辰日-23일)에 강원도 평강현(平康縣)에 우박이 5치[寸]_촌가량 내려 크고 작은 기러기들[鴻雁]_{홍안}이 죽었다.

○ 전 문하부 참찬사(門下府參贊事) 김주(金湊)[79]가 졸(卒)했다. 사흘 동안 조회를 정지했다.

계사일(癸巳日-24일)에 의정부에 명해 헌부(憲府)에서 소를 올린 노비(奴婢)의 일을 토의하여 아뢰도록 했다. 사헌부의 소는 이러했다.

'노비의 쟁송(爭訟)에 이미 기한이 있는 것은 없습니다. 바라건대 유사(攸司)로 하여금 그 옳고 그름을 가리게 해 새로 공문(公文) 1통[道]_도을 만들어 각각 본주(本主)에게 주고 그 구문서(舊文書)는 일절 모두 불태워 없애도록[燒毁=燒燬]_{소훼 소훼} 해야 합니다.'

의정부에 내려 삼부(三府)와 종친 및 기로(耆老)들로 하여금 헤아려 토의해서[擬議]_{의의} 아뢰도록 했다. 부원군(府院君) 민제(閔霽)·하륜(河崙), 정승 조준(趙浚)·이서(李舒)와 양부(兩府)의 기구대신(耆舊大臣-원로대신)들은 모두 좋다고 했으나 오로지 성석린(成石璘) 등 5인만은 안 된다고 했다. 륜(崙)이 가만히 말했다.

---

79 1393년(태조 2년) 2월에 예문춘추관대학사(藝文春秋館大學士)가 됐고 상의문하부사(商議門下府事)로서 계룡산 아래 신도(新都) 후보지로서의 적합성 여부를 조사하던 중 조운(漕運)과 도로 관계를 조사하는 데 참여했다. 태조가 개성에 돌아간 뒤에도 그곳에 남아 신도 경영을 감독했다. 또 한양천도 때 좌복야(左僕射)로서 신도궁궐조성도감(新都宮闕造成都監)의 판사가 돼 청성백(靑城伯) 심덕부(沈德符) 등과 더불어 새 도읍지 건설 공사를 급속히 추진하기도 했다. 1394년 9월 9일에는 참찬문하부사(參贊門下府事)로서 종묘·사직·궁궐·관아·시전(市廛)·도로의 기지를 선정해 구획하고, 심덕부와 더불어 현지에 남아 모든 건설 사업을 감독, 시행했다. 1398년(태조 7년) 1차 왕자의 난에 관련돼 환관 김사행(金師行)이 참수당할 때 그와 더불어 백성을 혹사했다 하여 영주(寧州)로 유배됐으나 성곽 경영의 공로로 감형됐다.

"오결(誤決)을 소송하는 것과 강제로 점거하고서[據執] 쟁송(爭訟)하는 것을 엄밀하게 나눈 뒤에야 새로 공문을 만들어 나눠 주는 것이 마땅할 것입니다."

갑오일(甲午日-25일)에 의정부에서 공신과 종친의 후손이 관례를 하고 갓을 처음으로 쓰며[加冠] 벼슬에 나아가는[從仕] 법(法)을 세우기를 청했다. 정부의 소(疏)는 이러했다.

'사간원에서 수판(受判)한 것 중의 한 조목에 "지금 부유한 집의 자제(子弟)가 더벅머리 어린아이 때부터 이미 현달(顯達)하게 제수를 받게 되니 어찌 백성의 일[民事]의 간난(艱難)함을 알겠으며, 어찌 다스림의 요체[治體]의 완급(緩急)을 알겠습니까? 바라건대 이제부터 공신과 종친의 후손 가운데 나이가 성년이 되지 아니한 자는 아울러 모조리 정파(停罷)하고, 그 나이가 장성하여 글을 읽어 재기(才器)를 이루기를 기다린 뒤에 재주를 헤아려 직임을 제수해야 합니다"라고 했고, 이달 23일에 지신사(知申事) 박석명(朴錫命)이 왕지(王旨)를 받들어 전하기를 "고례(古禮)에는 20세에 관례(冠禮)했고 『문공가례(文公家禮)』에는 15세에 관례했는데 지금 자제(子弟)의 종사(從仕)하는 나이는 16~17세 이상이니 헤아려 토의하여[擬議] 신문(申聞)하도록 하라"고 했습니다. 본부(本府)에서 의견을 모은 결과 "옛날에는 20세에 관례(冠禮)하고 30세에 장가들며 40세에 벼슬에 나간다[從仕]고 했습니다. 대체로 사람의 도리는 고금(古今)에 따라 그 마땅함[宜]이 다르니 후세 사람들은 관례 혼인 종사(從仕)를 모두 20~30세에 했습니다. 관례는 『문공가례』에 의해 15세에 하고, 종

252

사(從仕)는 고금을 참작해 18세 때에 입사(入仕)하도록 허락하고, 그 어리석고 게을러서 배우지 아니하는 자는 그 학문(學問)이 예의(禮義)를 알 만하기를 기다린 뒤에야 바야흐로 벼슬길에 들어서는 것[入仕]을 허락해야 한다"고 했습니다.'

이를 윤허했다.

을미일(乙未日-26일)에 세자에게 명해 한경(漢京-한양)에서 종묘에 배알하게 했고 각사(各司)에서 1원(員)씩 세자를 따라갔다.

○ 사슴이 도성 안에 들어왔다.

○ 각사의 1원씩을 한경에 나눠 보내 관청[官廨=官衙]을 손보게 했다[修葺].

병신일(丙申日-27일)에 태백성이 심성(心星)을 범했다.

정유일(丁酉日-28일)에 비소로 응양위(鷹揚衛)[80]에 4번(番)을 두었다.

○ 애초에 상이 지신사 박석명에게 명해 뜻을 전해[傳旨] 말했다. "『경제육전(經濟六典)』의 한 조목 안에 '한량관(閑良官)[81]은 부모의

---

80 조선 초기의 의흥친군(義興親軍)의 10위의 하나다. 1392년(태조 1년) 7월에 설치해 위(衛)에 정3품의 상장군(上將軍)과 종3품의 대장군(大將軍)을 두어 통솔하게 했다.

81 유향소(留鄕所)는 지방 군(郡)·현(縣)의 수령(守令)을 보좌한 자문기관(諮問機關)으로 수령의 아문(衙門)에 다음가는 중요한 관아라 하여 이아(貳衙)라고 불렸으며 향소(鄕所), 향소청(鄕所廳)이라고도 했다. 이 제도는 고려의 사심관(事審官)에서 유래된 것으로 초기에는 덕망이 높고 문벌이 좋은 사람을 사심관으로 삼다가 말기에는 전함(前銜-전직) 품

상장(喪葬), 질병(疾病)을 제외하고 까닭 없이 삼군부(三軍府)의 숙위(宿衛)에 만 100일 동안 나오지 아니할 경우 그가 받은 전지(田地)를 다른 사람이 진고(陳告-신고)하여 과수(科受)하도록 허락한다'고 했다. (그러니) 수전패(受田牌)[82]와 무수전패(無受田牌)를 혁파하고, 성중애마(成衆愛馬)[83]인 사람 가운데 각기 원하는 바에 따라 그 강장(强壯)하여 가히 벼슬할 만한 자나, 한량 자제(閑良子弟) 가운데 벼슬길에 들어서기를 자원하는 자를 잘 골라, 고려의 성중애마의 예에 의해 4번(番)으로 나누어 그 액수(額數-인원수)를 정하고 성중애마의 명호(名號)와 각 품(品), 도목(都目), 천전(遷轉), 거관(去官)의 법은 주장관(主掌官-담당관)이 계문(啓聞)하라. 그중에 연로하거나 병이 심한 사람 등은 모두 향리(鄕里)로 돌려보내 그 생업에 편안히 전념하게 하고 그들이 받은 전지는 환수(還收)하지 말도록 하라."

관(品官)들을 사심관에 임명해 이를 유향품관(留鄕品官) 혹은 한량관(閑良官)이라 했다.

82 조선 전기 토지를 지급받고 군역을 수행한 중앙군이다. 고려 말 과전법(科田法) 실시와 더불어 생겨나서 1401년(태종 1년) 처음으로 그 명칭이 보이고 세조 때 직전법(職田法)의 실시로 없어진 것으로 보인다. 고려 말 과전법에서는 현직 관료뿐만 아니라 관직이 없는 한량관(閑良官)이나 사대부의 자제들에게도 토지를 지급했다.

83 고려시대 및 조선시대 왕의 시종과 궁궐의 숙위를 담당하거나 각 관사(官司)에 속해 장관을 시종하던 관인층이다.

庚午朔 陰雨.
경오 삭 음우

下求言敎書. 敎曰:
하 구언 교서 교왈

'予以凉德 托於一國臣民之上 仰思太上創業之不易 俯念小子
여 이 양덕 탁 어 일국 신민 지 상 앙사 태상 창업 지 불이 부념 소자

持守之艱難 夙夜祗懼 敬天勤民 常慮下情未獲上達 置申聞鼓
지수 지 간난 숙야 지구 경천 근민 상려 하정 미획 상달 치 신문고

以伸冤抑. 乃緣寡昧不明于德 莅祚以來 災異荐至 再降敎旨
이신 원억 내 연 과매 불명 우덕 이조 이래 재이 천지 재강 교지

求聞讜言 要皆可用 而未盡擧行 以致失信之多. 邇者 大風拔木
구문 당언 요 개 가용 이 미진 거행 이치 실신 지 다 이자 대풍 발목

久雨害穀 山岳崩頹 廬舍漂溺 陰沴之災 未有慘於今日. 傷和
구우 해곡 산악 붕퇴 여사 표익 음려 지 재 미유 참 어 금일 상화

致異 咎實在予 痛自刻責 若隕于淵.
치이 구 실 재여 통자 각책 약 운 우연

己德有虧 何以修之 國政有失 何以改之? 施爲何以合天 享祀
기 덕 유휴 하이 수지 국정 유실 하이 개지 시위 하이 합천 향사

何以感神? 典禮豈盡敍秩 紀度豈盡修明? 用舍豈盡得宜 請謁
하이 감신 전례 기진 서질 기도 기진 수명 용사 기진 득의 청알

豈盡不行? 銓選若何而有壅 詞訟若何而久滯? 風俗若何而不美
기진 불행 전선 약하 이 유옹 사송 약하 이 구체 풍속 약하 이 불미

賦役若何而不均? 豪强豈無其撓法 姦猾豈無其肆暴? 刑罰豈無
부역 약하 이 불균 호강 기무 기 요법 간활 기무 기 사포 형벌 기무

其冤屈 法令豈無其紛更? 怨咎隱於無形而未著歟 禍患藏於所忽
기 원굴 법령 기무 기 분경 원구 은어 무형 이 미저 여 화환 장어 소홀

而未覺歟? 興言及茲 深用惕厲. 致災之故何由 弭災之術安在?
이 미각 여 흥언 급자 심용 척려 치재 지고 하유 미재 지술 안재

咨爾大小臣僚 時散六品以上 如有欲言者 上自寡昧闕失 下至
자 이 대소 신료 시산 육품 이상 여유 욕언 자 상자 과매 궐실 하지

民生利病 毋嫌訐直 毋憚權貴 指陳所懷 悉言無諱. 予其納採 以
민생 이병 무혐 알직 무탄 권귀 지진 소회 실언 무휘 여기 납채 이

裨治道 言雖不中 亦且優容. 於戲! 惟失德所以致災 故當罪己而

修省; 蓋求言將欲改過 敢不虛懷而聽從! 各盡乃心 以補予治.'

癸酉 太白晝見. 甲戌亦如之.

乙亥 封元子禔爲王世子 下敎書布告中外 宥境內. 敎書曰:

'自古帝王早建儲副 所以崇國本定民志也. 予以否德 承先祖

積累之德 紹太上創垂之統 負荷之重 懼不克堪. 載惟王化 必資

內助 乃於踐祚之初 卽命靜妃閔氏 正位中宮 從典禮也. 惟元子

禔 居嫡長之地 有岐嶷之資. 然未知禮讓 將何以親賢 不習古訓

亦何以補治? 肆令就學 蓋有年矣. 比者 宗親台輔僉言懇請 主鬯

承祧 固不可虛 監國撫軍 亦所當慮 而元子仁孝天成 學問日就

宜宅儲位 以係衆心. 予乃勉循輿情 於今月初六日 授以冊印

立爲王世子. 因茲大慶 當布殊恩. 自永樂二年八月初六日昧爽

以前 除①謀叛大逆 殺祖父母父母 妻妾殺夫 奴婢殺主 蠱毒

魘魅 但犯强盜 謀故殺人外① 已發覺未發覺 已結正未結正 罪無

輕重 咸宥除之. 於戲! 凡爾中外臣僚 思盡厥誠 共毗元良之德:

交修乃職 永建太平之基.'

世子上箋謝恩.

以崔有慶判漢城府事 李至判恭安府事 金英烈參判承樞府事

李貴齡判承寧府事 閔無疾知議政府事兼左軍摠制 權弘永嘉君

咸傳霖東北面都巡問察理使兼兵馬都節制使兼永興府尹.

置敬承府司尹 少尹 判官 丞 注簿各一. 世子府也.

丁丑 御正殿 受議政府百官陳賀. 賀封世子也.

賜水軍都指揮使金英烈表裏. 英烈獲倭船一隻 生擒者六. 賜

僉節制使張仲奇 尹世珍段子各一匹.

戊寅 梨華.

己卯 司諫院上疏. 疏曰:

'首領之任 親執文簿 承稟上官 其任也. 議政府舍人 司平府

經歷 皆爲四品 而各道監司首領 率皆三品 資級之高 或至通政.

願自今中外經歷 一依議政府舍人例 竝除四品.'

允之. 其軍官則一位嚴於一位 承樞府經歷 通政爲限.

庚辰 上朝太上殿.

下前政堂李元紘 前典書河自宗 鄭睦 宋義蕃于巡禁司. 初

全普門妻宋氏淫奔 坐此其奴婢皆屬公. 宋氏 國之貴姓 故其餘

奴婢亦多. 宋氏之族及宋氏外家姜氏之族 皆滿朝 故判書許錦稱

宋氏養子 專執其奴婢. 國初 宋氏之族若平壤府院君趙浚 驪興

府院君閔霽 姜族若興安君李濟 晋山府院君河崙 星山君李稷等

士大夫數十家相訟 率皆屬公. 錦之子惜欲還執 擊申聞鼓 上令

臺諫刑曹議決 又皆屬公. 姜族自宗 睦 義蕃等數十人上書駕前.

上素知其實 皆下巡禁司 流自宗等首謀者四人 放元紘.

甲申 上親祭于仁昭殿 遂詣上王殿獻壽.

命星山君李稷 平原君趙璞 前知議政府事李詹 前府尹韓理 前
<small>명 성산군 이직 평원군 조박 전지 의정부 사 이첨 전부윤 한리 전</small>

雞林府尹柳觀 前承樞府提學李廷堅 日坐成均館 訓諸生.
<small>계림 부윤 유관 전 승추부 제학 이정견 일좌 성균관 훈 제생</small>

乙酉 李杏 林檎華.
<small>을유 이행 임금 화</small>

己丑 命議政府 議臺諫上疏以聞. 司憲府上疏:
<small>기축 명 의정부 의 대간 상소 이문 사헌부 상소</small>

‘一, 傳曰:"勞於求賢 逸於得人." 此人主之所當體念也. 苟選
<small>일 전왈 노어구현 일어득인 차 인주 지 소당 체념 야 구선</small>

賢才 而列于庶官 責其成功 則事無不擧 而庶績其凝 至如簿書
<small>현재 이열우서관 책기성공 즉사무불거 이서적기응 지여 부서</small>

獄訟瑣屑之事 則有司存焉 非人主之所悉知也. 庶獄庶愼 文王
<small>옥송 쇄설 지사 즉유사존언 비인주지소실지야 서옥 서신 문왕</small>

罔敢知于玆 此文王之所以致成周之治也. 願自今 依經濟六典
<small>망감 지우자 차문왕지소이치성주지치야 원자금 의 경제육전</small>

本府受判內 令訟者各訟攸司; 其於大內 直呈所志者 一切禁止.
<small>본부 수판 내 영송자 각송 유사 기어 대내 직정 소지 자 일절 금지</small>

一, 傳曰:"民惟邦本 本固邦寧." 殿下深居九重 端拱垂衣 其
<small>일 전왈 민유방본 본고방녕 전하 심거 구중 단공 수의 기</small>

草野蒸民 祁寒暑雨 怨咨之情 豈能徧察! 守令者 近民之職 民間
<small>초야 증민 기 한서우 원자 지정 기능편찰 수령 자 근민 지직 민간</small>

利害 無不知之. 願自今 俾守令採訪民間利害 每於春秋 以報
<small>이해 무불 지지 원자금 비 수령 채방 민간 이해 매어 춘추 이보</small>

監司 考其得失 一申大內 一報都堂 一關憲司 因而考察 其利者
<small>감사 고기득실 일신 대내 일보 도당 일관 헌사 인이 고찰 기 이자</small>

取之 害者去之 以爲恒式 則聰明廣而下情達 德澤洽而邦本寧.
<small>취지 해자 거지 이위 항식 즉총명광 이하정 달 덕택 흡 이 방본 녕</small>

一, 在內諸君 異姓諸君 近來或闕於朝會行幸 以至朝廷使臣
<small>일 재내 제군 이성 제군 근래 혹궐 어 조회 행행 이지 조정 사신</small>

迎送之際 怠於扈從. 自今凡朝會行幸迎送 竝從百官之禮 以爲
<small>영송 지제 태어 호종 자금 범 조회 행행 영송 병종 백관 지례 이위</small>

盛朝之成憲.
<small>성조 지 성헌</small>

一, 京畿所仰司宰 繕工 司僕 乳牛所 東西瓦窰等各司納正炭
<small>일 경기 소앙 사재 선공 사복 유우소 동서 와요 등 각사 납 정탄</small>

燒木 穀草及凡輸納之物 監司守令 未能及時督納 乃當正農之
<small>소목 곡초 급 범 수납 지물 감사 수령 미능 급시 독납 내당 정농 지</small>

時 稱爲未收 嚴急徵納 以廢農業 民不聊生. 願自今 正炭 燒木
<small>시 칭위 미수 엄급 징납 이폐 농업 민불 요생 원자금 정탄 소목</small>

穀草及各司納貢物 都計一年經費之數 須當秋收以後農業未興之
곡초 급 각사 납 공물 도계 일년 경비 지수 수당 추수 이후 농업 미흥 지

前 督令畢納 以革前弊.
전 독령필납 이혁전폐

一, 以小事大 古今之通義也. 況我朝僻處海陬 語音殊異 因
일 이소 사대 고금 지통 의야 황 아조 벽처 해추 어음 수이 인

譯以達 故司譯之任 誠爲重矣. 近來司譯之學 但習漢語 而不知
역이달 고 사역 지임 성위중의 근래 사역 지학 단습 한어 이부지

經史之學 朝廷使臣 有語及經史 則懜然不知 失於應對 深爲
경사 지학 조정 사신 유어급 경사 즉 몽연 부지 실어 응대 심위

國家之所羞. 願自今 擇善於漢語而明經學者 爲訓導官 敦諭後進
국가 지소수 원자금 택선어 한어 이명 경학 자 위 훈도관 돈유 후진

博通譯語 詳明經學 以達朝廷使臣之意.
박통 역어 상명 경학 이달 조정 사신 지의

一, 應奉司 掌一國文書 其學文之士 悉皆屬焉 至於漢吏之文
일 응봉사 장 일국 문서 기 문문 지사 실개 속언 지어 한이 지문

獨唐誠掌之. 若一朝有故 則不學之人 難辦其任. 願自今 擇文翰
독 당성 장지 약 일조 유고 즉 불학 지인 난판 기임 원자금 택 문한

之士聰明博學果藝②者 預習吏文 以備他日之用.
지사 총명 박학 과예 자 예습 이문 이비 타일 지용

一, 近來火㷁軍加定之時 不考奴婢多少 年歲老弱 唯據田積而
일 근래 화통군 가정 지시 불고 노비 다소 연세 노약 유거 전적 이

加之 故有宜減而加者 亦有宜加而減者. 若不更定 則不勝其役 而
가지 고유 의감 이가자 역유 의가 이감자 약불 갱정 즉 불승 기역 이

流亡相繼矣. 乞令各道觀察使 詳考各司各官奴婢賤籍 十五以上
유망 상계 의 걸령 각도 관찰사 상고 각사 각관 노비 천적 십오 이상

五十以下 年歲名數 具錄呈報 都堂更加詳定 俾完火㷁之役.
오십 이하 연세 명수 구록 정보 도당 갱가 상정 비완 화통 지역

一, 沈藏庫提擧 別坐 向上 別監所掌之務 實爲繁劇 每當歲末
일 침장고 제거 별좌 항상 별감 소장 지무 실위 번극 매당 세말

悉令去官 以償其勞 誠勸士之美意也. 然其職任 只在一年之內.
실령 거관 이상 기로 성권 사지 미의 야 연기 직임 지재 일년 지내

是以慮不及來歲之務 各色菜種 不以時收 糞田養牛 亦不經意
시이 여불급 내세 지무 각색 채종 불이 시수 분전 양우 역불 경의

及其耕種之時 必公給菜種之價. 是以菜種匱而耕牛瘠 糞田不時
급기 경종 지시 필 공급 채종 지가 시이 채종 궤이 경우 척 분전 불시

而田不肥. 此無他 居是官者 備之無素故也. 願自今提擧 別坐
이전 불비 차 무타 거 시관 자 비지무 소고 야 원자금 제거 별좌

向上 別監各位 一人去官 一人仍舊. 如是則無曠官廢職之失矣.
항상 별감 각위 일인 거관 일인 잉구 여시 즉 무 광관 폐직 지실 의

又令提調時時考察 以懲其慢: 東西瓦窯判官 亦準此例 毋得一時
去官.'

議政府議: "竝如憲府所申."

'一, 文公家禮云: "身及主婚者 無期以上喪 乃可成婚." 我朝
士大夫之家 身及主婚者 雖在衰絰之中 乃或有許嫁成婚 非獨違
於古禮 風俗澆漓 莫甚於此. 願自今士大夫婚姻之家 皆法文公
家禮 違者痛治.'

議政府議: "父母喪三年內及期年喪百日內 禁婚嫁: 有期以上
喪 主婚者勿禁."

司諫院疏:

'一, 五部敎授官 擇除通經醇謹之士以敎養之. 其生徒之能通
孝經 小學 四書 文公家禮者 升之小學 令成均正錄所 敦加敎養:
其通三經已上 孝悌謹厚 許赴監試 升于成均: 擇其能通五經
通鑑而德行著聞者 方許赴試: 其輕薄不謹之輩 雖才學出衆 屛斥
不納. 於其姓名記錄之際 必令其父兄親戚朋友 錄其實德 告于
有司 有司以其中試者德行 保擧人職名 送于憲司 憲司籍記而藏
異日中試之徒 如有犯不謹之罪者 幷坐保擧之人 永爲恒式.

外而州縣鄕校 亦擇通經老成之士 以充敎授 令守令考其勤怠.
守令以爲餘事 而不加敦養者 監司隨卽譴責. 其守令襃貶之際
生徒成材 有無多少 竝載守令名下: 其赴監試鄕試者 一遵上項

260

條式.
조식

昔漢明帝臨雍拜老 唐太宗親詣國學 躬行率下 崇尙學校. 期門
석한 명제 임옹 배로 당 태종 친예 국학 궁행 솔하 숭상 학교 기문

羽林之士 率皆讀書 高昌吐藩之長 遣子入學 儒風丕變 士習
우림 지사 솔개 독서 고창 토번 지장 견자 입학 유풍 비변 사습

鼎新 以成永平 貞觀之治. 今殿下機政之暇 與一二儒臣孜孜講論
정신 이성 영평 정관 지치 금 전하 기정 지가 여 일이 유신 자자 강론

未嘗少弛 或至夜分 其好學樂道之美 誠無愧於前代矣. 願親詣
미상 소이 혹지 야분 기 호학 낙도 지미 성무괴 어 전대 의 원 친예

國學 迎禮耆儒 講明道義 則庶乎中外人民 觀瞻感慕 靡然趨向
국학 영례 기유 강명 도의 즉서호 중외 인민 관첨 감모 미연 추향

成德達才之士 蔚然見用③於世矣.
성덕 달재 지사 울연 견용 어세 의

　議政府議:'監試所以勸之初學之輩 前朝試以十韻詩 其於東堂
의정부 의 감시 소이 권지 초학 지배 전조 시이 십운시 기어 동당

通一經者 許令赴試. 今若須通三經者 許赴監試 非唯違於勸學
통 일경 자 허령 부시 금약 수통 삼경 자 허부 감시 비유 위어 권학

之意 文武子弟 亦皆憚於文科之難④ 而讀書赴試者鮮矣. 其赴試
지의 문무 자제 역개 탄어 문과 지난 이 독서 부시 자선 의 기 부시

記名時 令父兄親戚朋友 錄其實德 告于有司後 若有犯 幷罪
기명 시 영 부형 친척 붕우 녹기 실덕 고우 유사 후 약유범 병죄

擧者 則人皆不堪於文科 而將使文學廢絶矣. 其輕薄不謹之輩
거자 즉인개 불감 어문과 이장사 문학 폐절 의 기 경박 불근 지배

雖才學出衆 屛斥不納 則大抵性氣輕快者 能通學問; 狂狷之士
수 재학 출중 병척 불납 즉 대저 성기 경쾌 자 능통 학문 광견 지사

聖門所取. 若人所共知輕薄不謹者 在所屛斥 其妬才之徒 以能通
성문 소취 약인 소공지 경박 불근 자 재 소병척 기 투재 지도 이 능통

文學者 稱爲輕薄而屛斥之 將至於失賢蔽才 其弊不小. 此三條外
문학 자 칭위 경박 이 병척 지 장지어 실현 폐재 기폐 부소 차 삼조 외

竝如所申何如?'
병여 소신 하여

　一, 先儒曰: "才德兼全 謂之聖人; 才德兼亡 謂之愚人; 德勝
일 선유 왈 재덕 겸전 위지 성인 재덕 겸망 위지 우인 덕승

才 謂之君子; 才勝德 謂之小人." 凡取人之術 與其得小人 不若
재 위지 군자 재승덕 위지 소인 범 취인 지술 여기 득 소인 불약

得愚人⑤ 所以深懼小人之挾才爲惡也. 臣等竊觀 近來用人 專
득 우인 소이 심구 소인 지 협재 위악 야 신등 절관 근래 용인 전

尙才華 不復考其德行 論人之賢否者 必稱才器 而德行道藝之說
상 재화 불부 고기 덕행 논인 지 현부 자 필칭 재기 이 덕행 도예 지설

絶不可聞. 由是爲士者 務以簿書期會之能 便捷應對之工 邀取⑥
절 불가 문 유시 위사 자 무이 부서 기회 지능 편첩 응대 지공 요취

名譽 至於孝悌忠信 則不知爲何事也. 浮薄之風 由是而成: 爭訐
명예 지어 효제 충신 즉 부지 위하 사 야 부박 지풍 유시 이성 쟁알

之俗 於是乎甚. 夫古人有以勤謹和 緩敎人者. 以今觀之 勤謹和
지속 어시 호심 부고인 유이 근근화 완교 인자 이금 관지 근근화

則可矣 緩則當世之罪人也 而猶以是爲貴者 豈非以凡事欲速 則
즉 가의 완즉 당세 지죄인 야 이유 이시 위귀 자 기비 이범사 욕속 즉

必至於差謬失當 而不可復救歟? 願自今用人 專取溫良敦謹
필 지어 차류 실당 이불가 부구 여 원 자금 용인 전취 온량 돈근

才行修著者 其於人倫之道 不親不睦者 雖有絶倫高世之才 擯斥
재행 수저 자 기어 인륜 지도 불친 불목 자 수유 절륜 고세 지재 빈척

於野 不齒於朝 以敦風俗.
어야 불치 어조 이돈 풍속

　議政府議:'父慈而子不孝 兄友而弟不順者 宜加不親不睦之刑
　의정부 의 부자 이자 불효 형우 이제 불순 자 의가 불친 불목 지형

矣. 父母憎愛 或有所偏; 兄弟賢不肖 或有頓異; 人之毁譽 或不
의 부모 증애 혹유 소편 형제 현불초 혹유 돈이 인지 훼예 혹부

當理. 若不究情由 竝皆擯斥 恐有高才見棄 不免冤抑 覈實擯斥
당리 약불구 정유 병개 빈척 공유 고재 견기 불면 원억 핵실 빈척

何如?'
하여

　'一, 書曰: "官不必備 惟其人; 爵罔及惡德 惟其賢." 傳曰:
　일 서왈 관 불필 비 유기인 작 망급 악덕 유기현 전왈

"張官置吏 所以爲民也." 然則設官分職 非欲貴人也 所以用人才
장관 치리 소이 위민 야 연즉 설관 분직 비욕 귀인 야 소이 용 인재

而共天位代天工也. 今者膏粱子弟 自居髫稚 已蒙顯授 豈識民事
이공 천위 대 천공 야 금자 고량 자제 자거 초치 이몽 현수 기식 민사

之艱難 焉知治體之緩急 而又童豎無識之輩 庸俗微賤之流 備員
지간난 언지 치체 지완급 이우 동수 무식 지배 용속 미천 지류 비원

六官 容或有之 其於共天位代天工之意 爲如何哉? 願自今 雖
육관 용혹 유지 기어 공천위 대 천공 지의 위여하 재 원 자금 수

勳親之嗣 年未踰冠者 竝悉停罷 竢其年長 讀書成才 然後量才
훈친 지사 연 미유 관자 병실 정파 사기 연장 독서 성재 연후 양재

授任 其闒茸庸賤之流 不許朝官 以尊天爵 以待賢才.'
수임 기 탑용 용천 지류 불허 조관 이존 천작 이대 현재

　'右條竝如所申何如?'
　우조 병여 소신 하여

　'一, 鰥寡孤獨 吾民之顚連而無告者也. 先王發政施仁 必先
　일 환과고독 오민 지전련 이무고 자야 선왕 발정 시인 필선

斯四者 故漢文帝卽位元年 賑恤困窮 問老賜帛. 是知恤養斯民
사 사자 고 한 문제 즉위 원년 진휼 곤궁 문 로 사백 시 지 휼양 사민

王政之所先也. 今殿下於中外 設置義倉 賑恤元元 若遇凶年
왕정 지 소선 야 금 전하 어 중외 설치 의창 진휼 원원 약 우 흉년

遣使發倉 育養飢餓 施仁至矣. 願自今 於京中及諸郡 置養民院
견사 발창 육양 기아 시인 지의 원 자금 어 경중 급 제군 치 양민원

民之老而無妻無夫無子 幼而無父之徒 傍無親戚之可依生者 皆
민 지 노이 무처 무부 무자 유 이 무부 지 도 방무 친척 지가 의생 자 개

聚之於院 量人給米與布 使之自養自生 及其死也 毋令曝露於野:
취 지 어원 양인 급미여포 사지 자양 자생 급 기사 야 무령 폭로 어야

其幼而孤者 俟其年長 驅之南畝.'
기 유 이 고자 사기 연장 구지 남무

　議政府議:'國用有限 而窮民無窮. 非唯因此國用虛竭 窮民亦
　의정부 의 국용 유한 이 궁민 무궁 비유 인차 국용 허갈 궁민 역

皆仰食於養民院 則不力農畝矣.'
개 양식 어 양민원 즉 불력 농무 의

　'一, 守令 近民之職 民之休戚係焉 故漢光武曰: "郎官上應
　일 수령 근민 지직 민지 휴척 계언 고 한 광무 왈 낭관 상응

列宿 出宰百里. 苟非其人 民受其殃." 臣等竊觀 邇來守令 多出
열수 출재 백리 구 비 기인 민 수 기앙 신등 절관 이래 수령 다출

於保擧 權門請托之輩 閭井庸劣之徒 或相雜列 而監司失於殿最
어 보거 권문 청탁 지 배 여정 용렬 지도 혹 상 잡열 이 감사 실어 전최

其殿序者 亦未聞譴責 而罪及擧主之法 墜地未行. 願自今 宜擇
기 전서 자 역 미문 견책 이 죄급 거주 지법 추지 미행 원 자금 의택

有經術明義理 嘗更吏職 達於政事者 量才授任: 其不學無術 幼
유 경술 명 의리 상경 이직 달 어 정사 자 양재 수임 기 불학 무술 유

不更事者 出身胥吏者 不許濫受. 令監司褒貶啓聞 移文憲司
불경 사자 출신 서리 자 불허 남수 영 감사 포폄 계문 이문 헌사

憲司隨卽譴責 罪先擧主 願如唐太宗之於黨仁弘 雖至親幸 亦不
헌사 수즉 견책 죄선 거주 원여 당 태종 지어 당인홍 수지 친행 역불

赦宥 則僥倖之徒 不得冒進矣.'
사유 즉 요행 지도 부득 모진 의

　議政府議:'人之賢否 不係出身. 槪以吏胥出身 不除守令 則
　의정부 의 인지 현부 불계 출신 개 이 이서 출신 부제 수령 즉

有違於國家用人之義 擇其才能者任用.'
유위 어 국가 용인 지의 택기 재능 자 임용

　'一, 監司之任重矣. 守令之賢否 將帥之臧否 民生之休戚 法令
　일 감사 지임 중의 수령 지 현부 장수 지 장부 민생 지 휴척 법령

之廢擧 摠于一身. 其或一者失中 則萬事差謬 其爲任 豈不重也?
지 폐거 총 우 일신 기 혹 일자 실중 즉 만사 차류 기 위임 기 부중 야

臣等竊意 監司之任 切忌邀名附勢 利析秋毫 庸愚剛愎 驕矜
신등 절의 감사 지임 절기 요명 부세 이석 추호 용우 강퍅 교긍

夸靡之輩. 夫庸愚則昧於設施 剛愎則失於舉措 驕矜夸靡則細民
과미 지배 부용우 즉매어 설시 강퍅 즉실어 거조 교긍 과미 즉세민

不得親近 而下情未達 邀名附勢則急於功利 而公道廢矣. 夫
부득 친근 이 하정 미달 요명 부세 즉급어 공리 이 공도 폐의 부

利析秋毫者 是桑弘羊 孔僅之徒事漢武 困人之術 非盛朝敦化
이석 추호 자 시 상홍양 공근 지도사 한무 곤인 지술 비 성조 돈화

宜民之道也. 傳曰: "與其有聚斂之臣 寧有盜臣." 此之謂也. 是以
의민 지도야 전왈 여기 유 취렴 지신 영유 도신 차지위야 시이

守令殿最 或迫於權勢威逼 或出於路館之修廢. 簿書期會 或有
수령 전최 혹박어 권세 위핍 혹출어 노관 지 수폐 부서 기회 혹유

以激之; 謠言謗辭 或得以信之. 其見褒者 率多姦巧便捷之輩 而
이 격지 요언 방사 혹득이 신지 기견포 자 솔다 간교 편첩 지배 이

安靜循良之吏 負弘濟之器 懷月計之才 反在殿序 黜陟幽明之
안정 순량 지리 부 홍제 지기 회 월계 지재 반재 전서 출척 유명 지

道安在? 願自今 與大臣三府議 擇剛明正大寬厚之臣 諭及臺諫
도 안재 원 자금 여 대신 삼부 의 택 강명 정대 관후 지신 유급 대간

六曹可否 然後分遣諸道 毋數更遣 責其政績; 其或徇私 不明於
육조 가부 연후 분견 제도 무삭 경견 책기 정적 기혹 순사 불명 어

黜陟之任者 憲司深加劾糾 以明殿最之法.'
출척 지임 자 헌사 심가 핵규 이명 전최 지법

議政府議: '令臺諫薦望差遣.'
의정부 의 영 대간 천망 차견

皆允之.
개 윤지

庚寅 命三府二品以上各一員 每朝詣闕啓事 以爲恒式.
경인 명 삼부 이품 이상 각 일원 매조 예궐 계사 이위 항식

司諫院上疏請誅朴蔓 任純禮及張思靖 不允. 疏略曰:
사간원 상소 청주 박만 임순례 급 장사정 불윤 소 약왈

'魯國失刑 隕霜不殺草 肆大眚 春秋譏之. 凡與於思義之亂者
노국 실형 운상 불살 초 사 대생 춘추 기지 범여어 사의 지란자

皆伏誅 朴蔓 任純禮 掌印調兵者也. 却不卽刑 流貶于外 今已
개 복주 박만 임순례 장인 조병 자야 각 부즉형 유폄 우외 금이

蒙宥; 花城君張思靖 往年殺人於都街 今又擅殺人命 其罪之重
몽유 화성군 장사정 왕년 살인 어 도가 금우 천살 인명 기죄 지중

不可宥也. 皆令攸司 明正其罪.'
불가 유야 개 영 유사 명정 기죄

壬辰 江原道平康縣雨雹五寸 鴻雁死.
임진 강원도 평강현 우박 오촌 홍안 사

前參贊門下府事金湊卒. 停朝三日.
전 참찬 문하부 사 김주 졸 정조 삼일

癸巳 命議政府 議憲府上疏奴婢事以聞. 司憲府疏曰: '奴婢
계사 명 의정부 의 헌부 상소 노비 사 이문 사헌부 소왈 노비

爭訟無有已期. 願令攸司別其是非 新作公文一道 各給本主 其舊
쟁송 무유 이기 원 영 유사 별기 시비 신작 공문 일도 각급 본주 기

文一皆燒毀.'
일개 소훼

下議政府 令三府及宗親耆老擬議以聞. 府院君閔霽 河崙 政丞
하 의정부 영 삼부 급 종친 기로 의의 이문 부원군 민제 하륜 정승

趙浚 李舒及兩府耆舊 皆以爲可 獨成石璘等五人以爲不可. 崙
조준 이서 급 양부 기구 개 이위 가 독 성석린 등 오인 이위 불가 륜

徐曰: "訴誤決者及據執爭訟者 細分然後 新作公文 分給爲宜."
서왈 소 오결 자 급 거집 쟁송 자 세분 연후 신작 공문 분급 위의

甲午 議政府請立勳親之嗣加冠從仕之法. 政府疏曰:
갑오 의정부 청립 훈친 지사 가관 종사 지법 정부 소왈

'司諫院受判內一款: "今者膏粱子弟 自居髫稚 已蒙顯授 豈
사간원 수판 내 일관 금자 고량 자제 자거 초치 이몽 현수 기

識民事之艱難 焉知治體之緩急? 願自今 勳親之嗣 年未踰冠
식 민사 지 간난 언지 치체 지 완급 원 자금 훈친 지사 연 미유 관

者 竝悉停罷 俟其年長 讀書成才 然後量才授任." 今月二十三日
자 병실 정파 사 기 연장 독서 성재 연후 양재 수임 금월 이십 삼일

知申事朴錫命奉傳王旨: "古禮二十而冠 文公家禮十五而冠. 今
지신사 박석명 봉전 왕지 고례 이십 이관 문공 가례 십오 이관 금

子弟從仕年歲 以十六七歲以上 擬議申聞." 本府議得. "古者二十
자제 종사 연세 이 십육 칠세 이상 의의 신문 본부 의득 고자 이십

而冠 三十而有室 四十強仕. 大抵人道 古今異宜 後世之人 冠婚
이관 삼십 이유실 사십 강사 대저 인도 고금 이의 후세 지인 관혼

從仕 皆於二三十. 冠禮 依文公家禮十五歲; 從仕參酌古今 十八
종사 개 어 이삼 십 관례 의 문공 가례 십오 세 종사 참작 고금 십팔

歲時 許令入仕; 其愚懦不學者 待其學問能知禮義 然後方許
세 시 허령 입사 기 우해 불학 자 대 기 학문 능지 예의 연후 방 허

入仕." 允之.
입사 윤지

乙未 命世子謁宗廟于漢京 各司一員從之.
을미 명 세자 알 종묘 우 한경 각사 일원 종지

鹿入城中.
녹 입 성중

分遣各司一員于漢京 修葺官廨.
분견 각사 일원 우 한경 수즙 관해

丙申 太白犯心星.
병신 태백 범 심성

丁酉 始置鷹揚衛四番.
정유 시 치 응양위 사번

初 上命知申事朴錫命傳旨曰:
초 상명 지신사 박석명 전지 왈

"經濟六典一款內: '閑良官 除父母喪葬疾病外 無故不赴
경제육전 일관 내 한량관 제 부모 상장 질병 외 무고 불부

三軍府宿衛滿百日者 其所受田 許人陳告科受.' 受田牌及無
삼군부 숙위 만 백일 자 기 소수 전 허 인 진고 과수 수전패 급 무

受田牌革罷 愛馬人內 各從所願 擇其强壯可仕者 閑良子弟自願
수전패 혁파 애마 인 내 각종 소원 택기 강장 가사 자 한량 자제 자원

入仕者 依前朝愛馬之例 分爲四番 定其額數 愛馬名號及各品
입사 자 의 전조 애마 지 례 분위 사번 정기 액수 애마 명호 급 각품

都目遷轉去官之法 主掌官啓聞 其中年老篤疾人等 竝放還鄉里
도목 천전 거관 지법 주장관 계문 기중 연로 독질 인등 병 방환 향리

使安其業 所受田地 勿令還收."
사안 기업 소수 전지 물령 환수

| 원문 읽기를 위한 도움말 |

① 除謀叛大逆 殺祖父母父母 妻妾殺夫 奴婢殺主 蠱毒魘魅 但犯强盜 謀故
   제 모반 대역 살 조부모 부모 처첩 살부 노비 살주 고독 염매 단범 강도 모고
殺人外. '除~外'의 구문으로 '~를 제외하고'라는 뜻이다. 일반적으로
살인 외 제 외
除外보다는 '除~外'라는 구문으로 사용된다.
제외 제 외

② 果藝者. 여기서 果는 '~에 능하다, 뛰어나다'라는 뜻이다.
   과예 자 과

③ 見用. 見은 수동형을 만드는 일종의 조동사다.
   견용 견

④ 非唯違於勸學之意 文武子弟 亦皆憚於文科之難. '非唯~亦~'은 '단지
   비유 위 어 권학 지 의 문무 자제 역 개 탄 어 문과 지 난 비유 역
~일 뿐만 아니라 ~도 또한 ~'이라는 구문이다.

⑤ 與其得小人 不若得愚人. '與其~不若~'은 '~라기보다는 차라리 ~가
   여기 득 소인 불약 득 우인 여기 불약
낫다'라는 구문이다. '與其~寧~'과 거의 같은 구조다.
여기 녕

⑥ 邀取. 여기서 邀는 求와 같은 뜻으로 일종의 조동사 역할을 한다.
   요취 요 구

태종 4년 갑신년
9월

九月

기해일(己亥日-1일) 초하루에 세자가 종묘에 알현했다[見].
_현

○ 성산군(星山君) 이직(李稷)과 취산군(鷲山君) 신극례(辛克禮, ?~1407년)¹를 한경(漢京)의 이궁조성도감제조(離宮造成都監提調)로 삼았다. 태상왕(太上王)이 지신사 박석명(朴錫命)을 불러 상에게 뜻을 전하게 하여 말했다.

"처음으로 내가 한양(漢陽)에 천도(遷都)했으니 천도하여 옮기는 [遷徙=遷動] 번거로움을 내가 어찌 모르겠는가? 그러나 송도(松都)
_{천사 천동}
는 왕씨(王氏)의 구도(舊都)이니 그냥 그대로 이곳에 머물러서는 안 된다. 지금 왕이 다시 이곳에 도읍(都邑)하려는 것은 시조(始祖)의 뜻에 따라 움직이는 것이 아니다."

상이 의정부에 뜻을 내려[下旨] 말했다.
_{하지}

"한성(漢城)은 우리 태상왕께서 창건한 땅이고 사직과 종묘가 있다. 오래 비워두고[曠] 거주하지 않으면 거의 선조의 뜻을 이어받
_광
는 효도가 아닐 것이다. 명년 겨울에는 내가 마땅히[宜] 옮겨 그곳에
_의

---

1 1차 왕자의 난 때 상장군으로 있으면서 공을 세워 좌명공신(佐命功臣) 1등에 녹훈되고 취산군(鷲山君)에 봉해졌다. 정종·태종 연간에 예조전서, 좌군동지총제(左軍同知摠制) 등의 벼슬을 역임했다. 1407년(태종 7년) 민무구(閔無咎)·민무질(閔無疾) 등과 함께 종친 간을 이간질했다 하여 이화(李和) 등의 탄핵을 받아 강원도 원주에 유배됐으나 태종의 배려로 자원부처(自願付處)하게 됐다.

머물 터이니 마땅히 궁실을 손질하게 해야[修葺] 할 것이다."
드디어 이 같은 명이 있었다.

경자일(庚子日-2일)에 이저(李佇), 민무구(閔無咎) 등을 내전(內殿)으로 불러 술자리를 베풀었다.

신축일(辛丑日-3일)에 상왕이 내관(內官)을 시켜 술과 안주[酒饌]를 임진(臨津)나루에 보냈다. 세자가 (개경으로) 돌아오는 것을 맞이하기 위함이었다. 삼부(三府)에서도 술과 안주를 준비해 천수사(天水寺)[2]에서 맞이했다.

계묘일(癸卯日-5일)에 삼부(三府)에 명해 진언(陳言)했던 조목(條目)을 다시 토의해 아뢰도록 했다.

병오일(丙午日-8일)에 사은사(謝恩使) 여칭(呂稱, 1351~1423년)[3]이

---

2 개경과 한양의 중간쯤인 장단군에 있던 절이다.

3 고려 말기에 문과에 급제해 사헌부 규정, 전라도 안렴사, 전법총랑(典法摠郞), 전리총랑(典理摠郞) 등을 역임한 뒤 공주와 나주의 목사 등을 지냈다. 1392년 조선이 개국되자 양광·경상·전라도의 조전부사(漕轉副使)가 됐다. 이어 판합문사(判閤門事-합문판사) 승추부 우군동지총제(承樞府右軍同知摠制) 등을 역임했을 때에는 근면하고 치밀한 사람으로 정평이 있었다. 그 뒤 강원도 관찰사로 나갔다가 돌아와서 의정부 참지사가 되었다. 1400년(정종 2년) 병조전서(典書)가 되고, 1402년(태종 2년) 태상왕이 된 태조가 북쪽지방을 순행할 때 동북면의 도순문찰리사(都巡問察理使)로 배종했다. 그리고 이때인 1404년에 사은사가 되어 명나라에 들어가서 왕실의 계통이 잘못 전해진 것을 바로잡는 데 힘쓰는 한편 그때 명나라에 억류돼 있던 우리 동포들을 본국으로 송환하는 데 노력했다. 명나라에서 돌아와 곧 서북면의 도순문찰리사로 병마도절제사를 겸했다. 1407년

(명나라) 예부자문(禮部咨文)을 싸 가지고 경사(京師)에서 돌아왔다. 자문은 이러했다.

'지난번에 삼가 폐하의 명에 입각해[欽依=欽遵] 조선국(朝鮮國)에서 이보다 앞서 언급한 사건을 살펴보건대[照得] 충군(充軍)된 범인(犯人)은 이미 운남(雲南-윈난) 등지에 가 있었고 군민아문(軍民衙門)에서 자세히 조사한[挨査] 뒤에 잇달아 해당 운남도사(雲南都司)에서 조서(曹庶) 등 5명을 보내왔으므로 그들을 석방해 본국에 돌아가도록 했습니다. 이제 해당 본사(本司)에서 또 진귀명(陳貴名) 등 11명과 아울러 처자[家小]를 보내와 본부(本部)에 도착했기에 심문(審問)했더니, 각인(各人)의 처자는 모두 금치위(金齒衛)에서 이미 물고(物故)한⁴ 군민(軍民)의 처(妻)와 딸을 취(娶)해 아내로 삼아 낳은 남녀였습니다. 본부에서 참고하여 조사했더니 진귀명(陳貴名) 등은 모두 법을 어겨 충군한 인수(人數)였으나, 황상(皇上)의 은혜로운 사면[恩宥]을 삼가 입었기에 석방하여 본국으로 돌려보냅니다. 또 중국인 부녀자를 장차 데리고 가고자 하는데 준허(准許)하기가 어렵고, 이치상으로 본위(本衛)에 보내 친척에게 의지하게 하는 것이 합당하나, 영락(永樂) 2년⁵ 6월 초8일에 갖춰 주문(奏聞)한 절해(節該)⁶에 "폐하

에 개성유후사유후(開城留後司留後)를 거쳐 1413년 좌군도총제(左軍都摠制)가 됐고, 그해에 형조판서가 됐다. 1414년 의정부 지사가 됐으며 그해에 흠문기거부사(欽問起居副使)가 돼 명나라에 다녀와서 곧 사직, 은거했다.

4 죄지은 사람을 죽이는 것을 가리킨다.

5 1404년, 조선 태종(太宗) 4년이다.

6 공문서(公文書)의 해당 구절(句節)을 간추려 기재(記載)하는 것을 가리킨다. 『이문집람(吏文輯覽)』에 보면 "성지(聖旨)와 공문서(公文書)에는 반드시 수절(首節)에다 절해(節該) 두

의 명에 입각해 그 데리고 가는 것을 모두 허락한다"고 했으므로 상사(賞賜)와 구량(口糧-식량)은 전례에 따라 매호(每戶)에 다시 초(鈔)[7] 5정(錠)[8]을 더 주니, 지금처럼 조선국(朝鮮國)에서 사신이 와서 진공(進貢)함이 있거든 그때 같이 사람을 보내와 그들을 수령(受領)하여 돌아가도록 할 것입니다. 흠준(欽遵)하여 상(賞)을 준 것이 이미 적당한 각인(各人) 가운데 곧 차견(差遣)하여 온 사신 참지의정부사(參知議政府事) 여칭(呂稱) 등으로 하여금 수령하여 돌아가게 하는 것을 제외(除外)하고는 이치상으로 일일이 써서 이자(移咨)하여 본국에서 알아서 시행하는 것이 합당하므로 이에 자문을 보내드리는 것이니, 석방하여 돌아가는 남자와 부녀자를 모두 합하면 남자가 11명(名)이고 처자가 16구(口)입니다.'

○ 사역원지사(司譯院知事) 장홍수(張弘壽)가 (원래의) 숫자를 보충하는[補數] 소 18마리를 몰고 요동(遼東)으로 갔다.
보수

○ 상이 내관(內官) 주신(朱信)과 급사중(給事中) 마영종(馬榮宗)과 관해위 천호(觀海衛千戶) 진생(陳生) 등의 일로 요동에 자문을 보

자(字)를 덧붙이는데 이는 바로 그 구절(句節)을 간략히 한 것이다"라고 했다.

7   교초(交鈔), 즉 금나라, 원나라 시대에 발행된 일종의 지폐다. 명(明)나라 때에는 보초(寶鈔)라 했다. 금나라는 송나라 때 사용하던 교자(交子)를 이어받아 12세기에 교초고(交鈔庫)나 성고(省庫)에서 교초(交鈔)를 발행했고 후에는 통용기간을 폐지했다. 일정한 태환(兌換)준비금을 기초로 하여 많은 액수의 지폐를 발행할 수 있었기 때문에, 특히 동자원(銅資源)이 고갈 상태에 있던 남송(南宋) 이후 점차 발행량이 증가했다. 전란기(戰亂期)에는 통화가치가 하락해 백성들이 고통을 겪었다. 금나라 말기에는 지폐의 가격 유지를 위해 여러 차례 신교초(新交鈔)를 발행하여 교초의 전용을 강제했으나, 민간에서는 오히려 신용이 확실한 은(銀)을 사용했다.

8   교초 5장(張)이 1정(錠)이다.

냈다[移咨]. 진생 등은 산해위(山海衛)에 양곡(糧穀)을 운반하다가
폭풍을 만나 풍주진(豊州鎭)⁹에 이르렀는데 그 사유(事由)를 갖춰 이
자(移咨)한 것이다.¹⁰

정미일(丁未日-9일)에 한경(漢京)에 이궁(離宮)을 지을 자리를 상지
(相地)하도록[卜] 명했다. 유한우(劉旱雨), 윤신달(尹莘達), 이양달(李
陽達)¹¹을 보내 그곳을 상지했다.

기유일(己酉日-11일)에 성석린(成石璘), 조준(趙浚), 이무(李茂), 조영
무(趙英茂), 이직(李稷), 권근(權近) 등을 불러 정사에 관해 의견을 나
눴다[議事]. 상이 말했다.
"대저 백성들의 마음은 어짊이 있는 이[有仁=有仁者]를 마음에 품
는 것인데 건문(建文)¹²은 너그럽고 어진데도[寬仁] 망했고 영락(永
樂)은 형살(刑殺)을 많이 행했는데도 흥한 것은 어째서인가?"
준(浚)이 대답했다.
"다만[徒=但] 너그럽고 어진 것만 알았을 뿐, 기강(紀綱)을 세우지

---

9 지금의 황해도이며 조선 초기에는 진(鎭)을 설치하여 병마사를 두었고, 1413년(태종 13)
   에 풍천군(豊川郡)으로 고쳤으며, 그해에 은율현을 합쳐 풍률군(豊栗郡)이라 했다가 뒤에
   이를 다시 나눴다. 지금의 풍해면 지역으로 추정된다.
10 주신과 마영종은 일본으로 가려다가 앞서 7월에 탐진포에 표류해 도움을 청한 바 있다.
11 세 사람 모두 서운관(書雲觀) 관리로 풍수에 능했던 사람들이다.
12 명나라 두 번째 황제 혜제(惠帝)인데 연호인 건문으로 부르고 있다. 영락도 성조(成祖)인
   데 마찬가지다. 물론 혜제나 성조는 묘호이기 때문에 성조의 경우에는 특히 아직 그런
   시호가 없을 때다.

않았기 때문입니다.""13

상은 그렇다고 여겼다.

경술일(庚戌日-12일)에 제릉(齊陵)14에서 비(碑)를 둘러보고 드디어 호곶(壺串)에서 매를 날리는 것[放鷹]을 구경하다가 밤에 돌아왔다. 사간원에서 글을 올려 이렇게 말했다.

"상께서 행행(行幸)하시는데 각사(各司)에서 호종(扈從)하지 않은 것은 잘못입니다."

상이 사간원 장무(掌務)를 불러 가르쳐[敎] 말했다.

"제릉에 비를 세운 뒤에 곧바로 가서 구경하려 했으나 마침[適] 조정의 사신이 서로 잇달아 오고 또 더위가 심해 아직 실행하지 못하고 있었다. 제릉은 땅이 좁아 각사에서 시립(侍立)할 자리가 없는 까닭으로 각사에서 시위(侍衛)하는 것을 없앴다. 이에 그 비(碑)와 재궁(齋宮)의 영선(營繕)을 구경하고 돌아가는 길에 매 날리는 것을 구경했을 뿐이요, 내가 친히 활과 화살을 차고 말을 내달린 것은 아니다. 지난해 겨울에 고묘례(告廟禮)15를 행하고자 하여 한경(漢京)으로 향

---

13 『서경(書經)』「우서(虞書)」'고요모(皐陶謨)'에서 고요는 순임금에게 아홉 가지 다움[九德]을 강조했는데 그중 두 가지가 여기에 해당된다. 그 첫 번째가 관이율(寬而栗), 즉 너그러우면서도 장엄해야 하고 그 두 번째가 유이립(柔而立), 즉 유순하면서도 꼿꼿해야 한다는 것이다.

14 황해도 개풍군에 있으며 태조 이성계의 정비(正妃)인 신의왕후(神懿王后, 1337~1391)의 무덤이다. 북한 보존급문화재 제556호로, 황해북도 개풍군 대련리 부소산 남쪽 기슭에 있다. 고려 공민왕과 노국공주의 능인 공민왕릉(현릉과 정릉, 북한 국보급문화재 제123호)을 모방한 조선 초기의 무덤으로, 석조물들의 조형미가 아주 뛰어나다.

15 나라나 왕실(王室)에 큰일이 있을 때 그 일을 종묘(宗廟)에 고(告)하던 예(禮)를 가리킨다.

하다가 길에서 매 날리는 것을 구경했는데, 호종(扈從)하는 대간(臺諫)이 간쟁(諫諍)함에 있어 마땅함을 잃었으므로 내가 이에 중도에서 돌아온 적이 있었다. 내가 이제 또 동향(冬享)[16]을 친히 행하고자 하나 대간이 만약 전일에 한 일과 같이 한다면 나는 또 마땅히 돌아갈 것이다."

장무(掌務)인 헌납(獻納) 조사수(趙士秀)가 대답했다.

"재계(齋戒)하기 전이니 진실로[亦] 방해될 것도 없습니다."
<small>역</small>

신해일(辛亥日-13일)에 신도(新都)의 이궁조성도감(離宮造成都監)을 고쳐 궁궐수보도감(宮闕修補都監)이라고 하니 성석린(成石璘), 조준(趙浚), 이무(李茂), 조영무(趙英茂)가 대궐에 나아왔다. 석린(石璘)이 아뢰어 말했다.

"한경(漢京)은 부왕께서 도읍한 곳이니 역시 궁궐이 있습니다. 설사 환도(還都)하더라도 어찌 반드시[何必] 이궁(離宮)을 또 지어야겠습니까?"
<small>하필</small>

이무(李茂) 또한 이렇게 말하니 상이 윤허한 것이다.

계축일(癸丑日-15일)에 의정부에 명해 사간원에서 올린 소(疏)를 토의하게 했다. 소는 이러했다.

'가만히 보건대 국가의 재용은 그 자체로 일정한 법도[常度]가 있으니, 재부(財賦)가 들어오는 것은 (무원칙하게) 늘이거나 줄일 수 없
<small>상도</small>

---

16 종묘에서 겨울에 지내는 제사를 가리킨다.

습니다. 그러나 도로의 멀고 가까움과 운송하여 바치는[輪納] 작업
의 어렵고 쉬운 것과 관련해서는 그 폐단을 살피지 않을 수 없습
니다. 경상도 한 도는 서울에서 거리가 1,000리이니 그 운송하여 바
치는 일의 어려움은 다른 도들과 비할 바가 아닙니다. 하물며 지금
일체의 재부(財賦)는 모두 육상(陸上)으로 수송하게 하여 험난한 땅
을 밟고서 오다 보니 소와 말이 쓰러져 죽고[僵仆] 백성들은 그것
을 심히 괴로워하니 폐단이 큰 것으로 이와 같은 것이 없습니다. 풍
저창(豊儲倉),[17] 광흥창(廣興倉)[18]에 쌀과 베가 들어오는 것은 이미 정
한 액수가 있으니 다시 토의할 것이 없습니다. 만약 내자시(內資寺),[19]
내섬시(內贍寺),[20] 예빈시(禮賓寺)[21] 등이 각사(各司)에 바치는 것의 경
우에는 그 1년의 용도를 보면 베는 늘 많으나, 쌀은 늘 적습니다. 매
번 시장에서 찾아 무역(貿易)할 때가 되면 모두 쌀로 그 값을 지급하
니 어찌 그 처음부터 베를 거두어 운반하여 바치는 편리함만 하겠습
니까? 엎드려 바라옵건대 전하께서는 유사(攸司)로 하여금 윗 항목
의 각사에서 1년 경비로 쓰는 쌀과 베의 숫자를 계산해 유청(油淸),[22]
촉밀(燭蜜)[23]의 각 항에 해당하는 전답(田畓)을 제외하고는 하나같이

---

17 중앙의 제반 경비를 주관하던 관서다.
18 문무백관 녹봉의 수입, 지출을 관리하는 관청으로 호조 소속이다.
19 궁중의 쌀, 채소, 과일 등 생필품을 공급하고 연회 등을 관장하던 관청이다.
20 조선시대 여러 궁전에 대한 공상과 2품 이상에게 주는 술과 안주, 왜인·여진인에게 주는
    음식물과 직포 등의 일을 맡은 관청이다.
21 빈객의 연향(燕享)과 종실 및 재신(宰臣)들의 음식물 공급 등을 관장하기 위해 설치되었
    던 관청이다.
22 참기름이다.
23 황밀(黃蜜)이다.

모두 베로 거두게 해 민생을 편안하게 하고 나라의 재용에도 어려움이 없게 해야 합니다.'

의정부에서 의견을 냈다.

'내자시(內資寺), 내섬시(內贍寺), 예빈시(禮賓寺) 등의 각사에 바치는 경상도 각 고을의 전조(田租)를 베로 거두어 운반하게 하면 폐단은 없어질 것입니다. 그러나 서울[京師]에는 많은 사람이 거처하기 때문에 먹는 것이 아주 많으니 쌀로 수납하게 하고서 풀어놓아[散] 베로 바꾸게 한다면 민간이 그 이익을 입을 것입니다. 하물며 금년에 경기(京畿)에서는 수재(水災)를 입어 미곡(米穀)이 매우 귀한데, 신도(新都)로 이어(移御)한다면 용도가 더욱 많아질 것입니다. 잠정적으로 전례(前例)에 의해 쌀로 거둬야 합니다.'

갑인일(甲寅日-16일)에 춘추관(春秋館)²⁴의 기사관(記事官) 등이 글을 올려 편전(便殿)에 입시(入侍)할 것을 청했으나 윤허하지 않았다.

---

24 고려 초기에는 사관(史館)이라고 불렀다. 관원으로는 시중(侍中)이 겸임하는 감수국사(監修國史), 2품 이상의 관원이 겸임하는 수국사(修國史)와 동수국사(同修國史), 한림원(翰林院)의 3품 이하의 관원이 겸임하는 수찬관(修撰官) 그리고 직사관(直史館) 4인이 있었다. 조선왕조가 개창되자 고려시대의 제도를 답습해 교명(敎命)의 논의·제찬(制撰)과 국사(國史) 등의 일을 관장하는 예문춘추관을 설치했다. 관원으로는 시중(侍中) 이상이 겸임하는 감관사 1인, 대학사(大學士-정2품) 2인, 자헌(資憲-정2품의 下階) 이상이 겸임하는 지관사 2인, 학사(學士-종2품) 2인, 가선(嘉善-종2품의 下階) 이상이 겸임하는 동지관사 2인, 충편수관(充編修官-4품 이상) 2인, 겸편수관(4품 이상) 2인, 응교(應敎-5품 겸임) 1인, 공봉관(供奉官-정7품) 2인, 수찬관(修撰官-정8품) 2인, 직관(정9품) 4인을 두었다. 이속으로는 서리(書吏) 4인을 두었다. 1401년(태종 1년)에 다시 이를 예문관과 춘추관으로 분리해 예문관 관원은 녹관(祿官), 춘추관직은 겸관(兼官)으로 했다. 이후 세조대까지 조선 초기에는 대체로 춘추관에 영관사, 감관사, 지관사, 동지관사 및 충수찬관, 편수관, 기주관(記注官), 기사관 등의 관직이 설치돼 있었다.

글은 이러했다.

'옛날에 (춘추시대의) 여러 나라들[列國]에는 각각 사관(史官)이 있
어 모든 군상(君上)의 일이라면 크게는[大而] 언행(言行)과 정사(政
事)를, 작게는[微而] 동정(動靜)과 미세한 언동(言動)에 이르기까지
상세히 기록하지 않은 바가 없어 후세에 다 보여주었으므로 권장하
고 경계시키는 바[勸戒]가 있었으니 이것이 바로 옛날의 뛰어난 임금
들[先王]이 관직(官職)을 둔 뜻입니다. 그래서 전(傳)에 이르기를 "(임
금이) 움직이면 좌사(左史)가 이를 쓰고, (임금이) 말을 하면 우사(右
史)가 이를 쓴다"[25]고 했고, 또 말하기를 "임금의 거동은 반드시 적
는다"[26]고 했습니다. 이 때문에 옛날의 명철한 임금[哲王]은 좌우에
기록하는 사람들을 두어 그 견문(見聞)을 밝게 하고, 기주(記注)를
상세히 하고자 아니하는 바가 없었던 것입니다.

전하께서는 하늘이 내려주신 배움의 자질[天縱之學]로 고금(古今)
에 널리 통하시고 자리에 오르신[踐祚=卽位] 이래 모든 베풀고 행하
시는 바[所施爲]가 이뤄질 때마다 옛 선왕(先王)을 본받으십니다. 그
래서 정전(正殿)에 나아오시어 대신들을 접견하시고 만기(萬機)를 들
으실 때 반드시 신들로 하여금 전(殿)의 섬돌[陛]에 입시(入侍)하게
하여 신들이 저 하늘의 태양과 같은 광명(光明)과 가언(嘉言-좋은 말
씀) 및 선행(善行)의 선포(宣布)와 대신 및 대간(臺諫)의 계사(啓事-
보고)를 모두 몸소 보고 들을 수 있게 하시어 신들의 직책을 덜 막으

---

25 『예기(禮記)』「옥조(玉藻)」편에 나오는 말이다.
26 『춘추좌씨전(春秋左氏傳)』에 나오는 말이다.

십니다. 설사 옛날의 명철한 왕이 사관(史官)을 대우한 것이 좋았다

한들 어찌 이보다 낫겠습니까? 그러나 전하께서는 봄부터 가을까지,

혹은 청화정(淸和亭)에 나아오시기도 하고, 혹은 편전(便殿)에 나아

오시기도 하여 만기(萬機)를 들어 결단하시고[聽斷] 대신들을 예(禮)
          청단

로 접견하면서 신들은 입시(入侍)하지 못하게 하십니다. 그사이에 언

어(言語)와 정사(政事)가 가히 본받을 만하고 가히 경계할 만한 것이

많을 터인데 신들은 바깥에 있어야 하니 비록 일을 기록하려고 해도

그럴 수가 없을 뿐입니다.

　신들이 가만히 보건대 이는 단지 성대한 시절[盛時]에 있는 한 가
                                              성시

지 흠일 뿐만 아니라 또한 후대의 사군(嗣君)들이 이를 본받아 드디

어 사신(史臣)의 입시를 아예 폐지한다면 그것은 결코 작은 실수가

아닙니다. 하물며 지금 전하께서는 특별히 삼부(三府)의 대신으로 하

여금 매일 입시하게 하여 다스리는 도리[治道]를 돕게 하시니[贊] 이
                              치도   찬

는 진실로 세상에 드문 아름다운 법도입니다만, 그러는 사이에 부주

(敷奏)하고 문답하는 것도 또한 마땅히 신들이 갖춰 기록해 후세에

보여야 하는 것입니다. 바라건대 이제부터 만기(萬機)를 들어 결단하

시고 대신들을 예로 접견할 때에는 그 장소가 비록 청화정이나 편전

(便殿)이라 하더라도 반드시 신들에게 명해 입시하도록 해야 할 것입

니다.'

병진일(丙辰日-18일)에 상이 태상전에 조알했다[朝=朝謁].
                                        조　　조알

정사일(丁巳日-19일)에 진산부원군(晉山府院君) 하륜(河崙)이 글을

올려 도읍을 한양(漢陽)의 무악(毋岳)으로 옮길 것을 청했다. 애초에 륜(崙)은 지리(地理-풍수지리)와 참서(讖書)를 근거로 삼아 도읍을 무악으로 옮길 것을 청한 바 있었는데, 이때에 이르러 다시 청한 것이다.[27]

○ 의정부에서 각 품계별로 진언(陳言)한 일들을 토의해 아뢰었다.

'하나, 사헌부 대사헌 김희선(金希善), 예문관 대제학 유량(柳亮), 의정부 참지사(議政府參知事) 최이(崔迤, ?~?)[28] 등이 진언(陳言)한 것 가운데 "전하께서는 구중궁궐 안에 깊숙이 거처하니 시정(時政)의 잘잘 못[得失]과 인심의 향배(向背)를 어찌 능히 다 알 수 있겠습니까? 바라건대 이제부터 아일(衙日)마다 조회(朝會)를 하고 난 뒤에는 대신(大臣)을 맞아 접견하고, 또 비록 아일(衙日)이 아닐 때에도 국정을 더불어 토의하여[與議] (임금의 귀 밝고 눈 밝음[聰明]이) 막히고 가려진 것을 열어 밝히도록 해야 합니다"라는 말이 있습니다.

---

27 태조는 즉위하자마자 "송도는 신하가 임금을 폐하는 망국의 터"라는 도참설에 사로잡혀 천도를 계획했다. 처음 한양을 지목하여 옛 궁을 수리하다가 왕실의 안태지(安胎-태를 묻는 곳)를 물색하던 권중화(權仲和)가 계룡산이 도읍으로 적합함을 왕에게 상소하자 왕은 직접 답사한 뒤에 그곳으로 일단 마음을 정했다. 그런데 이 계획을 하륜(河崙)이 반대했다. 그 이유는, 첫째 계룡산의 위치가 국토의 한쪽에 치우쳐 있으며, 둘째 풍수로도 산은 건방(乾-서북)에서 오고 물은 손방(巽方-동남)으로 흘러가니 이른바 물이 장생방을 파괴하고 쇠망이 닥치는 지세인 까닭이라 했다. 태조가 그럴듯하게 여기고 새 도읍지의 물색을 명하니 하륜은 지금의 연희동과 신촌 일대인 무악(毋岳)을 추천한 바 있다.

28 고려 말 첫 벼슬로 도평의사사지인(都評議使司知印)을 지냈고, 1390년(공양왕 2년)에는 사헌집의(司憲執義)가 됐다. 조선 개국 후 중추원 우부승지를 거쳐 좌승지가 됐다. 1394년(태조 3년)에 중추원부사(中樞院副使)로 승진하고 1400년(정종 2년)에는 좌군총제(左軍摠制)로 대사헌을 겸직했다. 1405년에는 공조판서, 1412년에는 형조판서를 지냈으며 1413년에는 공조판서로 성절사(聖節使)가 돼 명나라에 다녀왔다. 이어 개성부유수·호조판서를 지냈으며 1424년에는 진향사(進香使)로 재임명되어 명에 사신으로 다녀왔다.

하나, 창녕부원군(昌寧府院君) 성석린(成石璘), 형조지사(刑曹知事) 정역(鄭易, ?~1425년)²⁹ 등이 진언한 것 가운데 "세자는 나라의 저(儲- 2인자)이자 임금의 저부(副-바로 다음)이니 세자를 기르는 일을 삼가 지 않을 수 없습니다. 좌우에서 모시는 자들이 모두 뛰어난 사(士)와 대부(大夫)이면 다움과 품성[德性]을 함양(涵養)하여 날마다 고명(高明)한 데로 나아갈 것이요, 모두 환관(宦官)과 소인의 무리이면 거리낌 없이 제멋대로 하고 게으르고 안이해져서 날마다 더럽고 낮은 데로 쏠릴 것입니다. 이 때문에 옛날에 밝은 임금[明王]은 반드시 그 적임자[其人]를 잘 가려서[簡] 그로 하여금 후사(後嗣)를 가르치게 했습니다. 지금 동궁(東宮)의 요좌(僚佐-보좌관리) 중에는 대체로 동몽(童蒙)의 무리가 많고, 또 환관 및 소인의 무리와 더불어 항상 궐내(闕內)에 거처하니 전하께서 나라의 근본[國本]을 북돋아 기르시려는[培養] 뜻에 있어 어떠할 것이며, 세자가 다움과 품성을 훈도(薫陶)³⁰하는 도리에 있어서는 (또) 어떠하겠습니까? 바라건대 전하께서는 경전(經典)에 밝고 행실(行實)을 닦은 선비를 요속(僚屬)에 채워서 보충하여 항상 좌우에 있게 하고, 동몽의 무리들은 그러한 직(職)을 차지하지 말게 하고, 환관과 소인의 무리로 하여금 연사(燕私-평소의

---

29 1383년(우왕 9년) 이방원(李芳遠)과 함께 문과에 급제해 친밀한 사이가 됐다. 좌정언, 교주도안렴부사(交州道按廉副使), 사헌부 지평, 의정부 참지사(參知議政府事) 등을 지냈고 1411년(태종 11년)에 한성부윤으로 정조부사(正朝副使)가 돼 명나라에 다녀와서 다음 해 대사헌이 됐다. 1414년 충청도 관찰사로 나갔다가 이듬해 예조 및 형조의 판서를 지내고 1416년 대제학을 거쳐 호조판서가 됐다. 그는 사림의 중망(重望)으로 4조(朝)를 섬기는 데 한결같았고 더욱 스스로 겸손했다는 평을 들었다.

30 불에 물건을 굽고 흙으로 그릇을 만든다는 뜻으로 감화를 주어 품성(品性)을 고친다는 말이다. 교육(敎育)을 일러 하는 말이다.

근처)에 가까이하지[昵比=親近] 말게 하여 나라의 근본을 잘 길러냄
으로써 여망(輿望)에 부응하셔야 할 것입니다[副=應]"라고 했습니다.

하나, 전 한성부윤(漢城府尹) 윤목(尹穆), 전 계림부윤(鷄林府尹) 한
리(韓理), 호조전서(戶曹典書) 윤사수(尹思修) 등이 진언한 것 가운데
"예로부터 국가를 소유한 이는 조종(祖宗)의 법(法)을 가벼이 변경하
지 못했습니다. (왜냐하면) 그 창업(創業)한 임금이 우환을 염려한 것
이 깊었던 까닭으로 그 법을 세운 것이 치밀하기 때문입니다. 생각
건대 우리 태상왕(太上王)께서는 고금의 마땅함[宜=時宜]을 참작하
여 『경제육전(經濟六典)』[31]을 힘써[勒] 이룩하셨는데 그 큰 법도[經]
를 세우고 그 벼리[紀]를 풀어낸 것은 참으로 상세하고 또 잘 갖춰
져 있다 할 것입니다. (그런데도) 근년 이래로 사람들이 이견(異見)을
가졌다 하여 여러 차례 그 제도를 변경하니 중외(中外)의 인민이 어
떻게 해야 할지를 알지 못하고 있습니다. 바라건대 지금부터는 육전
(六典)의 제도를 한결같이 준수(遵守)하여 만세토록 지켜나갈 도구
(道具)로 삼아야 합니다. 전하가 즉위한 이후 조령(條令)과 판지(判旨-
교지) 가운데 『육전(六典)』에 아직 기재(記載)되지 못했지만 이른바
만세의 모범이 될 만한 것들은 골라 뽑아서 책을 만들어 『속육전(續

---

31 1397년(태조 6년) 12월 26일 공포, 시행됐다. 도평의사사(都評議使司)의 부속기관으로서
법령의 정비와 법전편찬 업무를 관장하던 검상조례사(檢詳條例司)에서 영의정 조준(趙
浚)의 책임 아래 편찬된 것이다. 1388년(고려 우왕 14년)부터 1397년(태조 6년)까지의 법
령과 장차 시행할 법령을 수집해 분류, 편집했다. 오늘날 전해오지 않으므로 체제와 내
용은 정확히 알 수 없다. 다만 『조선왕조실록』에 직간접으로 인용된 부분이 있는 것으로
보아, 이전·호전·예전·병전·형전·공전의 『육전(六典)』과 각 전마다 여러 강목(綱目)으로
나눠져 있었음을 알 수 있다.

六典)』으로 판각(板刻)을 간행하여 시행하셔야 할 것입니다"라고 했습니다.

하나, 창녕부원군 성석린, 사평부 참판사(司平府參判事) 이빈(李彬), 전 승추부 첨서사(承樞府簽書事) 이정견(李廷堅) 등이 진언한 것 가운데 "백성의 평안과 근심[休戚]은 수령(守令)에게 달려 있으니 그 맡은 바가 어찌 무겁지 않겠습니까! (그런데) 지금은 경관(京官) 6품으로 수령에 제수되었다가 임기가 차서[秩滿] 내직(內職)으로 옮기면 도로 6품이 되고, 다른 품관(品官)도 역시 그러합니다. 이런 까닭으로 서울에서 지방으로 천직(遷職)하는 자는 그 자급(資級)을 승진시키는데, 임기가 차서 내직(內職)으로 옮기는 자는 그전의 자급(資級)으로 내려서는 안 됩니다. 또 서울과 지방의 관리로 하여금 서로 바꿔 일을 교대하여 보내 (그들 사이에) 노고와 평안함[勞逸]을 고르게 해야 합니다"라고 했습니다.

하나, 전 한성부윤 윤목이 진언한 것 가운데 "신이 듣건대 정권(政權)이 조정(朝廷)에 있으면 다스려진다고 했습니다. 지금 나라의 조정은 곧 의정부이니 이른바 백관(百官)을 총괄하고 원기(元氣)를 조절하는 직임입니다. (그런데) 또 승추부가 있어서 따로 하나의 조정이 되어 모든 군병(軍兵)의 일이 있으면 왕지(王旨)를 받들어 시행하니 조정(의정부)에서는 알 수가 없습니다. 예전에 병권(兵權)은 흩어서 주관하게 하고 치우치지 않도록 하기 위해 (임금) 한 사람에게 속(屬)하게 한 것이니, 그렇기에 재상(宰相)이 임금의 명을 받들어 행문이첩(行文移牒)한 뒤에야 병권을 담당한 자가 이를 받아서 군사를 발동했습니다. 바라건대 전하께서는 이제부터 무릇 군사를 발동시킬

[差發] 때에는 의정부로 하여금 명을 받게 하고 승추부에 행문이첩(行文移牒)
한 뒤에야 시행하게 하면 정권이 조정에 있게 되어 (명령 계통이) 문란(紊亂)하지 않을 것입니다"라고 했습니다.

하나, 전 봉상령(奉常令) 오승(吳陞, 1364~1444년)[32]이 진언한 것 가운데 "충성스러움과 신의가 있는 사람에게 녹(祿)을 무겁게 하는 것은 선비를 권장하기 위한 것입니다. 근래에 뛰어나고 뛰어나지 못한 것[賢否]을 논하지 아니하고 검교(檢校)의 직(職)[33]을 많이 주니 한갓 천록(天祿)을 허비할 뿐이요, 나라에 아무런 보탬이 없으니 그 번거로운 폐단이 첨설(添設)의 직(職)[34]보다 더 심합니다. 마땅히 검교의 직을 없애버릴[汰=汰去] 것이요, 만약 공로가 있는 자가 있으면 (정식으로) 백관(百官)의 직(職)에 뽑아 쓰는 것을 허락해야 할 것입니다"라고 했습니다.

---

32 1382년(우왕 8년) 진사와 생원시에 연이어 합격하고 다음 해 식년문과에 동진사(同進士)로 급제했다. 좌헌납(左憲納)을 역임하고 곧 전교부령으로 승진했으며, 우사간대부를 거쳐 1407년(태종 7년) 형조참의, 다음 해 병조참의 및 이조참의를 지냈다. 그 뒤 충청도 관찰사, 한성부윤, 한성부 판사 등을 지냈으며 성절사(聖節使)로 베이징[北京]을 다녀온 뒤 개성부 유후에 임명됐다. 다시 공조판서, 예문관 대제학, 함길도 감사 등을 역임하고, 1430년(세종 12년) 의정부 참찬에 임명됐으며 다음 해 대사헌이 됐다. 그 뒤 중추원사, 예문관 대제학, 중추원 지사, 중추원 판사 등을 역임했다. 1436년 안석과 지팡이를 받았으며 1443년 종을 때려 죽여 경기도 죽산현(竹山縣)에 안치됐다가 방환되기도 했다.

33 고려 말기에 높은 벼슬자리를 정원 외에 임시로 늘리거나, 실지로 사무는 맡기지 않고 이름만 가지게 할 때 그 관직명 앞에 붙인 말로 검교각신(檢校閣臣)·검교문하시중(檢校門下侍中) 등이 여기에 해당하며, 검직(檢職)이라고도 했다.

34 고려 말 조선 초에 공로가 있는 사람에게 벼슬을 주거나, 승직시키려 해도 실직(實職)이 없을 때 차함(借銜)으로 직첩을 주는 것을 말한다. 공신이나 훈구를 대우하기 위해 조선 태조 때 고려의 제도를 본떠 첨설을 두었고 태종 때 검교(檢校)를 만들고 세종 때 치사(致仕) 제도를 만들었다.

하나, 군자감 판사(軍資監判事) 이담(李擔, 1370~1405년)[35] 등이 진언한 것 가운데 "육시칠감(六寺七監)[36]에 인원의 정원은 이미 많은데 또 겸판사(兼判事)를 설치하여 많으면 2~3인에 이릅니다. 그런데도 번거로운 사무에는 모두 참여하여 주관하지 아니하고 다만 구사(丘史)[37]만 거느립니다. 게다가 그 여러 관사의 노비[臧獲]가 적은 것이 더욱 걱정되니 그 겸판사(兼判事)는 각각 1원(員) 외에 나머지는 모두 없애야 합니다.

관직과 작위[官爵]는 국가의 공기(公器)이니 요행(僥倖)을 바라는 무리들이 함부로 진출하게[冒進] 해서는 안 됩니다. 국가에서 사알(私謁)[38]을 엄격하게 금지해 분경(奔競)[39]의 길을 막고, 또 교지(教旨)를 내려 사단자(私單子)[40]를 금지했으나 사단자로 청탁하여 관직을

---

35 고려의 문하시중(門下侍中) 제현(齊賢)의 증손자이고 아버지는 학림(學林)이다. 1393년 (태조 2년) 문과(文科)에 급제했다. 글씨를 잘 써서 항상 상서사(尙瑞司)의 벼슬을 지냈으며, 1401년(태종 1년) 직예문관으로 사은사(謝恩使)의 서장관이 돼 명나라에 다녀왔다. 1403년 의정부의 이방녹사(吏房錄事)를 탄핵해 의정부 당상들이 시사(視事)하지 않는다는 물의가 빚어졌다. 그 뒤 우부대언(右副代言)에 이르렀는데 자기 집 광견(狂犬)에 물려 죽었다.

36 고려 공민왕(恭愍王) 5년에 관제의 개혁으로 이루어진 6시(寺)와 7감(監)이다. 6시(寺)는 태상시(太常寺-전의사(典醫寺)), 종정시(宗正寺-종부시(宗簿寺)), 위위시(衛尉寺), 태복시(太僕寺-사복시(司僕寺)), 예빈시(禮賓寺), 사농시(司農寺-전농사(典農寺))를 말하며, 7감(監)은 태부감(太府監-내부사(內府寺)), 소부감(小府監-소부사(小府寺)), 장작감(將作監-선공사(繕工寺)), 사재감(司宰監-사재사(司宰寺)), 군기감(軍器監-사기사(司器寺)), 사천감(司天監-서운관(書雲觀)), 태의감(太醫監-전의사(典醫司))을 말한다.

37 종친(宗親)과 공신(功臣)에게 준 구종(驅從-하인)이다.

38 사사롭게 윗사람을 찾아가서 청탁(請託)하는 일을 말한다.

39 분추경리(奔趨競利)의 준말로 벼슬을 얻기 위해 집정자의 집에 분주하게 드나들며 엽관운동하는 것이다. 고려 때에는 이를 허용했으나 조선의 개국과 함께 공식적으로는 분경을 금지했다.

40 천거한 사람의 이름이나 증여(贈與)하는 물건의 수량을 적어 사사로이 보내던 종이쪽지

제수(除授)하는 일이 아직도 다 없어지지 않았습니다. 바라건대 유사(攸司)로 하여금 위 항목의 금령을 밝게 거행해 청탁을 징계해야 할 것입니다[懲=懲治].
_{징 징치}

전농시(典農寺)⁴¹는 제사(祭祀)를 전담하여 맡아보니 그 직임의 무거움은 다른 관직과 비할 바가 아닙니다. (그런데) 근래에 나이 어리고 무지(無知)한 자가 혹 이 관직에 있으면서 자성(粢盛)⁴²의 정결함에 힘쓰지 아니합니다. 바라건대 이제부터 반드시 예전(禮典)에 밝고 공손하며 삼가고 근신하며 엄정한 자를 잘 골라 맡겨야 합니다. 또 제사에 이바지할 용품(用品)은 물건이 크고 작은 것을 가릴 것 없이 직접 스스로 감시하여 청결하게 하도록 힘쓰게 해야 할 것입니다"라고 했습니다.

하나, 형조지사 정역(鄭易) 등이 진언한 것 가운데 "주자(朱子)가 말하기를 '예(禮)라는 것은 하늘과도 같은 이치[天理]의 절문(節文)이요, 사람의 일[人事]의 법도이다'⁴³라고 했으니 진실로 그러한 예(禮)가 없고서야 어찌 능히 다스려질 수 있겠습니까? 공손히 생각건대 전하께서 백관(百官)을 거느리고 태상전(太上殿)에 근성(覲省)하는데도 백관은 근례(覲禮)를 행하지 못하고 각각 의막(依幕)⁴⁴에 나아가니 그것이 신하된 자의 예(禮)에 있어 어떠하겠습니까? 바라건

를 가리킨다.

41 국가의 대제(大祭)에 쓸 곡식을 관장하던 관청이다.

42 나라의 큰 제사에 쓰는 서직(黍稷-기장)이다.

43 『논어집주(論語集註)』에 실려 있는 예에 관한 주희의 풀이다.

44 임시 막사(幕舍)를 가리킨다.

대 이제부터는 태상전의 탄일(誕日)과 정조(正朝)에 전하가 백관을 거느리고 하례할 때와 수시로 근성할 때의 예도(禮度)를 유사(攸司)에 내려 상정(詳定)하도록 하여 그 법도를 후세에 드리워야 할 것입니다.

국가에서 아래 백성들의 실상[下情]이 위로 전달되지[上達] 못할까 염려하여 신문고(申聞鼓)를 설치하고 사람들에게 와서 치도록 허락해 (임금의 귀 밝음과 눈 밝음[聰明]을) 막거나 가리는 근심을 없앴으니 이는 진실로 좋은 법[良法]이며 아름다운 뜻[美意]입니다. (그런데) 간사하고 사나운[姦暴] 무리들이 법을 세운 뜻은 살피지 않고 오로지 탐욕스러운 사사로움만 좇아 간활(奸猾)함에 바탕을 두고 [夤緣] 온갖 단서들을 꾸며내 자신의 뜻에 맞지 않으면 오결(誤決)이라 하고 문득 와서 북을 쳐서 천총(天聰-임금의 귀 밝음)에 아룁니다. 이에 장차 그 소송하는 일을 가지고 어떤 때는 직접 결단하기도 하고[直斷], 어떤 때는 유사(攸司)로 하여금 그 진위(眞僞)를 가리게 하기도 합니다. (그런데) 설사 무고(誣告)한 것으로 드러나도 극형(極刑)을 가하지 않으니 그 때문에 사람들은 법을 두려워하지 않고 마침내 북을 치려고 하면서 이를 갖고서 관리를 협박합니다. 이를 통해 살펴보건대 이른바 신문고(申聞鼓)라는 것은 원통하고 억울한 것을 펴서 마침내 (임금의 총명을) 막고 가리는 것을 열어 밝히기 위한 것이 아니라 바로 이들 간사한 무리가 기망(欺罔)하는 도구[資]입니다. 바라건대 이제부터 북을 치는 자가 소송하는 사건은 그 진위(眞僞)를 가려내 그 고소한 것이 허망(虛妄)한 것이면, 장차 그가 일찍이 부리던 노비(奴婢)와 가산(家産)을 관(官)에 몰수하고 그 자신을 수군(水軍)

에 채워 넣어 단지 노비뿐만 아니라 무릇 무고한 자도 또한 같이 죄를 주어야 할 것입니다. 만약 허망하게 고한 것이 아니라면 해당 관리에 대해 그 죄를 엄격히 다스려야 합니다.

호구(戶口)의 법에는 (신분의) 귀천(貴賤)이 유래한 바를 분명히 가려놓았습니다. (그런데) 지금 도성 안의 오부(五部)에서부터 (지방의) 주현(州縣)에 이르기까지 모두 호적의 문서를 발급해줄 수 있도록 했습니다[成給]. 이로 말미암아 천례(賤隷-노비)의 무리 가운데 모람(冒濫)되게도 (속여서) 양인의 호적[良籍]을 받아 명기(名器-벼슬 체계)를 더럽히는 자가 용납되는 경우가 간혹 있습니다. 바라건대 이제부터 호구의 법은 서울에서는 한성부(漢城府)에서 그 본적(本籍)과 조상의 고신(告身-벼슬살이)을 고찰해 다시 실상을 가려내고, 원의서합(圓議署合)하여 그 1벌은 본인에게 주고, 1벌은 잘 보관해 훗날의 사실 대조에 대비하게 해야 합니다. 외방(外方-지방)의 경우에는 각 고을 수령으로 하여금 그 본적과 조상의 고신을 잘 살펴 도관찰사(都觀察使)에게 전보(傳報)하게 하고, 관찰사는 그 수령관(首領官)과 더불어 원의 서합(圓議署合)[45]한 다음 소재지 계수관(界首官)[46]에

---

45 원의 혹은 완의(完議)란 대간(臺諫)이 비밀리에 풍헌(風憲)에 관계되는 일이나 탄핵에 관계되는 일 또는 배직(拜職)한 사람의 서경(署景)을 의논하는 것을 말한다. 여기서는 도관찰사와 수령관이 함께 의논하는 것을 뜻한다. 서합은 공동으로 서경을 진행한다는 뜻이다.

46 지방의 행정구획을 의미하는 것으로 지방의 중심이 되는 대읍을 가리킨다. 고려에서의 경(京)·목(牧)·도호부(都護府), 조선 초기의 부(府)·목·도호부가 이에 해당한다. 그 수는 시대에 따라 많아지거나 적어지는 등 일정하지 않았으나 대체로 고려 전기 14개소, 후기 34개소, 그리고 조선 태종 2년 25개소, 세종 때 38개소가 설치되어 있었다. 이 경우 때로는 계수관에 영속된 영군(領郡)·영현(領縣)·속군·속현을 제외한 경·부·목·도호부 그 자체만을 계수관이라고 했던 사례도 있다. 한편 계수관은 군현을 거느리는 대읍의 수령

게 행문 이첩하여[行移] 이 또한 서울에서의 예에 의해 삼가 심의해
시행하여 귀천의 분별을 엄격히 해야 합니다"라고 했습니다.

하나, 전 감무(監務)⁴⁷ 신정도(申丁道)가 진언한 것 가운데 "의사(義
士)와 절부(節婦)를 높이고 장려하는 것[崇奬＝襃奬]은 나라의 떳떳한
법도[常典]인데 무릇 남편이 죽고 수절(守節)하는 부녀(婦女)를 간혹
내전(內傳)⁴⁸이라 칭하고 뜻을 빼앗으니 풍속을 좋게 바꾸는 도리가
아닙니다. 바라건대 전하께서 특별히 금령(禁令)을 내려 절부의 뜻을
빼앗지 말도록 해야 합니다"라고 했습니다.

하나, 공조서(供造署)⁴⁹ 영(令) 배헌(裵憲)이 진언한 것 가운데 "각
도의 역승(驛丞)은 경질(更迭)하고 교체(交遞)하는 데 일정한 기간이
나 원칙이 없기[無常] 때문에 오로지 마음을 다해 봉직(奉職)할 수
없을 뿐만 아니라 역리(驛吏)의 맞이하고 보내는 폐단도 참으로 번
잡합니다[煩劇＝煩多]. 바라건대 이제부터 수령의 예에 의거해 일을
잘하고 임기가 찬 자를 (중앙에서) 서용(敍用)해야 합니다"라고 했습
니다.

하나, 한성윤(漢城尹) 민계생(閔繼生), 전 호조전서(戶曹典書) 엄현
(嚴儇) 등이 진언한 것 가운데 "연해(沿海)에 거주하는 사람은 물가
에서 나고 자라 배 타고 노 젓는 데 편하고 익숙하나 육지에 사는

(守令)을 의미하기도 했다. 즉 조선시대에는 부윤·목사·대도호부사 도호부사가 계수관
이었다.

47 고려와 조선 초기 군현에 파견되었던 지방관으로 현령보다 낮다.

48 임금이 사적(私的)으로 내리는 명령을 가리킨다.

49 1392년(태조 1년) 관제신정(官制新定) 때 공조서를 두어 죽물(竹物)의 일을 관장케 했는
데 1410년(태종 10년) 7월에 공조(工曹)에 통합했다.

사람은 하루 걸리는 정도(程途-일정)인데도 오고가는 데 폐단이 있어 그 해로(海路)를 보길 마치 사지(死地)에 빠지는 것같이 합니다. 바라건대 이제부터 연해에 거주하는 자는 직(職)의 유무(有無)를 논하지 말고 다 선군(船軍)에 속(屬)하게 하고, 육지에 거주하는 자는 오로지 시위(侍衛)에만 속하게 하면 수륙(水陸)의 임무가 각각 잘 행해질 것입니다"라고 했습니다.

하나, 사간원 좌사간 조휴(趙休) 등이 진언(陳言)한 것 가운데 "수고하고 고생하는 것이 선군(船軍)보다 심한 것이 없다 보니 원망과 비방[怨謗]이 이로 말미암아 생겨납니다. 이 때문에 여러 차례 교지(敎旨)를 내려[降=下] 곡진하게[曲] 연민을 담은 구휼책을 내려보냈으나 수령들이 종종 전하(殿下)의 어루만져 길러주시는 어진 마음[撫育之仁]을 체화하지 못해 선군의 원망하고 탄식하는 괴로움을 제대로 살피지 못하고 있습니다. 군적(軍籍)을 만들 때 부자와 형제가 아울러 선군에 채워지니 그 구적(寇賊-해적)에게 해를 입게 되거나 바람과 비가 거세게 일어 일시에 몸이 바다에 떨어져 함께 물귀신이 되니 그러면 이미 시신이라도 찾아 돌아가 장사 지낼 희망마저 없어질 것이며, 설상가상으로 제사에 이바지할 밑천도 모자랍니다. 늙은 시어머니와 젊은 아내는 한갓 그 죽었다는 소문만 듣고 가슴을 두드리며 울부짖습니다. 바라건대 전하께서는 각 도 감사로 하여금 수륙(水陸)의 군적(軍籍)을 모조리 점검하여 그 부자나 형제가 함께 선군에 나갔을 경우 그중 1명을 깎아내 다른 역(役)으로 옮겨서 정(定)해야 할 것입니다. 옮겨 바꾸기를 원하지 않고 그냥 그대로 선군에 남아 근무하기를 원하거나 그대로 선군의 봉족이 되기를 원하는 자는 그 원하는 것을 들어주어 그 생활을 편안하게 해주어야 합니다"라고 했습니다.

하나, (도성 안) 중부령(中部令) 김렴(金濂)과 북부령(北部令) 최인호(崔仁浩) 등이 진언한 것 가운데 "오부(五部)의 방(坊)·리(里)에서 역(役)을 매기는 것이 고르지 못해 환과고독(鰥寡孤獨)이 역을 수행하는 데 심히 힘들어합니다. 대개 리에 거주하는 자는 권세가 강하나 (그 행정 책임을 맡은) 부령(部令)은 관직이나 품계[職秩]가 낮고 또 그 관속(官屬)은 구사(丘史)뿐이므로 영을 집행할 만한 자가 없습니다. (그러니 부령이) 설사 권세가 강한 자를 제어(制馭)하여 그 노고(勞苦)와 안일(安逸)을 고르게 하고자 한들 어떻게 할 수 있겠습니까? 바라건대 이제부터 부령으로 하여금 한성부 낭청(郎廳)에 참여해 일을 보게 하여[參坐] 이를 통합해 하나의 아문(衙門)으로 만들고, 조례(皁隷)를 더 속하게 해 영을 집행하는 일[使令]을 쉽게 만들어야 합니다. 그리고 그 역(役)을 차출(差出)하는 것은 전함(前銜-전직) 3품(品) 이하에서 모두 역을 내게 하고, 4품 이하의 이내(里內) 별감(別監), 이정(里正-이장)을 윤번(輪番)으로 돌아가면서 정해 요역(徭役)을 고르게 함으로써 의지할 곳 없는 사람[煢獨]들을 구휼해야 합니다"라고 했습니다.

하나, 전 승추부 첨서사 이정견이 진언한 것 가운데 "환과고독(鰥寡孤獨)은 천하의 궁핍(窮乏)한 백성이요, 아무 데도 호소할 곳이 없는 자들입니다. 바라건대 이제부터 안으로는 왕도(王都)에서, 밖으로는 각 도에서 널리 어진 은혜[仁惠]를 베풀 때 이 네 부류의 사람들을 최우선으로 삼아야 합니다. (시집 못 간) 처녀의 경우 혹은 부모·

형제가 모두 죽었거나, 혹은 수재(水災)·화재(火災)와 도적으로 여성으로서의 몸단장에 필요한 것들[資粧]을 갖추지 못해 혼인이 시기를 놓치게 되어 분한 마음을 품고 울부짖으니 (나라의) 화기(和氣)를 손상하게 됩니다. 소재지 관사(官司)에서 공적으로 몸단장에 필요한 것들[裝物=粧物]을 지급하여 혼인의 시기를 잃지 않도록 하신다면 이 또한 어진 정사[仁政]의 한 가지 단서[一端]가 될 것입니다"라고 했습니다.

하나, 의정부 참지사 최이가 진언한 것 가운데 "외방(外方) 각 도에서 활과 말에 능한 자는 모두 갑사(甲士)와 시위에 소속시키고, 재인(才人)과 화척(禾尺) 가운데 활과 말에 능한 자도 시위에 소속시키고, 그 나머지 노약자들을 각 (변방의) 진(鎭)에 속하게 하고서 다시 노약자들 중에서도 괜찮은 자들을 골라 시위에 더 소속시켰습니다. 그 때문에 번진(藩鎭)에는 외롭고 힘없는[單弱] 병사마저 날이 갈수록 줄어들고 있습니다. 만일 변경에 위급한 일[邊警]이 생긴다면 장수(將帥) 된 자가 능히 홀로 방어할 수 있겠습니까? 바라건대 이제부터 재인(才人)과 화척(禾尺)의 무리는 모두 각 진(鎭)에 속하게 하여 번병(藩兵)을 내실 있게 만들어야 할 것입니다"라고 했습니다.

하나, 검교한성윤(檢校漢城尹) 유찬(兪瓚) 등이 진언한 것 가운데 "군대가 늙고 마필(馬匹)이 피로한 것은 병가(兵家)의 좋은 계책이 아닙니다. 병사(兵士)를 기르면서 조용히 지키는 것은 장수가 깊이 생각해야 할 바입니다. 엎드려 바라옵건대 교대로 서울에 올라와[番上] 시위함에 있어 먼 지방 사람의 경우 놓아서 돌려보내 농사에 힘쓰게 하고, 진(鎭)에 속하게 하여 구적(寇賊)을 막게 하고, (대신에) 서울

근처의 군관(軍官)을 윤번(輪番)으로 시위하게 해야 합니다"라고 했습니다.

하나, 선공감(繕工監) 한상덕(韓尙德, ?~1434년)[50] 등이 진언한 것 가운데 "내승(內乘)[51]에서 방목하는 말이 목장을 넘어가 뿔뿔이 흩어져 벼와 곡식을 먹어 손상시키는데 그 말을 기르는 자는 짐짓[佯]모른 척하니 농민들이 그 괴로움을 견디지 못해 술과 음식과 재화(財貨)를 다투어 가져다가 그들을 섬깁니다. 가난하여 능히 잘 섬기지 못하는 자와 대개 그 뜻에 거슬리는 자는 일부러 말을 그쪽으로 몰아 흩어서 풀어놓기도 합니다. 비록 마음에 원통하더라도 호소하여 아뢸 데가 없으니 폐단이 참으로 큽니다. 바라건대 이제부터 매달 매순(每旬)이 되면 감찰(監察) 1원(員)으로 하여금 전야(田野)를 다니며 검찰하게 하여 그 밟아서 손상을 입힌 전지(田地)가 있으면 당번(當番)에 따라 말을 기르는 자를 엄히 다스려 뒷사람을 감계(鑑戒)하여 백성들의 생활을 편안하게 해야 합니다"라고 했습니다.

하나, 수녕부(壽寧府) 사윤(司尹) 최안준(崔安濬)이 진언한 것 가운데 "경기의 백성은 부역(賦役)이 다른 도보다 배나 되는 데다 혹 사

---

50 1385년(우왕 11년) 문과에 급제해 우대언(右代言)과 호조참판을 역임했다. 한명회(韓明澮)는 그의 종손뻘이 되나 아들이 없던 그가 명회를 길렀다. 우대언으로 있던 당시 우리나라는 많은 부분에서 중국 농서를 이용해왔다. 이에 불편을 느낀 태종은 유신(儒臣)들에게 명해 중국의 고서에서 우리 실정에 간절히 필요한 말을 초록하되 우리말로 주를 달아 널리 보급하도록 지시한 바 있다. 이때 왕명의 출납을 맡았던 그가 왕의 뜻에 따라 1273년(고려 원종 14년) 원나라 사농사(司農司)가 엮은 『농상집요(農桑輯要)』 제4권에서 양잠에 관한 내용의 약 30%를 초록해 이에 이두문으로 주를 달아 1415년(태종 15년) 우리나라 최초의 양잠에 관한 책인 『양잠경험촬요(養蠶經驗撮要)』를 초록했다. 그의 초록 태도로 보아 양잠 기술에 식견이 높았던 농학자였음을 알 수 있다.

51 임금이 타는 승여(乘輿)를 맡아보던 관아다.

신이 오는 때를 당하면 (나라에서) 그들의 소와 말을 빼앗아 잡곤 합니다. 바라건대 이제부터 (나라에서) 소와 말을 길러서 연향(宴享-연회)에 쓰게 하고 인민(人民)에게서 빼앗지 말아 백성의 원망을 줄여야 할 것입니다"라고 했습니다.

하나, 전 감무(監務) 박전(朴甸)[52]이 진언한 것 가운데 "각 도에서 사계절마다 진선(進膳)하는 것은 폐지할 수 없습니다. 그러나 감사(監司)가 임의로 다소의 수를 정해 여러 주(州)에 나눠 정하는데 만약 건장(乾獐-마른 노루), 건록(乾鹿-마른 사슴), 정향(丁香), 포(脯), 생육(生肉) 등의 물건을 독촉하여 수납하도록 하니 비록 농사철이라 하더라도 사냥을 마구 행해 농사를 방해하고 백성들을 해쳤습니다. 그래서 지난번에 첩문(牒文-공문)을 내려 줄이거나 없애도록 해[減除] 그 폐단을 덜어냈건만[蠲] 근래에 이러한 폐단이 다시 일어나 백성들이 그 때문에 심히 고통스러워합니다. 바라건대 이제부터 각 도의 멀고 가까운 것을 참작해 한 달에 바치는 도수(度數)와 물건의 다소(多少)를 공물(貢物)의 예에 의해 정(定)해서 상식(常式)으로 명백하게 제시하고 시기에 따라[趁時=從時] 상납(上納)하게 하여 백성의 노동력을 쉴 수 있게 해야 합니다.

하나, 풍해도(豊海道)에는 병선(兵船)이 많지 않은데 이미 절제사(節制使) 1원(員)이 있고 또 만호(萬戶) 4원(員)이 있어 모두 진무(鎭撫) 백호(百戶)를 두다 보니 관서(官署)는 많고 백성은 적어 각기 개인 말[私馬]을 가지고 군인의 요(料-말 먹이)를 남용하는 것이 크게

---

52 송나라 등문고의 사례를 들어 조선에 신문고를 설치하도록 건의한 인물이다.

심하고 강제로 군졸(軍卒)로 하여금 그 말들을 사육(飼育)하게 하며 사사로운 이익을 꾀하는 것이 끝이 없다 보니 군졸들이 모두 크게 원망하고 있습니다. 바라건대 이제부터 각 포(浦)에는 그 만호를 없애고 다만 천호(千戶)로 그 자리를 대신 맡게 하고, 그 절제사(節制使) 천호(千戶)·백호(百戶) 등이 개인 말을 사육하는 것과 사사 이익을 꾀하는 등의 일은 도관찰사(都觀察使)가 하나같이 모두 엄격히 금지해 군졸들을 편안하게 해주어야 합니다'라고 했습니다.'

(상이) 이상의 것들을 (대부분) 윤허했는데, 다만 검교(檢校)를 혁파하는 일과, 육시칠감(六寺七監)에 겸판사(兼判事) 1원(員) 외에는 모두 혁파하는 일과, 태상전(太上殿)에 무시(無時)로 근성(覲省)하는 예(禮)를 상정(詳定)하는 일과, 신문고(申聞鼓)를 쳐서 무고(誣告)하는 자가 노비가 있으면 그 노비를 몰수하고 장 100대에 처하며 노비가 없으면 그 가재(家財)를 몰수하는 일과, 수륙(水陸)의 군인의 군적(軍籍)을 고치는 일과, 각 도의 시위하는 등의 일은 윤허하지 않았다.

기미일(己未日-21일)에 하륜(河崙), 이거이(李居易), 성석린(成石璘), 조준(趙浚), 이무(李茂), 이서(李舒)를 불러 정사(政事)를 토의했다 [議事]. 상이 말했다.
의사

"중국의 사신이 오면 반드시 금강산(金剛山)을 보고 싶어 하는데 이는 어째서인가? 속담에 말하기를, 중국인에게는 '고려(高麗)라는 나라에 태어나 직접 금강산을 가 보는 것이 소원이다'라는 말이 있다고 하는데 정말 그러한가?"

륜(崙)이 나아와 말했다.

"금강산(金剛山)이 동국(東國)에 있다는 말이 『대장경(大藏經)』에 실려 있다 보니 그렇게 말하는 것일 뿐입니다."

상이 말했다.

"그렇다[然]."
    연

상이 또 말했다.

"옛날 당(唐)나라 태종(太宗)이 손에 작은 매를 받쳐 들고 있다가 위징(魏徵)이 오는 것을 보고 이에 그 매를 소매 속에 감췄는데 징 (徵)은 이를 알고서 일부러 스스로 오래 머무니 매가 마침내 (질식해 서) 죽었다고 한다. 어찌 (태종이) 징(徵)을 두려워함이 이처럼 심했던 것인가?"

준(浚)이 나아와 말했다.

"이것은 위징이 뛰어난 것[賢]이 아니라, 바로 태종(太宗)이 뛰어난
                      현
것입니다."

상이 말했다.

"그렇다[然]."
    연

경신일(庚申日-22일)에 전 사간(司諫) 권진(權軫)을 제주(濟州)에 보냈다. 궁사(宮司) 창고(倉庫) 노비의 적(籍-문서)을 만들기 위함이 었다.

신유일(辛酉日-23일)에 상호군(上護軍) 권희달(權希達)을 파직했다. 애초에 희달(希達)이 총제(摠制) 이밀(李密)과 더불어 바둑[博奕]을
                                                          박혁
두다가 승추부 영사(領承樞府事) 조영무(趙英茂)의 곁에서 무례하게

구니 영무(英茂)가 노하여 밀(密)의 종리(從吏)를 가두고 희달에게는 베 100필을 징수했다. 이에 희달이 크게 분하게 여겨 영무와 더불어 집안 세력[族勢]을 논하면서 크게 힐난(詰難)하다가 자신의 관대(官帶)를 풀어 영무 앞에 던지고, 또 승추부에 들어가 악언(惡言)을 했다. 승추부에서 소를 올려 죄를 청하니 상은 권희달을 순금사에 사흘 동안 가뒀다가 그 직임을 파면했다. 희달은 성품과 행실이 추악하여[麤惡=醜惡] 나라 사람들이 모두 그를 싫어했다. 다만 뚝심[膂力]이 있고 시위(侍衛)에 부지런했기 때문에 상이 늘 도탑게 품어주었는데 이로 말미암아 희달은 그 행실을 고치지 않았다.

○ (상이) 익안대군(益安大君) 이방의(李芳毅 ,1360~1404년)[53]의 집에 행차해 문병했다.

임술일(壬戌日-24일)에 달이 헌원(軒轅)의 제2성(第二星)을 범했다.

○ 의정부에서 글을 올려 본조(本朝-조선 조정)에서 (명나라의 법률을) 우리 실정에 맞도록 손본 법률[按律]의 차이와 오류를 토의했다. 올린 글은 이러했다.

'대명률(大明律)』의 투구조(鬪毆條)에 이르기를 "투구(鬪毆-싸우고 때림)하여 살인(殺人)하는 자는 (그 사용한 것이) 손, 발, 다른 물건, 금인(金刃-쇠나 칼)을 불문(不問)하고 모두 교형(絞刑)에 처한다"고 했고 위핍인치사조(威逼人致死條)에 이르기를 "무릇 일로 인해

---

53 태조 이성계의 셋째 아들로서 신의왕후 한씨의 소생이다. 형은 정종 이방과(李芳果)이며 아우는 태종 이방원(李芳遠)이다. 왕자 가운데 가장 야심이 적어 아우 이방간과 이방원의 왕위계승 싸움에 중립을 지키고 평소에 시사(時事)를 말하지 않았다고 한다.

[因事]54 사람을 위핍(威逼-위세로 협박함)하여 치사(致死)하게 한 자
는 장(杖) 100대에 처한다. 만약 관리(官吏)와 공사인(公使人) 등이
공무(公務)로 인한 것도 아닌데 평민(平民)을 위핍(威逼)하여 치사하
게 하는 자는 죄가 같으며, 아울러 매장은(埋葬銀) 10냥(兩)을 추징
(追徵)한다. 만약 도적질로 인해 사람을 위핍(威逼)하여 치사하게 하
는 자는 참형(斬刑)에 처한다"고 했습니다. 본조(本朝)에서는 이 율
(律)을 근거로 투구(鬪毆)하여 살인을 범한 자와 도적질로 인해 사람
을 위핍(威逼)하여 치사하게 하는 자는 사유(赦宥)를 받으면 온전히
죄를 면하나, (일로 인해) 사람을 위핍(威逼)하여 치사하게 하는 자
는 비록 사유(赦宥)를 받더라도 오히려 율(律)에 의해 매장은(埋葬銀)
을 징수하여 피살된 사람의 집에 지급하도록 돼 있습니다. 그러나 율
을 만든 뜻을 구명(究明)하면 투구(鬪毆)하여 살인하는 것과 도적질
로 인해 사람을 위핍(威逼)하여 치사하게 하는 자는 자신이 극형을
받는 까닭으로 매장은을 징수할 수 없고, (일로 인해) 사람을 위핍(威
逼)하여 치사하게 하는 자는 성명(性命)을 보존할 수 있는 까닭으로
매장은을 징수하는 것입니다. (그런데) 지금은 도리어 죄가 중(重)한
자로 하여금 온전히 죄를 면하게 하고, 가벼운 자에게는 매장은을
징수하게 하니 죄의 경중(輕重)이 그 마땅함을 잃을 뿐만 아니라, 율
을 만든 본의(本意)에도 어그러짐이 있는 것 같습니다. 이제부터 무
릇 투구(鬪毆)하여 살인한 것과 도적질로 인해 사람을 위핍(威逼)해
치사하여 죄가 당연히 교형(絞刑)이나 참형(斬刑)에 해당하는 자는

---

54 여기서 일이란 그럴 만한 사연을 가리킨다.

비록 유지(宥旨-사면령)를 받더라도 율문의 과실살 속죄(過失殺贖罪)의 예에 준해 반만을 감하여 살려서 (매장은을) 징수해 피살된 사람의 집에 지급하도록 하소서.'

이를 윤허했다.

계해일(癸亥日-25일)에 사평부 참판사(司平府參判事) 이래(李來), 승추부 첨서사(承樞府簽書事) 전백영(全伯英)을 보내 경사(京師)에 가게 했다. 정조(正朝)를 하례하기 위함이었다. (더불어) 세자를 책봉(冊封)해줄 것을 청하고 아울러 억류됐던 사람들을 풀어서 돌려보낸 것에 대해 사례하게 했다.[55]

○ 강원도로부터 올해 거두게 될 전조(田租)의 수량을 줄여주었다. 관찰사가 상언(上言)했다.

'본도의 전지(田地)가 척박하여 벼와 곡식의 결실이 다른 도에 미치지 못합니다. 그러므로 수전(水田) 1결(結)에 조미(糙米-메조미쌀. 왕겨만 벗기고 속겨는 벗기지 않은 쌀) 26두(斗) 5승(升)을, 한전(旱田) 1결(結)에 보리 25두(斗)를 거두고, 창고(倉庫)와 궁사(宮司)의 전조(田租)는 유밀(油蜜)과 포화(布貨)를 자원(自願)에 따라 운송하여 납부하게 하는 것은 고례(古例)입니다. 임오년(壬午年)부터 조세를 거두는 수량을 이에 다른 도의 예에 입각해 수전(水田) 1결(結)에 쌀 30두(斗)를 거두고, 한전(旱田) 1결(結)에 보리 30두(斗)를 거두니 백성들이 심히 괴로워합니다. 금년에 또 큰바람과 큰물로 인해 손상이

─────────
55 이런 경우 사신단의 공식 명칭은 하정사(賀正使)라고 했다.

심히 많으니, 바라건대 전에 있었던 과식(科式-전례)대로 수조(收租)하게 하고 포화(布貨)와 유밀(油蜜)도 또한 자원에 따라 운송하여 납부하게 함으로써 생민(生民-백성)을 위로해주소서.'

이를 윤허했다.

○ 사역원 판관(判官) 최운(崔雲)이 왜구에게 납치됐다가 도망쳐 온 (중국) 영파부(寧波府)의 백성 진아구(陳阿狗) 등 4명과 요동(遼東)에서 도망쳐 온 군인 두첨보(杜添保) 등을 붙잡아 데리고서[管押] 요동으로 갔다.
_{관압}

갑자일(甲子日-26일)에 한양(漢陽)의 무악(毋嶽)에 행차해 도읍(都邑)을 정할 땅을 상지(相地)하러 나섰다. 하륜(河崙), 조준(趙浚), 남재(南在), 권근(權近)과 대간(臺諫) 각각 (관리) 1원(員)[56]이 호종(扈從)했다. (상이) 권희달(權希達)에게 명해 시위하게 했다. 사헌부는 노차(路次-행차 중의 임시 막사)에서 희달을 탄핵했는데, 대신(大臣)을 모욕 주어 꾸짖고서도 뻔뻔스럽게[任然] 어가(御駕)를 호종했기 때문이_{임연}었다. 희달이 즉시 이를 상에게 보고하니 상이 노해 사헌부에 명해 집으로 물러가고 호종하지 말라고 했다. 어가가 통제원(通濟院) 장전(帳殿-막사)에 머물게 되자 (사간원) 헌납(獻納) 허지(許遲)와 정언(正言) 탁신(卓愼) 등이 간언하여 말했다.

"희달이 비록 이미 파직되기는 했지만 그의 죄는 이에 그치지 않

---

56 사헌부와 사간원에서 각각 1명씩 따라왔다는 말이다. 그런데 뒤에 나오는 헌납 허지와 정언 탁신은 둘 다 사간원 관원이다.

습니다. (따라서) 헌부에서 그를 탄핵한 것은 마땅함을 잃은 것[失當]
이 아닙니다. 도읍을 정하는 것은 큰일[大事]인데 마침내 희달을 탄
핵했다는 이유로 헌사(憲司)로 하여금 호종하지 못하게 하시니 신
등은 실로 실망하고 있습니다[缺望].”

상이 노해서 지신사 박석명(朴錫命)을 시켜 물었다.

“희달의 죄는 이미 논(論)했으니 충분한데 또 무슨 죄가 있다는 것
인지 알지 못하겠다.”

신(愼)이 말했다.

“군법에서는 한 위계가 다른 위계에 엄한 것이라 상호군(上護軍)에
서 대부(隊副)⁵⁷에 이르기까지도 역시 그러합니다. 하물며 희달은 승
추부 영사를 모욕 주고 꾸짖었습니다. 그 죄가 어찌 이것에 그치겠습
니까?”

상이 말했다.

“너희는 법관(法官)이니 희달의 죄를 논하고 정하여[論定] 아뢰라.”

지(遲)가 대답했다.

“마땅히 제서유위률(制書有違律)⁵⁸로 논해야 합니다.”

상이 노여움을 풀며[霽怒]⁵⁹ 말했다.

“오늘 태상전과 상왕전에서 술을 보내와 내가 취했으니 마땅히 다

---

57 조선시대 무반의 종9품 잡직이다. 반면 상호군은 정3품 당하관의 고위직이다.

58 왕의 명령을 어긴 행위의 차원에서 죄를 논하는 것을 말한다.

59 제노(霽怒)는 '화가 풀리며'라고도 볼 수 있고, 허지가 제서유위율 운운하며 강하게 반박
하자 한걸음 물러서며 '노여움을 풀며'라고도 볼 수 있다. 태종의 일관된 성격과 신하들
을 대하는 자세를 감안해 의식적으로 노여움을 푼 것으로 보고 이렇게 옮겼다.

시 생각해보겠다. 너희도 또한 물러가서 깊이 생각해보고서[商量] 아
뢰도록 하라."

○ 익안대군(益安大君) 방의(芳毅)가 졸(卒)했다. 방의는 태조의 셋
째 아들이요, 상의 동모형(同母兄)이다. 개국(開國) 및 정사(定社)의 훈
로(勳勞)에 참여하여 대군(大君)에 진봉(進封)됐다. 성품이 온후(溫厚)
하여 화미(華美)한 것을 일삼지 않았고[不事] 손님이 찾아오면 술자리
를 베풀어 문득 취해도 시사(時事)는 입에 담지 않았다. 만년에 병으
로 두문불출(杜門不出)했는데 상이 자주 그 집에 행차해 연회(宴會)
를 베풀어 위로함이 심히 두터웠다. 졸(卒)하게 되니 상이 심히 애도
하고 직접 가서 전(奠)을 베풀고 배례(拜禮)를 행했다. 철조(輟朝)하기
를 사흘 동안 하고 상등으로 예장(禮葬)했으며 시호(諡號)를 안양(安
襄)이라고 내려주었다. 아들은 석근(石根)으로 익평부원군(益平府院
君)에 봉해졌고 딸은 총제(摠制) 김한(金閑)에게 시집갔다[適=下嫁].

을축일(乙丑日-27일)에 (한양에서 개경으로) 환궁(還宮)하여 태상전
에 나아가서 위로를 올렸다[陳慰]. 상이 임진(臨津)에 이르렀다가 방
의(芳毅)의 부음(訃音)을 듣고 돌아온 것이다.

정묘일(丁卯日-29일)에 사간원에서 예궐(詣闕)하여 헌사(憲司-사
헌부)로 하여금 일을 보도록[視事] 할 것을 청했으나 윤허하지 않
았다.[60]

___
60 권희달의 문제가 아직 진행 중이라는 뜻이다.

302

己亥朔 世子見于宗廟.
기해 삭 세자 현우 종묘

以星山君李稷 鷲山君辛克禮爲漢京離宮造成提調. 太上王召
이 성산군 이직 취산군 신극례 위 한경 이궁 조성 제조 태상왕 소

知申事朴錫命 傳旨于上曰: "始予遷都漢陽 遷徙之煩 予豈不知?
지신사 박석명 전지 우 상 왈 시여 천도 한양 천사 지번 여기 부지

然松都王氏舊都 不可仍居也. 今王復都于此 非動循始祖之意."
연 송도 왕씨 구도 불가 잉거 야 금 왕 부도 우차 비동 순 시조 지의

上下旨議政府曰: "漢城 我太上王創建之地 社稷宗廟在焉. 久
상 하지 의정부 왈 한성 아 태상왕 창건 지지 사직 종묘 재언 구

曠不居 殆非繼志之孝. 明年冬 予當徙居 宜令修葺宮室." 遂有
광 불거 태 비 계지 지효 명년 동 여 당 사거 의영 수즙 궁실 수유

是命.
시명

庚子 召李佇 閔無咎等于內 置酒.
경자 소 이저 민무구 등 우내 치주

辛丑 上王使內官送酒饌於臨津. 迎世子之還也. 三府亦備酒饌
신축 상왕 사 내관 송 주찬 어 임진 영 세자 지환 야 삼부 역 비 주찬

迎于天水寺.
영 우 천수사

癸卯 命三府更議陳言條目以聞.
계묘 명 삼부 갱의 진언 조목 이문

丙午 謝恩使呂稱 齎禮部咨文 回自京師. 咨曰:
병오 사은사 여칭 재 예부 자문 회자 경사 자왈

'照得 先該欽依查取朝鮮國比先爲事 充軍犯人已行雲南等處
조득 선 해 흠의 사취 조선국 비선 위사 충군 범인 이행 운남 등처

軍民衙門挨查去後 續該雲南都司送到曹庶等五名 釋放回還
군민 아문 애사 거후 속 해 운남 도사 송도 조서 등 오명 석방 회환

本國去訖 今該本司又送陳貴名等一十一名幷家小到部. 審得
본국 거흘 금 해 본사 우 송 진귀명 등 일십 일명 병 가소 도부 심득

各人家小 俱係娶到金齒衛已故軍民妻女爲妻 已生男女. 本部
각인 가소 구 계 취도 금치위 이고 군민 처녀 위처 이생 남녀 본부

參照 陳貴名等 俱係犯法充軍人數 欽蒙皇上恩宥 釋放回國 又
참조 진귀명 등 구계 범법 충군 인수 흠몽 황상 은유 석방 회국 우

欲將帶中國婦女前去 難以準理 合發原衛依親. 永樂二年六月初
욕장대 중국 부녀 전거 난이 준리 합발원위 의친 영락 이년 육월 초

八日 具奏節該 欽依 "都與他帶去 賞賜口糧 照例每戶再添與鈔
팔일 구주 절해 흠의 도여타 대거 상사 구량 조례 매호 재첨 여초

五錠. 如今朝鮮國有使臣來進貢 這一起人 就着他領將回去." 除
오정 여금 조선국 유 사신 래 진공 저일기인 취착 타령장 회거 제

欽遵給賞了當 各人就令差來使臣參知議政府事呂稱等領回外①
흠준 급상 료당 각인 취령 차래 사신 참지 의정부 사 여칭 등 영회 외

理合開坐 移咨本國 知會施行 須至咨者. 計放回男子婦女: 男子
이합 개좌 이자 본국 지회 시행 수지 자자 계 방회 남자 부녀 남자

一十一名, 家小一十六口.'
일십 일명 가소 일십 육구

　知司譯院事張弘壽 押補數牛十八隻 赴遼東.
지 사역원 사 장홍수 압 보수우 십팔 척 부 요동

　上以內官朱信 給事中馬榮宗及觀海衛千戶陳生等事 移咨
상 이 내관 주신 급사중 마영종 급 관해위 천호 진생 등 사 이자

遼東. 陳生等運糧于山海衛 遭風到豊州鎭 具其由移咨.
요동 진생 등 운량 우 산해위 조풍 도 풍주진 구 기유 이자

　丁未 命卜離宮地于漢京. 遣劉旱雨 尹莘達 李陽達以②卜之.
정미 명복 이궁 지우 한경 견 유한우 윤신달 이양달 이 복지

　己酉 召成石璘 趙浚 李茂 趙英茂 李稷 權近等議事. 上曰:
기유 소 성석린 조준 이무 조영무 이직 권근 등 의사 상왈

"大抵人心 懷于有仁. 建文寬仁而亡 永樂 多行刑殺而興 何也?"
대저 인심 회우 유인 건문 관인 이망 영락 다행 형살 이흥 하야

浚對曰: "徒知寬仁 而紀綱不立故也." 上然之.
준 대왈 도지 관인 이 기강 불립 고야 상 연지

　庚戌 觀碑于齊陵 遂觀放鷹于壺串 夜還. 司諫院上書以爲: "上
경술 관비 우 제릉 수관 방응 우 호곶 야환 사간원 상서 이위 상

之行幸 無各司扈從 非也." 上召司諫院掌務敎曰: "齊陵立碑之後
지 행행 무 각사 호종 비야 상소 사간원 장무 교왈 제릉 입비 지후

卽欲往觀 適有朝廷使臣相繼而來 且熱甚 未之遂也. 齊陵地狹
즉 욕왕 관 적유 조정 사신 상계 이래 차 열심 미지 수야 제릉 지협

無各司侍立之地 故除各司侍衛 乃觀其碑與齊宮營繕 觀放鷹于
무 각사 시립 지지 고제 각사 시위 내관 기비 여 재궁 영선 관 방응 우

回程耳 非予親佩弓矢而馳馬也. 前年冬 欲行告廟之禮 發向漢京
회정 이 비여 친패 궁시 이 치마 야 전년 동 욕행 고묘 지례 발향 한경

道觀放鷹 扈從臺諫諫諍失宜 予乃中道而還. 予今又欲親行冬享
도관 방응 호종 대간 간쟁 실의 여 내 중도 이환 여 금 우욕 친행 동향

臺諫若有如前日之所爲者 予亦當還.” 掌務獻納趙士秀對曰:
대간 약 유 여 전일 지 소위 자 여 역 당환　　장무 헌납 조사수 대왈

“齋戒前 亦不妨矣.”
재계 전 역 불방 의

辛亥 改新都離宮造成都監 爲宮闕修補都監. 成石璘 趙浚
신해 개 신도 이궁 조성 도감 위 궁궐 수보 도감 성석린 조준

李茂 趙英茂詣闕. 石璘啓曰:“漢京 父王所都 亦有宮闕在. 雖
이무 조영무 예궐 석린 계왈 한경 부왕 소도 역유 궁궐 재 수

還都 何必更作離宮!”李茂亦言之 上允.
환도 하필 갱작 이궁 이무 역 언지 상윤

癸丑 命議政府議司諫院上疏. 疏曰:
계축 명 의정부 의 사간원 상소 소왈

‘竊謂國家之用 自有常度 財賦之入 未可增損 然道途之遠近
절위 국가 지용 자유 상도 재부 지입 미가 증손 연 도도 지 원근

輸納之難易 其弊不可不察. 慶尙一道 去京千里 其輸納之難 非
수납 지 난이 기폐 불가 불찰 경상 일도 거경 천리 기 수납 지 난 비

他道比. 況今一切財賦 竝令陸轉 跋涉艱險 牛馬僵仆 民甚苦之
타도 비 황금 일절 재부 병령 육전 발섭 간험 우마 강부 민심 고지

弊之巨者 莫此若也. 豐儲 廣興米布之入 已有定額 無復可議 若
폐 지 거자 막차약 야 풍저 광흥 미포 지입 이유 정액 무부 가의 약

內資 內贍 禮賓等各司所納 則其一年之用 布常多而米常少 每當
내자 내섬 예빈 등 각사 소납 즉기 일년 지용 포상다이 미상소 매당

市索貿易之際 皆以米給其直 豈若其初收之以布 便於輸納之
시색 무역 지제 개 이미 급 기치 기약 기초 수지 이포 편어 수납 지

爲愈也? 伏望殿下 令攸司計上項各司一年經費米布之數 除油淸
위유 야 복망 전하 영 유사 계 상항 각사 일년 경비 미포 지수 제 유청

燭蜜各項田畓外 一皆收布 以便民生 以便國用.’
촉밀 각항 전답 외 일개 수포 이편 민생 이편 국용

議政府議:
의정부 의

‘內資 內贍 禮賓 等各司所納慶尙道各官田租 收之以布轉輸
내자 내섬 예빈 등 각사 소납 경상도 각관 전조 수지 이포 전수

則無弊矣. 然京師衆多之處 食者甚多 以米輸納 散而易布 則民
즉 무폐 의 연 경사 중다 지처 식자 심다 이미 수납 산이 역포 즉민

蒙其利. 況今年京畿被水災 米穀尤貴 移御新都 用度尤廣姑依
몽 기리 황 금년 경기 피 수재 미곡 우귀 이어 신도 용도 우광 고의

前例 納之以米.’
전례 납지 이미

甲寅 春秋館記事官等 上書請入侍便殿 不允. 書曰:
갑인 춘추관 기사관 등 상서 청 입시 편전 불윤 서왈

‘古者 列國各有史官 凡君上之事 大而言行政事 微而動靜云爲
고자 열국 각유 사관 범 군상 지사 대이 언행 정사 미이 동정 운위

無不詳錄 以示後世 有所勸戒 此先王設官之義也. 故傳曰：“動則
무불 상록 이시 후세 유 소권계 차 선왕 설관 지의야 고전왈 동즉

左史書之 言則右史書之.” 又曰：“君擧必書.” 是以古先哲王 莫不
좌사 서지 언즉 우사 서지 우왈 군거필서 시이 고 선철왕 막불

置諸左右 欲其聞見明而記注詳也. 殿下以天縱之學 博通古今 自
치저 좌우 욕기 문견 명이 기주 상야 전하 이 천종 지학 박통 고금 자

踐祚以來 凡所施爲 動法古先. 其御正殿而接大臣聽萬機 則必令
천조 이래 범 소시위 동법 고선 기어 정전 이접 대신 청 만기 즉필령

臣等入侍殿陛 而臣等親瞻天日之光 嘉言善行之宣布 大臣臺諫
신등 입시 전폐 이 신등 친첨 천일 지광 가언 선행 지선포 대신 대간

之啓事 皆得見聞 而少塞臣等之職也. 雖古先哲王之待史官 何以
지 계사 개득 견문 이소색 신등 지직야 수 고선 철왕 지대 사관 하이

過哉？ 然殿下自春至秋 或御淸和亭 或御便殿 聽斷萬機 禮接
과재 연 전하 자춘 지추 혹어 청화정 혹어 편전 청단 만기 예접

大臣 而不令臣等入侍. 其間言語政事可法可戒者多矣 臣等居外
대신 이불령 신등 입시 기간 언어 정사 가법 가계 자 다의 신등 거외

雖欲記之 末由③也已. 臣等竊謂 非唯盛時之一虧 抑亦後之嗣君
수 욕기지 말유 야이 신등 절위 비유 성시 지일휴 억역 후지 사군

效之 而遂廢史臣之入 則非少失也. 況今殿下 特令三府大臣每日
효지 이수폐 사신 지입 즉비 소실 야 황금 전하 특령 삼부 대신 매일

入侍 以贊治道 此誠希世之美法 而其間敷奏問答 亦宜臣等所當
입시 이찬 치도 차성 희세 지미법 이 기간 부주 문답 역 의 신등 소당

備記 以示後世者也. 願自今 聽斷萬機 禮接大臣之時 則雖於
비기 이시 후세자 야 원 자금 청단 만기 예접 대신 지시 즉 수어

淸和亭 便殿 必命臣等入侍.’
청화정 편전 필명 신등 입시

丙辰 上朝太上殿.
병진 상조 태상전

丁巳 晋山府院君 河崙上書 請移都漢陽 毋岳. 初 崙以地理
정사 진산 부원군 하륜 상서 청 이도 한양 무악 초 륜 이 지리

讖書 請移都毋岳 至是復請
참서 청 이도 무악 지시 부청

議政府議各品陳言以聞：
의정부 의 각품 진언 이문

一, 司憲府大司憲金希善 藝文館大提學柳亮 參知議政府事
일 사헌부 대사헌 김희선 예문관 대제학 유량 참지 의정부 사

崔迤等陳言內：“殿下深居九重之內 時政得失 人心向背 焉能
최이 등 진언 내 전하 심거 구중 지내 시정 득실 인심 향배 언능

盡知? 願自今 每衙日朝會後 迎接大臣 雖非衙日 亦且與議國政

以開壅蔽."

一, 昌寧府院君成石璘 知刑曹事鄭易等陳言內: "世子 國儲

君副 養之不可不謹也. 侍左右者 皆賢士大夫 則涵養德性 日就

高明; 皆宦官群小 則放僻怠弛 日趨汚下. 是故古昔明王 必簡

其人 以訓後嗣. 今者東宮僚佐 率多童蒙之輩 且與宦少 恒居

于內 其於④殿下培養國本之義何 世子薰陶德性之道何? 願殿下

以經明行修之士 充補僚屬 常在左右 勿令童蒙之徒 獲居其職

宦少之輩 昵比燕私 以養國本 以副輿望."

一, 前漢城府尹尹穆 前雞林府尹韓理 戶曹典書尹思修等陳言

內: "自古有國家者 不可輕變祖宗之法. 其創業之君 慮患也深 故

其立法也密. 惟我太上王 參酌古今之宜 勒成經濟六典 其立經

陳紀 可謂詳且備矣. 比年以來 人持異見 屢更其制 中外人民

罔知所措. 願自今 一遵六典之制 爲萬世持守之具. 殿下卽位以後

條令判旨 六典所未載而可爲萬世法者 簡擇成書 以續六典 刊板

施行."

一, 昌寧府院君成石璘 參判司平府事李彬 前簽書承樞府事

李廷堅等陳言內: "民之休戚 係於守令 其爲任 豈不重哉! 今以

京官六品 拜守令 秩滿內遷 還爲六品 他品亦然. 是故自京遷外

者 陞其資級 秩滿內遷者 毋降前資 且令京外官吏 更迭差遣 以

均勞逸."
균 노일

一, 前漢城府尹尹穆陳言內: "臣聞政在朝廷則治. 今國之朝廷
일 전 한성부 윤 윤목 진언 내 신문정재 조정 즉치 금국지 조정

乃議政府也 所謂摠百官而調元之任也. 又有承樞府別一朝廷 凡
내 의정부 야 소위 총 백관 이 조원 지임 야 우유 승추부 별일 조정 범

有軍兵 奉旨施行 朝廷未得知也. 古者 兵權散主 不偏屬於一人
유 군병 봉지 시행 조정 미득 지야 고자 병권 산주 불편 속어 일인

故宰相承人主之命行移 然後掌兵者 承之以發兵. 願殿下 自今凡
고 재상 승 인주 지명 행이 연후 장병자 승지 이 발병 원 전하 자금 범

軍士之差發 令議政府承命 行移承樞府 然後施行 則政在朝廷而
군사 지 차발 영 의정부 승명 행이 승추부 연후 시행 즉 정재 조정 이

不紊矣."
불문 의

一, 前奉常令吳陞陳言內: "忠信重祿 所以勸士也. 近者 不論
일 전 봉상 령 오승 진언 내 충신 중록 소이 권사 야 근자 불론

賢否 多授檢校之職 徒費天祿 無補於國 其煩冗之弊 甚於添設.
현부 다수 검교 지직 도비 천록 무보 어국 기 번용 지폐 심어 첨설

宜汰檢職 如有功者 許於百官擢用."
의 태 검직 여 유공 자 허어 백관 탁용

一, 判軍資監事李擔等陳言內: "六寺七監 員額已多 又設
일 판 군자감 사 이담 등 진언 내 육시 칠감 원액 이다 우설

兼判事 多至二三 而其雜冗事務 皆不與知 但率丘史 而其庶司
겸판사 다지 이삼 이 기 잡용 사무 개 불여 지 단 솔 구사 이 기 서사

臧獲之少者 尤以爲患. 其兼判事各一員外 餘皆革去.
장획 지 소자 우이 위환 기 겸판사 각 일원 외 여개 혁거

一, 官爵 國家之公器 不可以僥倖而冒進. 國家嚴禁私謁 以杜
일 관작 국가 지 공기 불가 이 요행 이 모진 국가 엄금 사알 이두

奔競之門 又下教旨 以禁私單子 然私單子請托除授者 尚未盡革.
분경 지문 우 하 교지 이금 사단자 연 사단자 청탁 제주 자 상 미진 혁

願令攸司 明擧上項禁令 以懲請托.
원령 유사 명거 상항 금령 이징 청탁

一, 典農寺專掌祭祀 其任之重 非他官比也. 近者 幼小無知者
일 전농시 전장 제사 기임 지중 비 타관 비야 근자 유소 무지 자

或居是官 不務粢盛之潔. 願自今 必擇明於禮典 恭敬齋莊者以
혹 거 시관 불무 자성 지결 원 자금 필택 명어 예전 공경 재장 자이

任之; 供祭之用 物無巨細 親自監視 務令清潔."
임지 공제 지용 물무 거세 친자 감시 무령 청결

一, 知刑曹事鄭易等陳言內: 朱子曰: '禮者 天理之節文 人事
일 지 형조 사 정역 등 진언 내 주자 왈 예자 천리 지 절문 인사

之儀則.' 苟無其禮 焉能爲治? 恭惟殿下 率百官觀省於太上殿

而百官不行觀禮 各就依幕 其於人臣之禮何? 願自今太上殿誕日

正朝 殿下率百官賀禮與無時觀省禮度 下令攸司詳定 垂法後世.

一, 國家慮下情之不獲⑤上達 置申聞鼓 許人來擊 以除壅蔽

之患 此誠良法美意也. 姦暴之徒 不察立法之意 但徇貪欲之

私 貪緣爲奸 修飾百端 不愜於己 則曰誤決 輒來擊鼓 以聞

天聰 於是 將其所訟之事 或直斷 或令所司覈其眞僞. 雖誣告

現 然不加極刑 故人不畏法 乃欲擊鼓 以脅官吏. 以此觀之 所謂

申聞鼓者 非所以申冤抑開壅蔽也 乃奸詐之徒欺罔之資也. 願

自今 擊鼓者所訟之事 覈其眞僞 所告如虛 將其所曾使喚奴婢及

家産沒官 身充水軍: 非唯奴婢 凡誣告者亦同罪: 若非妄告 當該

官吏 痛治其罪.

一, 戶口之法 貴賤之所由辨. 今者自京中五部 至於州縣 皆得

成給. 由是賤隷之徒 冒受良籍 以累名器者 容或有之. 願自今

戶口之法 京中 漢城府考其本籍及祖上告身 更加覈實 圓議署合

其一件以授其人 藏一件以備後考. 至於外方 令各官守令 考其

本籍及祖上告身 傳報都觀察使 觀察使與其首領官圓議署合

行移所在界首官 亦依京中之例 謹審施行 以嚴貴賤之分.

一, 前監務申丁道陳言內: "崇獎義士節婦 國之常典 凡夫亡

守信婦女 或稱內傳以奪志 非所以移風易俗之道也. 願殿下特下

禁令 毋奪節婦之志."

一, 供造署令裵憲陳言內: "各道驛丞 更遞無常 非唯不能盡心

奉職 驛吏迎送之弊 亦且煩劇. 願自今 依守令例 善政秩滿者

敍用."

一, 漢城尹閔繼生 前戶曹典書嚴儇等陳言內: "沿海所居之人⑥

生長水邊 便習舟楫 陸地居民⑥隔日程途 來往有弊 其視海路

如陷死地. 願自今 沿海而居者⑥ 勿論職之有無 盡屬船軍: 陸地

居者 專屬侍衛 則水陸之務各擧矣."

一, 司諫院左司諫趙休等陳言內: "勞苦莫甚於船軍 怨讟由玆

以興. 是以屢降敎旨 曲加憐恤 然守令往往不體殿下撫育之

仁 不察船軍怨咨之苦 籍軍之際 父子兄弟 竝充船軍 及其寇賊

陷害 風水不利 一時 隕身 俱爲海鬼 旣無歸葬之望 又乏供祭之

資 老姑新婦 徒聞其死 拊心號泣. 願殿下 令各道監司 悉究水陸

軍籍 父子兄弟竝充船軍者 削其一名 移定他役: 不願移換 願仍

爲奉足者 聽從其欲 以便其生."

一, 中部令金濂 北部令崔仁浩等陳言內: "五部坊里 出役不均

鰥寡孤獨 供役甚勞. 蓋里居者强 而部令秩卑 且其官屬丘史

而已 未有使令者. 雖欲制馭豪强 均其勞逸 得乎? 願自今 令部

令參坐 漢城府郎廳 合爲一衙門 增屬皂隸 以便使令: 其差役則

自前銜三品以下皆出役 四品以下里內別監 里正 輪番差定 以均

徭役 以恤煢獨."
요역 이휼 경독

一, 前簽書承樞府事李廷堅陳言內: "鰥寡孤獨 天下之窮民而
일 전첨서 승추부 사 이정견 진언 내 환과고독 천하 지 궁민 이

無告者也. 願自今 內而王都 外而各道 廣施仁惠 先斯四者. 至於
무고 자야 원자금 내이 왕도 외이 각도 광시 인혜 선사 사자 지어

處女 或父母兄弟俱沒 或水火盜賊 資粧未備 婚姻過時 含憤呼泣
처녀 혹 부모 형제 구몰 혹 수화 도적 자장 미비 혼인 과시 함분 호읍

致傷和氣. 所在官司公給裝物 婚不失時 是亦仁政之一端也."
치상 화기 소재 관사 공급 장물 혼 불 실시 시역 인정 지 일단 야

一, 參知議政府事崔迤陳言內: "外方各道弓馬有能者 皆屬
일 참지 의정부 사 최이 진언 내 외방 각도 궁마 유능 자 개 속

甲士及侍衛 才人禾尺弓馬有能者 亦屬侍衛 其餘老弱 屬于各鎭
갑사 급 시위 재인 화척 궁마 유능 자 역 속 시위 기여 노약 속우 각진

又於老弱之中 擇其善者 加屬侍衛 故藩鎭單弱之兵 隨日減少.
우 어 노약 지중 택 기선 자 가속 시위 고 번진 단약 지병 수일 감소

萬有邊警 爲將帥者 能獨禦乎? 願自今 才人禾尺輩 皆屬各鎭 以
만유 변경 위 장수 자 능 독 어 호 원 자금 재인 화척 배 개 속 각진 이

實藩兵."
실 번병

一, 檢校漢城尹兪瓚等陳言內: "師老馬疲 非兵家之良策; 養兵
일 검교 한성 윤 유찬 등 진언 내 사로 마피 비 병가 지 양책 양병

靜守 爲將帥之深慮. 伏願番上侍衛 遠方之人 則放歸務農 屬鎭
정수 위 장수 지 심려 복원 번상 시위 원방 지 인 즉 방귀 무농 속진

禦寇 以京近處軍官 輪番侍衛."
어구 이 경 근처 군관 윤번 시위

一, 繕工監韓尙德等陳言內: "內乘放牧之馬 越場散布 喫損
일 선공감 한상덕 등 진언 내 내승 방목 지 마 월장 산포 끽손

禾穀 其養馬者 佯爲不知 農民不堪其苦 爭持酒食貨財以事之.
화곡 기 양마 자 양위 부지 농민 불감 기고 쟁 지 주식 화재 이 사지

其貧乏不能善事者 與夫違忤其志者 故令驅馬 散而牧之 雖痛
기 빈핍 불능 선사 자 여부 위오 기지 자 고령 구마 산이 목지 수통

于心 無所控告 弊莫甚焉. 願自今 當每月每旬 令監察一員 行檢
우심 무 소공고 폐 막심 언 원 자금 당 매월 매순 영 감찰 일원 행검

田野 其有踏損之田 當番養馬 痛懲鑑後 以便民生."
전야 기유 답손 지 전 당번 양마 통징 감후 이편 민생

一, 壽寧府司尹崔安濬陳言內: "京畿之民 賦役倍於他道 或
일 수녕부 사윤 최안준 진언 내 경기 지민 부역 배어 타도 혹

值使臣之來 奪其牛馬而殺之. 願自今 畜養牛馬 以供宴享 毋奪
치 사신 지래 탈 기 우마 이 살지 원 자금 축양 우마 이공 연향 무탈

於人 以減民怨."
어인 이감 민원

一, 前監務朴甸陳言內: "各道四時進膳 不可廢也. 然監司以
일 전감무 박전 진언내 각도 사시 진선 불가폐야 연감사 이

任意多少定數 分定諸州 若乾獐 乾鹿 丁香 脯 生肉等物 督令
임의 다소 정수 분정제주 약건장 건록 정향 포 생육등물 독령

輸納 雖在農月 恣行畋獵 妨農害民. 故向者下牒減除 以蠲其弊
수납 수재농월 자행전렵 방농해민 고향자 하첩감제 이견기폐

近者此弊復作 民甚苦之. 願自今參酌各道遠近 一月所獻度數及
근자 차례부작 민심고지 원자금 참작 각도 원근 일월 소헌 도수급

物之多少 依貢物例定著常式 趁時上納 以休民力.
물지 다소 의 공물 예정지 상식 진시 상납 이휴민력

一, 豐海道不多兵船 旣有節制使一員 又有萬戶四員 皆置鎭撫
일 풍해도 부다 병선 기유 절제사 일원 우유 만호 사원 개치 진무

百戶 官多民少 各持私馬 濫用軍人料太 勒令軍卒養飼 營私
백호 관다민소 각지사마 남용군인요태 늑령 군졸 양사 영사

無極 軍皆疾怨. 願自今於各浦 除其萬戶 只差千戶 其節制使
무극 군개질원 원자금 어각포 제기만호 지차천호 기절제사

千戶 百戶等私馬養飼及營私等事 都觀察使一皆痛禁 以安
천호 백호 등 사마 양사 급 영사 등사 도관찰사 일개 통금 이안

軍卒."
군졸

允之 唯罷檢校之事, 六寺七監兼判事一員外皆革之事, 太上殿
윤지 유파 검교 지사 육시칠감 겸판사 일원외개혁지사 태상전

無時觀省之禮詳定事, 擊鼓誣告者: 有奴婢則沒其奴婢 杖一百 無
무시 근성 지례 상정사 격고 무고자 유 노비 즉몰기 노비 장일백 무

奴婢則沒其家財事, 水陸軍改籍事, 各道侍衛等事 不允.
노비 즉몰기 가재 사 수륙군 개적 사 각도 시위 등사 불윤

己未 召 河崙 李居易 成石璘 趙浚 李茂 李舒議事. 上曰:
기미 소 하륜 이거이 성석린 조준 이무 이서 의사 상왈

"中國使臣來則必欲見金剛山 何也? 諺曰: '中國人有云: "願生
중국 사신 내즉필 욕견 금강산 하야 언왈 중국인 유운 원생

高麗國 親見金剛山"者'. 然乎?" 崙進曰: "金剛山在東國之語
고려 국 친견 금강산 자 연호 륜진왈 금강산 재 동국 지어

載在大藏經 故云爾." 上曰: "然." 上曰: "昔唐太宗手擎小鷹 值
재재 대장경 고운이 상왈 연 상왈 석당 태종 수경 소응 치

魏徵至 乃袖其鷹 徵知之 故自久留 鷹乃斃. 何畏徵之甚也?" 浚
위징 지 내수 기응 징지지 고자 구류 응내폐 하외 징지 심야 준

進曰: "此非徵之賢 乃太宗之賢也." 上曰: "然."
진왈 차비 징지현 내 태종 지현야 상왈 연

庚申 遣前司諫權軫于濟州. 籍宮司倉庫奴婢也.
경신 견전 사간 권진 우 제주 적 궁사 창고 노비 야

辛酉 上護軍權希達罷. 初 希達與摠制李密 因博奕無禮於領
신유 상호군 권희달 파 초 희달 여 총제 이밀 인 박혁 무례 어영

承樞府事趙英茂之側 英茂怒 因密從吏徵希達布百匹 希達憤甚
승추부 사 조영무 지측 영무 노 수밀 종리 징 희달 포 백필 희달 분심

與英茂論族勢大詰 解其帶投英茂前 又入承樞府發惡言. 承樞府
여 영무 논 족세 대힐 해 기대 투 영무 전 우입 승추부 발 악언 승추부

上疏請罪 上因希達于巡禁司三日 罷其職. 希達性行麤惡 國人皆
상소 청죄 상수 희달 우 순금사 삼일 파 기직 희달 성행 추악 국인 개

惡之 但以有膂力而勤於侍衛 故上每優容 由是希達不改其行.
오지 단이유 여력 이근 어 시위 고 상매 우용 유시 희달 불개 기행

幸益安大君芳毅第問疾.
행 익안대군 방의 제 문질

壬戌 月犯軒轅第二星.
임술 월범 헌원 제이 성

議政府上書議本朝按律之誤. 書曰:
의정부 상서 의 본조 안률 지오 서왈

'大明律鬪毆條云: "凡鬪毆殺人者 不問手足他物金刃 竝絞."
대명률 투구조 운 범 투구 살인자 불문 수족 타물 금인 병교

威逼人致死條云: "凡因事威逼人致死者 杖一百. 若官吏公使人
위핍 인 치사 조운 범 인사 위핍 인 치사 자 장 일백 약 관리 공사인

等 非因公務而威逼平民致死者 罪同 竝追埋葬銀一十兩. 若因
등 비인 공무 이 위핍 평민 치사 자 죄동 병추 매장 은 일십 량 약인

姦盜而威逼人致死者斬." 本朝因此律 犯鬪毆殺人者及因姦盜
간도 이 위핍 인 치사 자 참 본조 인 차율 범 투구 살인자 급 인 간도

威逼人致死者 蒙宥則全免罪 威逼人致死者 雖蒙宥 猶依律徵
위핍 인 치사 자 몽유 즉전 면죄 위핍 인 치사 자 수 몽유 유 의율 징

埋葬銀 給付被殺人家. 然究作律之意 鬪毆殺人及因姦盜威逼人
매장 은 급부 피살인 가 연구 작률 지의 투구 살인 급 인 간도 위핍 인

致死者 身被極刑 故不徵銀: 威逼人致死者 得保性命 故徵埋葬
치사 자 신피 극형 고 부징 은 위핍 인 치사 자 득보 성명 고 징 매장

銀. 今反使罪重者全免罪 而輕者徵銀 非唯輕重失宜 似有乖於
은 금 반사 죄중자 전 면죄 이 경자 징은 비유 경중 실의 사 유괴 어

作律之本意. 自今凡鬪毆殺人及因姦盜威逼人致死 罪當絞斬者
작률 지 본의 자금 범 투구 살인 급 인 간도 위핍 인 치사 죄당 교참 자

雖蒙宥旨 準律文過失殺贖罪例 減半生徵 給付被殺人家.'
수 몽 유지 준 율문 과실 살 속죄 예 감반 생징 급부 피살인 가

允之.
윤지

癸亥 遣參判司平府事李來 簽書承樞府事全伯英如京師 賀正
계해 견 참판 사평부 사 이래 첨서 승추부 사 전백영 여 경사 하정

也. 請封世子 兼謝放還拘留人.
야 청봉 세자 겸사 방환 구류 인

減江原道今年田租之數. 觀察使上言:
감 강원도 금년 전조 지수 관찰사 상언

'本道田地瘠薄 禾穀之實 不及他道 故水田一結 糙米二十六
본도 전지 척박 화곡 지실 불급 타도 고 수전 일결 조미 이십육

斗五升; 旱田一結 收麥二十五斗; 倉庫宮司田租 以油蜜布貨
두 오승 한전 일결 수맥 이십 오두 창고 궁사 전조 이 유밀 포화

自願輸納 古例也. 自壬午年 收租之數 乃以他道之例 水田一結
자원 수납 고례 야 자 임오년 수조 지수 내 이 타도 지례 수전 일결

收米三十斗 旱田一結收麥三十斗 民甚苦之. 今年又因大風大水
수미 삼십 두 한전 일결 수맥 삼십 두 민심 고지 금년 우인 대풍 대수

傷損甚多 願以在前科式收租; 布貨油蜜 亦以自願輸納 以慰
상손 심다 원이 재전 과식 수조 포화 유밀 역이 자원 수납 이위

生民.' 允之.
생민 윤지

司譯院判官崔雲 押被倭虜掠逃來寧波府民陳阿狗等四名 遼東
사역원 판관 최운 압피 왜 노략 도래 영파부 민 진아구 등 사명 요동

逃軍杜添保等 赴遼東.
도군 두첨보 등 부 요동

甲子 幸漢陽 毋嶽 相定都之地. 河崙 趙浚 南在 權近 臺諫
갑자 행 한양 무악 상정 도 지지 하륜 조준 남재 권근 대간

各一員扈從 命權希達侍衛. 司憲府劾希達于路次 以辱罵大臣
각 일원 호종 명 권희달 시위 사헌부 핵 희달 우 노차 이 욕매 대신

任然扈駕也. 希達卽以聞 上怒 命司憲府退于家 毋扈從. 駕次于
임연 호가 야 희달 즉 이문 상노 명 사헌부 퇴우 가 무 호종 가차 우

通濟院帳殿 獻納許遲 正言卓愼等諫曰:"希達雖已罷職 罪不止
통제원 장전 헌납 허지 정언 탁신 등 간왈 희달 수 이 파직 죄 부지

此. 憲府劾之 未爲失當. 定都邑 大事也 乃以劾希達之故 不令
차 헌부 핵지 미위 실당 정 도읍 대사 야 내 이 핵 희달 지고 불령

憲司扈從臣等實有缺望." 上怒 使知申事朴錫命問之曰:"希達
헌사 호종 신등 실유 결망 상노 사 지신사 박석명 문지 왈 희달

之罪 論已足矣. 不知更有何罪?" 愼曰:"軍法一位嚴於一位 自
지죄 논 이 족의 부지 갱유 하죄 신왈 군법 일위 엄어 일위 자

上護軍至於隊副亦然. 況希達辱罵領承樞府事 其罪豈止於此!"
상호군 지어 대부 역연 황 희달 욕매 영 승추부 사 기죄 기 지어 차

上曰:"汝等法官 論定希達之罪以聞." 遲對曰:"當以制書有違
상왈 여등 법관 논정 희달 지죄 이문 지 대왈 당 이 제서 유위

314

論." 上霽怒曰: "今日太上殿上王殿送酒 予醉矣 當更思之. 汝等
亦退而商量以聞."

益安大君芳毅卒. 芳毅 太祖第三子 上之母兄也. 與於開國
定社之勳 進封大君. 性溫厚不事華美 客至置酒輒醉 不言時事.
晚以疾 杜門不出 上數幸其第 宴慰甚厚. 及卒 上悼甚 親臨致奠
行拜禮 輟朝三日 葬以上等 贈諡安襄. 子石根 封益平府院君; 女
適摠制金閑.

乙丑 還宮 詣太上殿陳慰. 上至臨津 聞芳毅之訃而還.

丁卯 司諫院詣闕 請令憲司視事 不允.

| 원문 읽기를 위한 도움말 |

① 除欽遵給賞了當 各人就令差來使臣參知議政府事呂稱等領回外. 우리
는 除外라고 붙여 쓰지만 한문에서는 주로 '除~外'라고 쓴다. '~를 제외
하고'라는 뜻인데 여기서는 드물게 除와 外 사이에 들어간 내용이 아주
길다.

② 李陽達以卜之. 이때 以는 앞 문장, 즉 한경의 이궁터를 상지하는 문제를
가리킨다.

③ 末由也已. 末由는 未由와 같은 뜻으로 말미암을 데가 없다는 뜻이다.

④ 其於. '~에 있어서'라는 뜻이다.

⑤ 不獲. 不得과 같은 뜻으로 '~할 수 없다'는 일종의 조동사다.

⑥ 所居之人은 표현만 다를 뿐 뒤에 나오는 居民, 居者와 다 같은 뜻이다.

태종 4년 갑신년
10월

十月

기사일(己巳日-1일) 초하루에 (전라도) 나주(羅州)와 보성(寶城)에 성(城)을 쌓았다.

○ 계품사(計稟使) 김첨(金瞻)이 (명나라에서) 우리의 요청을 받아들여 준[准請] 칙서(勅書)를 싸 가지고 경사(京師)에서 돌아왔다. 칙서는 이러했다.
_{준청}

'조선 국왕 이(李)【휘(諱)】에게 칙유한다. 상주(上奏)하여 말한 삼산(參散)[1] 천호(千戶) 이역리불화(李亦里不花)[2] 등 10곳의 인원을 (우리가) 살펴보고서 청한 바를 허락한다[准請]. 그래서 칙유하는 것이다.'
_{준청}

상이 첨(瞻)에게 전지(田地) 15결(結)을 내려주었다.

○ 사헌부에 명해 (출근하여) 일을 보도록 했다.

경오일(庚午日-2일)에 한성(漢城)의 무악(毋岳)[3]에 행차했다. 도읍으로 정할 땅의 상을 보기[相地] 위함이었다. 조준(趙浚), 하륜(河崙), 권근(權近) 및 이천우(李天祐) 등과 여러 종친(宗親)이 호종(扈從)
_{상지}

---

1 북청(北靑)을 가리킨다.
2 이화영(李和英)으로 이지란(李之蘭)의 아들이다.
3 원문에서도 무악(毋嶽)과 무악(毋岳)을 섞어서 쓰고 있다.

했다. (그에 앞서) 임금이 태상전(太上殿)에 나아가 인사를 드렸다.

신미일(辛未日-3일)에 상이 내관(內官) 노희봉(盧希鳳)을 보내 태상전과 상왕전에 노루를 바치고 육선(肉膳)을 들기를 청하니 태상왕이 이에 따랐다. (태상왕이) 희봉(希鳳)에게 가르쳐[敎] 말했다.
"나는 이미 육선(肉膳)을 들었으니 상왕(上王)에게도 또한 육선(肉膳)을 올려라. 국왕(國王)도 또한 육선을 드는 것이 마땅하다. 네가 왕에게 말해 반드시[須] 육선을 들게 하라. 도성으로 돌아와서 나를 보려고 한다면 반드시 소대(素帶) 없이 찾아와야 할 것이다."[4]

임신일(壬申日-4일)에 어가(御駕)가 무악(毋岳)에 이르렀다. 상이 중봉(中峯)에 올라 사람을 시켜 백기(白旗)를 한수(漢水-한강) 주변에 세우게 하고 사방으로 멀리 바라보며[瞻望] 말했다.
"이곳이 도읍(都邑)으로 삼기에 합당하다는 것이 진산부원군(晉山府院君-하륜)의 말이었다. (그런데 와서 보니 정말로) 백기(白旗)의 북쪽이라면 도읍이 들어설 만하다."
산을 내려오던 도중에 대신(大臣), 대간(臺諫), 형조와 지리(地理-풍수지리)를 아는 자들인 윤신달(尹莘達), 민중리(閔中理), 유한우(劉旱雨), 이양달(李陽達), 이량(李良) 등을 모이게 해 명당(明堂)을 얻으려 했다. 상이 윤신달 등에게 말했다.

---

4 육선 들기를 청하고 태상왕이 소대를 매지 말 것을 청한 것은 문맥상 익안대군의 죽음과 관련이 있는 것으로 보인다. 이제 그것을 털어버리자는 서로에 대한 배려로 보아야 할 듯하다.

"거리낄 것 없이 각자 자기 말을 다 하도록 하라. 이 땅과 한양(漢陽) 중에서 어느 곳이 나은가?"

신달(莘達)이 대답했다.

"(풍수)지리로 논하자면 한양(漢陽)의 앞과 뒤에는 돌산이 험(險)해 좋기는 하지만 명당(明堂-궁궐 지역)에 물이 끊어지니 도읍할 수 없습니다. 이 땅은 참서(讖書)로 고찰해본다면 '왕씨(王氏)의 500년 뒤에 이씨(李氏)가 나온다'라고 했던 곳입니다. 이 말은 이미 허망(虛妄)하지 않으니[5] 그 책은 심히 믿을 만합니다. 또 '이씨가 나오면 삼각산(三角山) 남쪽에 도읍을 만들고 반드시 북대로(北大路)를 막을 것이다'라고 했습니다. (그런데) 지금 무악(毋岳)은 북쪽으로 대로(大路)가 있으니 이 땅은 그 참서와 딱[正] 합치합니다."

또 말했다.

"'눈앞에 세 강(江)이 끌어당기기를 만월(滿月)과 같이 한다'고 했는데 이 땅에는 세 강(江)이 눈앞에 있으니 역시 참서와 맞아떨어집니다. 태상왕 때는 아직 이 땅을 얻지 못해 한양에 도읍을 세웠던 것입니다."

유한우(劉旱雨)가 말했다.

"한양은 앞뒤로 돌산이 험하긴 하지만 명당(明堂)에 물이 없으니 도읍해서는 안 됩니다. 지리서(地理書)에 이르기를 '물의 흐름이 길지 않으면 사람이 반드시 끊긴다[流水不長 人必絶]'라고 했는데, 이는 대

---

5 이미 이씨 왕조가 들어서 그 책의 효험이 입증됐다는 말이다.

개 불가하다는 뜻을 말한 것으로 이 땅은 또한 규국(規局)[6]에 바로
합치하지는 않습니다."

민중리(閔中理)가 말했다.

"도읍을 정하려고 하신다면 천리(千里)의 안쪽에 산수(山水)가 빙
둘러싸고 있는[回抱] 곳은 모두 마땅히 찾아보아야 할 것입니다. 만
약 삼각산(三角山-북한산)에 올라가 사방으로 바라보고 승지(勝地)[7]
를 찾는다면 혹 요행히 얻을 수 있을지도 모릅니다."

상이 말했다.

"그러면 이 땅의 규국(規局)을 말해보는 것이 좋겠다."

민중리가 대답했다.

"이 땅 또한 규국(規局)에는 제대로 합치하지 못합니다. 모름지기
외산(外山)이 빙 둘러싸고 있는지를 살펴야 합니다."

이량(李良)이 말했다.

"이 땅은 한양에 비한다면 아주 좋습니다."

양달(陽達)이 말했다.

"한양이 비록 명당(明堂)에 물이 없다고 말들을 하지만 광통교(廣
通橋)에서부터는 물이 흐르는 곳이 있습니다. 앞쪽에는 물이 사방으
로 빙 둘러싸고 있으므로 그런대로[稍] 도읍할 만합니다. (무엇보다)
이 땅의 경우에는 규국(規局)에 합치하지 못합니다만, (굳이) 도읍하
려고 하신다면 바로 여기는 명당(明堂)이 아니고 저 아래쪽에 명당

---

6 길지(吉地)로 확정하는 범위 안의 땅을 가리키는 말로 도국(圖局)이라고도 한다.
7 경치가 좋은 곳 또는 지형이 뛰어난 곳으로서 사람이 살기 좋은 땅을 가리킨다.

이 있습니다."

상이 말했다.

"내가 어찌 신도(新都)에 이미 이뤄진 궁실(宮室-경복궁 지역)을 싫어하고 이 풀이 우거진 땅을 좋아해서 다시 토목(土木)의 역사(役事)를 일으키려 하겠는가? 다만 (기존의 신도는) 돌산이 험하다고는 해도 명당에 물이 끊어져 도읍할 수 없기 때문일 뿐이다. 내가 지리서들을 살펴보니 거기에 이르기를 '먼저 물을 보고 다음에 산을 보라[先看水後看山]'고 돼 있었다. 만일 지리서를 쓰지 않는다면 그만이지만[已], 만일 쓴다면 (지금의) 명당은 물이 없는 곳이니 도읍하는 것이 좋지 않다는 것은 분명하다. 너희는 다 지리를 아는데 애초에 태상왕을 따라 도읍을 세울 때 어찌 이러한 이유들을 말하지 않았는가?"

신달이 말했다.

"신은 그때 마침[適] 친상(親喪)을 만나 능히 호종할 수가 없었습니다."

한우가 말했다.

"신 등이 말하지 아니한 것은 아닙니다만 단지 저희들 뜻대로 할 [專=專斷] 수가 없었을 뿐입니다."

상이 양달을 불러서 말했다.

"네가 도읍을 세울[建都] 때 태상을 따라갔으니 명당(明堂)이 물이 끊어지는 땅이어서 도읍을 세워서는 안 된다는 것을 어찌하여 알지 못하고서 마침내 한양에 도읍을 세우고 크게 토목의 역사(役事)를 일으켜 부왕(父王)을 속였는가? 부왕이 신도(新都)에 계실 때 편찮으셔서[不豫] 거의 위태로웠다가 회복되셨다. 죽는다는 것은 대명

(大命)과 관계되는 것이다. 그 후로 변고(變故)가 여러 차례 일어났고 단 하나도 좋은 일이 없었으므로 이에 송도(松都)로 돌아온 것이다. (그렇지만) 지금 나라 사람들은 내가 부왕의 도읍한 곳을 버리려 한다고 허물한다."

양달이 대답했다.

"명당(明堂)에 비록 물이 없다고 말들을 하지만 앞쪽에 물의 흐름이 시작됩니다. 하물며 그때에 말씀을 다 올리고 조금도 꺼리는 바가 없었는데 다만 신(臣)이 전단(專斷)할 수 있는 일이 아니었을 뿐입니다."

상이 말했다.

"너희가 내 앞에 있으면서도 강변하여 말하는 것이 이와 같건만 어찌 다른 곳에서 자복(自服)하겠는가?"

상이 조준에게 물었다.

"도읍을 세울 때 경(卿)은 재상[相]이었다. 어찌하여 한양에다 도읍을 세우게 된 것인가?"

준이 대답했다.

"신은 지리를 알지 못합니다."

상이 말했다.

"알겠다."

다시 1리(里)를 내려가서 명당(明堂)을 찾았는데 이때 하륜이 말했다.

"좋은 명당(明堂)이란 송도(松都)의 강안전(康安殿)[8] 같은 것이고

---

8   고려시대 정궁(正宮)인 연경궁(延慶宮) 내에 있었던 전각이다. 초기에는 중광전(重光殿)

이 명당(한양의 대궐)은 송도의 수창궁(壽昌宮)⁹과 같습니다."

○ 백백태자(伯伯太子)¹⁰가 제주(濟州)에서 졸(卒)했다.

갑술일(甲戌日-6일)에 다시 한양(漢陽)을 도읍으로 정하고 드디어 향교동(鄕校洞)¹¹에 이궁(離宮)을 짓도록 명했다.

이날 먼동이 틀 무렵[昧爽] 상이 종묘(宗廟)의 문밖에 나아가 여러
사람들에게 알려 말했다.

"내가 송도(松都)에 있을 때 여러 차례 수재(水災)와 한재(旱災)의 재이와 변고[災變]가 있었으므로 하교(下敎)하여 좋은 말을 구했더니[求言] 정승 조준(趙浚) 이하 중에 마땅히 신도(新都)로 돌아가야 한다고 말한 자가 많았다. 그러나 신도 또한 변고(變故)가 많았기에 도읍으로 정하지를 못해 인심이 안정되지 못했다. 이제 종묘에 들어가 송도와 신도와 무악을 (후보지로) 아뢰고, 그 길흉(吉凶)을 점쳐

이라 부르던 것을 1138년(인종 16년)에 이 이름으로 개칭했다. 1171년(명종 1년)에 있었던
화재로 소실됐다가 1180년 중건된 이후 여러 차례 중수를 거듭했다. 중희문(重禧門)으로
불리는 출입문이 있었다. 역대 국왕의 즉위식이 가장 많이 거행되고, 궁궐 내의 연등회
(燃燈會)가 주로 개최되던 곳이다.

9 고려 공민왕 때 시작한 수창궁 중영이 왕의 죽음으로 일시 중단됐다가 1381년(우왕 7년)
수창궁 조성도감(壽昌宮造成都監)을 설치해 최영(崔瑩), 이성림(李成林) 등에게 공사를 계
속 담당하게 해 1384년에 완성했다. 1388년(창왕 1년) 국왕의 이름을 피해 수녕궁(壽寧
宮)이라 불렸고, 공양왕이 이곳에서 즉위했다. 조선에서는 이성계가 여기서 즉위했고 한
양 경복궁에서 정종이 이곳으로 이궐해 와서 머물렀다. 1400년 11월 정종의 뒤를 이어받
은 태종은 수창궁에서 왕으로 즉위해 머물렀고 다시 한양 경복궁으로 이궐했다가 창덕
궁을 지어 거처했다.

10 고려 말에 제주(濟州)로 망명한 원나라 왕족이다. 원나라의 운남(雲南) 양왕(梁王)의 아
들로, 1382년(우왕 8년) 7월 탐라로 망명했다. 이후 양왕의 자손들이 명나라에 의해 제주
로 유배되자 그들과 같이 거처했다.

11 지금의 창덕궁이 있는 주변 지역이다.

길(吉)한 데 따라 도읍을 정하겠다. 도읍을 정한 뒤에는 비록 재변(災變)이 있더라도 더 이상 이의(異議)가 있어서는 안 된다."

상이 제학(提學) 김첨(金瞻)에게 물었다.

"무슨 물건으로 점을 쳐야 하는가?"

대답하여 말했다.

"종묘 안에서 척전(擲錢)[12]할 수 없으니 시초(蓍草)[菩][13]로 점을 치는 것이 좋겠습니다."

상이 말했다.

"시초점을 치려는데 시초가 없고 또 요사이 세상에는 잘하지 않는 것이라 제대로 알기가 쉽지 않으니 길흉(吉凶)을 정하는 데 어려움이 있지 않겠는가?"

김과(金科)가 나아와 말했다.

"점괘(占卦)의 글은 의심나는 것이 많으므로 쉽게 정하기가 어려울 것입니다."

상이 말했다.

---

12 동전(銅錢)을 던져서 점을 치던 일인데 척괘(擲卦)라고도 한다. 시초(蓍草) 대신 흔히 사용하는 방법이다. 한꺼번에 동전(銅錢) 셋을 던져 1개가 뒷면이 나오고 2개가 앞면이 나오면 단(單)이라 하여 작대기 하나 모양으로 표시하고, 2개가 뒷면이 나오고 1개가 앞면이 나오면 탁(拆)이라 하여 작대기 2개를 나란히 놓은 모양으로 표시하고, 3개가 모두 뒷면이 나오면 중(重)이라 하여 ○로 표시하고, 3개가 모두 앞면이 나오면 순(純)이라 하여 ×로 표시하는데 세 번 던져서 하나의 괘(卦)를 만들어 길흉(吉凶)을 판단했다. 그러나 여기서 태종이 사용한 척전의 방법은 단순 다수결이다.

13 시초점은 시초(蓍草)라는 식물의 줄기를 이용해 점을 치는 것이다. 고대의 여러 가지 점법 가운데 거북점과 시초점이 많이 알려졌는데, 『주역』의 점은 시초점이 주류를 이뤘다. 시초는 한 뿌리에서 매우 많은 줄기가 나오는 특이한 풀인데 후대에는 편의에 따라 대나무를 깎아서 시초를 대신해 쓰게 됐다.

"여러 사람이 함께 알고 있는 것으로 하는 것만 한 게 없다. 그리고 척전 또한 속된 일[俗事]¹⁴이 아니고 중국에도 있다. 고려 태조(太祖)가 도읍을 정할 때는 무슨 물건으로 했는가?"

조준이 말했다.

"역시 척전을 썼습니다."

상이 말했다.

"그렇다면 지금도 역시 척전이 좋겠다."

여러 신하를 거느리고 예배(禮拜)한 뒤에 완산군(完山君) 이천우(李天祐), 좌정승(左政丞) 조준(趙浚), 대사헌 김희선(金希善), 지신사 박석명(朴錫命), 사간(司諫) 조휴(趙休)를 거느리고 묘당(廟堂-종묘사당)에 들어가 향을 올린 다음[上香] 꿇어앉아 천우에게 명해 쟁반 안에 동전을 던지게 하니 신도(新都)는 2길(吉) 1흉(凶), 송경(松京)과 무악(毋岳)은 둘 다 2흉(凶) 1길(吉)이었다. 상이 (묘당에서) 나왔고 의견[議]은 마침내 정해지니 드디어 향교동 동쪽 주변을 상지(相地)해 이궁(離宮)을 짓도록 명했다. 어가를 돌이켜 광탄(廣灘)에 머무르며 호종하는 대신들에게 말했다.

"나의 경우 무악(毋岳)에 도읍을 정하지 못했으나 후세에 반드시 (무악에) 도읍하는 자가 있을 것이다."

을해일(乙亥日-7일)에 무지개가 건방(乾方-정서와 정북의 한가운데)에 나타났다.

---

14 이때 속(俗)이란 중국과 대비되는 조선만의 풍속이라는 뜻이다.

○ 어가가 임진(臨津)에 머물렀다[次]. 태상전과 상왕전에서 내관을 보내 육선(肉膳)을 들 것을 권했다. 임금이 임시방편[權=權道]으로 명을 따르기는 했으나 실은 맛보지도 않았다. 개경에 남아 있던 의정부에서 (상을 위해) 연향(宴享)을 베풀었다.

병자일(丙子日-8일)에 상이 도성에 돌아와 태상전에 나아가 노루 2마리를 바치며 헌수(獻壽)했고 상은 비로소 육선(肉膳)을 들었다.

무인일(戊寅日-10일)에 의안대군(義安大君) 이화(李和)에게 육선을 내려주었다. 화(和)가 대궐에 나아왔기에 그것을 내려준 것이다.

기묘일(己卯日-11일)에 상이 태상전에 조알하여 하례(賀禮)를 행했고 의대(衣襨)를 올리고서 헌수(獻壽)하여 지극히 즐기다가 밤늦게 마쳤다. 이에 앞서 예조(禮曹)에서 태상전의 탄일(誕日)과 정조(正朝)를 하례하는 의식(儀式)을 상정(詳定)한 바 있는데, 이때에 이르러 상이 태상전의 탄신일이라 하여 그 예를 거행했다. 태상왕이 상에게 일러 말했다.

"한양(漢陽)에 도읍을 정했고, (여진 지역의) 10곳의 인민을 청해 얻었다니 효도가 이보다 클 수 없다."

임오일(壬午日-14일)에 유창(劉敞)을 예문관 대제학, 김희선(金希善)을 의정부 지사, 유량(柳亮)을 사평부 참판사 겸 사헌부 대사헌으로 삼았다.

병술일(丙戌日-18일)에 독소(纛所)[15]의 북이 스스로 세 번이나 울렸다.

○ 중군도총제 임정(林整)을 보내 (명나라) 경사(京師)에 가게 했다. 10곳의 인민을 본국에 도로 속하게 해준 것[還屬]을 사례하기 위함
이었다.
환속

○ 서원부원군(西原府院君) 이거이(李居易, 1348~1412년)[16]와 그 아들 상당군(上黨君) 저(佇)에게 명해 그들의 고향 (충청도) 진주(鎭州)[17]로 돌아가게 했다. 애초에 상이 의안대군(義安大君) 화(和-이화), 완산군(完山君) 천우(天祐-이천우) 등을 불러 비밀리에 가르침을 주어
[密敎] 말했다.
밀교

"신사년(辛巳年-1401년)에 조영무(趙英茂)가 나에게 아뢰기를 '신

---

15 원수(元帥)의 대기(大旗)가 있는 곳을 가리킨다.

16 조선왕조가 건국된 뒤 1393년(태조 2년)에 우산기상시(右散騎常侍)에 임명되고, 그 뒤 평안도 병마도절제사 등을 지냈다. 그러나 그의 출세는 왕자의 난 이후 태종이 집권한 이후부터였다. 그는 왕자의 난 직후에 책봉된 정사공신(定社功臣)에 올랐으며, 또한 태종이 즉위한 직후에는 좌명공신(佐命功臣)에 책봉되었다. 사실 그는 조선왕조의 왕실과 밀접한 관련을 맺고 있었다. 그의 아들 저(佇)는 태조 이성계(李成桂)의 장녀 경신공주(慶愼公主)와 혼인했으며, 또 다른 아들 백강(伯剛)은 태종의 장녀 정순공주(貞順公主)와 혼인했다. 이러한 특수한 관계가 조선왕조 건국 이후에도 그의 정치적 진출을 쉽게 했으며, 나아가 태종의 집권 이후에도 그가 공신이 될 수 있는 배경이 됐다. 그러나 정종이 재위할 때 시행된 사병혁파(私兵革罷) 조처에 대해 크게 불만을 토로한 것이 연유가 되어 한때 계림부윤(鷄林府尹)으로 좌천됐다. 이 후 1402년(태종 2년) 좌명공신이 되고 또한 사평부 영사로 승진됐다. 이후에 다시 대간의 탄핵을 받아 유배되었다가 복직되어서는 우정승을 거쳐 영의정의 지위에까지 오르기도 했다.

17 진천의 옛 지명이다. 고려 태조가 궁예왕을 몰아내고 왕위에 오른 뒤 청주 세력이 반란을 일으키자 이들을 진압하기 위해 진천에 군사를 파견하여 청주 세력의 반란을 진압할 수 있었다. 청주를 진압했던 전초기지였다는 의미에서 진주(鎭州)라고 명칭을 변경했다. 진주는 고려군이 청주 세력을 진압(鎭壓)한 곳 혹은 고려군이 진수(鎭守)한 곳이라는 데서 유래했다.

(臣)이 이거이의 집에 갔을 때 거이가 신에게 이르기를 "우리의 부귀한 것이 이미 지극하나 처음부터 끝까지[終始=始終] 그것을 보존하기란 예로부터 어려우니 마땅히 서둘러 도모해야 한다. 상왕(上王)은 일 만들기[作事]를 좋아하지 않지만 금상(今上)은 아들이 많으니 어찌 그들이 다 우리를 정과 연민을 갖고서 대하겠는가? 마땅히 이들을 베어 없애고 상왕을 섬기는 것이 좋겠다'라고 했습니다'라고 했다. 나는 이를 듣고서 영무에게 조심하여 그것이 새어나가게 하지 말라[勿洩]고 했는데 이제 이미 4년이다. 거이는 이미 늙었고, 영무 또한 장차 늙게 될 것이니 만약 한 사람이라도 유고(有故)가 있으면 이 말은 변별(辨別)하기가 어렵다[難辨]. 거이를 궐내(闕內)로 비밀리에 불러 영무와 대질하여 판별하게 하고[對辨] 유사(攸司)가 이를 알게 해서는 안 될 것이다."

종친 화(和)와 공신인 상락부원군(上洛府院君) 김사형(金士衡) 등 35인이 대궐에 이르러 거이의 말을 변별(辨別)하여 밝히고, 또 유사로 하여금 그것을 다루게[知] 하기를 청했다. 상이 종친, 공신, 삼부(三府), 대간에 명해 대궐의 뜰에 모여 증언을 함께 듣도록[證聽] 하고서 거이를 영무와 대질하여 실상을 가리도록 했다. 박석명을 시켜 거이에게 물었다.

"영무에게 이런 말을 한 것이 있는가?"

거이가 말했다.

"두 아들이 부마(駙馬)가 되었고, 신(臣)이 정승이 되었는데 무엇이 부족해서 이런 말을 했겠습니까?"

다음에 영무에게 물으니 영무가 대답했다.

"신사년에 신(臣)이 거이의 집에 갔을 때 거이가 말하기를 '우리의 부귀함이 이와 같으니 마땅히 이를 보전할 계책을 마련해야 한다'고 했습니다. 또 상(上)의 여러 아들에 대해 언급하면서 '어린아이들인데 그중에서 임금이 되면 반드시 우리를 싫어하여 제거할 것이니 상왕(上王)을 섬기는 것만 못하다. 어린아이들이 있게 되면 반드시 우리에게 불편할 것이다'라고 했습니다."

거이가 영무에게 일러 말했다.

"어찌하여 나를 해치려고 하는가?"

영무가 말했다.

"그대가 있고 없는 것이 나에게 무슨 손해나 이익이 되겠는가! 또 함께 같은 때에 공신이 되어 집안을 일으킨 사람이다. 다만 군신(君臣)의 분수[分]가 붕우(朋友)의 사귐[交]보다 무겁기 때문에 그대의 말을 주상에게 고한 것일 뿐이다."

하륜(河崙)이 말했다.

"이미 알았으니 마땅히 속히 계달(啓達)[18]해야 한다."

종친과 공신들은 거이를 법에 따라 처리할 것을 청했고, 대사헌 유량(柳亮), 사간(司諫) 조휴(趙休) 등이 말씀을 올렸다.

"전(傳)에 이르기를 '임금과 아버지[君親=君父]에 대해서는 기어오르려는 마음[將=犯上]이 있어서는 안 되며 그런 마음이 있다면 반드시 벤다'[19]고 했습니다. 가만히 보건대 이거이와 그 아들 저(佇)는

---

18 임금에게 의견을 아뢰는 것으로 계품(啓稟)이라고도 한다.

19 『춘추공양전(春秋公羊傳)』「장공(莊公)」 32년에 나오는 말이다. 흔히 이를 춘추(春秋)의

성품이 본래 광망(狂妄)하고 또 아무런 학술(學術)도 없는데, 특별히 성은(聖恩)을 입어 왕실(王室)과 연이어 혼인을 맺어[連姻] 지위가 극품(極品)에 이르렀고 한 집안 전체가 아울러 현질(顯秩)에 올라섰습니다. (그렇다면) 참으로 마땅히 조심하고[小心] 근신(謹愼)하여 상께 충성을 다하고 나라와 더불어 함께 기뻐해야 할 것인데 생각이 여기에는 미치지 못하고 도리어 두 마음을 품었습니다. 지난번에 큰 재앙의 변(變)을 당해 마침내 승추부 영사 조영무에게 감히 불궤(不軌-반역)한 말을 내었으니 이것이 어찌 일조일석(一朝一夕)에 나온 마음이겠습니까? 바라건대 전하께서는 대의(大義)로 결단하시어 거이와 저 등을 유사에 내려 그 까닭을 국문(鞫問)케 하여 그 죄를 밝게 바로잡음으로써 만세토록 난신(亂臣)의 경계를 삼게 해야 합니다."

상이 다만[止=只] 거이에게 명해 그의 고향에 돌아가게 했다. 대간(臺諫)이 다시 대궐의 뜰에 서서[立庭] 청했다.

"거이는 마땅히 법으로 다스려야 합니다. 만세의 법은 비록 임금이라 하더라도 폐기할 수가 없습니다."

상이 말했다.

"경들은 분명 나를 불통(不通)하다고 여길 것이다. 그러나 내가 공신을 보전하고자 하여 이미 황천(皇天)과 후토(后土)[20]에게 맹세한 바 있다. 거이 부자는 일찍이 큰 공이 있었으므로 죄를 가할 수는 없다."

대의(大義)라고 한다.
20 땅의 신이다.

유량이 말했다.

"한때의 공로로 만세의 법을 폐기할 수는 없습니다. 어찌 거이 한 사람을 아끼느라[惜=愛] 자손 만세의 계책을 마련하지 않습니까? 반드시 한(漢)나라 고조(高祖)처럼 사정(私情)을 없앤 뒤라야[無私] 왕업(王業)의 장구(長久)함을 기약할 수 있을 것입니다. 거이는 임금을 업신여기는 마음[無君之心]이 마음속에 쌓여 있다가 말로 나타난 것이며, 또 그 아들 저 또한 광망한 자이니 아울러 법대로 처리할 것을 청합니다."

상이 말했다.

"내가 그들을 보전해주고자 하는 마음이 이미 정해졌다. 경들이 아무리 죄를 가하고자 하더라도 끝내 들어주지 않을 것이다. (그래도) 경들이 억지로 말한다면[強言] 내가 마땅히 문을 닫아걸 것이다. 또 저는 처음에는 알지 못했고, 그 사람됨이 어리석지 아니하니[不愚] 거이가 유배되면 스스로 마땅히 아비를 따라 고향으로 돌아갈 것이다."

량이 말했다.

"진(晉)나라의 조돈(趙盾)이 도망하더라도 월경(越境)은 하지 않았고[21] 허 세자가 먼저 약(藥)을 맛보지 않았을 뿐이지만,[22] 『춘추(春

---

21 조돈(趙盾)은 춘추(春秋)시대 때 사람으로 양공(襄公) 때 중군(中軍)의 장수가 돼 국정(國政)을 장악했다. 양공이 졸(卒)하자 영공(靈公)을 세웠으나 서로 뜻이 맞지 않으니 조돈은 도망쳐 다른 나라로 망명길에 올랐는데, 그가 아직 국경(國境)을 넘지 않았을 때 그의 부하 조천(趙穿)이 영공(靈公)을 시해(弑害)하고 주(周)나라에서 성공(成公)을 맞아 왕위에 앉혔다. 태사(太史) 동호(董狐)는 "조돈이 그 임금을 죽였다"라고 사책(史冊)에 썼다.

22 춘추시대 허(許)나라의 세자 지(止)를 일컫는 말이다. 허나라 도공(悼公)이 학질을 앓다가

秋)』에서는 오히려 대악(大惡)으로 죄를 가했습니다. 하물며 거이의 죄는 『춘추(春秋)』에서 이른바 '다른 사람이 그런 자를 벨 수 있다 [誅]'²³는 것입니다. 이제 부귀한 채로 그냥 고향으로 돌아가게 하신다면 이는 단지[非惟] 죄를 가하는 것이 아닐 뿐만 아니라 도리어 [反] 영광으로 여길 것입니다. 전하께서 설사 그를 유배하고자 하시더라도 신 등은 장차 그를 구속하고 보내지 아니하여 '다른 사람이 이를 토죄할 수 있다[討]'²⁴는 죄목으로 다스리겠습니다. 거이가 이미 영무에게 말했으니 어찌 그 아들 저에게도 말하지 않았겠습니까? 저 또한 '다른 사람이 이를 토죄할 수 있는[討] 자'에 해당이 됩니다."

량이 박석명에게 분개하여 말했다.

"신들은 상(上) 앞에 직접 계달할[直達] 수 없지만 지신사도 또한 공신인데 어찌 상께 다 말하지 않는 것입니까?"

석명이 말했다.

"어찌 말하지 않겠습니까? (다만) 상께서 말씀하시기를 '다시는 들어오지 말라. 문을 닫아버리겠다'고 하셨습니다."

하륜이 말하기를 "거이 부자의 죄는 크니 마땅히 법으로 다스려야 합니다. 그러나 상께서 공신을 보전하고자 하신다면 부자를 한꺼번에 함께 유배시키는 것이 좋겠습니다"라고 했다.

세자 지가 지어준 약을 먹고 죽었다. 공자(孔子)는 세자 지가 약을 미리 맛보지 않았기 때문에 책임이 세자 지에게 있다 하여 『춘추(春秋)』「소공(昭公)」에서 "허세자 지가 그 임금 매(買)를 죽였다"고 했다.

23 이는 대역죄인의 경우 별도로 왕명을 기다리지 않고 아무나 그 사람을 죽일 수 있다는 말이다. 그만큼 죄가 크다는 뜻이다.

24 바로 위에서 말한 '다른 사람이 그런 자를 벨 수 있다[誅]'와 같은 뜻이다.

상이 말했다.

"부자를 한꺼번에 아울러 유배시키게 되면[竝流] 장차 스스로 생
각하기를 '이때에 곧바로 죽이려는구나'라고 할 것이다. 저의 유배는
비록 뒤에 하더라도 무방할 것이다."

공신들은 모두 명령을 듣고 물러나와 서 있었다. 박석명이 유량에
게 사사로이 말했다[私語].

"상께서 아침 일찍부터 나오시어 정사를 들었으므로 심히 피로하
시니 마땅히 다음 날을 기다려 끝내도록 해야 할 것입니다."

그때에 밤이 이미 깊었다. 유량이 큰 소리로 말했다.

"뜰을 가득 채운[滿庭] 공신이 난적(亂賊)을 토죄(討罪)하기를 청
하지는 않고 다만 함께 유배 보낼 것[俱流=竝流]을 청하니 신자(臣
子)의 도리가 어디에 있다는 말인가!"

량 등이 모두 일곱 차례에 걸쳐 반복했으나 더 이상 청(請)할 수가
없게 되자 물러갔다.[25]

---

25 유량의 이 같은 적극성을 볼 때 나흘 전에 이뤄진 그에 대한 대사헌 발령은 이미 태종의
치밀한 사전 계책에 입각한 것임을 추측하게 한다. 1381년(우왕 7년) 생원이 되고 이듬
해 문과 을과에 제1인으로 급제해 전의부령(典儀副令)을 거쳐 종부시판사(宗簿寺判事)가
됐다. 1388년(우왕 14년) 전라도 안렴사(全羅道按廉使)가 되고 1390년(공양왕 2년) 형조
판서가 됐다. 1392년 이조전서(吏曹典書)로 있을 때 조선의 개국에 협력한 공으로 개국원
종공신(開國原從功臣)에 책록되고 이듬해 중추원 부사를 역임했다. 1397년(태조 6년) 계
림부윤(鷄林府尹)으로 부임했으며 다음 해 왜구가 침입해 오자 이에 맞서 싸워 크게 무
찔렀다. 형세가 불리해진 왜구들이 항복을 청해 오자 항복을 받아들인 뒤 한꺼번에 섬멸
하려는 전략을 세웠으나 계획이 누설되어 왜구들이 도망쳐버렸다. 그 죄로 합산(合山)에
유배됐다가 1398년 나주로 옮겨졌으나 곧 풀려났다. 그 뒤 중추원 상의사(中樞院商議事)
로 있다가 1400년(정종 2년) 이방간(李芳幹)의 난을 평정하는 데 협력한 공으로 1401년
(태종 1년) 좌명공신(佐命功臣) 4등에 책록됐다. 1402년 문성군(文城君)으로 봉작됐고, 그
해 동북면 순문사(東北面巡問使)가 돼 변방을 살피고 돌아왔다. 1404년에 대사헌에 이어

○ 다음 날 종친, 공신, 삼부, 대간, 형조가 대궐에 이르러 다시 거이의 죄를 청하니 상이 말했다.

"그들의 공로가 크므로 죄를 가할 수 없다. 내가 보전시키고자 하니 경들이 아무리 청하더라도 끝내 따르지 않을 것이다."

화(和) 등 40인이 다시 청하기를 네 차례나 했다. 상이 말했다.

"경들이 법대로 거이의 죄를 다스리려고 하는데 그렇다면 죽이자는 것이냐? 내가 공신을 보전하고자 하는데도 공신들이 내 말을 따르지 않는 것은 심히 잘못된 것이다."

화 등이 더 이상 청하지 않았다. (그러자) 대간과 형조에서 소(疏)를 올렸다.

'난신적자(亂臣賊子)는 하늘과 땅 사이에서 용납할 수 없는 것이요, 왕법(王法)²⁶에서 마땅히 토죄(討罪)하는 것입니다. (그런데) 지금 거이가 일찍이 임금을 업신여기는 마음을 쌓아서[畜=積] 감히 불궤(不軌)한 말을 내뱉었고 왕실(王室)을 몰래 엿보며[睥睨] 혹시라도[其=或] 변고가 있기를 바랐습니다. 그래서 승추부 영사 신(臣) 조영무와 더불어 대질할 때 말이 막혔으니[辭窮] 간사한 음모는 이미 드러났습니다. 그 흔단(釁端-변란의 실마리)을 엿보고[窺伺] 참혹한 일을 깊이 꾀한 것은 참으로 간담이 서늘한 일[寒心]이라 할 것입니다.

형조판서가 됐으며 예문관 대제학도 겸했다. 그 뒤 이조판서를 거쳐 의정부 참찬사에 올랐으며 다시 대사헌이 됐다. 1413년 문성부원군(文城府院君)으로 진봉됐다가 1415년 우의정으로 승진했다.

26 임금다운 임금이라면 마땅히 따라야 할 법이라는 뜻이다. 이는 왕자(王者)가 임금다운 임금이라는 뜻을 갖는 것과 같다.

저의 사람됨은 거만하고 제 마음대로이며[豪橫] 교활하기가 그 아
비보다 배(倍)나 되니 거이의 음모는 반드시 저에게 힘입은[資] 것입
니다. 거이가 영무에게 오히려 큰소리로 말한 것을 보면 그 아들과
모의했다는 것은 훤히[昭然] 알 수 있습니다. 옛날 (한나라) 고제(高
帝-유방)가 자신을 살려준 은혜에 대해 사사로운 정에 얽매이지 않
고[不私] 정공(丁公)²⁷의 목을 베어 많은 이에게 보여줌으로써 한나
라 왕실[漢家]이 400년의 대업(大業)에 이를 수 있도록 했습니다. 왕
법(王法)은 진실로 임금이 사사로이 할 수 있는[私] 것이 아닙니다.
(그런데도) 전하께서는 오히려 거이 부자의 전일의 공로를 생각해 그
들의 머리[首領]를 보전하게 하여 고향에 안치(安置)하고자 하시지
만, 이것은 다름 아닌 임시변통의 어짊[姑息之仁]일 뿐이지 종묘사직
을 위한 만세의 계책은 아닙니다. 신들은 전하를 위해 깊이 애석하게
여깁니다. 하물며 전하께서는 공신들이 맹세하여 적은 글에 "사직(社
稷)에 관계되는 죄를 범하는 자가 있으면 마땅히 법으로 논죄할 것
이다. 이는 내가 감히 어기는 것이 아니라 그가 전적으로 자초한 것
이다"라고 하셨습니다. (그런데) 지금 거이 부자의 신하답지 못한 죄
[不臣之罪]를 용서하면 단지 왕법(王法)에도 잘못될 뿐만 아니라 하
늘과 땅의 귀신[天地神祇]을 저버림이 또한 작지 않습니다. 바라건대

---

27 초(楚)나라 항우(項羽)의 장수다. 한(漢)나라 고조(高祖) 유방(劉邦)이 일찍이 싸움터에서
크게 패배하여 쫓기게 됐는데 그 형세가 자못 위급하게 되니 유방이 그를 바짝 뒤쫓는
정공(丁公)에게 애걸하여 목숨을 구했다. 그 후 한나라가 초나라를 멸망한 뒤에 정공(丁
公)이 고조(高祖)를 뵙자 고조는 "후세(後世)에 남의 신하가 된 사람들로 하여금 정공(丁
公)을 본받지 말도록 하라"고 하고는 정공의 목을 베었다.

전하께서는 대의(大義)로 결단하시어 거이 부자를 극형에 처해 중외(中外)에 밝게 보임으로써 종사(宗社)를 무겁게 하시고 왕법(王法)을 엄히 하시어 난적(亂賊-난신적자)이 번지는 것을 막으신다면 만세에 다행일 것입니다.'

상이 말했다.

"내가 진실로 공신을 보전하겠다고 해 이미 황천(皇天)과 후토(后土)에게 맹세했다. (그러니) 만일 거이 부자를 죽이게 되면 나는 마땅히 천년(天年)을 마칠[終] 수 없을 것이다. 무인년(戊寅年-1398년)의 공로는 오로지[專] 저에게 있고 경진년(庚辰年-1400년)의 공로는 오로지 거이와 저에게 있다. 또 사사로운 정으로 말하자면 거이의 아들 백강(伯剛, 1381~1451년)²⁸은 나의 사위다. 그대들이 청하는 것이 비록 간절하고 지극하나 나는 들어주지 않겠다."

량(亮)이 석명을 시켜 상에게 고하여 말했다.

"법이란 것은 천하 만세가 함께하는 것이요, 전하께서 사사로이 할 수 있는 것이 아닙니다. (그런데) 지금 오직[特] 거이의 죄에 관대하시니 신은 사직(社稷)이 이로부터[從此=自此] 위태로워질까 두렵습

---

28 1397년(태조 6년)에 음보로 별장이 됐으며 1399년(정종 1년)에 감찰이 됐고 이방원(李芳遠)의 맏딸(훗날의 정순공주(貞順公主))과 결혼해 청평위(淸平尉)가 됐다. 병조좌랑과 형조좌랑을 지낸 뒤 1400년 2차 왕자의 난 때 이방원을 도와 공을 세워 아버지와 함께 공신에 들었으며 이듬해 우장군을 거쳐 대장군에 올랐다. 태종이 즉위하자 숭정대부(崇政大夫) 청평군(淸平君)에 봉해졌다. 이때 아버지 이거이가 두 마음을 품어 불궤(不軌)를 도모한다 하여 서인으로 폐해지고 유배생활을 했으나 이듬해 풀려났다. 1418년(세종 1년)에는 대광보국숭록대부(大匡輔國崇祿大夫) 청평부원군(淸平府院君)에 봉해지니 부마를 부원군으로 봉하기는 이로부터 시작됐다. 1422년에 진하사로 명나라에 다녀왔으며 1450년에 수록대부(綏祿大夫) 청평위(淸平尉)가 되고 궤장(几杖)을 하사받았다.

니다. 『춘추(春秋)』의 법에는 난신적자(亂臣賊子)는 다른 사람이 벨 수 있고, 또 먼저 처벌하고 뒤에 아뢰는[先發後聞] 뜻도 있습니다. 전하께서 만약 끝내 들어주지 않으시면 신은 마땅히 옛법을 따르겠습니다."

상이 말했다.

"경이 이런 말을 하는 것을 보니 내 몸 또한 보전할 수 없겠구나. 거이를 진주(鎭州)에 유배하라."

량이 말했다.

"이러한 무리는 베는 것이 옳건만 어찌 동시에 내보내는 것을 안타까워하십니까?"

상은 어쩔 수 없이[不得已] 부자를 진주(鎭州)로 돌아가게 하고, 대언(代言) 노한(盧閈)을 시켜 거이를 중로(中路)에서 위로하게 하고 대언 김과(金科)를 시켜 저를 위로하게 했다. 량이 이 소식을 듣고서 대궐 뜰에서 큰 소리로 말했다.

"이 사람들이 고향에 돌아가는 것이 어찌 그리 영광스럽습니까? 또 대언들은 모두 왕(王)의 신하인데 난신적자(亂臣賊子)에게 사신을 보내는 것이 될 말입니까? (대언들은) 어찌 다시 청하지 아니했고, 또 신 등과 더불어 토의하고 난 뒤에 가지 않았습니까?"

석명이 말했다.

"다시 청하지 아니한 것은 아니나 상께서 강제하신 까닭으로 어쩔 수 없이 명(命)을 받들었을 뿐입니다."

무자일(戊子日-20일)에 상이 태상전에 나아가 헌수했다. (그에 앞서)

공신과 백관이 대궐에 이르러 거이 부자의 죄를 청하니 상이 말했다.

"부왕께서 일찍이 부르심이 있지 않았는데 금일 부르심을 받아 [見召] 내가 즉시 달려 나아가는 것이니 뒤에 반드시 듣겠다."

견소

즉시 태상전에 이르렀다. 태상왕이 농담을 하며 말했다.

"왕이 일찍이 나와 격구(擊毬)를 해서 이기지 못했다. 지금 이를 벌하려고 하여 그 때문에 부른 것이다."

상이 이에 헌수하고 마침내 거이의 일을 고하니 태상왕은 하늘을 쳐다보며 한참 동안 있다가 말했다.

"네가 마음으로 재결(裁決)했을 것이다. (그러나) 회안(懷安)이 이미 쫓겨났고, 익안군(益安君)은 이미 죽었으며, 상왕(上王)은 출입할 수가 없으니 친척 가운데 살아 있는 자가 몇 사람이냐? 일이 이뤄질[集= 成] 때에는 돕는 자가 많지만 일이 실패할 때에는 돕는 자가 적다.

집

성
사생지간(死生之間)에 돕는 자로는 친척 같은 것이 없으니 너는 그들을 보전해야 할 것이다. 국가의 재앙이나 천변(天變), 지괴(地怪)는 작은 것이고 이런 일은 큰 것이다.[29] 나는 장차 큰 근심이 있을까 두렵구나."

상이 감격해 울다가 물러났다.

○ 대간과 형조에서 의정부 찬성사 남재(南在, 1351~1419년)[30]를 탄

---

29 기존의 번역은 이 부분을 착각하여 다음과 같이 잘못 옮겼다. "사생지간(死生之間)에 돕는 자는 친척 같은 것이 없다. 네가 그들을 보전하면 국가의 재앙이나 천변(天變), 지괴(地怪)가 적어질 것이다. 이 일은 큰 것인데."

30 1371년(공민왕 20년) 진사시에 합격했다. 아우 남은과 함께 이성계(李成桂)의 세력에 가담해 고려 조정의 신진 사류로서 구세력과 대립했다. 1389년(공양왕 1년) 우사의(右司議)가 됐다. 1390년 전교시판사 겸 집의(典校寺判事兼執義)가 돼 이성계가 위화도에서 회

340

핵해 그의 집을 감시하고 지켰다[守直]. 그를 거이의 당여(黨與)라고
여긴 때문이었다.

기축일(己丑日-21일)에 삼성(三省)³¹의 장무(掌務)³²를 순금사에 내
렸다. 애초에 상이 삼성의 장무인 (사헌부) 장령(掌令) 이치(李致), (형
조) 정랑(正郎) 조말생(趙末生), (사간원) 정언(正言) 탁신(卓愼) 등을
불러 물었다.

"찬성사 남재를 탄핵하고 감시하여 지키는 것은 어째서인가?"

이치 등이 대답했다.

군하자 윤소종(尹紹宗)과 함께 비록 행군에는 참여하지 않았으나 사직(社稷)의 대계(大
計)를 의논하고 계책을 도왔다. 그 공으로 회군공신(回軍功臣)에 봉해지고 곧 철원부사
로 나갔다가 염문계정사(廉問計定使)로서 양광도(楊廣道)로 파견되어 민정을 살폈다. 조
선이 개국되자 개국공신 1등에 녹훈되고 전지(田地) 170결(結)과 노비 20구를 하사받
았다. 1392년 중추원 학사로 대사헌을 겸했고 의성군(義城君)에 봉해졌다. 1393년(태조
2년) 주문사(奏聞使)가 돼 사이가 좋지 않던 조선과 명나라의 관계를 개선해 명나라 태
조로부터 3년에 한 차례씩 조공할 것을 허락받았다. 그 공으로 중추원 판사(中樞院判事)
가 되고, 다음 해 문하부 참찬사(門下府參贊事)가 됐다. 이해에 다시 진주사의 부사로 명
에 다녀왔다. 1395년 아버지의 상을 당해 은거하니 동생 남은과 함께 기복(起復)되어 삼
사좌복야(三司左僕射)에 임용되고 노비변정도감(奴婢辨正都監)의 판사를 맡았다. 1396년
예문관춘추관태학사(藝文館春秋館太學士)로서 도병마사가 돼 도통처치사(都統處置使) 김
사형(金士衡)을 따라 이키도(壹岐島)와 대마도를 정벌했다. 1398년 정당문학(政堂文學)이
돼 하륜(河崙)과 함께 정안군이 왕위에 오르는 데 큰 공을 세웠다. 태종이 즉위하자 세자
의 서연관(書筵官)에 빈객(賓客)이 됐다. 1403년(태종 3년) 경상도 도관찰사가 돼 시무를
조정에 보고하니 그대로 시행했고, 1404년 찬성사(贊成事)에 임명됐다. 1408년 대사헌이
됐다가 1414년 우의정·의령부원군(宜寧府院君)에 제배(除拜)됐다. 또 하륜과 함께『고려
사(高麗史)』를 개수했다. 그해 좌의정에 임명되었다가 1415년 좌의정에서 물러나고 수문
전 대제학 겸 세자부(修文殿大提學兼世子傅)가 됐다. 1416년 영의정에 임명되었다가 사직
했다. 1419년 12월 14일에 죽으니 나라에서 조회(朝會)와 저자를 정지하고 부의를 내리
고 세종이 직접 조문했다.

31 사헌부(司憲府), 사간원(司諫院), 형조(刑曹)를 가리킨다.

32 실무 담당자를 가리킨다.

"신들이 듣건대 재(在)가 거이와 깊은 밤중에[昏夜] 서로 만났을 때
저가 말하기를 '내가 임금에게 사뢰어[白] 나의 이상(二相)³³의 직(職)
을 남재에게 주겠다'고 했습니다. (그래서) 신들이 당여(黨與)라고 여겨
그를 탄핵했습니다."

상이 다시 물었다.

"깊은 밤중에 만났다면 며칠날 몇 시였는가? 저가 나에게 사뢰어
그 직임을 풀어서 재에게 주겠다는 것은 누가 알고서 말한 것인가?"

치(致) 등이 감히 대답하지 못했다. 량(亮)이 뒤따라 들어와 말했다.

"거이와 재가 서로 만난 것은 날짜를 헤아릴 수 없습니다. 저가 직
임을 풀어서 재에게 주겠다는 것은 저가 스스로 말한 것입니다."

상이 치 등에게 물었다.

"이는 분명 가장 먼저 말을 꺼낸[首唱] 자가 있을 터이니 누구인
가? 너희가 말하지 않으면 반드시 형옥(刑獄)에 내리겠다."

량이 말했다.

"신이 바로 가장 먼저 말을 꺼냈습니다."

상이 말했다.

"애매한 일로 무거운 견책을 당하는 것, 이는 사람들이 가장 유감
으로 생각하는 것이다. 옛날 경이 울주(蔚州)에서 왜인의 사고 때문
에 무거운 견책을 받은 바 있다. 그런 때를 당하니 경의 마음은 어떠
했는가?"

이치 등 3인을 순금사에 내렸다. 다시 량에게 물으니 량의 대답은

---

33 찬성(贊成)의 직을 가리킨다.

전과 같았다. 또 석명에게 이렇게 말했다.

"(남재는) 탄핵을 당해 소를 아직 올리지 못했는데 전하께서는 어떻게 이를 알 수 있었습니까? 이것이 재가 음모를 쓰는 것[用謀]이 두려워할 만하다는 것입니다. 사람을 시켜 전하의 평소 기거하시는 바를 엿보는[窺覘] 것이 아니겠습니까? 지신사는 어찌 이와 같은 일을 계달(啓達)했습니까?"

석명이 보고하자 상이 말했다.

"누가 능히 나에게 말하겠는가? 어제 늦게 환궁할 때 우연히 얻어들었을 뿐이다. 애매한 일로 대신을 탄핵하는 것은 잘못됐다."

대사헌에게 명해 집에 물러가도록 했다. (대사헌인) 량이 말했다.

"신이 가장 먼저 말을 꺼냈으므로 즉시 옥에 나아가는 것[就獄]이 마땅합니다. 집에 돌아갈 수는 없습니다."

상이 말했다.

"삼성의 장무는 이미 옥에 내려졌고 말이 경에게 미치면 경도 들어갈 것이다."

량이 말했다.

"신이 행수(行首)[34]로서 이 일에 대해 가장 먼저 말을 꺼냈는데 장무의 무리는 하옥되고 신은 집에 가는 것은 잘못입니다. 어찌 반드시 말이 미친 뒤에야 들어가겠습니까?"

상이 말했다.

"경이 공신으로서 옥에 나아가려 하는 것은 더욱 나를 돕는 도리

---

34 동급의 품계나 신분을 가진 여러 사람 중에서 우두머리를 가리키는 말이다.

가 아니다. 다시 말하지 말라."

사간(司諫) 조휴(趙休) 안성(安省), 형조지사(刑曹知事) 정역(鄭易), 집의(執義) 윤수(尹須), 사간원 지사(司諫院知事) 윤향(尹向), 형조의랑(刑曹議郎) 서선(徐選)·이회(李薈), 지평(持平) 허모(許謨)·이임(李稔), 형조좌랑 송면(宋勉)·이형(李衡) 등이 대궐에 이르러 청하여 말했다.

"신들은 장무들과 모두 같은 마음으로 일을 말했는데[言事], 장무들만 하옥됐으니 신들 모두 옥에 나아가기를 원합니다."

상이 말했다.

"장무가 이미 옥에 내려졌으니 일단은[姑] 장차 각기 집으로 돌아가라."

량이 휴(休-조휴) 등 13인을 거느리고 다시 옥에 나아갈 것을 청했으나 상이 강제로 량에게 아무 말하지 말고 물러가도록 했다. 량이 나가자 휴 등 13인이 다시 옥에 나아갈 것을 청했다.

"신들이 큰일[大事]을 가지고 소를 올려 죄를 청했는데 전하께서 윤허하지 않으시고 지엽적인 일[枝葉]로 신들에게 죄를 가하시니 이것이 신 등의 실망하는 바입니다. 만약 환히 드러난[現然] 일을 가지고 법을 굽혀[屈法] 이와 같이 하신다면 조선의 사직이 어찌 이로부터 위태로워지지 않겠습니까? 차라리[寧] 절함(折檻)[35]하는 한이 있

---

35 한(漢)나라 성제(成帝) 때 괴리령(槐里令) 주운(朱雲)이 안창후(安昌侯) 장우(張禹)를 참(斬)할 것을 청했는데 성제(成帝)가 대로해 주운을 죽이고자 하여 어사(御史)로 하여금 끌어내리게 하니 주운이 전(殿)의 난간을 붙잡고 버티고 서서 계속 간언(諫言)하다가 난간이 부러져서 아래로 굴러떨어졌기 때문에 목숨을 건질 수 있었다는 고사(故事)다. 곧 임금이 물리쳐도 끝까지 버티고 간언(諫言)하는 것을 말한다.

어도 돌아가지 않겠습니다."

상이 말했다.

"내가 너희를 그르게 여겨[非] 물러가게 하는 것인데 어찌 물러가
지 아니하고 이같이 말이 많은가?"

휴가 말했다.

"신들은 전하가 그르다고 여기는 것을 알지 못하는 바가 아닙니다.
그러나 전하께서 하시는 바가 거의[似] 이치에 맞지 아니하기 때문
에 감히 물러가지 않는 것일 뿐입니다."

상이 강제로 집에 물러가 있도록 했다.

○ 상이 의정부에 명해 참찬 노숭(盧嵩)을 위관(委官-임시 재판관)
으로 삼고, 순금사 만호 이빈(李彬)·윤저(尹柢)와 함께 삼성의 장무
를 국문하게 했는데, 그 결과 저가 직임을 풀어 남재(南在)에게 주
겠다고 한 일을 알아내니 대성원(臺省員)과 더불어 말한 자가 있다면
비록 종친과 수상(首相-영의정)이라 하더라도 별도로 청하지 말고 바
로 잡아들여[囚禁] 그를 국문하게 했다. 의안대군 화(和), 진산부원
군 하륜 등 20여 인이 모두 나아와 아뢰었다.

"신들이 듣건대 삼성의 장무가 모두 하옥됐다고 해서 황공하여 왔
습니다. 무슨 연고인지 알지 못하겠습니다."

상이 말했다.

"내가 거이 부자를 죽이지 않으려는 것은 계책이 이미 정해졌다.
(하지만) 이에 대해 말하는 자도 그 직책인 까닭에 말하는 것을 금하
지 않았는데 어제 들으니 분명하지도 않은[不明=曖昧] 일을 가지고
대신을 탄핵했다고 보고를 들었으므로 옥에 내린 것이다."

화 등이 청해 말했다.

"이 무리들은 일찍이 큰일을 청한 자들입니다. 만약 모두 하옥하게 되면 사람들은 큰일을 사실이 아니라고 여길 것이니 이것은 결코 그래서는 안 되는 것입니다. 또 재상(宰相)이 여럿인데 오로지 재만을 탄핵한 것은 재에 대해 반드시 말할 만한 것이 있기 때문일 뿐입니다. 청컨대 모두 용서하소서."

상이 말했다.

"경들의 말은 과연 그렇다. (그러나) 무릇 어찌 옳지 않은 것을 가지고 말해야겠으며, 또 어찌 반드시 들어주지 않을 것을 가지고 말해야겠는가?"

명하여 삼성의 장무를 풀어줘 각자 그 집으로 돌아가게 했다. 화 등이 다시 청해 말했다.

"그냥 집에 돌아가게 하는 것은 일에 보탬이 없으니 바라건대 일을 보게[視事] 해주어야 합니다."

상이 말했다.

"일단은 천천히[徐徐] 이를 헤아려보겠다."

순금사에서 국문한 조사 결과[問辭]를 갖춰 아뢰었는데 과연 량이 가장 먼저 말을 꺼냈고 그가 자수했기 때문에 다시 묻지 않았다. 량과 휴 등 10여 인은 즉각 자신들의 집으로 돌아가지 않고 남재의 일과 장무가 하옥된 일을 논해 글을 올렸으나 석명은 상이 다시 노할까 두려워 감히 올리지 못했다.

○ 상이 공신(功臣)들에게 명해 말했다.

"국가에서 예전에 무인년(戊寅年)과 경진년(庚辰年) 사이에 있었던 일은 다름이 아니라[無他] 공신(功臣)들 가운데 길[道]이 같지 않은 자가 있어 스스로 서로 당파를 나눠 의심하고 시기하여 난(亂)을 꾸미기를 좋아했기 때문이었다. 만약 오늘날의 일이라면 거이가 어찌 나를 미워하고, 또 어찌 우리 아이들을 싫어했겠는가? 다만 그가 어리석고 미련하여[愚騃] 말을 하다가 우연히 국가에 간범(干犯)되었기 때문이다. 바라건대 여러 공신들은 이제부터 경계하여 이와 같이 하지 말아야 하며, 마음을 같이하고 다움을 같이하여[同心同德] 왕가(王家)를 좌우에서 도와주면 다행스러움이 그보다 큰 것은 없을 것이다."

○ 삼성에서 여러 차례 사람을 보내 지신사에게 말했다.

"아무개[某] 등이 올린 글을 어찌하여 빨리 올리지 않습니까?"

석명(錫命)이 마침내 그것을 올리니 상이 과연 크게 화를 내며 장무를 순금사에 내렸다. 이날 이른 아침에 의정부에서 백관을 거느리고 거이의 죄를 청하고자 하여 백관으로 하여금 궐하(闕下)에 모이게 했는데 삼성의 장무가 순금사에 내려지자 백관으로 하여금 각기 흩어지라고 했다. 조휴(趙休), 안성(安省), 윤수(尹須), 윤향(尹向), 허모(許謨), 이회(李薈), 서선(徐選) 등이 각각 도리(都吏)³⁶를 의정부에 보내 물었다.

"거이의 죄를 청하고자 하여 백관을 모이게 했다가 청하지도 않고 각기 흩어지도록 했는데 모이게 한 것은 무슨 마음이며, 청하지도 않고 흩어지게 한 것은 또 무슨 마음입니까?"

---

36 정부 각 관아에 소속된 서리(書吏), 연리(掾吏), 전리(典吏), 영사(令史) 등을 말한다. 이들은 그 위계(位階)가 7~8품이었다.

좌정승 조준(趙浚)이 크게 노해 봉인(封印)하고 나오려다가 다시 앉아 그 도리를 가두고 식목도감(式目都監)[37]으로 하여금 대성(臺省-사헌부와 사간원)과 형조가 백관의 장(長-의정부 정승)을 능욕한 것을 탄핵하게 했다. 소(疏)를 올려 청해 말했다.

'이거이 부자가 불궤(不軌)한 마음을 가졌기에 대간(臺諫), 형조와 삼공신(三功臣), 본부(本府-의정부)에서 대궐에 이르러 죄줄 것을 청했는데 상(上)께서는 다만[止=但] 그 고향에 돌아가게 했습니다. 본부에서 백관을 거느리고 죄줄 것을 청하고자 하여 이달 21일에 백관을 궐하(闕下)에 모이게 했는데, 주상이 대간과 형조의 장무를 순금사에 내려 국문하셨습니다. (그래서) 일이 끝나기[事畢]를 기다려 죄줄 것을 청하고자 하여 일단 백관을 각기 흩어지도록 했습니다. (그랬더니) 대간과 형조에서 각기 도리를 본부에 보내 묻기를 "무슨 마음으로 백관을 모이게 하고 무슨 마음으로 각기 흩어지도록 했는가?"라고 했습니다. 본부는 모든 백관을 총괄하는 호령(號令)을 반포하므로 한 나라의 도당(都堂)입니다. 대간과 형조에게 전에 없던 일로 본부가 능멸을 당하고[埋沒] 치욕을 당했으니 이는 크게 부당합니다. 대사헌 유량(柳亮), 사간(司諫) 조휴(趙休)·안성(安省), 형조지사(刑曹知事) 정역(鄭易), 사간원 지사(司諫院知事) 윤향(尹向), 집의(執義) 윤수(尹須), 장령(掌令) 이치(李致)·민설(閔渫), 형조의랑 이회(李薈)·서선(徐選), 정랑 조말생(趙末生), 지평(持平) 이임(李稔)·허모

---

37 원래는 나라의 중요한 격식(格式)을 의정(議定)하던 기관인데 여기서 보면 의례(儀禮)만 의논했던 것이 아니라 대간(臺諫)의 잘못도 이 관서에서 탄핵할 수 있었던 것 같다.

(許讓), 정언(正言) 탁신(卓愼), 형조좌랑 이형(李衡)·송면(宋勉) 등을 청컨대 유사(攸司)에 내려 그 까닭을 국문해 뒤에 오는 사람들[後來]을 깨우쳐 조정의 위엄을 갖춰야 할 것입니다.'

준이 소(疏)를 가지고 대궐에 이르러 청하니 상이 말했다.

"이 무리는 마땅히 즉시 옥에 내려야[下獄] 한다. 이 또한 가증스럽구나. 다만 그때 사람을 보내 물어온 자가 몇 사람인가?"

준이 말했다.

"신 등은 다만 삼성이 했다는 것만 알 뿐, 누구누구[某某]가 한 짓인지는 알지 못합니다."

상이 말했다.

"명확히 알아서 보고하라. 그 도리를 잡아 가둔 것은 매우 잘한 일이오."

애초에 식목도감에서 대간과 형조를 다 탄핵하고 소를 올려 죄를 청했는데 이치, 조말생, 탁신 등은 장무라 하여 갇히는 바람에 (의정부에) 묻는 데 참여하지 않았기 때문에 그들은 다시 가두어 국문하지 않았다.

○ 의정부에서 소를 올려 거이의 죄를 청했는데 해가 저물기에 이르자[値=當] 석명에게 (소장을) 주고 물러갔다.

○ 상이 박석명과 좌대언(左代言) 이승상(李升商)[38] 등에게 명하여 말했다.

"경들도 역시 내 뜻에 따르지 않고 공신의 뜻을 따르겠는가? 공신

---

38 원문에는 이승상(李承商)으로 돼 있는데 잘못이다.

이 거이의 죄를 청하거든 그 말을 출납(出納)하지 말라!"

좌정승 조준 등이 백관을 거느리고 대궐에 나아와 좌부대언(左副代言) 노한(盧閈)을 시켜 아뢰어 말했다.

"신 등이 어제 소를 올려 거이의 죄를 청했는데 전하께서 열람(閱覽)하셨는지 알지 못하겠습니다."

상이 말했다.

"내가 그 소를 아직 보지 못했다. 내가 공신을 보전하고자 하니 정승도 역시 그 뜻을 알 것이다. (그런데) 무슨 까닭으로 백관을 거느리고 왔는가?"

준이 말했다.

"거이의 죄가 무거우니 법대로 그를 토죄할 것을 청합니다."

네 차례나 다시 아뢰었으나 윤허하지 않았다.

○ 찬성사 남재가 대궐에 이르러 은혜에 감사하니[謝恩] 상이 남재에게 일을 보라[視事]고 명했다. 재가 대궐에 이르러 석명을 시켜 고하여 말했다.

"애초에 신이 경상도 관찰사로 있다가 교대되어[見代] 오니 이거이가 신의 집에 찾아와 술과 음식을 제공하고, 이어서 말하기를 '나는 너의 동생과 교분(交分)이 심히 두터웠다. 지금 너의 동생이 죽었으니 나는 너를 대접하기를 너의 동생과 같이하고자 하니 너도 또한 나를 대접하기를 너의 동생과 같이하라'고 했습니다.[39] 신은 그 말

---

39 남재의 동생 남은(南誾, 1354~1398년)은 정도전(鄭道傳) 등과 함께 조정의 신진 사류로서 이성계(李成桂) 일파의 중심인물이 되어 구세력과 대립했으며 요동정벌을 반대했다. 1388년(우왕 14년) 요동정벌 때 이성계를 따라 종군했으며 조인옥(趙仁沃) 등과 이성계에

을 듣고 나서 꿇어앉아 대답하기를 '영공(令公)께서는 나를 잊지 마시오. 나도 영공을 잊지 않겠소'라고 했습니다. 이 때문에[爲是=是以] 신(臣)도 그 집에 한 번 갔을 뿐입니다. 만약 거이가 신의 집에 묵고 신이 거이의 집에 묵었다면 거이는 대신이고 신도 재상인데 두 집의 반인(伴人)과 노비들이 어찌 이를 알지 못했겠습니까? 무인년(戊寅年-1398년)에 신이 죄를 얻었을 때 거이가 신에게 사형을 가하고자 했기에 신이 지금까지도 잊지 않고 있는데 신이 거이와 같은 당여가 되겠습니까? 또 신이 한경(漢京)에 있을 때 전하께서 정안공(靖安公)이 되자 신이 나아가 알현하니 이에 서청(西廳)에 앉기를 허락하셨는데, 그때 신이 말하기를 '조선의 기업(基業)은 결국[畢竟] 공(公)의 손안에 돌아갈 것이니 그때가 되면 제가 마땅히 힘을 다해 보좌하겠습니다'라고 하니 전하께서 그것을 듣고 눈물을 흘렸었습니다[墮淚]."

지신사가 나가서 명을 전해 말했다.

"경이 비록 이렇게까지 말을 하지 않더라도 내가 어찌 알지 못하겠는가? 경은 혹시라도[其] 전혀 의심하지 말라."

재가 감사의 절을 올리고[拜謝] 물러갔다.

○ 순금사에서 대간(臺諫)과 형조(刑曹)에게 거이와 재가 같은 당여가 되는 까닭을 국문했으나 모두 말하지 않았다. 윤저(尹柢)가 노

게 회군할 것을 진언했고 회군 뒤 이성계의 왕위추대 계획에 참여했다. 조선 건국 뒤 판중추원사의흥친군위동지절제사(判中樞院事義興親軍衛同知節制使)가 되고 개국공신 1등에 책록, 의령군(宜寧君)에 봉해졌다. 태조를 도와 이방석(李芳碩)을 세자로 책봉하는 데 적극 간여했다가 1398년 1차 왕자의 난 때 정도전, 심효생(沈孝生) 및 아우 남지와 함께 살해당했다.

하여 말했다.

"해당 부서의 관원(官員)이 공사(公事)를 누설하는 것은 잘못이지만 상(上)이 신 등으로 하여금 이를 묻게 하셨는데 어찌하여 말하지 않는가?"

지평 이임(李稔)에게 형을 가해 국문하고자 하니 임(稔)이 말했다.

"대사헌이 말하기를 '거이와 재가 서로 그들의 집에서 묵고 이저가 스스로 말하기를 "내가 상께 말하여 이상(二相)의 직을 풀어서 남재에게 주겠다"라고 했다'고 했습니다. 장무가 갇히게 된 뒤에 다시 거이의 죄를 청하고 도리를 시켜 의정부에 묻게 한 것도 모두 대사헌이 시킨[敎] 것입니다."
교

그 나머지 대간과 형조의 관원들도 모두 말했다.

"그렇습니다."

순금사에서 그 조사 내용[辭=供辭]을 갖춰 아뢰었다. 상이 말했다.
사   공사

"대사헌이 반드시 들은 곳이 있을 것이니 이를 조사할 필요는 없다."

상이 탄식하며 말했다.

"상당군(上黨君-이저)이 나에게 말해 그 직임을 풀어서 남재에게 주려 했다는 것은 참으로 망언(妄言)이다. 만약 그렇다면 내가 어찌 그것을 잊었겠는가!"

경인일(庚寅日-22일)에 달이 태미(太微) 상장성(上將星)⁴⁰의 북쪽을

---

40 군진을 지휘하는 대장군의 별로 병권의 위무(威武)를 세우는 일을 맡는다.

범했는데 간격이 1자쯤[許] 됐다.
허

　○ 정역(鄭易), 조휴(趙休), 윤수(尹須) 등을 외방에 유배 보냈다. 역은 (황해도) 재령(載寧)에, 휴는 배주(白州)에, 수는 평주(平州)에 유배 보냈다. 또 안성(安省)은 해주(海州)에, 윤향(尹向)은 (충청도) 공주(公州)에, 이치(李致)는 (경상도) 고령(高靈)에, 이임(李稔)은 (경기도) 죽주(竹州)에, 허모(許謨)는 (황해도) 안악(安岳)에, 이회(李薈)는 옹진(甕津)에, 서선(徐選)은 (경기도) 여흥(驪興)에, 조말생(趙末生)은 (경기도) 양성(陽城-안성)에, 이형(李衡)은 (충청도) 청주(淸州)에, 송면(宋勉)은 (강원도) 원주(原州)에, 탁신(卓愼)은 평창(平昌)에 유배 보냈다. 유량(柳亮)은 공신인 까닭으로 면했는데 량은 성문(城門)을 나가서 글을 올리고 스스로 전라도 낭산(朗山)⁴¹으로 갔다.

　신묘일(辛卯日-23일)에 태음성(太陰星)⁴²을 향해 독초(獨醮)⁴³를 거행했다. 달이 헌원성(軒轅星)을 범한 것을 푸닥거리한 것이다.
　○ 오사충(吳思忠)을 영성군(寧城君), 유량(柳亮)을 문성군(文城君), 이천우(李天祐)를 사평부 판사, 남재(南在)를 의정부 찬성사 겸 의용순금사 판사(義勇巡禁司判事), 노숭(盧嵩)을 사평부 참판사, 이숙번(李叔蕃)을 의정부 참찬사, 이지(李至)를 의정부 지사, 김희선(金希善)

41　지금의 여산(礪山)은 전라북도 익산시(益山市)에 속해 있는 지명으로 여량(礪良)과 낭산(朗山)이 합쳐진 지명이다.

42　달을 가리킨다.

43　조선시대 초제의 일종으로 왕실의 안녕과 천재지변 등을 물리치는 방편이었으며 주로 성신에 대한 제사로 정착했다.

을 공안부 판사, 강사덕(姜思德)을 우군도총제, 함부림(咸傅霖)을 의정부 참지사 겸 사헌부 대사헌, 조박(趙璞)을 개성유후사유후로 삼았다. 또 송인(宋因)과 황희(黃喜)를 (각각) 좌사간대부와 우사간대부, 오승(吳陞)을 사간원 지사, 유두명(柳斗明)을 사헌집의, 허지(許遲)를 사헌장령, 이명덕(李明德)을 (사간원) 좌헌납, 조사수(趙士秀)를 우헌납, 이효인(李孝仁)·민심언(閔審言)을 사헌지평, 노인구(盧仁矩)를 좌정언으로 삼았다.

임진일(壬辰日-24일)에 달이 태미(太微) 상장성(上將星) 북쪽을 범했는데 간격이 2자쯤 됐다.

○ 일본 국왕의 사신 주당(周棠) 등이 대궐에 이르러 돌아간다고 아뢰니 상이 무일전(無逸殿)에 나아가 이들을 만나보고 대언(代言) 등에게 명해 이들에게 음식을 접대하게 했다.

○ 명하여 이거이와 이저를 폐해 서인(庶人)으로 삼고, 또 거이의 아들 청평군(淸平君) 백강(伯剛) 등 4인도 폐해 서인으로 삼아 외방에 안치(安置)했다. (그에 앞서) 의정부에서 소(疏)를 올렸다.

'이거이 부자가 상(上)을 향해 두 마음을 가졌기에 본부(本府)와 삼성(三省), 삼공신(三功臣)[44]이 대궐에 나아가 죄를 청했는데 상께서 자비를 베풀어 그들의 고향으로 돌아가게 하셨습니다. 거이 부자는 원훈대신(元勳大臣)으로 종실(宗室)과 연인(連姻)하여 상의 은혜를 지나치게 입었음에도[過蒙] 두 마음을 가졌으니 그 죄는 너무나
_{과몽}

---

44 개국(開國)·정사(定社)·좌명공신(佐命功臣)을 가리킨다.

도 큽니다. 바라건대 삼성(三省)이 청한 바에 입각해 그 죄를 밝게 바로잡아야 할 것입니다.'

○ 대간(臺諫)이 공동 명의의 글을 올렸다[交章].
교장

'의정부의 수판(受判)⁴⁵을 가만히 살펴보건대 거이 부자를 폐해 서인으로 삼았습니다. 신 등이 볼 때 몰래 두 마음을 품고 장차 불궤(不軌)한 짓을 도모하려 한 자는 하늘과 땅 사이에 용납돼서는 안되는 바이고, 왕법(王法)에서 마땅히 토죄(討罪)하고 용서하지 않는 바입니다. 그렇다면 거이 부자는 죽어도 죄가 남음이 있는데 다만 폐하여 서인으로 삼으니 『춘추(春秋)』의 '벤다[誅]'는 뜻에 어긋남이 있
주
습니다. 바라건대 전하께서는 대의(大義)로 결단하시어 그 죄를 밝게 바로잡으시고 가산(家産)을 적몰(籍沒)하며 자손을 금고(禁錮)해 장래에 두 마음을 품는 자의 경계가 되도록 해야 합니다. 신 등이 가만히 듣건대 난신(亂臣)을 베고 적자(賊子)를 다스리는 데는 먼저 그 당(黨)을 끊는다 했습니다. 하물며 자제(子弟)와 친척이겠습니까? 청평군 이백강(李伯剛)은 거이의 사랑하는 아들이고 이저의 아끼는 동생이니 어찌 그 음모를 알지 못했겠습니까? 부마(駙馬)인 까닭으로 부귀(富貴)하고 아무렇지도 않은 듯이 그대로 서울 안에 아무 일 없이 지내므로 화란(禍亂)의 근원이 근절되지 아니하니 선비와 백성들이 한심하게 여깁니다. 바라건대 전하께서는 사은(私恩)으로 공의(公義)를 폐하지 말고 궁주(宮主)⁴⁶와 헤어지게 하고[離異=離婚] 그를 폐
이이   이혼

---

45 수교(受敎)와 같은 뜻이다.
46 정순공주(貞順公主)를 가리킨다.

해 서인으로 삼아 변경(邊境)으로 내쳐서 살게 함으로써 여러 사람의 마음을 안정시켜야 합니다. 이거이의 아들 전 상호군 이백관(李伯寬), 전 대호군 이백신(李伯臣), 전 장흥고부사(長興庫副使) 이현(李儇), 사위 전 정(正) 신중선(辛中善), 의랑(議郎) 경지(慶智)와 인친(姻親), 전 상호군 최원준(崔源濬)·박령(朴齡), 전 사윤(司尹) 김수천(金壽千)·최안준(崔安濬), 대호군 홍제(洪濟), 전 장령(掌令) 민설(閔渫), 표제(表弟)⁴⁷인 전 부정(副正) 허권(許權), 조카 내자주부(內資注簿) 이곤륜(李崐崙) 등은 각각 (이거이 부자의) 추천과 발탁[薦拔]을 입어 오랫동안 현질(顯秩)에 있었으니 더불어 음모한 것이 틀림없습니다. 가만히 볼 때 불령(不逞-불쾌)한 무리가 떼 지어 모여 흩어지지 않으면 혹시라도 예측할 수 없는 변(變)이 생길까 두려우니 염려하지 않을 수 없습니다. 바라건대 그들의 직첩(職牒)을 거두고 그 모의를 국문하여 법대로 처리해서 신민(臣民)의 근심하고 두려워하는 마음을 위로해야 합니다.'

명하여 이거이와 이저의 자손을 금고(禁錮)하게 하고, 백강(伯剛)·백관(伯寬)·백신(伯臣)·현(儇)은 모두 폐해 서인으로 삼아 외방에 안치(安置)하게 했다. 최원준·허권·박령·홍제·민설·최안준·이곤륜은 자원부처(自願付處)하게 했다. 경지는 파직시키고, 신중선·김수천은 논하지 말게 했다[勿論]. 백관은 (경상도) 동래(東萊)에, 백신은 동북면(東北面-함경도)의 정주(定州)에, 현은 (충청도) 진주(鎭州)에 보내고 나머지는 모두 자원안치(自願安置)하게 했다.

---

47 연하(年下)의 고종사촌(姑從四寸)이나 이종사촌(姨從四寸)을 가리킨다.

계사일(癸巳日-25일)에 천둥이 쳤다.

○ 전서(典書) 여의손(呂義孫)[48]을 일본국에 보냈다. (사신을 보내준) 국왕에게 답례하기 위함[報聘]이었다.
_{보빙}

○ 의정부에서 대간(臺諫)이 풍문(風聞)으로 들은 일을 탄핵하는 것과 사정(私情)을 끼고 보복하는 것을 금지하도록 청하니 이를 윤허했다. 소(疏)는 대략 이러했다.

'풍문으로 들은 일을 핵문(劾問)할 수 없는 것은 이미 드러난 법령이 있는데도 지금 대간원(臺諫員) 등이 옛 관례를 답습해[因循] 이행하지 않고 있습니다. 금후로 풍문으로 들은 일과 사정(私情)을 끼고 보복하는 것과 입으로는 말하지 않으나 마음속으로 비난하는 것 [腹誹心謗](을 처벌하는 것) 따위의 일은 모두 금지하고 대간원 가운데 만약 이를 따르지 않는 자가 있으면 본부(本府-의정부)에서 즉시 신문(申聞)하고 논죄하여 이미 잘 이뤄진 법[成憲]을 길이 준수하게 해야 합니다.'

을미일(乙未日-27일)에 상이 태상전에 나아가 격구(擊毬)를 하고 술자리를 마련하여 극진히 즐겼다. 태상왕이 부른 것이다.

병신일(丙申日-28일)에 사간원 지사 오승(吳陞), 사헌집의 유두명(柳

---

48 1396년(태조 5년) 제주목사로 재직 시 임금으로부터 비단과 쌀 30석을 하사받았다. 이때 일본국에 보빙사로 갔었는데 사신으로서의 역할을 제대로 하지 못했다 하여 1406년(태종 6년) 2월에 탄핵을 받아 향리 안치를 받았으나 다시 사헌부의 이의 제기로 진도에 유배됐다.

斗明) 등이 대궐에 이르러 전일의 상소를 그대로 윤허해줄 것[依允]
을 청하니 상이 지신사 박석명을 시켜 명했다.

"거이 부자는 이미 대죄(大罪)를 가했으니 다시 청하지 말라. 그 족
당(族黨)도 모두 그 직책을 거두고 원방(遠方)에 유배 보냈다[竄=流].
백신(伯臣)은 그 어미를 진주(鎭州)에 안치(安置)한 다음에 찬소(竄
所)로 가도록 명했다. 백강(伯剛)을 이혼시키는 일은 인정상 어려운
것[所難]이니 그 처(妻)도 아울러 보내겠다."

대간(臺諫)이 공동 명의의 글을 올렸다.

'신 등이 전일에 삼가 거이 부자 등이 두 마음을 품은 죄를 청했
더니 전하께서는 다만[只=止] 자손을 금고(禁錮)시켜 진주(鎭州)에
안치했습니다. 신 등이 가만히 생각건대[竊謂] 거이의 부자가 조정
(朝廷)의 정치에 참여한 지 대개 또한 여러 해이므로 은혜를 생각해
한편이 되어 붙좇는[黨附] 자가 적지 않을 것입니다. 또 진주(鎭州)
는 거이 부자가 나고 자란 땅이므로 친척과 붕당(朋黨)이 많을 것입
니다. 이제 부자로 하여금 함께 그 고향에 거처하게 했다가 혹시라도
[儻=或] 무뢰한 무리가 있어 불궤(不軌)한 음모를 부추기면[鼓扇] 전
하께서 금일의 다시 살리는[再造] 은혜를 온전히 하고자 하더라도
할 수 있을는지 미처 알지 못하겠습니다. 바라건대 전하께서는 미리
이를 도모하여 거이와 저를 각기 변경(邊境)에 안치하고, 가산(家産)
을 적몰하여 불궤(不軌)함을 징계해야 합니다. 만약 백강이 이미 서
인이 되었다면 공주(公主)와 짝할[尙] 수는 없습니다. 바라건대 전하
께서는 신들이 전일에 계달(啓達)한 바를 살펴 이혼하도록 허락하여
존비(尊卑)를 정하신다면 심히 다행이겠습니다.'

상이 윤허하지 않고 다만 이저를 함주(咸州-함흥)에, 백신을 통주(通州-평안도 선천)에 옮겨 안치하도록 명했다. 왜냐하면 정주(定州)와 함주(咸州)는 서로 가까웠기 때문이다.

○ 의정부에서 청하기를 모든 새로운 법을 세울 때는 반드시 본부(本府)에 보고해 깊이 헤아려 토의하고서[擬議] 상의 판단을 받아[受判] 시행하겠다고 하자 그대로 따랐다. 그 글은 이러했다.

'무릇 법을 세우는 이유는 반드시 이를 만세에 전하자는 것이지만, 아무런 폐단이 없는 뒤에라야 가히 법으로 삼을 수 있습니다. 각사(各司)의 원리(員吏)가 각각 소견을 고집하여 새로운 법을 만들기를 좋아하고, 해당 관리가 준수하기에 어렵다는 점은 생각하지 않으니 폐단이 다시 예전과 같습니다. 지금 이후로는 각사에서 무릇 새로운 법으로 가히 세울 만한 일은 반드시 정부(政府)에 보고하여 정부에서 정말로 시행할 만한 사건인지를 깊이 헤아려 토의하고서 상의 판단을 받아 시행할 것이요, 앞으로는 두 번 다시 의첩(依貼)[49]을 내주어서는 안 될 것입니다.'

○ 의정부에서 율문(律文)을 번역하고, 태(笞)·장(杖)·가쇄(枷鎖)[50]를 제작하는 법을 정해야 한다고 청하니 그대로 따랐다. 그 글은 이러했다.

'『경제육전(經濟六典)』의 형전(刑典)에서 이르기를 "근년 이래 무릇 옥(獄)을 결단하는 자가 율문에 밝지 못해 그 사사로운 뜻[私意]

---

49 임금이 직접 해당 관리에게 내려주는 비답(批答)을 가리킨다.
50 항쇄(項鎖)·족쇄(足鎖) 따위의 형구를 가리킨다.

으로 다른 사람의 죄를 내리고 올려[出入] 형벌이 (실상에) 적중하
지 못해[不中] 원통함과 억울함을 호소할 데가 없어서 (나라 안의) 조
화로운 기운[和氣]이 손상되기에 이르니 진실로 염려하지 않을 수
없다"고 했습니다. 지금의 『대명률(大明律)』은 시왕(時王)[51]의 제도이
니 마땅히 봉행(奉行)해야 하지만 우리나라 사람이 두루 밝게 알기
[通曉]가 쉽지 않습니다. 마땅히 이언(俚言-이두문)으로 이를 번역해
중외에 반포해서 관리로 하여금 강습(講習)하게 하여 무릇 태(笞) 하
나, 장(杖) 하나라도 반드시 율(律)에 의해 시행하도록 해야 할 것입
니다. 만약 율문(律文)을 살피지 않고 망령된 뜻으로 죄를 가볍게 하
거나 무겁게 하는 자는 그 죄로써 죄를 주어야 합니다. 또 이르기를
"형(刑)이란 그것에 따라 사람의 죽고 사는 것이 달려 있으므로 삼가
지 않을 수 없다"고 했습니다. 고려 때부터 서울에 율학(律學)이 있었
고 외방에 법조(法曹)[52]가 있어, 무릇 죄수(罪囚)가 있으면 그 직(職)
에서 오로지 검률(檢律)하여 결단하므로 착오가 없었습니다. (그런
데) 근래에는 법조의 직은 폐지되고 형물(刑物-형구)의 크고 작은 것
은 편리한 대로 제작하므로 태(笞)와 장(杖)으로 인해 죽음에 이르
게 되는 자가 자못 많습니다. 바라건대 지금부터 외방에서 가쇄(枷
鎖)·태(笞)·장(杖)·뉴(杻-수갑)는 모두 율문에 의해 제작하게 하며,
관찰사가 이를 살펴 율문에 의하지 않고 제작한 것은 그 수령을 죄

---

51 현재의 임금을 가리킨다.
52 고려 때 각 지방에 파견하여 수령관(守令官)을 도와 죄인을 신문하고 법률에 의해 판결
    하던 일을 전적으로 맡아보던 관원을 가리킨다.

주는 것이 영전(令典)에 나타나 있습니다. 각 고을 수령이 혹은 율문에 두루 능통하지 못해 태(笞)·장(杖)·신장(訊杖)·가철(枷鐵)·삭료(索鐐-오랏줄) 등의 형구가 율문에 의하지 않는 것이 있고, 옥사(獄事)를 결단할 때 율문을 살피기를 애매하게 하여 태(笞)를 써야 마땅한데 장(杖)을 쓰고, 장(杖)을 써야 마땅한데 신장(訊杖)을 쓰고, 볼기를 쳐야 마땅한데 허리를 때리고, 넓적다리를 때려야 마땅한데 편배(鞭背)[53]하여 인명(人命)을 손상하기에 이르는 자도 또한 있습니다. 바라건대 예전에 법조를 차견(差遣-파견)하던 예에 의해 관찰사의 수사(隨史)로서 율문을 밝게 아는 자를 제수(除授)하여 데리고 가게 해 각 고을 품관(品官), 생도(生徒) 가운데 가히 율문을 배울 만한 자를 골라 오로지 배우게 하여 태(笞) 하나, 장(杖) 하나라도 반드시 율에 의해 범죄한 것을 결단하게 하고, 장죄(杖罪) 이상 사죄(死罪)인 것은 조율(照律)하여 도관찰사(都觀察使)에게 보고하게 하고, 도관찰사는 율학인(律學人)으로 하여금 다시 검복(檢覆)을 더해 시행하여 흠휼(欽恤)하시는 뜻을 펼치셔야 할 것입니다.'

---

53 죄인의 등을 채찍으로 때리는 형벌을 말한다.

己巳朔 城羅州及寶城.

計稟使金瞻 齎准請勅書 回自京師. 勅書曰:

'勅朝鮮國王 李【諱】. 省奏言 參散千戶李亦里不花等十處人員

准請 故勅.'

上賜瞻田十五結.

命司憲府視事.

庚午 幸漢城 母岳. 以相定都之地也. 趙浚 河崙 權近及李天祐

等宗親扈從. 上詣太上殿辭.

辛未 上遣內官盧希鳳 進獐于太上殿及上王殿 請御肉饍

太上王從之. 教希鳳曰:"予已進肉饍 使上王亦進肉饍 國王亦宜

肉饍. 汝言於王 須進肉饍. 還京時 如欲見予 則必去素帶."

壬申 駕至母岳. 上登中峯 使人建白旗於漢水之際 瞻望四方

曰:"此合都邑之地 晋山府院君之所言也. 白旗之北 可以邑居."

下山 會大臣臺諫刑曹及知地理者尹莘達 閔中理 劉旱雨 李陽達

李良等 求明堂. 上謂莘達等曰:"毋有所諱 各自盡言. 此地與

漢陽孰愈?" 莘達對曰:"以地理論之 漢陽前後石山險 而明堂

水絶 不可爲都. 此地以讖書考之 '王氏五百年後李氏出.' 此言旣
수절 불가 위도 차지 이 참서 고지 왕씨 오백 년후 이씨 출 차언 기

不虛矣 其書甚可信也. '李氏出 則三角山南作都邑 須防北大路.'
불허 의 기서 심 가신 야 이씨 출 즉 삼각산 남작 도읍 수방 북대로

今毋岳北有大路 則此地正合其讖. 又曰: '眼前三江 挹如滿月.'
금 무악 북유 대로 즉 차지 정합 기참 우왈 안전 삼강 읍여 만월

此地三江在前 亦合讖書. 太上王時 未得此地 建都漢陽矣."
차지 삼강 재전 역합 참서 태상왕 시 미득 차지 건도 한양 의

劉旱雨曰: "漢陽則前後石山險 而明堂無水 不可爲都. 地理書曰:
유한우 왈 한양 즉 전후 석산 험 이 명당 무수 불가 위도 지리서 왈

'流水不長 人必絶.' 蓋言不可也 此地亦未正合規局." 閔中理曰:
유수 부장 인필절 개언 불가 야 차지 역미 정합 규국 민중리 왈

"欲定都邑 千里之內山水回抱處 皆當求之. 若登三角山 四望求
욕정 도읍 천리 지내 산수 회포 처 개당 구지 약등 삼각산 사망 구

勝地 則或幸得之." 上曰: "且言此地規局可也." 中理對曰: "此地
승지 즉혹 행 득지 상왈 차언 차지 규국 가야 중리 대왈 차지

亦未正合規局 須考外山回抱." 李良曰: "此地比漢陽甚善." 陽達
역미 정합 규국 수고 외산 회포 이량 왈 차지 비 한양 심선 양달

曰: "漢陽雖曰明堂無水 自廣通橋以上有水流焉. 前面有水 四方
왈 한양 수왈 명당 무수 자 광통교 이상 유 수류 언 전면 유수 사방

回抱 稍可爲都. 此地則未合規局 然欲都之 則此非明堂 下有
회포 초 가위 도 차지 즉 미합 규국 연욕 도지 즉차 비 명당 하유

明堂." 上曰: "予豈厭新都已成宮室 而好此草莽之地 更興土木之
명당 상왈 여기 염 신도 이성 궁실 이호 차 초망 지지 갱흥 토목 지

役乎? 但石山之險 明堂水絶 不可爲都故耳. 予觀地理書 曰: '先
역호 단 석산 지험 명당 수절 불가 위도 고이 여관 지리서 왈 선

看水後看山.' 若不用地理書則已 用則明堂無水之地 不可爲都
간수 후 간산 약불용 지리서 즉이 용즉 명당 무수 지지 불가 위도

明矣. 汝等皆知地理 初從太上王建都邑 何不言此故乎?" 莘達
명의 여등 개지 지리 초종 태상왕 건 도읍 하 불언 차고 호 신달

曰: "臣於其時 適遭親喪 未能扈從." 旱雨曰: "臣等非不言 但
왈 신 어 기시 적조 친상 미능 호종 한우 왈 신등 비 불언 단

不得專耳." 上呼陽達曰: "汝於建都之時 從太上而行 豈不知明堂
부득 전이 상호 양달 왈 여 어 건도 지시 종 태상 이행 기부지 명당

水絶之地不可建都也 乃何建都於漢陽 大興土木之役 以欺父王
수절 지지 불가 건도 야 내하 건도 어 한양 대흥 토목 지역 이기 부왕

乎? 父王在新都不豫 幾殆而復存. 沒則關乎大命矣. 厥後變故
호 부왕 재 신도 불예 기태 이 부존 몰즉 관호 대명 의 궐후 변고

屢興 無一好事 乃還松都. 至今國人咎予棄父王所都." 陽達對曰:
누흥 무일 호사 내환 송도 지금 국인 구여 기 부왕 소도 양달 대왈

"明堂雖曰無水 前面始流. 況其時盡言不諱 但非臣所專耳."上
명당 수왈 무수 전면 시류 황 기시 진언 불휘 단비신 소전 이 상

曰: "汝在我前 强言如此 豈於他處自服?"上問趙浚曰: "建都
왈 여재아전 강언 여차 기어 타처 자복 상문 조준 왈 건도

時 卿爲相 何建都於漢陽?"浚對曰: "臣不解地理."上曰: "然"
시 경위상 하건도 어한양 준대왈 신불해 지리 상왈 연

又下一里求明堂 河崙曰: "上明堂如松都康安殿 此明堂如松都
우 하 일리 구 명당 하륜왈 상 명당 여 송도 강안전 차 명당 여 송도

壽昌宮."
수창궁

伯伯太子卒于濟州.
백백 태자 졸 우 제주

甲戌 復定都漢陽 遂命作離宮于鄕校洞. 是日昧爽 上詣宗廟
갑술 부정 도 한양 수 명작 이궁 우 향교동 시일 매상 상예 종묘

門外 告于衆曰: "予在松都 屢有水旱災變 下敎求言 自政丞趙浚
문외 고우 중왈 여재 송도 누유 수한 재변 하교 구언 자 정승 조준

以下 言當還新都者多矣. 然新都亦多變故 都邑未定 人心不靜.
이하 언 당환 신도 자 다의 연 신도 역 다 변고 도읍 미정 인심 부정

今入宗廟 告以松都新都母岳 占其吉凶 從吉定都. 定都之後 雖
금입 종묘 고 이 송도 신도 무악 점 기 길흉 종길 정도 정도 지후 수

有災變 母有異議."問提學金瞻曰: "占以何物?"對曰: "廟內
유 재변 무유 이의 문 제학 김첨 왈 점 이 하물 대왈 묘내

不可擲錢 蓍爲可."上曰: "蓍無蓍草 且今世所不爲 未易曉 無乃
불가 척전 무위가 상왈 무무 시초 차 금세 소불위 미이효 무내

吉凶難定乎?"金科進曰: "卦辭多疑 難可定."上曰: "不若以衆
길흉 난정 호 김과 진왈 괘사 다의 난 가정 상왈 불약 이중

所共知爲之. 且擲錢亦非俗事 中國亦有之. 前朝太祖定都時 以
소공지 위지 차 척전 역비 속사 중국 역 유지 전조 태조 정도 시 이

何物爲之?"趙浚曰: "亦用擲錢"上曰: "如此則今亦可擲錢"率
하물 위지 조준 왈 역용 척전 상왈 여차즉 금역 가 척전 솔

群臣禮拜 率完山君李天祐 左政丞趙浚 大司憲金希善 知申事
군신 예배 솔 완산군 이천우 좌정승 조준 대사헌 김희선 지신사

朴錫命 司諫趙休入廟室 上香跪 命天祐擲錢盤中 新都二吉一
박석명 사간 조휴 입 묘실 상향 궤 명 천우 척전 반중 신도 이 길 일

凶 松京 母岳二凶一吉. 上出 議乃定 遂相地于鄕校洞東邊 命作
흉 송경 무악 이흉 일길 상출 의내정 수 상지 우 향교동 동변 명작

離宮. 還駕次于廣灘 與扈從大臣言曰: "予則①不都母岳 後世必
이궁 환가 차 우 광탄 여 호종 대신 언왈 여 즉 부도 무악 후세 필

有爲都者."
유 위도 자

364

乙亥 虹見乾方.
을해 홍견 건방

駕次臨津. 太上殿上王殿 遣內官勸肉饍 上權從命 而實不嘗.
가차 임진 태상전 상왕전 견 내관 권 육선 상 권 종명 이 실 불상

留都議政府設享.
유도 의정부 설향

丙子 上還京 詣太上殿獻獐二頭獻壽 上始御肉饍
병자 상 환경 예 태상전 헌 장 이두 헌수 상 시어 육선

戊寅 賜肉饍于義安大君和. 和詣闕 賜之.
무인 사 육선 우 의안대군 화 화 예궐 사지

己卯 上朝太上殿 行賀禮 進衣襨獻壽 極歡夜罷. 前此 禮曹
기묘 상 조 태상전 행 하례 진 의대 헌수 극환 야파 전차 예조

詳定太上殿誕日正朝朝賀儀 至是上以太上誕日 行其禮也.
상정 태상전 탄일 정조 조하 의 지시 상 이 태상 탄일 행 기례 야

太上王謂上曰: "定都漢陽 得請十處人民 孝莫大焉."②
태상왕 위 상 왈 정도 한양 득청 십처 인민 효 막대 언

壬午 以劉敞爲藝文館大提學 金希善知議政府事 柳亮參判
임오 이 유창 위 예문관 대제학 김희선 지 의정부 사 유량 참판

司平府事兼司憲府大司憲.
사평부 사 겸 사헌부 대사헌

丙戌 纛所鼓自鳴至三.
병술 독소 고 자명 지삼

遣中軍都摠制林整如京師. 謝十處人民還屬本國也.
견 중군 도총제 임정 여 경사 사 십처 인민 환속 본국 야

命西原府院君李居易及其子上黨君佇歸于其鄕鎭州. 初 上召
명 서원부원군 이거이 급 기자 상당군 저 귀 우 기향 진주 초 상 소

義安大君和 完山君天祐等密敎曰: "歲辛巳 趙英茂告予曰: '臣
의안대군 화 완산군 천우 등 밀교 왈 세 신사 조영무 고 여 왈 신

往李居易之第 居易謂臣曰: "吾等富貴已極 終始保全 自古爲難
왕 이거이 지 제 거이 위 신 왈 오등 부귀 이극 종시 보전 자고 위난

當早圖之. 上王不喜作事 今上多子 豈皆憐恤我輩乎? 當剪除之
당 조 도지 상왕 불희 작사 금상 다자 기개 연휼 아배 호 당 전제 지

而事上王可也."' 予聞之 戒英茂勿洩 今已四年. 居易旣老 英茂
이 사 상왕 가야 여 문지 계 영무 물설 금이 사년 거이 기로 영무

亦將老 若一人有故 則此言難辨. 密召居易於闕內 與英茂對辨
역 장로 약 일인 유고 즉 차언 난변 밀소 거이 어 궐내 여 영무 대변

勿使所司知之."
물사 소사 지지

宗親和及功臣上洛府院君金士衡等三十五人詣闕 請以居易之
종친 화 급 공신 상락부원군 김사형 등 삼십 오인 예궐 청 이 거이 지

言辨明 且使攸司知之. 上命宗親功臣三府臺諫會闕庭證聽 令
언 변명 차사유사 지지 상명 종친 공신 삼부 대간 회궐정 증청 영

居易與英茂對辨. 使朴錫命問居易曰: "與英茂出此言乎?" 居易
거이 여 영무 대변 사 박석명 문 거이 왈 여 영무 출 차언 호 거이

曰: "二子爲駙馬 臣爲政丞 何所不足而出此言也?" 次問英茂
왈 이자 위부마 신위정승 하소부족 이출 차언 야 차문 영무

英茂對曰: "辛巳年 臣往居易之家 居易曰: '我等富貴如此 當爲
영무 대왈 신사년 신왕 거이 지가 거이 왈 아등 부귀 여차 당위

保全之計.' 謂上之諸子曰: '兒子輩立 則必厭我等而去之 不若事
보전 지계 위상지제자 왈 아자배 립 즉필염 아등 이거지 불약 사

上王也. 兒子輩若存 則必有不便於我矣.'" 居易謂英茂曰: "何爲
상왕 야 아자배 약존 즉필유 불편 어아 의 거이 위 영무 왈 하위

欲害我乎?" 英茂曰: "子之有無 有何損益於我! 且俱爲一時功臣
욕해 아 호 영무 왈 자지 유무 유하 손익 어아 차구 위 일시 공신

而起家者也. 但君臣之分 重於朋友之交 故以子之言 告于上耳."
이 기가 자야 단 군신 지분 중어 붕우 지교 고이 자지언 고우 상이

河崙曰: "已知之矣 宜速啓達." 宗親功臣請置居易於法. 大司憲
하륜 왈 이 지지 의 의속 계달 종친 공신 청치 거이 어법 대사헌

柳亮 司諫趙休等上言:
유량 사간 조휴 등 상언

"傳曰: '君親無將 將而必誅.' 竊見李居易及其子佇 性本狂妄
전 왈 군친 무장 장이 필주 절견 이거이 급 기자 저 성본 광망

且無學術 特蒙聖恩 連姻王室 位至極品 一門親戚 竝列顯秩.
차무 학술 특몽 성은 연인 왕실 위지 극품 일문 친척 병렬 현질

誠宜小心謹愼 盡忠於上 與國咸休 慮不及此 反懷二心. 往者當
성 의 소심 근신 진충 어상 여국 함휴 려 불급 차 반회 이심 왕자 당

災眚之變 乃與領承樞府事趙英茂 敢發不軌之言 此豈一朝一夕
재생 지변 내여 영승추부사 조영무 감발 불궤 지언 차기 일조일석

之心哉? 願殿下斷以大義 將居易 佇等 下攸司 鞫問其故 明正
지심 재 원 전하 단이 대의 장 거이 저 등 하 유사 국문 기고 명정

其罪 以爲萬世亂臣之戒."
기죄 이위 만세 난신 지계

上止命居易歸其鄕. 臺諫復立庭請曰: "居易當以法討之. 萬世
상 지명 거이 귀 기향 대간 부 입정 청왈 거이 당 이법 토지 만세

之法 雖人君不可得而廢也." 上曰: "卿等必以我爲不通矣.③ 然予
지법 수 인군 불가 득이 폐야 상왈 경등 필 이아 위 불통 의 연 여

欲保全功臣 已誓皇天后土矣. 居易父子 嘗有大功 不可加罪也."
욕 보전 공신 이서 황천 후토 의 거이 부자 상유 대공 불가 가죄 야

亮曰: "不可以一時之功 廢萬世之法也. 何惜一居易 而不爲萬世
량 왈 불가 이 일시 지공 폐 만세 지법 야 하석 일 거이 이 불위 만세

子孫之計乎? 必若漢高之無私 然後王業之久可期也. 居易無君
<small>자손 지계 호 필약 한고 지무사 연후 왕업 지구 가기 야 거이 무군</small>

之心 積於中而形於言 且其子佇亦狂妄者也. 請幷置之法.”上曰:
<small>지심 적어중이형어언 차 기자 저 역 광망 자야 청 병치 지법 상왈</small>

“予欲保全 心已定矣. 卿等雖欲加罪 終不聽也. 卿等强言 則予
<small>여욕 보전 심이정 의 경등 수욕 가죄 종 불청 야 경등 강언 즉여</small>

當閉門矣. 且佇初不知也. 其爲人也不愚 居易流則自當從歸.”亮
<small>당 폐문 의 차저 초 부지 야 기 위인 야 불우 거이 유즉 자당 종귀 량</small>

曰:“晋趙盾亡不越境而已 許世子藥不先嘗而已 春秋猶以大惡
<small>왈 진 조돈 망불월경 이이 허세자 약불선상 이이 춘추 유이 대악</small>

加之 況居易之罪 春秋所謂人得而④誅之者也! 今富貴而歸故鄕
<small>가지 황 거이 지죄 춘추 소위 인 득이 주지 자야 금 부귀 이귀 고향</small>

則非惟不以加罪 反以爲榮矣.⑤ 殿下雖欲流之 臣等將拘而勿送
<small>즉 비유 불이 가죄 반 이위 영의 전하 수욕 유지 신등 장구 이 물송</small>

以人得而討之之法 討之. 居易旣與英茂言 豈不與其子佇言之
<small>이인 득이 토지 지법 토지 거이 기여 영무 언 기불여 기자 저 언지</small>

乎? 佇亦人得而討之者也.”亮與錫命憤言曰:“臣等不得直達于上
<small>호 저 역 인 득이 토지 자야 량여 석명 분언 왈 신등 부득 직달 우상</small>

前 知申事亦功臣也 何不盡言於上乎?”錫命曰:“我豈不言! 上
<small>전 지신사 역 공신 야 하부진언 어상 호 석명 왈 아기 불언 상</small>

曰:‘勿復入來 且已閉門矣.’”河崙曰:“居易父子之罪大矣 當以
<small>왈 물부 입래 차이 폐문 의 하륜 왈 거이 부자 지죄 대의 당이</small>

法治之. 然上欲保全功臣也 則父子一時俱流可矣.”上曰:“若父子
<small>법 치지 연상 욕 보전 공신 야 즉 부자 일시 구류 가의 상왈 약 부자</small>

一時竝流 則將自謂此時卽殺之也. 佇之流 雖後可也.”功臣等皆
<small>일시 병류 즉장 자위 차시 즉살 지야 저지유 수후 가야 공신 등개</small>

聽命退立. 錫命私語亮曰:“上因早出聽事甚勞 宜待明日而畢.”時
<small>청명 퇴립 석명 사어 량왈 상인 조출 청사 심로 의대 명일 이필 시</small>

夜已深矣. 亮大言曰:“滿庭功臣不請討賊 只請俱流 臣子之義
<small>야 이심 의 량 대언 왈 만정 공신 불청 토적 지청 구류 신자 지의</small>

安在!”亮等凡七反 不得請而退.
<small>안재 량등 범칠반 부득 청이퇴</small>

翼日 宗親功臣三府臺諫刑曹詣闕 復請居易之罪 上曰:“其功
<small>익일 종친 공신 삼부 대간 형조 예궐 부청 거이 지죄 상왈 기공</small>

大 不可加罪. 予欲保全 卿等雖請 終不可從.”和等四十人復請至
<small>대 불가 가죄 여욕 보전 경등 수청 종 불가 종 화등 사십인 부청 지</small>

四 上曰:“卿等欲以法治居易之罪 然則欲殺之耶? 予欲保全功臣
<small>사 상왈 경등 욕이 법치 거이 지죄 연즉 욕 살지 야 여욕 보전 공신</small>

而功臣等不從予言 甚爲不可.”和等不復請. 臺諫刑曹上疏曰:
<small>이 공신 등 부종 여언 심위 불가 화등 불부청 대간 형조 상소 왈</small>

'亂臣賊子 天地所不容 王法所當討. 今居易 曾畜無君之心
난신적자　천지　소불용　왕법　소당토　금거이　증축무군지심

敢發不軌之言 睥睨王室 冀其有變 至與領承樞府事臣趙英茂
감발불궤지언　비예왕실　기기유변　지여영승추부사신조영무

對辨辭窮 奸謀已著. 其窺伺釁端沈謀慘酷 甚可寒心. 佇之爲人
대변사궁　간모이저　기규사흔단침모참혹　심가한심　저지위인

豪橫狡猾 倍於其父 居易之謀 必資於佇. 居易與英茂 猶發大言
호횡교활　배어기부　거이지모　필자어저　거이여영무　유발대언

其與子謀 昭然可見. 昔高帝不私活己之恩 斬示丁公 以致漢家
기여자모　소연가견　석고제불사활기지은　참시정공　이치한가

四百年之業. 王法固非人主所得而私也. 殿下尙念居易父子前日
사백년지업　왕법고비인주소득이사야　전하상념거이부자전일

之功 使全首領 欲安于鄕 是乃姑息之仁 非宗社萬世之計也.
지공　사전수령　욕안우향　시내고식지인　비종사만세지계야

臣等深爲殿下惜之. 況殿下於功臣盟載之書 有"犯關係社稷者 當
신등심위전하석지　황전하어공신맹재지서　유　범관계사직자　당

以法論. 非予敢違 惟其自取." 今宥居易父子不臣之罪 非特失
이법논　비여감위　유기자취　금유거이부자불신지죄　비특실

於王法 其負於天地神祇者 亦不細矣. 願殿下 斷以大義 將居易
어왕법　기부어천지신기자　역불세의　원전하　단이대의　장거이

父子 置之極刑 昭示中外 以重宗社 以嚴王法 以杜亂賊之漸 以
부자　치지극형　소시중외　이중종사　이엄왕법　이두난적지점　이

幸萬世.'
행만세

上曰: "予固謂保全功臣 已盟于皇天后土矣. 若殺居易父子 我
상왈　여고위보전공신　이맹우황천후토의　약살거이부자　아

當不得終天年矣. 戊寅之功專在佇 庚辰之功 專在居易與佇. 且
당부득종천년의　무인지공전재저　경진지공　전재거이여저　차

以私情言之 則居易之了伯剛 予之壻也. 請雖切至 予不聽也." 亮
이사정언지　즉거이지자백강　여지서야　청수절지　여불청야　량

使錫命告于上曰: "法者 天下萬世之所共 非殿下所得而私也.
사석명고우상왈　법자　천하만세지소공　비전하소득이사야

今特寬居易之罪 臣恐社稷從此而危矣. 春秋之法 亂臣賊子 人
금특관거이지죄　신공사직종차이위의　춘추지법　난신적자　인

得而誅之 且有先發後聞之義. 殿下若終不聽 臣當從古法." 上曰:
득이주지　차유선발후문지의　전하약종불청　신당종고법　상왈

"卿發此言 予身亦未可保. 流居易于鎭州." 亮曰: "此輩誅之可矣
경발차언　여신역미가보　유거이우진주　량왈　차배주지가의

何惜同時出之!" 上不得已令父子歸于鎭州 使代言盧閈慰居易
하석동시출지　상부득이영부자귀우진주　사대언노한위거이

於中路 代言金科慰佇. 亮聞之 大言於闕庭曰: "此人歸鄉 何其
榮矣! 且代言等 皆爲王臣 而使於亂臣賊子可乎? 何不復請 且
與臣等議而後去乎?" 錫命曰: "非不復請 上强之 故不得已而
承命耳."

戊子 上詣太上殿獻壽. 功臣百官詣闕 請居易父子之罪 上
曰: "父王未嘗有召 今日見召 予則趨詣後乃聽之." 卽詣太上殿
太上王戲曰: "王嘗與我擊毬而不勝. 今欲罰之 是以召之." 上
仍獻壽 乃告居易之事 太上王仰天良久曰: "以汝心裁之. 懷安
見貶 益安君已沒 上王不出入 親戚存者幾人? 事集之時 扶之
者多 事敗之時 扶之者少. 死生之際 扶之者 莫若親戚 汝其
保全之. 國家之災 天變地怪爲小 此事爲大. 予恐將有大憂也."
上感泣而退.

臺諫刑曹劾議政府贊成事南在 守直. 以爲居易之黨也.

己丑 下三省掌務于巡禁司. 初 上召三省掌務 掌令李致 正郞
趙末生 正言卓愼等 問之曰: "劾贊成事南在而守直何也?" 致
等對曰: "臣等聞在與居易 昏夜相從 佇曰: '吾白於上 以予二相
之職與南在.' 臣等以爲黨與而劾之." 上更問: "昏夜相從 幾日
幾時? 佇白予解其職以與在 誰得知而言歟?" 致等不敢對. 亮
隨至曰: "居易與在相從 不可日計. 佇之解職以與在 佇之所自言
也." 上問致等: "此必有首唱者 誰歟? 汝等不言 必下刑獄." 亮

曰：“臣乃首唱.”上曰：“以曖昧之事被重譴 是人之最憾者. 昔卿
왈　신내수창　상왈　이애매지사피중견　시인지최감자　석경

以蔚州倭人之故 被重譴. 當其時 卿之心如何也?”下致等三人
이울주왜인지고　피중견　당기시　경지심여하야　하치등삼인

于巡禁司. 更問於亮 亮對如前. 且與錫命言曰：“在纔被劾而未
우순금사　갱문어량　량대여전　차여석명언왈　재재피핵　이미

上疏 殿下何得而知之? 此在用謀 可畏者也. 無乃使人窺覘殿下
상소　전하하득이지지　차재용모　가외자야　무내사인규첨전하

之起居乎? 知申事何啓如此之事乎?”錫命以聞 上曰：“誰能言
지기거호　지신사하계여차지사호　석명이문　상왈　수능언

於我哉? 昨晚還宮時 偶得而聞之耳. 以曖昧事 劾大臣非矣.”命
어아재　작만환궁시　우득이문지이　이애매사　핵대신비의　명

大司憲退于家. 亮曰：“臣爲首唱 卽當就獄 不可歸家.”上曰：
대사헌퇴우가　량왈　신위수창　즉당취옥　불가귀가　상왈

“三省掌務旣下獄 言及卿 卿入矣.”亮曰：“臣行首 首唱此事.
삼성장무기하옥　언급경　경입의　량왈　신행수　수창차사

掌務輩下獄 而臣就于家 非矣. 何必言及而後入也!”上曰：“卿以
장무배하옥　이신취우가　비의　하필언급이후입야　상왈　경이

功臣 欲就獄 尤非所以助我也 勿復言.”司諫趙休 安省 知刑曹
공신　욕취옥　우비소이조아야　물부언　사간조휴　안성　지형조

事鄭易 執義尹須 知司諫院事尹向 刑曹議郎徐選 李薈 持平
사정역　집의윤수　지사간원사윤향　형조의랑서선　이회　지평

許謨 李稔 刑曹佐郎宋勉 李衡等詣庭請曰：“臣等與掌務等同心
허모　이임　형조좌랑송면　이형등예정청왈　신등여장무등동심

言事 而掌務等獨下獄 臣等願皆就獄.”上曰：“掌務旣下獄 姑且
언사　이장무등독하옥　신등원개취옥　상왈　장무기하옥　고차

各歸于家.”亮率休等十三人 復請就獄 上强令亮勿言而退. 亮出
각귀우가　량솔휴등십삼인　부청취옥　상강령량물언이퇴　량출

休等十三人復請就獄曰：“臣等以大事 上疏請罪 殿下不允 而以
휴등십삼인부청취옥왈　신등이대사　상소청죄　전하불윤　이이

枝葉加罪於臣等 此臣等之所失望也. 若以現然之事 屈法如此 則
지엽가죄어신등　차신등지소실망　야　약이현연지사　굴법여차　즉

朝鮮社稷 豈不從此而危乎? 寧折檻而不歸.”上曰：“予非汝等而
조선사직　기부종차이위호　영절함이불귀　상왈　여비여등이

退之 何不退而若此多言乎?”休曰：“臣等非不知殿下之以爲非
퇴지　하불퇴이약차다언호　휴왈　신등비부지전하지이위비

也. 然殿下之所爲 似不順理 故不敢退耳.”上强令退于家.
야　연전하지소위　사불순리　고불감퇴이　상강령퇴우가

上命議政府參贊盧嵩爲委官 與巡禁司萬戶李彬 尹柢 鞫問
상명의정부참찬노숭위위관　여순금사만호이빈　윤저　국문

三省掌務 以知㕔解職與在之事 與臺省員言者有之 雖宗親與
_{삼성 장무 이지저 해직 여재지사 여 대성원 언자 유지 수 종친 여}

首相 勿更請 直囚而問之. 義安大君和 晋山府院君河崙等二十餘
_{수상 물 갱청 직수이문지 의안대군 화 진산 부원군 하륜 등 이십 여}

人偕進啓曰："臣等聞三省掌務皆下獄 惶恐而來. 不知何故?" 上
_{인 해진 계왈 신등 문 삼성 장무 개 하옥 황공 이래 부지 하고 상}

曰："予之不殺居易父子 計已定矣. 言之者亦其職也. 故未之禁 昨
_{왈 여지 불살 거이 부자 계이정의 언지자역기직야 고 미지금 작}

聞以不明事劾大臣 故下獄" 和等請曰："此輩 曾請大事者也. 若
_{문 이불명 사핵 대신 고 하옥 화등 청왈 차배 증청 대사 자야 약}

皆下獄 人以大事爲不實 此大不可者也. 且宰相多 而獨劾在者
_{개 하옥 인이 대사 위부실 차 대불가 자야 차 재상 다 이독핵재자}

在必有可言者故耳. 請皆宥之." 上曰："卿等之言果然. 夫豈不義
_{재필유 가언자 고이 청개 유지 상왈 경등 지언 과연 부기 불의}

而言之? 且豈不以必聽而言之歟?" 命釋三省掌務 各歸其家. 和
_{이 언지 차 기불이 필청이 언지여 명석 삼성 장무 각귀 기가 화}

等復請曰："但令歸家 無益於事 願令視事." 上曰："姑徐徐度之."
_{등 부청왈 단 령귀가 무익 어사 원령 시사 상왈 고 서서 탁지}

巡禁司具問辭以聞 果亮唱之 而已自首 故不更問. 亮與休等十餘
_{순금사 구 문사 이문 과량 창지 이이 자수 고 불갱문 량여 휴등 십여}

人不卽歸其家 論南在與掌務下獄事上書 錫命恐上更怒 不敢啓.
_{인 부즉 귀 기가 논 남재 여 장무 하옥 사 상서 석명 공상 갱노 불감 계}

上命功臣等曰："國家往者戊寅庚辰年間 無他 功臣中有道不同
_{상 명 공신 등 왈 국가 왕자 무인 경진 년간 무타 공신 중 유도 부동}

者 自相分黨 好生疑忌而構亂耳. 若今日之事 居易豈憎予 又豈
_{자 자상 분당 호생 의기 이구란 이 약 금일 지사 거이 기증 여 우기}

惡此兒輩耶? 但其愚騃出言 偶干於國家故耳. 願諸功臣 自今戒
_{오 차 아배 야 단 기 우애 출언 우간어 국가 고이 원제 공신 자금 계}

勿如此 同心同德 夾輔王家 幸莫大焉."
_{물 여차 동심 동덕 협보 왕가 행 막대 언}

三省數使人於知申事曰："某等上書 何不速啓?" 錫命乃啓 上
_{삼성 수 사인 어 지신사 왈 모등 상서 하 불속 계 석명 내계 상}

果大怒 下掌務于巡禁司. 是日早朝 議政府欲率百官請居易之罪
_{과 대로 하 장무 우 순금사 시일 조조 의정부 욕솔 백관 청 거이 지죄}

令百官會于闕下 及三省掌務下巡禁司 令百官各散. 趙休 安省
_{영 백관 회우 궐하 급 삼성 장무 하 순금사 영 백관 각산 조휴 안성}

尹須 尹向 許謨 李薈 徐選等 各遣都吏于議政府 問曰："欲請
_{윤수 윤향 허모 이회 서선 등 각견 도리 우 의정부 문왈 욕청}

居易之罪而會百官 不請而令各散 會之者何心? 不請而令散
_{거이 지죄 이회 백관 불청 이령 각산 회지자 하심 불청 이령 산}

者 又何心耶?"左政丞趙浚大怒 欲封印而出更坐 囚其都吏 使
자 우 하심 야 좌정승 조준 대로 욕 봉인 이출 갱좌 수 기 도리 사

式目都監 劾臺省刑曹凌辱百官之長. 上疏請曰:
식목도감 핵 대성 형조 능욕 백관 지장 상소 청왈

'李居易父子有不軌之心 臺諫 刑曹及三功臣 本府 詣闕請罪
이거이 부자 유 불궤 지심 대간 형조 급 삼공신 본부 예궐 청죄

上止令歸于其鄕. 本府欲率百官而請罪 今月二十一日 會百官
상 지 영귀 우 기향 본부 욕솔 백관 이 청죄 금월 이십 일일 회백관

于闕下 上下臺諫 刑曹掌務于巡禁司鞫問. 欲待事畢請罪 姑令
우 궐하 상하 대간 형조 장무 우 순금사 국문 욕대 사필 청죄 고령

百官各散 臺諫 刑曹 各遣都吏于本府 問曰:"以何心而會百官?
백관 각산 대간 형조 각견 도리 우 본부 문왈 이 하심 이 회 백관

以何心而令各散?"本府總百揆頒號令 爲一國都堂也. 臺諫 刑曹
이 하심 이 령각산 본부 총 백규 반 호령 위 일국 도당 야 대간 형조

以在前所無之事 埋沒致辱 大爲不當. 大司憲柳亮 司諫趙休
이 재전 소무 지사 매몰 치욕 대위 부당 대사헌 유량 사간 조휴

安省 知刑曹事鄭易 知司諫院事尹向 執義尹須 掌令李致 閔渫
안성 지 형조 사 정역 지사간원사 윤향 집의 윤수 장령 이치 민설

刑曹議郎李薈 徐選 正郎趙末生 持平李稔 許謨 正言卓愼 刑曹
형조 의랑 이회 서선 정랑 조말생 지평 이임 허모 정언 탁신 형조

佐郎李衡 宋勉等 請下攸司 鞫問其故 以懲後來 以嚴朝廷.'
좌랑 이형 송면 등 청하 유사 국문 기고 이징 후래 이엄 조정

浚持疏詣闕以請 上曰:"此輩宜卽下獄. 此亦可憎也 但其時
준 지소 예궐 이청 상왈 차배 의즉 하옥 차역 가증 야 단 기시

遣人致問者幾人?"浚曰:"臣等但知三省之所爲 未知某某爲之
견인 치문 자 기인 준왈 신등 단지 삼성 지 소위 미지 모모 위지

也."上曰:"明知以聞. 囚其都吏甚善."初 式目盡劾臺諫刑曹
야 상왈 명지 이문 수 기 도리 심선 초 식목 진핵 대간 형조

上疏請罪 李致 趙末生 卓愼等 以掌務被囚 不與致問 故更不
상소 청죄 이치 조말생 탁신 등 이 장무 피수 불여 치문 고 갱불

囚鞫.
수국

議政府上疏請居易之罪 値日暮授錫命而退.
의정부 상소 청 거이 지죄 치 일모 수 석명 이퇴

上命朴錫命 左代言李升商等曰:"卿等亦不順予志 而從功臣之
상 명 박석명 좌대언 이승상 등왈 경등 역 불순 여지 이종 공신 지

意乎? 功臣請居易之罪 毌出納其言."左政丞趙浚等率百官詣闕
의 호 공신 청 거이 지죄 무 출납 기언 좌정승 조준 등솔 백관 예궐

使左副代言盧閈啓曰:"臣等昨日疏請居易之罪 不識殿下賜覽
사 좌부대언 노한 계왈 신등 작일 소청 거이 지죄 불식 전하 사람

乎?" 上曰: "予未見其疏. 予欲保全功臣 政丞亦知其意 何故率
百官而來乎?" 浚曰: "居易罪重 請以法討之." 四復啓不允.

贊成事南在詣闕謝恩 上命南在視事. 在詣闕使錫命告曰: "初
臣爲慶尙道觀察使 見代而來 李居易至臣家 饋酒食. 仍曰: '吾
與汝弟交分甚厚 今汝弟死矣. 吾欲待汝如汝弟 汝亦待我如汝弟
也.' 臣聞其言 跪而對曰: '令公毋忘我也 我不忘令公也.' 爲是臣
亦一往其家而已. 若居易宿於臣家 臣宿於居易家 則 居易大臣也
臣亦宰相也 二家伴人僕從 豈不知之? 戊寅年臣得罪之時 居易
欲加死刑於臣 臣至今未忘. 臣豈與居易爲黨乎? 且臣在漢京
殿下爲靖安公 臣進見 乃許坐於西廳. 臣曰: '朝鮮基業 畢竟歸于
公手. 當其時 我當戮力補佐矣.' 殿下聞而墮淚."

知申事出而傳命曰: "卿雖不爲如此之言 予豈不知乎? 卿其
勿疑." 在拜謝而退.

巡禁司問臺諫 刑曹以居易與在爲黨之故 皆不言. 尹柢 怒曰:
"所司員公事漏通則非矣 上使臣等問之 何不言乎?" 欲加刑問於
持平李稔 稔曰: "大司憲言: '居易與在 相宿於其家. 李佇自言:
'我言於上 解二相而與在也'" 掌務被囚後 更請居易之罪 使都吏
致問於政府 皆大司憲敎之." 其餘臺諫 刑曹員皆曰: "然." 巡禁司
具其辭以聞 上曰: "大司憲必有所聞處也 不必問之." 上嘆曰:
"上黨君言於予 解其職以與在 眞妄語也. 若然則予豈忘之!"

庚寅 月犯太微上將北 隔一尺許.

流鄭易 趙休 尹須等于外方. 易載寧 休白州 須平州. 安省海州

尹向公州 李致高靈 李稔竹州 許謨安岳 李薈瓮津 徐選驪興

趙末生陽城 李衡淸州 宋勉原州 卓愼平昌 柳亮以功臣故免. 亮

出城門上書 自赴全羅道朗山.

辛卯 行太陰星獨醮. 禳月犯軒轅也.

以吳思忠爲寧城君 柳亮文城君 李天祐判司平府事 南在

議政府贊成事兼判義勇巡禁司事 盧嵩參判司平府事 李叔蕃

參贊議政府事 李至知議政府事 金希善判恭安府事 姜思德右軍

都摠制 咸傅霖參知議政府事兼司憲府大司憲 趙璞開城留後司

留後. 又以宋因 黃喜爲左右司諫大夫 吳陞知司諫院事 柳斗明

司憲執義 許遲司憲掌令 李明德左獻納 趙士秀右獻納 李孝仁

閔審言司憲持平 盧仁矩左正言.

壬辰 月犯太微上將北 隔二尺許.

日本國王使周棠等 詣闕告還 上御無逸殿見之 命代言等饋之.

命廢李居易 李佇爲庶人 又廢居易子淸平君伯剛等四人爲庶人⑥

外方安置. 議政府上疏曰:'李居易父子 向上有二心 本府與三省

三功臣 進闕請罪 上慈使歸其鄉. 居易父子 以元勳大臣 連姻

宗室 過蒙上恩 而有二心 罪莫大焉. 願依三省所請 明正其罪.'

臺諫交章曰

'竊覵議政府受判 廢居易父子爲庶人. 臣等以爲陰懷二心 將
절도 의정부 수판 폐 거이 부자 위 서인 신등 이위 음회 이심 장

圖不軌者 天地所不容 王法所當討而不赦. 然則居易父子 死有
도 불궤 자 천지 소불용 왕법 소당토 이 불사 연즉 거이 부자 사유

餘辜 止令廢爲庶人 有乖春秋誅意之法. 願殿下 斷以大義 明正
여고 지 영 폐위 서인 유괴 춘추 주 의 지법 원 전하 단 이 대의 명정

其罪 籍沒家産 子孫禁錮 以爲將來懷二心者之戒. 臣等竊聞 誅
기죄 적몰 가산 자손 금고 이위 장래 회 이심 자 지계 신등 절문 주

亂臣討賊子 先絶其黨. 況子弟親戚乎! 淸平君李伯剛 居易之
난신 토 적자 선절 기당 황 자제 친척 호 청평군 이백강 거이 지

愛子 李佇之寵弟 豈不知其謀哉? 以駙馬之故 富貴自若 仍安
애자 이저 지 총제 기 부지 기모 재 이 부마 지고 부귀 자약 잉안

于內 禍源未絶 士民寒心. 願殿下毋以私恩廢公義 離異宮主
우내 화원 미절 사민 한심 원 전하 무 이 사은 폐 공의 이이 궁주

廢爲庶人 屛處邊境 以安衆心. 居易之子前上護軍李伯寬 前
폐위 서인 병처 변경 이 안 중심 거이 지자 전 상호군 이백관 전

大護軍李伯臣 前長興庫副使李儇 女壻前正辛中善 議郎慶智
대호군 이백신 전 장흥고 부사 이현 여서 전 정 신중선 의랑 경지

姻親前上護軍崔源濬 朴齡 前司尹金壽千 崔安濬 大護軍洪濟
인친 전 상호군 최원준 박령 전 사윤 김수천 최안준 대호군 홍제

前掌令閔渫 表弟前副正許權 姪子內資注簿李崑崙等 各蒙薦拔
전 장령 민설 표제 전 부정 허권 질자 내자 주부 이곤륜 등 각몽 천발

久居顯秩 與謀必矣. 臣等竊恐不逞之徒群聚不散 或生不測之變
구거 현질 여모 필의 신등 절공 불령 지도 군취 불산 혹생 불측 지변

不可不慮. 願收其職牒 鞫問其謀 置之於法 以慰臣民憂懼之心.'
불가 불려 원 수 기 직첩 국문 기모 치지 어법 이위 신민 우구 지심

命李居易 李佇子孫禁錮; 伯剛 伯寬 伯臣 儇 皆廢爲庶人
명 이거이 이저 자손 금고 백강 백관 백신 현 개 폐위 서인

外方安置; 崔源濬 許權 朴齡 洪濟 閔渫 崔安濬 李崑崙 自願
외방 안치 최원준 허권 박령 홍제 민설 최안준 이곤륜 자원

付處; 慶智罷職; 辛中善 金壽千 勿論. 伯寬於東萊, 伯臣於
부처 경지 파직 신중선 김수천 물론 백관 어 동래 백신 어

東北面定州, 李儇於鎭州, 餘皆自願安置.
동북면 정주 이현 어 진주 여 개 자원 안치

癸巳 雷.
계사 뇌

遣典書呂義孫于日本國. 以報聘于國王也.
견 진서 여의손 우 일본국 이 보빙 우 국왕 야

議政府請禁臺諫彈劾風聞之事及挾私報復 允之. 疏略曰:
의정부 청금 대간 탄핵 풍문 지사 급 협사 보복 윤지 소 약왈

'風聞之事 不得劾問 已有著令 今臺諫員等 因循不行. 今後
풍문 지사 부득 핵문 이유 저령 금 대간 원등 인순 불행 금후

風聞之事及挾私報復 腹誹心謗等事 一皆禁止. 臺諫員如有不遵
풍문 지사급 협사 보복 복비 심방 등사 일개 금지 대간 원 여유 부준

者 本府隨卽申聞論罪 永遵成憲.'
자 본부 수즉 신문 논죄 영준 성헌

乙未 上詣太上殿擊毬 置酒盡懽. 太上王召之也.
을미 상예 태상전 격구 치주 진환 태상왕 소지 야

丙申 知司諫院事吳陞 司憲執義柳斗明等詣闕 請依前日上疏
병신 지사간원사 오승 사헌 집의 유두명 등 예궐 청의 전일 상소

上使知申事朴錫命命之曰: "居易父子 已加大罪 勿復請. 其族黨
상 사 지신사 박석명 명지 왈 거이 부자 이 가 대죄 물 부청 기 족당

皆收其職 竄于遠方. 伯臣則置其母於鎮州而後 命之竄所. 伯剛
개 수 기직 찬 우 원방 백신 즉 치 기모 어 진주 이후 명지 찬소 백강

離異事 人情所難 并其妻而遣之." 臺諫交章:
이이 사 인정 소난 병 기처 이 견지 대간 교장

'臣等前日謹請居易父子等懷二之罪 殿下只令子孫禁錮 安置
신등 전일 근청 거이 부자 등 회이 지죄 전하 지령 자손 금고 안치

鎮州. 臣等竊謂居易父子 與聞朝政 蓋亦有年 懷恩黨附者 不爲
진주 신등 절위 거이 부자 여문 조정 개 역 유년 회은 당부 자 불위

不多. 且鎮州 居易父子生長之地 親戚朋黨衆矣. 今使父子共處
부다 차 진주 거이 부자 생장 지지 친척 붕당 중의 금 사 부자 공처

其鄉 儻有無賴之徒 鼓扇不軌之謀 則未審殿下欲全今日再造之
기향 당유 무뢰 지도 고선 불궤 지모 즉 미심 전하 욕전 금일 재조 지

恩 得乎? 願殿下早爲之所 將居易 李佇 各處邊境 籍沒家産 以
은 득호 원 전하 조 위지 소 장 거이 이저 각처 변경 적몰 가산 이

懲不軌. 若伯剛旣爲庶人 不可尙公主. 願殿下察臣等前日所啓
징 불궤 약 백강 기위 서인 불가 상 공주 원 전하 찰 신등 전일 소계

許令離異 以定尊卑 幸甚.'
허령 이이 이정 존비 행심

上不允 唯命移置李佇于咸州 伯臣于通州. 以定州與咸州相近
상 불윤 유명 이치 이저 우 함주 백신 우 통주 이 정주 여 함주 상근

故也.
고야

議政府請凡立新法 必報本府擬議受判施行 從之. 其書曰:
의정부 청 범 입 신법 필 보 본부 의의 수판 시행 종지 기서 왈

'凡所以立法者 必傳之萬歲而無弊 然後可以爲法也. 各司員吏
범 소이 입법 자 필 전지 만세 이 무폐 연후 가이 위법 야 각사 원리

各執所見 喜作新法 不惟當該官吏難於遵守 弊復如前. 今後各司
각집 소견 희작 신법 불유 당해 관리 난 어 준수 폐 부 여전 금후 각사

凡可立新法之事 必報政府 政府以可行事件 擬議受判施行 勿令
범 기립 신법 지사 필보정부 정부 이 가행 사건 의의 수판 시행 물령

更出依貼.'
갱 출 의첩

議政府請譯律文 定笞杖枷鎖制作之法 從之. 其書曰:
의정부 청역 율문 정 태장 가쇄 제작 지법 종지 기서 왈

'經濟刑典內節該: "比年以來 凡斷獄者 不曉律文 以其私意
경제 형전 내 절해 비년 이래 범 단옥 자 불효 율문 이기 사의

出入人罪 刑罰不中 冤抑無訴 致傷和氣 誠不可不慮也." 今
출입 인죄 형벌 부중 원억 무소 치상 화기 성 불가 불려 야 금

大明律 時王之制 所當奉行 然我國人未易通曉 宜以俚言譯之
대명률 시왕 지제 소당 봉행 연 아국인 미이 통효 의이 이언 역지

頒布中外 使官吏講習 凡一笞一杖 必依律施行 若不按律 而
반포 중외 사 관리 강습 범 일태일장 필 의율 시행 약 불 안률 이

妄意輕重者 以其罪罪之. 又言: "刑者 人之死生係焉 不可不謹."
망의 경중 자 이 기죄 죄지 우언 형자 인지 사생 계언 불가 불근

自前朝 京有律學 外有法曹 凡有罪囚 職專檢律 決斷無差 近來
자 전조 경유 율학 외유 법조 범유 죄수 직전 검률 결단 무차 근래

法曹職廢 刑物大小 取便制作 因笞杖而致死者頗多. 願今後
법조 직폐 형물 대소 취편 제작 인 태장 이 치사 자 파다 원 금후

外方枷鎖 笞 杖 杻 皆依律文制作 觀察使考之 其不依律文制作
외방 가쇄 태 장 뉴 개의 율문 제작 관찰사 고지 기 불의 율문 제작

者 罪其守令 著在令典. 各官守令 或有不通律文 笞杖 訊杖
자 죄기 수령 저재 영전 각관 수령 혹유 불통 율문 태장 신장

枷鐵 索鐐等之物 不依律文: 斷獄之時 昧於按律 應用笞而用杖
가철 삭료 등 지물 불의 율문 단옥 지시 매어 안율 응용태 이 용장

應用杖而用訊杖 應決臀而決腰 應決腿而鞭背 致傷人命者 亦
응 용장 이용 신장 응 결둔 이 결요 응 결퇴 이 편배 치상 인명 자 역

有之矣. 願依古者差遣法曹之例 除觀察使 隨史以律文通曉人
유지 의 원의 고자 차견 법조 지례 제 관찰사 수사 이 율문 통효 인

率行: 擇各官品官生徒中 可習律文者 專爲敎訓 一笞一杖 必
솔행 택 각관 품관 생도 중 가습 율문 자 전위 교훈 일태일장 필

依律斷犯: 杖罪以上死者 照律報都觀察使 都觀察使使律學人
의율 단범 장죄 이상 사자 조율 보 도관찰사 도관찰사 사 율학 인

更加檢覆施行 以宣欽恤之意.'
갱가 검복 시행 이선 흠휼 지의

| 원문 읽기를 위한 도움말 |

① 予則. 이때 則은 '~라면'이 아니라 '~의 경우에는'이라는 뜻이다.
여 측   측

② 孝莫大焉. 莫大 다음에 於此가 생략된 문장이다.
효 막대 언 막대   어차

③ 卿等必以我爲不通矣. '以~爲~'는 '~를 ~라고 여기다'라는 뜻이다.
경등 필 이 아 위 불통 의   이 위

④ 得而誅之者也. 得而. 得以, 可以 등과 마찬가지로 '~할 수 있다'라는 뜻
득이 주지 자야 득이 득이 가이
이다.

⑤ 非惟不以加罪 反以爲榮矣. '非惟~反~'은 '~일 뿐만 아니라 도리어 ~'라
비유 불이 가죄 반 이위 영 의   비유 반
는 뜻이다.

⑥ 命廢李居易 李佇爲庶人 又廢居易子淸平君伯剛等四人爲庶人. 여기서
명폐 이거이 이저 위 서인 우폐 거이 자 청평군 백강 등 사인 위 서인
두 번 나오고 있는 '廢~爲~'는 '~를 폐하여 ~로 삼다'라는 구문이다. 참
                        폐   위
고로 누구를 임명할 때는 '以~爲~'의 구문이다. '~를 ~로 삼는다'라는
                        이 위
뜻이다.

태종 4년 갑신년
11월

十一月

　기해일(己亥日-1일) 초하루에 진하사(進賀使) 이지(李至), 조희민(趙
希閔)이 제(帝)가 내려준 『열녀전(列女傳)』[1]과 약재(藥材)와 예부(禮
部)의 자문(咨文)을 싸 가지고 명나라 경사(京師)에서 돌아왔다. 자
문은 이러했다.

　'성지(聖旨)를 삼가 받들어 보니[欽奉] "조선 국왕(朝鮮國王)이 약
재가 부족하므로 신하를 파견해 와서 이곳에서 수매(收買)하니 너희
예부에서 그 매입할 수목(數目)을 조회(照會)하여 그 장차 가져갈 것
을 내어주고, 왕이 쓸 것도 주도록 하라. 이번에 온 사신이 고(告)하
여 말하기를 '지난번에 『열녀전(列女傳)』의 반사(頒賜-나눠줌)함을 입
었으나 나눠 갖다 보니 두루 돌아가지 아니했습니다'라고 하니 다시
500부(部)를 주도록 하라"고 하셨으므로 약재와 『열녀전(列女傳)』을
이번에 온 사신 이지 등에게 교부(交付)합니다. 사향(麝香)이 2근(斤)
이요, 주사(朱砂)가 6근(斤)이요, 침향(沈香)이 5근(斤)이요, 소합유

1　문맥과 뒤에 나오는 내용을 볼 때 유향(劉向)의 『열녀전(列女傳)』이 아니라 명나라 초에
　만들어진 『고금열녀전(古今列女傳)』을 가리키는 것 같다. 유향의 『열녀전』은 「모의(母儀)」,
　「현명(賢明)」, 「인지(仁智)」, 「정순(貞順)」, 「절의(節義)」, 「변통(辯通)」, 「얼폐(孼嬖)」로 총
　7권이다. 후에 「속전(續傳)」 1권이 첨가돼 총 8권으로 이뤄졌다. 『고금열녀전』은 명초 해
　진(解縉) 등이 유향의 『열녀전』과 『후한서(後漢書)』 이하 역대 사서(史書)의 '열전'·'열녀'
　조에서 선택한 자료를 기초로 편찬한 것이다. 1403년(영락(永樂) 1년) 9월에 초간됐으며,
　상권에는 역대 후비(后妃), 중권에는 제후·대부 처, 하권에는 사·서인 처로 분류하여 총
　3권이다.

(蘇合油)가 10냥쭝이요, 용뇌(龍腦)가 1근(斤)이요, 백화사(白花蛇)가 30조(條)요, 『고금열녀전(古今列女傳)』이 500부입니다.'

○ 지(至-이지)가 말했다.

"(명나라) 주왕(周王)이 사냥하다가 신기한 짐승과 아울러 그 새끼[雛]를 사로잡았는데 백호(白虎) 모습에 검은 무늬가 있었습니다. 쇠사슬로 묶어 철롱(鐵籠)에 넣어 제에게 바치니 제가 교외(郊外)까지 마중 나갔습니다. 백관이 추우(騶虞)[2]라 하여 축하를 올렸는데 그 짐승은 날고기를 먹었습니다."

○ 백강(伯剛)을 동성(童城)에 두고, 이저(李佇)를 함주(咸州)에 옮겨두었다. 상이 백강을 머물러두고 차마 갑자기 내보내지 못하니 대간(臺諫)이 조정에서 간쟁하여[廷諫] 말했다.

"이미 백강을 폐해 서인으로 삼아 외방에 두기로 했는데 여러 날 동안 내보내지 아니하시니 신 등은 실망스럽습니다[缺望=失望]. 바라건대 전하는 신의를 잃어서는 안 될 것입니다."

상이 말했다.

"백강은 마땅히 궁주(宮主)와 더불어 돌아가야 하므로 그 거처하는 곳을 수즙(修葺-수리)시킨 뒤에 보내려고 한 것인데 지금 대간(臺諫)의 말 때문에 백강을 동성(童城)[3] 별장[別業]에 먼저 보내겠다."

○ 내관(內官) 윤흥부(尹興阜)와 갑사(甲士) 함용기(咸龍奇) 등을 진주(鎭州)에 보내 이저를 위로하고 타일러[慰諭] 함주로 옮겼다.

---

2 신령스럽게 여기는 상상의 동물이다.
3 지금의 경기도 김포에 속한 지역이다.

갑진일(甲辰日-6일)에 (명나라) 조정 사신 환관(宦官) 유경(劉璟)과 국자감승(國子監丞) 왕준용(王峻用)이 칙서(勅書)와 상사(賞賜-각종 하사품)를 받들고 오니 산붕(山棚)과 결채(結綵)를 설치하고 나례(儺禮)를 갖췄고, 상은 백관을 거느리고 선의문(宣義門) 밖에서 맞이해 무일전(無逸殿)에 이르러 그 상사를 받았다. 칙서(勅書)는 이러했다.

'조선 국왕(朝鮮國王) 이(李)【휘(諱)】에게 칙유(勅諭)한다. 왕이 사신을 파견해 경우(耕牛) 1만 필을 보내 이미 요동(遼東)에 이르렀으니, 왕의 충성스러움은 진실로[良=眞] 가상하도다. 사신이 돌아가는 데 특별히 왕에게 채폐(綵幣-비단류)를 하사하여 왕의 속 깊은[慇懃] 뜻에 보답하게 하니 왕은 이를 받도록 하라. 이에 칙유한다.'

저사(紵絲)가 30필이고, 숙릉자(熟綾子-삶아 익힌 실로 짠 비단)가 30필이고, 채견(彩絹)이 100필이었다. 행례(行禮)가 끝나자 이어서 연회를 베풀었다. 부모를 뵈려는[省親] (조선인 출신) 환관(宦官) 이성(李成)·김희(金禧)·박린(朴麟) 등이 함께 왔다. 상은 하사받은 단견(段絹-비단류)을 영승추(領承樞-승추부 영사) 이상과 기구(耆舊-원로 대신) 및 5대언(代言)⁴에 나눠 주었다.

을사일(乙巳日-7일)에 상이 태평관에 가서 사신에게 잔치를 열었다.

무신일(戊申日-10일)에 (명나라 사신) 유경과 왕준용 등이 문묘(文

---

4 이때까지는 모두 5대언이었다가 이듬해 1월 관제개혁 때 동부대언(同副代言)이 신설돼 비로소 6대언 체제가 갖춰졌다.

廟)⁵를 알현했다[謁=謁見].

기유일(己酉日-11일)에 사신이 대궐에 이르러 먼저 하례(賀禮)를 거행했는데 동짓날[至日]이었기 때문이다. 상이 백관을 거느리고 하례를 거행하길 의례대로 했다. 여러 신하의 하례를 정지하여 사신을 응대하게 했고 그 신하들에게 잔치를 열어주었다.

경술일(庚戌日-12일)에 사간원에서 소(疏)를 올려 태상왕이 고쳐서 정했던[更定] 관제(官制)를 그대로 따를 것을 청했으나 윤허하지 않았다. 소는 대략 이러했다.

'예로부터 국가를 소유한 자는 그 높이는 바[所尙]를 정할 때 반드시 사람들의 실상[人情]에 바탕을 두었습니다. 대개 높이는 바가 하나로 정해져야 천세, 만세에 이르러도 변함이 없고 백성들의 눈과 귀를 한곳에 두게 되니 그런 뒤에야 자손이 근거로 삼고 의지할 바[所據依]가 있어 영원토록 오래갈 수가 있습니다. 그렇기 때문에 삼대(三代-하·은·주)의 빼어난 임금[聖王]들의 후손들이 옛 전장(典章)을 따르고 말미암은 지 역년(歷年)이 오래되니 이는 밝은 증험[明驗]입니다. 생각건대 우리 태상왕께서 천명에 응하고 인심을 따라 집안을 일으켜 나라를 세우고[化家爲國] 일대(一代)의 제도를 완성했습니다. 그런데 제도를 바꿀 때에는 반드시 사람들의 변화하는 실상에

---

5 유교를 집대성한 공자(孔子)나 여러 성현들의 위패를 모시고 제사를 드리는 사당을 말한다.

따라 하여 후세에 물려주었을 것입니다. (태상왕 때) 관제(官制)를 고쳐서 정하기에 이르러 문하부(門下府)와 삼사(三司)는 그대로 옛 명칭으로 하고, 밀직사(密直司)[6]는 중추원(中樞院)으로 했으나 (여전히 중요한 일은) 도평의사사(都評議使司)[7]에 모여 토의했습니다. (그래서) 일국의 군민(軍民)의 정사(政事)가 이곳을 말미암아 나오지 않는 것이 없었으니, 이는 곧 당(唐)나라 중서성(中書省)[8]의 유제(遺制)였습니다.

근래 문하부(門下府)와 도평의사사(都評議使司)를 없애 의정부(議政府)로 합치고, 삼사(三司)와 중추원(中樞院)을 고쳐 승추부(承樞

---

6 고려시대에 왕명의 출납(出納)과 궁궐의 경호 및 군사기밀 따위에 관한 일을 맡아보던 관청이다.

7 고려 전기 도병마사(都兵馬使)의 후신으로 일명 도당(都堂)이라고도 한다. 도병마사는 중서문하성(中書門下省)과 중추원(中樞院)의 양부(兩府)에서 임명된 판사(判事)와 사(使)·부사(副使)·판관(判官)으로 구성돼 양계(兩界)의 국방·군사 문제만을 논의하던 임시 회의기관이었다. 그런데 고려 중기에는 변경뿐만 아니라 전국 인민의 가난을 구휼하는 방법까지 의논하는 등 그 기능이 확대됐다. 그리하여 고종 말년에는 도당이라 칭하고, 재추(宰樞) 전원이 회의에 참석해 국정 전반에 걸친 대사를 의논하고 결정했다. 1279년(충렬왕 5년)에 도평의사사로 개편되어 구성과 기능이 더욱 확대, 강화됐다. 즉 그 구성에는 재추 이외의 삼사(三司) 요원뿐만 아니라 정식 직사자(職事者)는 아니지만 재상으로 국정에 참여하는 상의(商議)까지도 포함되어 있으며, 고려 말에는 그 수가 70~80인에 이르렀다. 고려의 도평의사사는 조선 건국 후에도 영향을 주어 1392년(태조 1년) 7월에 개정된 도평의사사의 직제는 고려 말의 것을 기반으로 한 것이었다. 그러나 1400년(정종 2년) 도평의사사가 의정부로 개칭되고 이듬해 태종 1년 문하부를 통합해 백규서무(百揆庶務)를 관장하게 됐다.

8 주로 황제의 조칙(詔勅)의 입안·기초를 맡았다. 중서는 문하나 상서와 함께 삼성(三省)을 형성하게 된다. 중서의 주요 업무는 조칙의 기초였으며, 신하의 상주에 대한 답의 초안 작성도 이뤄졌다. 또한 중서성 안에는 중서령(中書令)·중서시랑(中書侍郞) 아래로 관직이 설치됐다. 당에서는 황제의 귀족에 대한 권한이 강화돼 귀족의 의향을 대변하는 문하성(門下省)에 비해 황제의 비서적 존재였던 중서성의 권한이 다시 증대했다. 중서령은 정식 재상이 되고, 문하성의 영향력 저하와 수반해 강대한 권한을 떨치게 됐다.

府)⁹와 사평부(司平府)¹⁰로 하여 각기 수령관(首領官)을 두어 육방지인(六房知印)¹¹과 더불어 마침내 의정부에 참여하게 하여 셋으로 하고, 드디어 군민(軍民)의 정사(政事)를 둘로 나눴습니다. 또 삼군도총제부(三軍都摠制府)와 순금사(巡禁司), 호위사(扈衛司) 등의 관사(官司)를 두었으나 십사(十司)¹²에서 관원의 액수(額數)를 증원해두니 긴요하지 않은 관원이 가히 많다고 하겠습니다. 태상왕이 제도를 만들고 법을 세운 뜻에 비춰볼 때 어떠하겠으며, 전하께서 선대의 공업을 이어받아 지키시고 완성하시려는[持盈守成] 도리에 있어서 또 어
_{지영 수성}
떠하겠습니까? 예를 들어 승추부(承樞府)와 사평부(司平府)와 육방지인이 자리를 옮기는 길과 이를 위해 제공하는 비용 같은 것에 이르면 그 말류(末流)의 폐단이 특별합니다. 그 삼보(三輔)의 당상(堂上)은 버젓하게 재보(宰輔)가 되어서도 한 나라 군민(軍民)의 정사(政事)에는 서로 참여하여 듣지 못하니 이름과 실상이 어긋남이 있습니다[名實有虧]. 진실로 길이 평안하고, 길이 다스리는 계책이 아니니
_{명실 유휴}
어찌 미미한 연유라 하겠습니까? 대체로 사람들의 마음이란 새로 고치는 것에는 싫어하고 옛 관습에는 편안해합니다. 바라건대 전하는

---

9 태종(太宗) 1년 7월에 의흥삼군부(義興三軍府)를 고친 이름이다. 갑병(甲兵)에 관한 일을 맡아보았는데 태종 5년 1월에 혁파해 병조(兵曹)에 귀속시켰다.

10 태종 1년 7월에 삼사(三司)를 고친 이름이다. 전곡(錢穀)에 관한 일을 맡아보았는데, 태종 5년 1월에 혁파해 호조(戶曹)에 합쳤다.

11 육방 녹사(錄事)를 가리키며 실무 담당자를 말한다.

12 조선 태조 때 실행된 군대의 편제(編制)다. 의흥시위사(義興侍衛司), 충좌시위사(忠佐侍衛司), 웅무시위사(雄武侍衛司), 신무시위사(神武侍衛司)의 중군(中軍)과 용양순위사(龍驤巡衛司), 용기순위사(龍騎巡衛司), 용무순위사(龍武巡衛司)의 좌군(左軍)과 호분순위사(虎賁巡衛司), 호익순위사(虎翼巡衛司), 호용순위사(虎勇巡衛司)의 우군(右軍)을 말한다.

삼부(三府)로 하여금 그대로 옛 제도로 하게 하고, 정령(政令)의 잘잘못을 도평의사사(都評議使司)에 모여 의논하게 하며, 기타 여러 관직의 연혁과 관리의 감손(減損)은 한결같이 태상왕이 고쳐서 정한 문무 관제(文武官制)를 준수하여 길이 자손들이 선대의 공업을 이어받아 지키시고 완성해가는[持守=持盈守成] 법으로 삼도록 해야 할 것입니다.'

신해일(辛亥日-13일)에 (조선인 출신 명나라 환관인) 이성, 박린, 김희 등이 각각 그 고향으로 부모를 뵈러 가니 의정부에 명해 동교(東郊)에서 전송(餞送)하게 했다. 사신 유경과 왕준용도 나와서 전송했다[出餞].

임자일(壬子日-14일)에 비가 내렸다.

계축일(癸丑日-15일)에 비가 내렸다.
○ 의정부 참지사(參知議政府事) 박신(朴信)을 보내 명나라 경사(京師)에 가게 했다. 폐백(幣帛)과 약재(藥材)를 내려준 것에 사례하고 겸해서 추우(騶虞)(를 붙잡은 일)를 축하하게 했다.

갑인일(甲寅日-16일)에 개국공신(開國功臣), 정사공신(定社功臣-1차 왕자의 난 공신), 좌명공신(佐命功臣-2차 왕자의 난 공신)이 태청관(太淸觀) 북쪽에서 같이 맹세했는데[同盟] 상은 그 맹세의 글에 도장만 찍고[押] 그 모임에 참석하지는 않았다. 그 글은 이러했다.

'조선 국왕(朝鮮國王) 신(臣)【휘(諱)】은 개국·정사·좌명 공신(功臣) 등을 삼가 거느리고 감히 황천(皇天)의 상제(上帝)와 종묘사직(宗廟社稷)과 산천(山川)의 여러 신령(神靈)에게 밝게 고합니다. 엎드려 생각건대 나라에서 군신(君臣)과 붕우(朋友)를 갖는 것은 가정에서 부자와 형제를 갖는 것과 같으니 마땅히 충성과 신의와 열렬함과 성실함[忠信誠愨]으로 그 마음을 굳게 맺어서 길이 끝과 처음[終始=始終]을 보존해야 할 것입니다. 하물며 귀신(鬼神)에게 요질(要質)하고[13] 피를 마시고[歃血] 같이 맹세한 사람들이겠습니까? 생각건대 우리 태상왕께서는 신무(神武)한 자질로 하늘과 사람의 도움을 얻으셨고 나 소자(小子) 또한 능히 도와서[左右=助力] 큰 기업(基業)을 이룩했습니다.

개국(開國)하던 초기에 가장 먼저[首] 훈신(勳臣)과 더불어 같이 맹세하여 충성과 신의를 굳게 했습니다. (그러나) 예기치 못하게도[不期] 권간(權奸)[14]이 사심(私心)을 품어 맹세를 저버리고 유얼(幼孽)[15]을 끼고 적통(嫡統)을 빼앗고 우리 형제들을 해치려고 모의하여 장차 우리 종사(宗社)를 위태롭게 했는데 다행히도 하늘과 땅, 종묘사직의 음덕[陰騭=陰德]의 도우심에 힘입어 충성스럽고 뛰어난 이[忠賢]가 의로움을 떨쳐 흉도(凶徒)는 스스로 궤멸(潰滅)됐습니다. 적

---

13 신하가 임금에게 굳게 약속을 지켜 충성(忠誠)을 다한다는 뜻이다. 『춘추공양전(春秋公羊傳)』 「장왕(莊王)」 13년 주(注)에 "신하가 그 임금에게 약속하는 것을 요(要)라고 한다"라고 했고, 『국어(國語)』 「초어(楚語)」 주(注)에 "질(質)은 충성이다"라고 했다.

14 정도전과 그 일파를 가리킨다.

15 강비의 막내아들 세자 방석을 가리킨다.

자(嫡子)이자 장자(長子)로서 상왕(上王)을 추대하여 세우니[扶立] 천륜(天倫)이 이에 바로잡히고 종묘사직이 다시 안정됐습니다. 또 훈신(勳臣)과 더불어 같이 맹호(盟好)를 맺었는데 얼마 되지 아니하여 간사한 이[16]가 다시 그 맹세를 저버리고 흔단(釁端)을 얽어 집안끼리 싸우게 하여 거병(擧兵)하여 반란을 일으켰으나, 훈친(勳親)과 장상(將相)이 그에 응해 평정(平定)하여 죄인(罪人)은 곧바로 잡아 이미 복죄했습니다. 이것은 맹세를 어기면 반드시 죽이는 것[違盟必戮]이 징험(徵驗)으로 나타난 것이니 참으로 두렵지 않겠습니까? 나 소자(小子)가 왕위를 계승한 뒤에 이르러서도[逮=及] 또한 좌명(佐命)한 신하와 더불어 같이 맹세하여 피를 마시고 더불어 보전할 것을 기약한 지 이제 여러 해입니다. 이때부터 삼맹(三盟)의 신하가 마음을 합해 나를 도와 이제 지금에 이르도록 평안했으니 참으로 화합하여 틈이 없었다[無間]고 할 만합니다. 그리고 전후(前後)에 같이 맹세하는 데 참여하지 않는 자가 그 마음이 오히려 미안(未安)하게 여길까 일찍이 염려하여 특별히 길일(吉日)을 가려서 이에 삼맹(三盟)의 신하를 모아 상하(上下-하늘과 땅)의 신기(神祇)에게 밝게 고(告)하고 다시 예전의 맹세를 찾아서 그 뜻을 굳게 하고자 합니다.

이미 맹세한 뒤에는 각각 스스로 힘써 권면하고, 충과 성으로 서로 믿고, 은애(恩愛)로 서로 좋아하고, 친애하기를 골육(骨肉)같이 하고, 굳건하기를 금석(金石)같이 해야 할 것입니다. 열렬함을 다하고 충성을 다해 왕실(王室)을 가까이에서 도우며 그 사사로운 감정은

---

16 박포를 가리킨다.

잊고 오로지 공도(公道)에 따르고 항상 사직(社稷)을 평안하게 하고 국가를 이롭게 하기를 생각하며 부지런히 마음을 합해 종시(終始-영원히) 변하지 아니하고 길이 복록(福祿)을 누려 함께 평안과 영화를 보존해 세세 자손(世世子孫)이 오늘을 잊지 않게 해야 할 것입니다. 진실로 사정(私情)을 품고 간사한 마음을 끼거나, 맹세를 어기고 화호(和好)를 저버리거나, 몰래 의심하여 두 가지 마음을 품거나, 겉으로는 친한 척하고 속으로는 꺼리거나, 참언(讒言)을 꾸며 흔단(釁端)을 만들거나, 붕당(朋黨)을 나눠 결당(結黨)하거나, 나라를 기울여 뒤집기를 꾀하거나, 같이 맹세한 이를 무함(誣陷)하는 자가 있다면 이는 천지를 속이고 귀신을 업신여기고 군부(君父)를 저버리는 것이니 죽어서는 반드시 신주(神誅)가 있을 것이고, 살아서는 반드시 왕법(王法)이 있을 것이며, 죄는 그 몸에만 그치지 아니하고 재앙(災殃)이 자손에게까지 미칠 것입니다. 사직(社稷)에 관계된 죄를 범하는 자는 마땅히 법으로 논해 또한 연전의 맹세에 기재한 바와 같이 할 것이니 이는 모두 스스로가 불러들인 것[自取=自招]이지 그 누구를 허물하겠습니까? 천지신명(天地神明)이 위에 밝게 포열(布列)해 있으니 각기 맹세한 말을 공경하여[欽] 길이 힘쓰고 조금도 소홀히 해서는 안 될 것입니다.'

개국·정사·좌명의 삼공신(三功臣)이 일찍이 같이 맹세한 적이 없어 상은 삼공신들이 능히 화합하지 못할까 염려했기에 모여서 같이 맹세함으로써 그 마음을 하나로 했다. 감사(監司)와 변진(邊鎭), 주(州), 목(牧)의 지방관[分憂者]들도 모두 와서 참석했다. 삼공신은 66명이었는데 맹세가 끝나고[訖=畢] 대궐에 이르니 각각 표리(表裏-

겉감과 안감)를 내려주었고 무일전(無逸殿)에 나아가 큰 연회를 베풀어 이들을 위로했다.

정사일(丁巳日-19일)에 상이 태평관에 가서 사신에게 연회를 베풀었다.

기미일(己未日-21일)에 유경과 왕준용이 대궐에 이르러 (자신들은 명나라로) 돌아간다고 아뢰었다.

경신일(庚申日-22일)에 상이 유경 등을 선의문(宣義門) 밖에서 전송했다.

○ 전라도 낙안군(樂安郡)[17]에서 바닷가 조수(潮水)가 청황색(青黃色)을 띠었다.

병인일(丙寅日-28일)에 삼공신이 무일전(無逸殿)에서 헌수했는데 여러 공신이 감격함을 이기지 못해[不勝] 혹 시(詩)를 바치기도 하고, 혹 연구(聯句)를 짓기도 하고, 혹 일어나 춤추기도 하며 심히 즐거워하다가 밤이 되어서야 마침내 끝냈다.

○ 의정부 참찬사(參贊議政府事) 권근(權近, 1352~1409년)[18]이 『예경

---

17 전라남도 순천시 낙안면·외서면·별량면 일부와 보성군 벌교읍, 고흥군 동강면 일부 지역에 있었던 옛 고을의 이름이다.
18 1368년 성균시에 합격했으며 이듬해에 전시 병과에 합격해 춘추관검열에 제수됐다. 이후 성균관직강·예문관응교 등을 역임했다. 1374년 공민왕이 죽자 정몽주, 정도전 등과 함

천견록(禮經淺見錄)』을 찬집(撰集)하고자 하여 전(箋-짧은 글)을 올려

면직을 청했으나 윤허하지 않았다. 전(箋)은 이러했다.

'근(近)이 말씀드립니다. 옛날에 신(臣)의 좌주(座主)¹⁹ 한산(韓山)

이색(李穡, 1328~1396년)²⁰이 일찍이 신에게 이르기를 "육경(六經)이

께 위험을 무릅쓰고 배원친명(背元親明)을 주장했다. 1389년 6월 사신으로 북경에 갔다
가 9월에 돌아왔고 10월에 언사(言事)로 우봉(牛峰)으로 내쳐졌다. 12월 영해(寧海)로 옮
겼고, 1390년 2월에는 경주(慶州) 옥사에 갇혔다가 흥해(興海)로 옮겨졌다. 4월에는 김
해(金海)로 옮겼으나 5월에는 체포되어 청주(淸州) 옥에 갇혔다. 6월 갑작스러운 홍수로
방면되어 한양으로 돌아왔으나 7월에 다시 익주(益州)에 유배됐다. 거기서『입학도설(入
學圖說)』을 지었다. 11월 석방돼 1391년 정월 서울에 올라가 임금에게 사은하고 3월 이
후 충주 양촌(陽村)에 우거하여『오경천견록(五經淺見錄)』을 지었다. 이 무렵『역』,『시』,
『서』,『춘추』를 '역설(易說)', '시설(詩說)', '서설(書說)', '춘추설(春秋說)'의 명칭으로 주석해
『천견록』을 저술했다. 이어서『예경절차고증(禮經節次考證)』의 저술에 착수하여 54세 때
인 1405년(태종 5년)에『예기천견록』으로 완성함으로써『오경천견록』의 저술을 완성했다.
1393년 2월 왕의 부름을 받고 계룡산 행재소(行在所)에 달려가 새 왕조의 창업을 칭송
하는 노래를 지었고 왕명으로 정릉(定陵-태조의 아버지 환조(桓祖)의 능)의 비문을 지어
바쳤다. 3월 왕을 따라 서울로 올라와 예문춘추관 태학사(太學士-대제학) 겸 성균관 대
사성을 제수받았다. 1396년 7월 찬표사(撰表使)로 명나라에 다녀왔다. 이때 그는 문연각
(文淵閣)에 머물면서 유삼오(劉三五), 허관(許觀) 등의 중국 학자들과 교류하고 명 태조의
명을 받아 응제시(應製詩) 24편을 지어 문명(文名)을 중국에 떨쳤다.
왕명을 받들어 경서의 구결(口訣)을 정하고, 하륜 등과『동국사략(東國史略)』을 편찬했다.
또한 유학제조를 겸임하여 유생교육에 힘썼다. 이색(李穡)의 문인으로, 정몽주·김구용·
박상충·이숭인·정도전 등 당대 석학들과 교류하면서 성리학 연구에 정진했다. 조선왕조
의 개창 후 새로운 왕조에 출사함으로써 출처(出處) 부분에서 이후 조선 성리학계의 도
통론자(道統論者)들에게 높이 평가되지 못했으나 그가 남긴『입학도설』,『오경천견록』 등
의 저작은 각각 조선 성리학의 본격적인 이론적 연구와 경학 연구에서 선구적인 역할을
담당했다는 평가를 받는다.

19 고려 때 과거에 급제한 자가 그 시관(試官)을 일컫던 말로 평생 문화(門下)의 예(禮)를 갖
   췄다.

20 고려 말인 1367년 대사성(大司成)이 되어 국학의 중영(重營)과 더불어 성균관의 학칙을
   새로 제정하고 김구용(金九容), 정몽주(鄭夢周), 이숭인(李崇仁) 등을 학관으로 채용해 신
   유학(주자학·정주학·성리학의 이칭)의 보급과 발전에 공헌했다. 1373년 한산군(韓山君)
   에 봉해지고, 이듬해 예문관 대제학(藝文館大提學), 지춘추관사 겸 성균관 대사성(知春秋
   館事兼成均館大司成)에 임명됐으나 병으로 사퇴했다. 1375년(우왕 1년) 왕의 요청으로 다
   시 벼슬에 나아가 정당문학(政堂文學), 판삼사사(判三司事)를 역임했고 1377년에 추충

모두 진(秦)나라 때 불탔는데 『예기(禮記)』가 더욱 심하게 산일(散逸)되었다. 한(漢)나라 때 유자(儒者)가 불탄 나머지를 주워 모아서 그 얻은 바대로 선후(先後)로 하여 기록했다. 그러므로 그 글이 뒤섞여 혼란하고 질서가 없었다. 선유(先儒)가 『대학(大學)』 한 책(冊)을 밝혀내 구절(句節)의 차례를 상고하여 정했으나[21] 그 나머지는 손대지 못했다. 나는 부문(部門)을 나누어 유(類)대로 모아 따로 한 책을 만들고자 했으나 이루지 못했으니 네가 언젠가는[其] 그것에 힘써야

_기

할 것이다"라고 했습니다. 신(臣)이 그 지시한 바를 받들어 매번 차례를 갖춰 편찬하려고 했으나 벼슬에 종사(從仕)하느라 바쁘게 일하다 보니[鞅掌] 역시 제대로 이룩할 수가 없었습니다. 전조(前朝-고려) 때

_{앙장}

보절동덕찬화공신(推忠保節同德贊化功臣)의 호를 받고 우왕(禑王)의 사부(師傅)가 됐다. 1388년 철령위문제(鐵嶺衛問題)가 일어나자 화평을 주장했다. 1389년(공양왕 1년) 위화도회군(威化島回軍)으로 우왕이 강화로 쫓겨나자 조민수(曺敏修)와 함께 창왕(昌王)을 옹립, 즉위하게 했다. 판문하부사(判門下府事)가 되어 명나라에 사신으로 가서 창왕의 입조와 명나라의 고려에 대한 감국(監國)을 주청해 이성계(李成桂) 일파의 세력을 억제하려 했다.

이해에 이성계 일파가 세력을 잡자 오사충(吳思忠)의 상소로 장단(長湍)에 유배됐다. 이듬해 함창(咸昌)으로 옮겨졌다가 이초(彝初)의 옥(獄)에 연루돼 청주의 옥에 갇혔는데 수재(水災)가 발생해 함창으로 다시 옮겨 안치됐다. 1391년에 석방돼 한산부원군(韓山府院君)에 봉해졌으나 1392년 정몽주가 피살되자 이에 연루되어 금주(衿州-현재 서울시 금천구 시흥)로 추방됐다가 여흥(驪興-현재 경기도 여주), 장흥(長興) 등지로 유배된 뒤 석방됐다. 1395년(태조 4년)에 한산백(韓山伯)에 봉해지고 이성계의 출사(出仕) 종용이 있었으나 끝내 고사하고 이듬해 여강(驪江)으로 가던 도중에 죽었다.

그의 문하에서 고려왕조에 충절을 지킨 명사(名士)와 조선왕조 창업에 공헌한 사대부들이 많이 배출되었다. 정몽주(鄭夢周)·길재(吉再)·이숭인(李崇仁) 등 제자들은 고려왕조에 충절을 다했으며, 정도전(鄭道傳)·하륜(河崙)·윤소종(尹紹宗)·권근(權近) 등 제자들은 조선왕조 창업에 큰 역할을 했다. 이색-정몽주-길재의 학문을 계승한 김종직(金宗直), 변계량(卞季良) 등은 조선왕조 초기 성리학의 주류를 이루었다.

21 주희(朱熹)가 『예기(禮記)』에 포함돼 있던 『대학(大學)』을 떼어내 거기에 장구(章句)를 정한 것을 가리킨다.

에는 죄를 얻어 유배 가게 됐으나, 다행히 태상왕(太上王) 전하의 흠휼(欽恤)하는 어즮을 입어 성명(性命)을 얻어 보존하여 향리(鄕里)에 안치(安置)됐습니다. (그때) 신미년(辛未年-1391년) 봄부터 임신년(壬申年-1392년) 가을까지 십수 개월간을 비로소 이 경전(經典)을 연구할 수 있게 되어 편(編)에 따라 유(類)대로 차례를 정해 마침내 그 초고(草藁)를 이룩했습니다. 다만[第=但] 본경(本經)의 문자가 워낙 많기 때문에[浩穰] 모두 쓰기가 쉽지 않아서 오로지 매절 처음과 끝에다 몇 자 적기를 "아무 데에서 아무 데까지는 옛날 아무 절의 아래에 있었으니, 지금 마땅히 아무 데에 있어야 한다"고 하고, 가끔 또한 억견(臆見-자신의 견해)의 설(說)을 그 아래에 덧붙여 주(註)를 했을 뿐입니다. 장차 본경(本經)의 정문(正文)을 다 쓰고, 다음으로『진씨집설(陳氏輯說)』²²을 쓴 뒤에 억견의 설을 덧붙여 하나의 책을 만들고자 했습니다만, 이것이 어찌 수개월 사이에 붓 하나의 힘으로[一筆之力]²³ 해낼 수 있는 것이었겠습니까? 그러므로 당시에 능히 탈고(脫稿)하지 못하고 여생을 기다려 그 완성을 끝내고자 했던 것입니다. 개국(開國)하던 초기에 불러 쓰심을 입었고, 전하가 대통(大統)을 계승하여 또한 아무런 공(功)이 없는 저를 외람되게 공신의 반열에 참여시켜 지위가 재보(宰輔)에 이르고, 다시 같이 맹세하는 데[同盟] 참여하게 하니 감격함이 하늘에까지 사무쳐 몸이 죽어 가루

---

22 원(元)나라 진호(陳澔)가 찬한『운장예기집설(雲莊禮記集說)』을 말하는데 총 30권이다. 이 책은 간편하고 체계적이어서 명대(明代)에 과거(科擧)의 전용서로 사용됐으며, 청대(淸代)에 납라성덕(納喇性德)은『진씨예기집설보정(陳氏禮記集說補正)』38권을 저술했다.

23 '한 개인의 힘으로'라는 뜻이다.

가 되더라도[靡粉] 은혜를 갚기 어렵습니다.

   홀로 생각건대 신(臣) 근(近)은 자질이 본래 병이 많아 가끔 병이 발작하는데 지금은 또 발작이 더해 그 병세가 더욱 위독해져서 [彌篤] 팔다리와 몸이 파리해 피곤하고 머리와 눈이 어질어질하여 정신이 혼미해 잘 잊어버리며 귀가 먹어 듣기가 힘드니[重=難] 직(職)을 받들기가 어렵습니다. 술자(術者-사주나 운수를 보는 사람)가 또 말하기를 "오는 을유년(乙酉年-1405년)부터 정해년(丁亥年-1407년)과 무자년(戊子年-1408년)에 이르기까지 수년 동안은 모두 액운(厄運)이므로 거의 무사히 지나가기가 어렵다"라고 했습니다. 그 말이 비록 족히 믿을 것이 못 되나 신이 병이 많기 때문에 점쳐본 것이니 능히 향수(享壽)할 수 없는 것 또한 얼마든지 알 수 있습니다. 신이 이 책을 편찬하기 시작한 이래로 이제 10년이 지났는데 아직 한 편(篇)도 완성하지 못했습니다. 신은 하루아침에 질병을 고치기가 어려운데 해는 서산(西山)에 가까워지니 성대(盛代)에 머물러 남아서 신의 스승이 부탁한 바를 길이 저버리고 땅에 묻힐까 두려우니 어찌 애통하지 않겠습니까? 또 신이 아는 식견(識見)이 얕고 짧아 오래 낭묘(廊廟-묘당을 뜻하는 말로 의정부를 가리킴)에 있어도 털끝만치도 보탬이 없습니다. 만약 신의 직임을 갈아서 세상일을 물리쳐 없애고 뜻을 오로지 한곳에 쏟을 수 있게[專一] 하여 마침내 이 책을 이뤄낸다면 비록 그것이 광패(狂悖)하고 참람(僭濫)하여 벗어날 수 없는 죄가 된다 하더라도 그것이 후학(後學)에게 반드시 도움이 없다고는 못 할 것입니다.

   엎드려 바라옵건대 주상 전하께서는 신(臣)이 쇠약하고 병든 것을 불쌍히 여기시고 신의 지극한 소원을 잘 살피시어 직임을 면하도록 하여 한가한 데 머물고 산질(散秩-한직)에 있게 하여 약이(藥餌)의 여가에 다시 정력을 더해 그 사공(事功)을 끝마치게 해주소서. 특별히 유사(攸司)에게 명해 지찰(紙札)을 주어 베껴 쓰는 것을 도와서 정돈하여 전서(全書)를 완성하게 하고, 주자(鑄字)로 인쇄해 후세에 전하면 신(臣)의 저술이 비록 족히 볼 만한 것이 못 되더라도 후진(後進)의 선비가 반드시 이로 말미암아 뜻을 일으켜 경적(經籍)에서 학문을 떨쳐내 성대(盛代)에 우문(右文)[24]의 정치를 빛낼 것입니다. 신은 변변하지 못한 뜻을 이기지 못해 황공(惶恐)하게도 머리 숙여 [頓首] 삼가 말씀드립니다.'
돈수

비답(批答)[25]은 이러했다.

'올린 전(箋)을 살펴보고 직사(職事)를 사임하겠다는 것을 상세히 알았다. 고전(古典)을 깊이 상고하면 당우삼대(唐虞三代-요순(堯舜) 시대와 하(夏)·은(殷)·주(周) 시대를 함께 일컫는 말) 때의 임금과 신하들은 도학(道學)을 밝혀 치도(治道)를 내지 아니함이 없었으니 후세(後世)의 사람들 중에서 도학(道學)을 밝히고자 하는 자는 육경(六

---

24 학문을 높이고 숭상한다는 뜻이다.

25 조선시대 신하의 상소에 대해 국왕이 내린 답서(答書)다. 비답 가운데 가장 많이 볼 수 있는 것은 정사(呈辭-사직의 상소)에 대한 불윤비답(不允批答-신하의 청을 허락하지 않는다는 임금의 답변)으로서 『동국이상국집』과 『동문선』을 비롯해 여러 문집 등에 전재된 것이 많이 있다. 정사뿐 아니라 국왕에게 올린 소청(疏請)에 대한 불윤비답도 있다. 그러나 의윤비답(依允批答-신하의 청을 허락한다는 임금의 답변)도 이따금 있다. 비답이 일단 문집이나 연대기류에 전재되면 문서로서의 가치는 상실된다. 또한 비답은 국왕이 발하는 문서로서 교서(敎書)와 같은 서식을 취하고 있기 때문에 불윤비답은 불윤교서라고 쓰기도 했다. 문서 형태의 비답은 그 자체가 매우 소중한 사료가 되나 그 수가 극히 드물며, 대개는 문헌에 전재되어 전해지고 있다.

經)을 두고서 무엇으로 했겠는가? 내가 즉위하면서부터 명유(名儒)를 얻어 좌우에 두고 경학(經學)을 강론하여 치도(治道)의 근원을 맑게 끌어내고자 했다.

경(卿)은 타고난 자질이 순수하고 식도(識度)가 깊고 은미하며 학식은 육경(六經)에 해박해 자세하게 연구하지 아니함이 없으니 전성(前聖-옛 성인)의 학문의 심오한 뜻을 밝혀내 후진(後進)의 사표(師表)가 됐고, 또 이미 저술한 『천견록(淺見錄)』과 『입학도설(入學圖說)』²⁶은 더욱 배우는 자의 지침서가 되었다. 그러한 까닭에 명하여 재보(宰輔)가 되게 해 강연(講筵)을 겸임하게 하고, 또 사관(史館)과 성균관(成均館)의 장(長)이 되게 해 성리(性理)의 학문을 듣기를 바라는 것이다. 그 학문을 논하는 의풍(懿風)은 이윤(伊尹)²⁷과 부열(傅說)²⁸에 부합함이 있고 필삭(筆削)의 정미(精微)함은 『춘추(春秋)』에서 법(法)을 취하니, 아침저녁으로 훈계하는 말을 바쳐서 내 마음을

---

26 내용은 전집에 천인심성합일지도(天人心性合一之圖)·천인심성분석도(天人心性分釋圖)·대학지장지도(大學指掌之圖)·중용수장분석도(中庸首章分釋圖)·제후소목오묘도궁지도(諸侯昭穆五廟都宮之圖) 등 26종, 후집에 십이월괘지도(十二月卦之圖)·주천삼신지도설(周天三辰之圖說)·일기생윤지도설(日期生閏之圖說) 등 14종의 도설이 실려 있다.

27 노예였다가 유신씨(有莘氏)의 딸이 시집갈 때 잉신(媵臣)으로 따라갔다. 탕(湯)왕의 인정을 받아 등용되었다. 하(夏)나라를 멸하고 은나라를 건국하는 데 큰 공을 세웠다. 이 때문에 은나라의 재상이 되었다. 탕왕이 죽은 뒤 외병(外丙)과 중임(仲壬) 두 임금을 보좌했다. 중임이 죽고 태갑(太甲)이 왕위에 올라 정사를 돌보지 않고 탕왕의 법을 따르지 않자 그를 동(桐)으로 축출하고 일시 섭정했다. 3년 뒤 태갑이 잘못을 뉘우치자 다시 왕위에 올렸다. 일설에는 태갑이 올라야 하나 이윤이 찬탈하여 자립하면서 태갑을 쫓아냈는데, 7년 뒤 몰래 돌아와 그를 죽였다고도 한다. 후세 고대의 명재상으로 전해진다.

28 은나라 고종(高宗) 때 사람이다. 부암(傅巖)에서 담장을 쌓는 노예였다고 한다. 고종이 꿈에서 성인(聖人)을 보았는데, 이름이 열이라고 했다. 기억을 더듬어 인상을 그리게 하고 부암의 들판에서 찾았다고 한다. 나라가 잘 다스려졌다.

밝히고 풍요롭게 하여[啓沃] 큰 도리[大道]의 요강(要綱)을 듣도록
하는 것이 경의 직책인데 어찌 갑자기 병으로 사임하려 하는가?

선유(先儒) 주희(朱熹)는 『서경(書經)』을 위한 전(傳)을 모아 이
를 채침(蔡沈, 1167~1230년)[29]에게 부탁해 드디어 전서(全書)를 만들
었다. 이제 한산(韓山) 이색(李穡)도 또한 『예경(禮經)』을 고정(考定)
하는 일을 경에게 부탁했는데 그 사제지간(師弟之間)에 주고받는 법
이 하나의 부절을 합친 것처럼 합치하니 어찌 우연이겠는가? 또 『예
서(禮書)』가 타다가 남은 것을 주워 모았으므로 문란하고 차서(次序)
를 잃었으니 진실로 고증하여 후세에 남겨주는 것이 마땅하다. 더
군다나 경은 문학(文學-유학)으로 나를 도와 정치를 성취하는 여가
에도 오히려 차례대로 편찬할 수 있을 것이다. 옛날 송(宋)나라 신종
(神宗)[30]이 사마광(司馬光, 1019~1086년)[31]에게 명해 『자치통감(資治

29 채원정(蔡元定)의 둘째 아들이다. 젊어 가학을 이었고 주희(朱熹)에게 배웠다. 경원당금
(慶元黨禁) 때 아버지를 따라 도주(道州)로 유배를 갔다. 아버지가 죽은 뒤 구봉(九峰)에
은거하면서 주희의 명령으로 『상서(尚書)』에 주를 달았는데 10여 년의 시간이 걸려 영종
(寧宗) 가정(嘉定) 2년(1206) 『서집전(書集傳)』을 완성했다. 여러 학설을 종합하고 주석(注
釋)이 명석해 원나라 이후 과거 시험을 준비하는 선비들에게 필독서가 됐다.

30 영종(英宗)의 큰아들로 태어나 송나라의 세력이 흔들리고 주위에서는 요나라와 서하의
침입이 잦아 정치가 어지러울 때 황제가 되었는데 나라의 세력을 다시 바로 세울 생각으
로 왕안석(王安石)을 재상으로 뽑아 신법을 시행하게 했다. 그는 밖의 여러 나라에 적극
적인 정책을 써서 요와 서하를 누르려고 했으나 끝내 실패하고 말았다.

31 사마온공(司馬溫公)이라고도 한다. 어릴 때부터 총명하여 배우기를 좋아했다. 1038년(인
종(仁宗) 보원(寶元) 1년) 진사가 됐다. 지간원(知諫院)과 한림학사(翰林學士), 권어사중승
(權御史中丞)을 역임하고, 다시 한림겸시독학사(翰林兼侍讀學士)가 됐다. 왕안석(王安石)
이 시행한 신법(新法)을 극력 반대해 '조종의 법은 바뀔 수 없다'는 이유로 왕안석, 여혜
경(呂惠卿) 등과 여러 차례 논쟁을 벌이다가 추밀부사(樞密副使)를 사퇴하고 영흥지군(永
興知軍)으로 나갔다. 1071년(신종(神宗) 희녕(熙寧) 4년) 서경어사대(西京御史臺)에 있다가
물러나 15년 동안 낙양(洛陽)에 살면서 역사서를 편찬하는 데 전념했을 뿐 시사(時事)는
입에 담지 않았다. 철종(哲宗)이 즉위해 태황태후(太皇太后) 고씨(高氏)가 임조(臨朝)하자

通鑑)』을 편찬하게 해 일대의 역사를 이뤄 지금까지 흠모(欽慕)한다. 나도 경에게 또한 이같이 하려 하니 경은 그 모든 온축(蘊蓄)한 바를 서술하고, 여기저기에서 고증하여 그 책을 완성하도록 하라. 이미 스승의 가르침을 저버리지 아니했으니 또 내 뜻도 저버리지 아니하는 것이 어찌 오로지 당대(當代)에만 보탬이 되겠는가! 거의 장차 사문(斯文-유학의 좋은 글)을 불후(不朽)하도록 장수(長壽)하게 하리니 도리어 위대하지 않겠는가! 일단은 그 자리에 있으면서 나의 정치를 도우라. 청하는 바는 의당 윤허하지 않겠다.'

문하시랑(門下侍郎)으로 기용되고 좌복야(左僕射)에 오르면서 조정을 장악했다. 유지(劉摯)와 범순인(范純仁), 범조우(范祖禹), 여대방(呂大防) 등을 기용하면서 신법을 철폐하고 옛 제도를 회복시켰다. 재상으로 있은 지 8개월 만에 죽어 태사(太師)에 추증됐다. 처음에 전국시대부터 진2세(秦二世)까지의 역사를 엮어 『통지(通志)』 8권을 편찬했는데 영종(英宗)의 명령으로 이를 속찬하게 되고 신종이 이름을 『자치통감(資治通鑑)』이라 고쳐 불렀다. 1084년(원풍(元豊) 7년) 완성했다.

己亥朔 進賀使李至 趙希閔 齎帝賜列女傳 藥材 禮部咨文
기해 삭 진하사 이지 조희민 재제사 열녀전 약재 예부 자문

回自京師. 咨文曰:
회자 경사 자문 왈

'欽奉聖旨:"朝鮮國王缺少藥材 差臣來這裏收買. 恁禮部照他
흠봉 성지 조선 국왕 결소 약재 차신 내저이 수매 임 예부 조타

買小的數目關 與他將去與王用. 來的使臣告說 先蒙頒賜列女傳
매 소적 수목 관 여타 장거여왕용 내적 사신 고설 선봉 반사 열녀전

分散不周 再與五百部." 欽此 藥材 列女傳 交付差來使臣李至等.
분산 부주 재여 오백부 흠차 약재 열녀전 교부 차래 사신 이지 등

麝香二斤 朱砂六斤 沈香五斤 蘇合油一十兩 龍腦一斤 白花蛇
사향 이근 주사 육근 침향 오근 소합유 일십 량 용뇌 일근 백화사

三十條 古今列女傳五百部.'
삼십 조 고금 열녀전 오백 부

至曰:"周王田獵 獲異獸幷其雛 白虎黑文. 繫以鐵索 納于鐵籠
지 왈 주왕 전렵 획 이수 병 기추 백호 흑문 계이 철삭 납우 철롱

獻于帝 帝郊迎之. 百官進賀 以爲騶虞 然其獸食生肉."
헌 우제 제교 영지 백관 진하 이위 추우 연 기수 식 생육

置伯剛于童城 移置李佇于咸州. 上留伯剛 不忍遽出之 臺諫
치 백강 우 동성 이치 이저 우 함주 상유 백강 불인 거 출지 대간

廷諍曰:"旣廢伯剛爲庶人 置于外方 累日不出 臣等缺望. 願殿下
정쟁 왈 기 폐 백강 위 서인 치우 외방 누일 불출 신등 결망 원 전하

毋失信"上曰:"伯剛當與宮主而歸. 欲使修葺其所居 然後遣之
무 실신 상왈 백강 당여 궁주 이귀 욕사 수즙 기 소거 연후 견지

今以①臺諫之言 先遣伯剛于童城別業."
금이 대간 지언 선견 백강 우 동성 별업

遣內官尹興阜 甲士咸龍奇等于鎭州 慰諭佇 移于咸州
견 내관 윤흥부 갑사 함용기 등우 진주 위유 저 이우 함주

甲辰 朝廷使臣宦官劉璟 國子監丞王峻用 奉勑書及賞賜來 設
갑진 조정 사신 환관 유경 국자감 승 왕준용 봉 칙서 급 상사 래 설

山棚結綵備儺禮 上率百官 迎于宣義門外 至無逸殿受賜. 勑書
산붕 결채 비 나례 상솔 백관 영우 선의문 외 지 무일전 수사 칙서

400

曰：

'勅朝鮮國王 李【諱】. 王遣使送耕牛一萬 已至遼東. 王之忠誠

良可嘉尙. 使回 特賜王綵幣 用答慇懃之意 王其領之. 故勅.'

紵絲三十匹 熟綾子三十匹 彩絹一百匹. 行禮畢 仍設宴. 省親

宦官李成 金禧 朴麟等偕來. 上以受賜段絹 分賜領承樞以上

耆舊及五代言.

乙巳 上如太平館 宴使臣.

戊申 劉璟 王峻用等謁文廟.

己酉 使臣至闕 先行賀禮 以至日也. 上率百官行賀禮如儀 停

群臣賀 對使臣 宴群臣.

庚戌 司諫院上疏請遵太上王更定官制 不允. 疏略曰：

'自古有國家者 定其所尙 必緣人情. 蓋所尙一定 至于千萬世

而不變 使民之耳目定于一 然後子孫有所據依 可以永久 故三代

聖王之後 率由舊章 歷年有永 其明驗也. 惟我太上王 應天順人

化家爲國 以成一代之制. 然而沿革之際 必徇人情 以貽後世.

至於更定官制 其門下府三司 則仍其舊號密直司爲中樞院 而

會議於都評議使司. 一國軍民之政 莫不由玆以出 卽唐之中書

遺制也. 近來 罷門下府都評議使司 合爲議政府 將三司中樞院

改爲承樞 司平 各置首領官 與六房知印 乃與議政府等而爲

三 遂使軍民之政 岐而二之. 又置三軍都摠制府及巡禁 扈衛等

司 而十司增置員額 不急之官 可謂多矣. 其於太上創制立法之意
사 이 십사 증치 원액 불급 지관 가위 다의 기어 태상 창제 입법 지 의

何如 殿下持盈守成之道 又何如? 至若承樞 司平 六房知印遷轉
하여 전하 지영 수성 지도 우 하여 지약 승추 사평 육방 지인 천전

之路 供億之費 特其末耳. 其三輔堂上 顯爲宰輔 一國軍民之政
지로 공억 지비 특 기말 이 기 삼보 당상 현위 재보 일국 군민 지정

不相與聞 名實有虧 誠非久安長治之策 豈其細故哉! 大抵人情
불 상여 문 명실 유휴 성비 구안 장치 지책 기기 세고 재 대저 인정

憚於更改 安於故常. 願殿下令三府仍舊制 政令得失 會議於
탄어 경개 안어 고상 원 전하 영 삼부 잉 구제 정령 득실 회의 어

都評議使司 其他庶司沿革 吏員減損 一遵太上王更定文武官制
도평의사사 기타 서사 연혁 이원 감손 일준 태상왕 경정 문무 관제

永爲子孫持守之法.'
영 위 자손 지수 지 법

　辛亥 李成 朴麟 金禧等 各省親于其鄕 命議政府餞于東郊.
　신해 이성 박린 김희등 각 성친 우 기향 명 의정부 전우 동교

使臣劉璟 王峻用亦出餞.
사신 유경 왕준용 역 출전

　壬子 雨.
　임자 우

　癸丑 雨.
　계축 우

遣參知議政府事朴信如京師. 謝賜幣帛 藥材 兼賀驕虞也.
견 참지 의정부 사 박신 여 경사 사사 폐백 약재 겸하 추우 야

甲寅 開國 定社 佐命功臣 同盟于大淸觀北 上押其誓文 不
갑인 개국 정사 좌명 공신 동맹 우 대청관 북 상 압 기 서문 불

親臨其會. 其文曰:
친림 기회 기문 왈

'朝鮮國王臣【諱】 謹率開國 定社 佐命功臣等 敢昭告于皇天
조선국 왕신 휘 근솔 개국 정사 좌명 공신 등 감 소고 우 황천

上帝 宗廟 社稷 山川百神之靈. 伏以國之有君臣朋友 猶家之
상제 종묘 사직 산천 백신 지령 복이 국 지 유 군신 붕우 유 가지

有父子兄弟 當以忠信誠慤 固結其心 永保終始. 況乎要質鬼神
유 부자 형제 당이 충신 성각 고결 기심 영보 종시 황호 요질 귀신

歃血同盟者哉! 惟我太上王 以神武之資 獲天人之助 而予小子
삽혈 동맹 자재 유아 태상왕 이 신무 지자 획 천인 지조 이 여 소자

亦克左右 弼成大業. 開國之初 首與勳臣同盟 以固忠信. 不期
역 극 좌우 필성 대업 개국 지초 수여 훈신 동맹 이고 충신 불기

權奸 懷私背盟 挾幼奪嫡 謀害我兄弟 將危我宗社 幸賴天地
권간 회사 배맹 협유 탈적 모해 아 형제 장위 아 종사 행 뢰 천지

402

宗社陰騭之佑 忠賢奮義 凶徒自潰 以嫡以長 扶立上王 天倫
是正 宗社再安. 又與勳臣 同結盟好 未幾 讒邪復背其盟 構釁
鬩墻 稱兵作亂. 親勳將相 應機勘定 罪人斯得 旣服厥辜. 是則
違盟必戮 現有徵驗 可不懼哉! 逮予小子 繼位之後 又與佐命之
臣 同盟歃血 期與保全 于玆有年. 自是三盟之臣 協心輔我 式
至今休 可謂 和洽無間矣 尙慮前後不與同盟者 其心猶以爲未固
特涓吉日 乃會三盟之臣 昭告上下神祇 更尋前盟 以固其志. 旣
盟之後 各自勉勵 忠誠相信 恩愛相好 親如骨肉 堅如金石 殫誠
竭忠 夾輔王室 忘其私憾 唯順公道 常以安社稷利國家爲念
孜孜協力 終始無變 永享福祿 共保安榮 世世子孫 無忘今日. 苟
有匿私挾邪 渝盟背好 潛懷疑貳 外親內忌 構讒造釁 分朋結黨
陰圖傾覆 誣陷同盟者 是欺天地慢鬼神背君父也. 幽則必有神誅
明則必有王法 非止其身 殃及子孫. 有犯關係社稷者 當以法論
亦如前盟所載. 是皆自取 其誰之咎! 天地神明 昭布在上 各欽
誓言 永勉無忽.'

開國 定社 佐命三功臣 未嘗同盟 上慮三功臣未能和協 會以
同盟 以一其心 監司邊鎭州牧分憂者 皆來與焉. 三功臣六十六人
盟訖詣闕 各賜表裏 御無逸殿 設大宴以慰之.

丁巳 上如太平館 宴使臣.

己未 劉璟 王峻用至闕告還.

庚申 上餞劉璟等于宣義門外.
경신 상 전 유경 등 우 선의문 외

全羅道樂安郡浦潮水雜靑黃色.
전라도 낙안군 포 조수 잡 청황 색

丙寅 三功臣獻壽于無逸殿 諸功臣不勝感悅 或獻詩或聯句或
병인 삼공신 헌수 우 무일전 제 공신 불승 감열 혹 헌시 혹 연구 혹

起舞 懽甚入夜乃罷.
기무 환심 입야 내 파

參贊議政府事權近欲撰禮經淺見錄 上箋乞免 不允. 箋曰:
참찬 의정부 사 권근 욕찬 예경 천견록 상전 걸면 불윤 전왈

'近言. 昔臣座主韓山李穡 嘗謂臣言: "六經俱火于秦 禮記尤甚
근언 석신 좌수 한산 이색 상위신언 육경 구화우진 예기 우심

散逸. 漢儒掇拾煨燼之餘 隨其所得 先後而錄之 故其文錯亂
산일 한유 철습 외신 지여 수기 소득 선후 이 녹지 고 기문 착란

無序. 先儒表出大學一書 考定節次 其餘則未之及. 予欲分門
무서 선유 표출 대학 일서 고정 절차 기여 즉 미지급 여욕 분문

類聚 別爲一書而未就 汝其勉之." 臣承指授 每欲編次 從仕鞅掌
유취 별위 일서 이 미취 여기 면지 신승 지수 매욕 편차 종사 앙장

亦莫克成. 前朝之時 得罪見謫 幸蒙太上殿下欽恤之仁 獲保性命
역박 극성 전조 지시 득죄 견적 행몽 태상 전하 흠휼 지인 획보 성명

安于鄕里. 自辛未春至壬申秋十數月間 始得硏究此經 隨編類次
안우 향리 자 신미 춘 지 임신 추 십수 월간 시득 연구 차경 수편 유차

乃成其藁. 第以本經文字浩穰 未易悉書 惟將每節首尾數字 云:
내 성 기고 제이 본경 문자 호양 미이 실서 유장 매절 수미 수자 운

"自某至某 舊在某節之下 今當在某." 往往又將臆見之說 附註
자모지모 구재모절지하 금당재모 왕왕 우장 억견 지설 부주

其下而已. 將欲盡書本經正文 次書陳氏輯說 然後附以臆見之
기하 이이 장 욕진 서 본경 정문 차서 진씨집설 연후 부이 억견 지

說 以成一書 此豈數月之間 一筆之力 所可辦哉! 故在當時 未克
설 이성 일서 차기 수월 지간 일필 지력 소가판 재 고재 당시 미극

脫藁 冀以餘齡 竣畢其成. 開國之初 得蒙召用 殿下繼統 又以
탈고 기이 여령 사 필 기성 개국 지초 득몽 소용 전하 계통 우이

無功 濫與功臣之列 位至宰輔 再錫同盟 感極于天 糜粉難報.
무공 남여 공신 지열 위지 재보 재석 동맹 감극우천 미분 난보

惟念臣近 質本多病 往往而作 今又加發 其勢彌篤 支體瘦困
유념 신근 질본 다병 왕왕 이작 금우 가발 기세 미독 지체 수곤

頭目眩暈 神昏健忘 耳聾重聽 難於奉職. 術者又言: "自來乙酉
두목 현운 신혼 건망 이농 중청 난어 봉직 술자 우언 자래 을유

至丁亥戊子數年之間 皆是厄運 殆難得過." 其言雖不足信 以臣
지 정해 무자 수년 지간 개시 액운 태난 득과 기언 수 부족신 이신

404

多病卜之 不能享壽 亦可知矣. 自臣始編此書以來 今踰十年 尙
다병 복지 불능 향수 역 가지 의 자신시편차서 이래 금유 십년 상

未成篇. 臣恐一朝疾病難醫 日迫西山奄辭盛代 臣師所囑 永
미 성편 신공 일조 질병 난의 일박 서산 엄사 성대 신사 소촉 영

負地下 豈不慟哉! 且臣智識淺短 久居廊廟 絲毫無補. 若遞臣
부 지하 기 불통 재 차신 지식 천단 구거 낭묘 사호 무보 약체신

職 屛除世務 使得專意 卒成此書 雖其狂僭 無所逃罪 其於後學
직 병제 세무 사득 전의 졸성 차서 수기 광참 무 소도죄 기어 후학

未必無補. 伏望主上殿下 憐臣衰病 諒臣至願 令免職任 居閑
미필 무보 복망 주상 전하 연신 쇠병 양신 지원 영면 직임 거한

處散 藥餌之暇 更加精力 以卒其功. 特命攸司 給紙札助繕寫 勒
처산 약이 지가 갱가 정력 이졸 기공 특명 유사 급 지찰 조선사 늑

成全書 鑄字印傳 則臣之著述 雖未足觀 後進之士 必由是而興起
성 전서 주자 인전 즉신지 저술 수 미족 관 후진 지사 필 유시 이 흥기

發揮於經籍 以光盛代右文之治矣. 臣不勝區區之志 惶恐頓首
발휘 어 경적 이광 성대 우문 지치 의 신 불승 구구 지지 황공 돈수

謹言.'
근언

批答:
비답

'省所上箋辭職事具悉. 粵稽古典 唐虞三代之君臣 莫不明道學
성 소상전 사직사 구실 월계 고전 당우 삼대 지 군신 막불 명 도학

以出治 後之人欲明道學者 舍六經何以哉! 予自卽位 思得名儒
이 출치 후지인 욕명 도학 자 사 육경 하이 재 여자 즉위 사득 명유

置諸左右 講論經學 以淸出治之源. 卿天資純粹 識度淵微 學
치 저 좌우 강론 경학 이청 출치 지원 경 천자 순수 식도 연미 학

該六經 靡不硏精 發前聖之蘊奧 爲後進之師表 而所著淺見錄
해 육경 미불 연정 발 전성 지 온오 위 후진 지 사표 이 소저 천견록

入學圖說 尤爲學者之指南. 以故命爲宰輔 兼任講筵 又長史館
입학도설 우위 학자 지 지남 이고 명위 재보 겸임 강연 우 장 사관

成均 冀聞性理之學 其論學之懿 有契於伊傅 筆削之精 取法於
성균 기문 성리 지학 기 논학 지의 유계 어 이부 필삭 지정 취법 어

春秋 當朝夕納誨 啓沃予心 俾聞大道之要 卿之職也. 豈可遽
춘추 당 조석 납회 계옥 여심 비문 대도 지요 경지 직야 기 가거

以疾病爲辭哉! 先儒朱熹 以作書集傳 屬之蔡沈 遂爲全書. 今
이 질병 위사 재 선유 주희 이작 서집전 촉지 채침 수위 전서 금

韓山李穡 亦以考定禮經 付之於卿 其師弟之間 授受之法 若
한산 이색 역이 고정 예경 부지 어경 기 사제지간 수수 지법 약

合一節 豈偶然哉! 且禮書 掇拾煨燼 紊亂失序 誠宜考證 以貽
합 일절 기 우연 재 차 예서 철습 외신 문란 실서 성의 고증 이이

後世. 矧以卿之文學 贊襄之餘 猶可編次! 昔宋神宗命司馬光 編
후세 신 이 경 지 문학 찬양 지 여 유 가 편차 석 송 신종 명 사마광 편

資治通鑑 以成一代之史 至今欽慕 予於卿亦若是矣. 卿其展盡
자치통감 이 성 일대 지 사 지금 흠모 여 어 경 역 약시 의 경 기 전진

所蘊 參互考證 以成其書 旣不負師敎 又不負予意. 豈惟有補於
소온 참호 고증 이 성 기서 기 불부 사교 우 불부 여의 기 유 유보 어

當時! 殆將壽斯文於不朽 顧不偉歟! 姑安厥位 以輔予治 所請宜
당시 태 장 수 사문 어 불후 고 불위 여 고 안 궐위 이 보 여치 소청 의

不允.'
불윤

| 원문 읽기를 위한 도움말 |

① 今以臺諫之言. 여기서 以는 '~때문에'라는 뜻이다.
　금 이 대간 지 언　　　　　　이

태종 4년 갑신년
12월

十二月

무진일(戊辰日-1일) 초하루에 의성군(義城君) 김영렬(金英烈)¹이 졸(卒)했다. 조회를 중단하기[輟朝]를 3일 동안 하고 시호를 양소(襄昭)라고 했다.

○ 한경(漢京)의 이궁 조성군(離宮造成軍)을 해산시켰다.

기사일(己巳日-2일) 에 햇무리가 졌고 또 배이(背珥-뒤쪽의 고리 모양)가 있었다.

○ 태백성이 낮에 보였다.

경오일(庚午日-3일) 에 요동총기(遼東摠旗) 장패라(張孛羅), 소기(小旗) 왕라합(王羅哈) 등이 이르니 상이 태평관에 나아가서 만나보았다[就見]. 장패라 등은 황제의 칙유(勅諭)를 받들었는데 건주위 참정(建州衛參政)을 어허출(於虛出)²에게 제수한다는 것이었다. 애초에

---

1 1394년에 전서(典書)로 있던 중 그해 경기우도 수군첨절제사가 됐다. 그때 연해를 노략질하는 왜구를 물리치는 계책을 올려 1395년에 수군절제사로 발탁됐다. 그러나 중요한 실책을 범해 1397년 파직돼 옹진(甕津)으로 유배, 수군에 충군됐다가 이듬해 풀려났다. 1400년(정종 2년)에 삼군부 지사로 있을 때 2차 왕자의 난을 평정하고 태종을 왕위에 오르게 한 공으로 1401년(태종 1년)에 좌명공신(佐命功臣) 3등에 책록됐다. 의성군(義城君)으로 봉작되고 우의정에 증직됐다.

2 올량합(兀良哈)의 대추장(大酋長)이다. 『황명실록(皇明實錄)』에는 아합출(阿哈出)로 나오는데 알타리(斡朶里) 동맹가첩목아(童猛哥帖木兒)와 같이 의란(依蘭-삼성(三姓)) 지방에

황제가 연왕(燕王)이었을 때 어허출의 딸을 (후궁으로) 받아들였는데 즉위하기에 이르자 건주위 참정을 제수하고 그로 하여금 야인(野人)들을 초유(招諭)시키고자 하여 칙서를 내려 그를 위로한 것이다.

신미일(辛未日-4일)에 박초(朴礎, 1367~1454년)[3]에게 장(杖) 70대를 때렸다. 초(礎)가 일찍이 선공감(繕工監) 승(丞)이 되어 사사로이 쇠 300근을 썼다가 일이 발각돼 순금사에 내려 국문했는데 율이 장(杖) 80대에 자자(刺字)[4]하고 도형(徒刑)[5] 1년 반에 처하는 데 해당됐다. 상이 도형과 자자를 면제하도록 명하고 다만[止] 장 70대에 처하게 했다.

서 남하해 영락(永樂) 1년에 건주위(建州衛)가 설치되자, 명나라 조정으로부터 건주위 지휘사(建州衛指揮使)에 임명됐다. 이만주(李滿住)의 조부(祖父)다.

3 1391년(공양왕 3년) 불교배척 상소문으로 사형을 받게 됐으나 정몽주(鄭夢周)의 변호로 사면됐다. 1404년(태종 4년) 이때 사헌부 좌헌납으로 재직 중 이전에 선공감승(繕工監丞)으로 있을 때 관용의 철(官鐵)을 사사로이 사용했다는 사실로 인해 장형에 처해졌다. 1413년 수군도만호(水軍都萬戶)로 회례사(回禮使)가 되어 일본에 다녀왔고, 그해에 전라도 수군도만호 겸 해진군사(全羅道水軍萬戶兼海珍郡事)를 역임했다. 1417년 제주목사에 임명됐으나 관물(官物)을 축재했다는 죄목으로 파직당했다가 이어 의주목사에 임명됐다. 1418년(태종 8년) 병조참의를 거쳐 이듬해 좌군절제사, 전라도 수군도절제사, 경상우도 수군처치사(慶尙右道水軍處置使), 1421년 도안무사(都安撫使)를 지내고 좌군동지총제(左軍同知摠制)를 역임했다. 1424년 북변에 여진의 침입이 잦으므로 조정에서 경원부(慶源府)를 남쪽으로 옮기려 하자 이에 반대해 부령(富寧)에 존속하게 함으로써 국토가 축소되지 않게 했다. 1431년 강계절도사로 재직 중 침범해 온 야인들과 싸우지 않았다는 죄목으로 직첩(職牒)을 삭탈당했고, 전옥서유사(典獄署有司)에게 검거되지 않으려 하다 왕의 엄명으로 고신(告身-사령장)을 추탈당했다가 뒤에 복관됐다.

4 죄인의 살갗에 상처를 내고 먹물로 글자를 새겨 전과를 표시하는 표징형(表徵刑)으로 장형(杖刑)이나 유형(流刑)에 부수되는 형벌이다. 조선시대에는 주로 강절도(强竊盜)와 장물아비에게 이 형벌을 가했는데 강도는 '강도'를, 장물아비는 '강와(强窩)'를 팔목 중간에 입묵했다.

5 오늘날의 징역형에 가깝다.

임신일(壬申日-5일)에 검교정당문학(檢校政堂文學) 조운흘(趙云
仡, 1332~1404년)이 졸(卒)했다. 운흘(云仡)은 호(號)가 석간(石磵)
이었다. 뜻을 세우는 것이 기이하고 예스러웠으며 거침없는 호탕함
[跌宕=豪宕]이 남보다 뛰어나고 경적(經籍)의 뜻을 곧이곧대로 행해
질탕   호탕
[直行] 시류[時俯仰=時俗]를 따르기를 즐겨하지 않았다. 원나라 지정
직행   시 부앙 시속
(至正-1341~1367년) 신축년(辛丑年-1361년)에 고려 공민왕(恭愍王)
이 구적(寇賊-홍건적)을 피해 남쪽으로 몽진할 때[南巡] 조정 신하
남순
들이 많이 도망치고 숨어 구차하게 삶을 구했으나[苟活] 운흘은 형
구활
부원외랑(刑部員外郞)으로 왕을 뒤따랐다. 일이 평정되자 녹공(祿功)
이 3등이었으나 권세나 이익에 욕심이 없고[恬] 초연(超然)하게 세
념
상 밖의 일에만 뜻을 두었다. 홍무(洪武-1368~1398년) 갑인년(甲寅
年-1374년) 봄에 전법총랑(典法摠郞)의 관직을 버리고 물러가 (경상
도) 상주(尙州)의 노음산(露陰山)⁶ 아래에 살면서 일부러[佯] 미치고
양
스스로 어두운 척했고, 들고 날 때에는 반드시 소를 탔는데[騎牛]
기우
「기우찬(騎牛讚)」, 「석간가(石磵歌)」를 지어 그 뜻을 드러냈다. 정사
년(丁巳年-1377년)에 기용돼[起] 좌사의 대부(左司議大夫)에 제배됐
기
고 다시 전교시판사(典校寺判事)에 옮겼지만 그가 좋아한 바는 아
니었다.

---

6 노음산이라는 이름은 『신증동국여지승람』(상주)에 "주 서쪽 10리에 있는데 서로악(西露
岳)이라고도 부른다. 북석악(北石岳), 남연악(南淵岳)과 함께 상산삼악(商山三岳)이라고 일
컫는다"라는 기록에 처음 등장하는데 예로부터 상주를 대표하는 명산이다. 이후 같은 내
용이 『동국여지지』(상주), 『여지도서』(상주) 등에서도 반복된다. 옛날에는 영기 있는 산이
라 하여 기우제를 지냈다고도 한다.

신유년(辛酉年-1381년)에 물러가 (경기도) 광주(廣州) 옛 원강촌(垣江村)에 살면서 자은사(慈恩寺)의 중 종림(宗林)과 함께 세속을 떠나 교제했다[方外交]. 판교원(板橋院)과 사평원(沙平院-사평은 서울시 강남구 신사동 일대로 나루가 있었음)의 양 사원을 중창(重創)해 스스로 원주(院主)라고 칭했는데, 해진 옷을 입고 짚신을 신고서 역도(役徒)와 더불어 그 노고를 같이하니, 지나가는 자가 그가 지위가 높았던 관리[達官]인지 알지 못했다. 무진년(戊辰年-1388년)에 기용돼 밀직제학(密直提學)이 됐다. 그때 조정에서 토의하기를 각 도의 안렴사(按廉使)가 직질(職秩-품계)이 낮아 직무를 제대로 거행할 수 없다고 하여 양부(兩府)에서 위엄과 덕망이 있는 자를 골라 도관찰출척사(都觀察黜陟使)로 삼아 교서(敎書)와 부월(斧鉞)[7]을 주어 보냈다. (이에) 운흘은 서해도(西海道-황해도) 도관찰출척사가 돼 기강을 바로잡아 진작시키고, (지방의) 호강(豪强)한 이를 억누르고 약한 이를 도와서 법을 범하는 자가 있으면 털끝만치도 용서하지 않으니 [不貸] 부내(部內-도내)가 다스려졌다. 불려와서 밀직사첨서사(密直司簽書事)에 제배됐다.

임신년(壬申年-1392년) 가을에 태상왕이 즉위해 (운흘을) 강릉대도호부사(江陵大都護府使)에 제수했는데 은혜와 사랑을 베푼 바가 있어 부(府)의 사람들이 그를 위해 생사당(生祠堂)[8]을 세웠다. 계유년

---

7 임금의 권위를 상징하는 큰 도끼와 작은 도끼를 가리킨다.
8 감사(監司)나 수령(守令)의 선정(善政)을 찬양하는 표시로 백성들이 그 사람이 살아 있는 때부터 받들어 제사 지내는 사당인데 대개 그의 화상(畫像)을 안치했다.

(癸酉年-1393년) 가을에 병으로 사임하니 검교정당문학(檢校政堂文學)에 제배했다. 운흘은 물러가 (경기도) 광주(廣州)의 별서(別墅-별장이 있는 농장)에 거처했는데 당시 검교(檢校)의 예로 녹봉을 받게 됐으나 운흘은 사양하고 받지 않았다. 정승 조준(趙浚)이 운흘과 오랜 친분이 있었는데, 손님을 전송하는 일로 인해 한강(漢江)을 건넜다가 동렬(同列) 재상과 더불어 기악(妓樂)을 거느리고 주찬(酒饌)을 싸 가지고 가서 찾으니 운흘은 치의(緇衣)⁹에 삿갓을 쓰고 지팡이를 짚은 채 문(門)까지 나와 길게 읍(揖)하고 맞이하여 모정(茅亭-띠집)에 이르렀다. 좌정(坐定)하자 준(浚)이 풍악을 펼쳐 술자리를 마련하니 운흘은 짐짓[佯] 귀가 먹어 듣지 못하는 척하고, 눈을 감은 채 꼿꼿이 앉아[危坐] 높은 소리로 나무아미타불(南無阿彌陀佛)을 창(唱)한 것이 두 번이었는데 옆에 마치 아무도 사람이 없는 것처럼 했다[傍若無人]. 준이 사과하여 말했다.

"선생은 이를 싫어하는군요."

명하여 풍악을 그치게 하고 (대신) 차를 마시고[啜茶] 돌아갔다. 그가 세속을 희롱하고 스스로 고고하기[自高]가 이와 같았다[類此=如此]. 병이 들자 스스로 묘지(墓誌)를 짓고 초탈한 모습으로[翛然=超然] 앉은 채로 죽었다. 그 묘지는 이러했다.

'자헌대부(資憲大夫-정2품) 정당문학(政堂文學) 조운흘(趙云仡)은 풍양현(豊壤縣-경기도 남양주) 사람으로 고려왕 태조(太祖)의 신하

---

9   검은 옷으로 승복(僧服)을 뜻한다.

평장사(平章事)[10] 조맹(趙孟)[11]의 30대 손이다. 공민왕대에 홍안군(興安君) 이인복(李仁復, 1308~1374년)[12]의 문하로서 등과(登科)하여 두루 중외(中外)의 벼슬을 지냈으니 다섯 주(州)의 수령이 되고, 네 도(道)의 관찰사가 되어 비록 크게 드러난 자취도 없었으나 또한 더러운 이름도 없었다. 나이 73세에 병으로 광주(廣州) 옛 원성(垣城)에서 종명(終命)했다. 후손이 없다. 일월(日月)로써 상여(喪輿)의 구슬을 삼고, 청풍(淸風)과 명월(明月)로써 전(奠-제물)을 삼아 옛 양주(楊州) 아차산(峨嵯山) 남쪽 마하야(摩訶耶)[13]에 장사 지냈다. 공자(孔子)는 행단(杏壇)[14] 위요, 석가(釋迦)는 사라쌍수(沙羅雙樹)[15] 아래였으니, 고금의 성현(聖賢)이 어찌 독존(獨存)하는 자가 있으리오! 아아[咄咄=돌돌 嗚呼=오호]! 인생사(人生事)가 끝났도다.'

---

10 고려에는 5재(五宰)의 재신직이 있었는데 문하시중(門下侍中)은 수상(首相), 평장사는 아상(亞相), 참지정사(參知政事)는 3상(相), 정당문학(政堂文學)은 4상(相), 지문하성사(知門下省事)는 5상(相)이었다. 평장사는 재신 중 문하시중 다음의 서열로서 재신의 중간 정도의 지위였다.

11 신라 말 고려 초기의 인물로 고려 개국공신이자 풍양 조씨의 시조다.

12 원나라 제과에 급제해 벼슬을 받고 돌아왔다. 조일신의 난을 평정했다. 왕에게 신돈을 멀리하도록 간언했다. 홍안부원군에 진봉, 삼사판사를 거쳐 검교시중이 됐다. 하륜의 스승이기도 하다.

13 마하(摩訶-Maha)는 지도론(智度論)에서 말하는 대(大)·다(多)·승(勝)의 삼의(三義)이고, 야(耶-ya)는 불타(佛陀) 제자(弟子)의 일문(一門)을 말한다. 곧 불타(佛陀)의 가르침을 따르는 승려들이 있는 곳이다.

14 옛날 공자가 사수(泗洙)에서 그 제자(弟子)들을 가르치던 유지(遺趾)로 공자는 행단(杏壇) 위에서 강(講)했다고 한다.

15 석가모니가 인도의 구시나갈라성(拘尸那揭羅城) 밖 발제하(跋堤河) 가에 있는 사라수(沙羅樹-Sala)의 수풀 속에서 입적(入寂)할 때, 그 주위 사방에 각각 한 쌍씩 서 있었던 사라수(沙羅樹)다. 하나의 뿌리에서 두 개의 줄기가 나와서 한 쌍을 이루었다고 한다.

계유일(癸酉日-6일)에 햇무리가 졌다.

○ 서남쪽[坤方]에 붉은 기운이 있었다.
곤방

갑술일(甲戌日-7일)에 장패라 등이 대궐에 이르러 하직인사를 하니 상이 참의(參議) 이현(李玄)과 환관을 시켜 이들에게 음식을 대접했다.

○ 사헌부에서 소를 올려 이거이(李居易) 부자의 죄를 청했으나 윤허하지 않았다. 소는 대략 이러했다.

'죽은 자[死者]를 주벌하여 살아 있는 사람[生者]을 두렵게 하는
사자   생자
것이 공자(孔子)의 『춘추(春秋)』입니다. 예로부터 난신적자(亂臣賊子)는 남(임금)의 신하가 된 자에게는 함께 같은 하늘을 이고 살 수 없는[不共戴天] 원수이니, 그래서 (왕이 아닌) 다른 사람도 이를 벨 수
불공대천
있다고 한 것입니다. 지금 이거이 부자는 정사(定社)·좌명(佐命) 공신의 원훈대신(元勳大臣)이면서 겉으로는 충직한 것처럼 꾸미고 속으로는 의심하는 두 가지 마음[疑貳]을 품었으니 그 죄는 용서할 수 없
의이
습니다. 공신과 백관이 함께 글을 올려[合辭] 죄를 청해 마침내 거이
합사
를 진주(鎭州)에 안치했으나 고향 마을[鄕閭]에는 족속(族屬-친척)과
향려
옛 지우(知友)가 매우 많을 것입니다. 또 이저를 함주(咸州)에 안치했으나 그 경계가 이역(異域-다른 나라)과 맞닿아 변방의 각종 위협[邊警]이 끊일 새가 없는데, 노예(奴隷)나 근수(根隨)[16] 되는 자가 적지
변경

---

16 지방에서 서울로 선상 입역(選上立役)하는 공노(公奴) 중에서 종친(宗親)이나 각사(各司) 소속의 관원에게 사령(使令)의 명목으로 배당돼 관원이 대궐을 출입할 때, 또는 지방에 출장 갈 때 수종(隨從)하며 시중드는 일을 담당했던 노자(奴子-노비)다. 근수는 관원 개

않습니다. 이것들이 어찌 책중(簀中)에 싸인 시체들[17]이겠습니까? 바라건대 전하께서는 『춘추(春秋)』의 법을 이어받아[體] 대의(大義)로 결단하시어 거이와 저를 유사(攸司)에 내려 그 죄를 바로잡고, 가산을 적몰하여 뒤에 오는 사람들을 징계시켜야 합니다.'

을해일(乙亥日-8일)에 상이 태상전에 조알했다.

○ 사간원에서 시무(時務)에 관한 몇 조목을 올렸다.

'하나, 전(傳)에 이르기를 "영어(囹圄)의 괴로움은 하루를 넘기기가 한 해와 같다"고 했고, 또 이르기를 "한 사내가 옥에 있으면 온 집안[擧室]이 생업을 못 한다"고 했으니[18] 이를 보건대 형옥(刑獄)은 삼가지 않으면 안 됩니다. 지난번에[曩者] 전하께서 옥사의 결단이 지체되는 것[滯獄]을 불쌍히 여겨 주장관(主掌官-담당관)으로 하여금 갇힌 사람의 연월(年月)이 오래됐는지, 얼마 안 됐는지[久近]를 갖춰 써서 보고하고 또 결송(決訟)이 부지런한지, 게으른지[勤怠]를 실질적으로 점검하게[憑考] 하셨으니[19] 이는 진실로 전하께서 죄수들을 삼

인에게 지급됐기 때문에 사노(私奴)와 같이 취급돼 흔히 사역(私役)에 동원되기도 했으며, 당상관이나 사헌부(司憲府), 사간원(司諫院)의 관원이 군율 등을 어겼을 때 이들 관원 대신 수감되기도 했다. 근수노자(根隨奴子)나 근수노(根隨奴)의 준말이며 구종(驅從), 근수(跟隨), 별배(別陪)라고도 불렀다.

17 사마천의 『사기(史記)』 「범수전(范雎傳)」에 "삿자리로 말아 싸서 측간(厠間) 중(中)에 두었다"고 하고 그 주(注)에 "책(簀)은 갈대로 만든 삿자리를 말하며, 이를 써서 시체를 싼다"고 했다. 따라서 이 말은 곧 삿자리로 싸서 측간 가운데 둔 시체처럼 아무런 일을 할 수 없는 사람이라는 뜻이다.

18 이 말은 송나라 유학자이자 『대학연의(大學衍義)』를 지은 진덕수(眞德秀)의 『서산정훈(西山政訓)』에 실려 있는 말이다.

19 기존의 실록 번역은 이 두 가지 내용을 합쳐서 이렇게 옮겼다. 내용을 빠뜨린 것으로 보

가 불쌍하게 여기는[欽恤] 뜻입니다. 그런데도 해당 관리들은 상의
흠휼

뜻을 체현하지 않고 (기껏) 결단하는 것은 판결하기 쉬운 사건들이
고 (정작) 판결하기 어려운 송사(訟事)에 대해서는[其於] 그냥 내버려
기어

두고 심문조차 하지 않고 다른 곳으로 발령 나는[遞職] 날만 기다리
체직

고 있습니다. 심지어는[遂] 죄가 있는 무리로 하여금 교묘한 말을 꾸
수

며대고 꾀를 부려서 요행히 죄를 면할 수 있게 해주고, 반대로 무고

(無辜)한 사람은 뇌옥(牢獄-감옥)에 오랫동안 처박아두어[久淹] 일찍
구엄

죽기에 이릅니다. (이러니) 어찌 오로지 (나라의) 화기(和氣)를 손상하

지 않겠습니까? 게다가 또한 전하의 살리기를 좋아하시는 다움[好生
호생

之德]에도 어그러짐이 있으니 작은 일이라 할 수가 없습니다. 엎드려
지 덕

바라옵건대 전하께서는 헌사(憲司)로 하여금 매 월말에[月季=月末]
월계   월말

그 죄수의 무리를 살피게 하여 옥사를 지체하지 못하게 해야 할 것

입니다.

　하나, 『서경(書經)』에 이르기를 "백성은 오로지 나라의 근본이니

근본이 튼튼해야 나라가 평안하다"[20]고 했다. 그래서 『춘추(春秋)』는

무릇 민력(民力)[21]을 쓸 때에는 설사 그것이 때에 맞고 또 마땅한 것

[時且義][22]이라 해도 반드시 기록했으니 이는 민력(民力)을 중하게 여
시 차 의

인다. "주장관(主掌官)으로 하여금 갇힌 사람의 연월(年月)을 결단하는 데 부지런하고 게
으른지를 빙고(憑考)하게 했으니."

20　이 말은 『하서(夏書)』「오자지가(五子之歌)」편에 나오는 말이다.

21　문맥에서 볼 때 이때의 민(民)은 농민을 가리킨다.

22　기존의 실록 번역은 시(時)를 '일시적'이라고 옮겼는데 이는 문맥을 놓친 번역이다. '때에
맞게 백성을 부리라'는 것은 공자의 기본 생각이다. 그럼에도 백성들의 힘을 중시하여 때
에 맞고 마땅한 일에 부려도 공자는 이를 기록했다는 문맥이다.

긴 때문입니다. 전하께서 즉위하시어 중외(中外)의 토목(土木)의 역사(役事)를 모두 중단하거나 없애셨고 부득이하여[不獲已=不得已] 역사를 일으켜야 하는 경우가 있을 때에는 반드시 유수(游手)[23]의 무리로 하여금 역사를 떠맡게 하고 민력(民力)을 쓰는 것은 금지하여 나라의 근본을 튼튼하게 하니 이는 실로 백성을 어질게 대하는 아름다운 뜻[仁民之美意]입니다. 근년 이래로 수재(水災)와 한재(旱災)가 서로 잇달아서 백성들이 믿고 기대어 살아가지[聊生] 못하니 진실로 마땅히 편안하고 화목하게 만들어[安集] 농사에 힘쓰고 곡식을 중하게 여겨 민력을 쉬게 해야 하건만 각 도의 수령들이 각자 자기들 뜻대로 망령되게 토목의 역사를 일으켜 일시의 명예를 구하고[要=求] 만백성들의 간고(艱苦)함을 불쌍히 여기지 아니하니 이것이 소위 시굴거영(時屈擧贏)[24]하는 자라는 것입니다. 엎드려 바라옵건대 전하는 각 도의 각 관리들로 하여금 상의 허락을 받아서[取旨] 영선(營繕-공공건물의 신축이나 수리)하는 것 외에는 무릇 모든 토목의 역사를 모두 금단(禁斷)하도록 해야 할 것입니다.

하나, 대간(臺諫)은 임금의 귀와 눈[耳目]이요, 공론(公論)이 있는 곳이니 그렇기 때문에 진조(前朝-고려)가 성대할 때에 무릇 관직을 제배함에 있어 반드시 그 가문(家門)의 세계(世系)를 상고하게 하고 그 뛰어나고 뛰어나지 못함[賢否]을 살피도록 한 뒤에 고신(告身)을

---

23 일정한 직업이 없이 놀고먹는 사람을 가리킨다.

24 『자치통감(資治通鑑)』 '주 현왕(周顯王)' 35년조에 "이것은 소위 시대가 어려운데도 행동은 여유가 있는 것이다"라고 했고 그 주(注)에 "시대가 쇠모(衰耗)한데도 도리어 사치하는 것이다"라고 했다.

서출(署出)[25]했습니다. 관교(官敎)[26]가 행해진 이후부터 탐오하고 모람되게 사진(仕進)한 무리가 자기의 뛰어나고 뛰어나지 못함을 돌아보지 아니하고 감히 청탁을 행해 3품(品)을 얻기를 꾀하는 자도 간혹 있었습니다. 바라건대 이제부터 양부(兩府) 외에 가선대부(嘉善大夫-종2품) 이하의 고신(告身)은 반드시 대간(臺諫)으로 하여금 서출하도록 해 백관들을 바로잡고 선비의 기풍을 진작해야 할 것입니다.

하나, 불씨(佛氏-석가모니)의 도리[道]는 세간(世間)을 떠나 속세(俗世)를 멀리하는 것을 으뜸의 가르침[宗旨]으로 삼습니다. 반면 부녀(婦女)의 마땅함[義]은 바르고 얌전하여[正靜] 스스로를 지키는 것[自守]을 주(主)로 삼습니다. 이 때문에 국가에서 법령을 엄격히 세워 무릇 부녀자들이 절에 올라가는 것을 금지하는 법을 엄격히 시행하여 풍교(風敎)를 밝게 했는데 근래에 법령이 흐지부지되어 부녀자가 절에 올라가는 것이 길에 끊이지 않습니다. 공공연히 음행(淫行)을 저지르고 절개를 잃는 것이 오로지[職=唯] 이에서 비롯되니 심히 시정(時政)의 아름다운 법전을 밝게 하는 것이 아닙니다. 바라건대 유사(攸司)로 하여금 부녀자들이 절에 올라가는 것은 부모를 추모하는 법회(法會)는 말할 것도 없고 일절 모두 금단하여 풍속을 바로잡아야 할 것입니다.'

상이 모두 이를 윤허했고 단지 고신(告身)의 일만 윤허하지 않았다.

---

25 서경(署經)해주는 것을 가리킨다.
26 조선조 태조 때 관리의 임용에 있어서 3품 이상은 서경(署經)을 거치지 않고 임금이 곧바로 사령(辭令)을 내주던 제도다. 그 후 세조 때 4품 이상으로 했고 그 나머지는 서경(署經)을 했다.

병자일(丙子日-9일)에 (유배 가 있는) 조휴(趙休), 정역(鄭易) 등 대간과 형조의 관원을 모두 명해 불러 도성으로 올라오게 했다.

정축일(丁丑日-10일)에 일이(日珥-햇무리)하고 또 일배(日背)[27]했다. 밤에 남방(南方)에 붉은 기운이 있었다.

무인일(戊寅日-11일)에 태백성이 낮에 보였다.

기묘일(己卯日-12일)에 햇무리가 졌다.
○ 태양 독초제(太陽獨醮祭)와 금성 독초제(金星獨醮祭)를 거행했다. 재이가 일어나 푸닥거리를 한 것이다.

갑신일(甲申日-17일)에 상이 태상전에 조알하여 헌수(獻壽)하고 밤에 돌아왔다.

병술일(丙戌日-19일)에 춘추관 영사(春秋館領事) 하륜(河崙)과 춘추관 지사(春秋館知事) 권근(權近)에게 명해 고려 관제(官制)를 『고려사(高麗史)』에서 상고하게 했다.

무자일(戊子日-21일) 밤에 인방(寅方-정동쪽에서부터 북쪽으로 30도 되는 방위를 중심으로 한 15도 각도 안의 방위)과 묘방(卯方-정동쪽을

---

27 햇무리의 한 가지다. 해 위에 간(看) 자 모양의 햇무리가 진 현상을 말한다.

중심으로 한 15도 각도 안의 방위) 지역에 붉은 기운이 있었다.

기축일(己丑日-22일) 밤에 손방(巽方-정동쪽과 정남쪽 사이의 한가운데를 중심으로 한 15도 각도 안의 방위)과 서북방(西北方)에 붉은 기운이 있었는데, 23일[庚寅日]에도 이와 같았다.
경인일

신묘일(辛卯日-24일)에 동방에 붉은 기운이 있었다.

임진일(壬辰日-25일)에 사역원 부사(副使) 이자영(李自瑛)이 도망친 군인 김가물(金加勿) 등 남녀[男婦] 28명을 데리고 요동(遼東)으로 갔다.
남부

계사일(癸巳日-26일) 밤에 간방(艮方-정북쪽과 정동쪽 사이의 한가운데를 중심으로 한 15도 각도 안의 방위)에 붉은 기운이 있었다.

을미일(乙未日-28일)에 상이 인소전(仁昭殿)[28]에 친히 제사를 지내고 드디어 태상전에 나아가 헌수(獻壽)했다.
　○ 상왕이 제릉(齊陵-신의왕후 한씨의 능)에 참배했다.

정유일(丁酉日-30일)에 상이 태상전에 조알하고 마침내 상왕전에도

---

28 친모인 신의왕후 한씨의 혼전이다.

나아갔다. 세시(歲時)가 섣달그믐 날[除日]²⁹이었기 때문이다.
제일

○ 이달에 대마주목(對馬州牧) 종정무(宗貞茂)가 사람을 보내 도적
을 금지할 뜻을 전달했다.

---

29 섣달그믐은 세밑, 눈썹 세는 날, 제석(除夕), 제야(除夜), 제일(除日), 세제(歲除), 세진(歲
盡)으로도 부른다. 이날을 제석(除夕)이라고 하는 것은 제(除)가 구력(舊曆)을 혁제(革除)
한다는 뜻이 있기 때문이다. 섣달그믐은 묵은설이라 하여 저녁 식사를 마친 후 일가 어
른들에게 세배를 드리는데, 이를 묵은세배라 한다. 지역에 따라서는 저녁 식사 전에 하
기도 하는데 이날 만두를 먹어야 나이 한 살을 더 먹는다고 한다. 저녁에 만둣국을 올려
차례를 지내며 이를 만두차례, 만두차사, 국제사라고 한다. 한 해 동안 잘 보살펴주신 조
상에 감사드리는 의식으로 해질 무렵 만둣국, 동치미, 삼실과, 포 같은 음식을 차려서 조
상에게 올린다.

戊辰朔 義城君金英烈卒. 輟朝三日贈諡襄昭.

放漢京離宮造成軍.

己巳 日暈 且有背珥.

太白晝見.

庚午 遼東摠旗張孛羅 小旗王羅哈等至 上就見于太平館.

孛羅等奉帝勅諭 授參政於於虛出於建州衛者也. 初 帝爲燕王時

納於虛出女 及卽位 除建州衛參政 欲使招諭野人 賜書慰之.

辛未 杖朴礎七十. 礎嘗爲繕工監丞 私用鐵三百斤 事覺 下

巡禁司鞫之 律該杖八十 刺字 徒一年半. 上令免徒刺 止杖七十.

壬申 檢校政堂趙云仡卒. 云仡號石磵 立志奇古 跌宕瑰偉 經

情直行 不肯隋時俯仰. 至正辛丑 高麗恭愍王避寇南巡 朝臣

多竄匿苟活 云仡以刑部員外郞從之. 事平 錄功爲三等 恬於

勢利 超然有世外之想. 洪武甲寅春 以典法摠郞棄官 退居尙州

露陰山下 佯狂自晦 出入必騎牛 著騎牛讚 石磵歌以見意. 丁巳

起拜左司議大夫 再轉判典校寺事 非其好也. 辛酉 退居廣州

古垣江村 與慈恩僧宗林爲方外交. 重創板橋 沙平兩院 自稱

院主 敝衣草屨 與役徒同其勞 過者不知其爲達官也. 戊辰 起爲
원주 폐의 초구 여역도 동기로 과자 부지 기위 달관 야 무진 기위

密直提學. 時 朝議以各道按廉使秩卑 不能擧職 選兩府有威望
밀직 제학 시 조의 이 각도 안렴사 질비 불능 거직 선 양부 유 위망

者 爲都觀察黜陟使 授敎書鈇斧遣之. 云仡爲西海道 頓綱振紀
자 위 도관찰출척사 수 교서 월부 견지 운흘 위 서해도 돈강 진기

抑强扶弱 有犯法者 毫髮不貸 部內以①治. 召拜簽書密直司事.
억강부약 유 범법 자 호발 부대 부내 이 치 소배 첨서 밀직사 사

壬申秋 太上卽位 除江陵大都護府使 有惠愛 府人爲立生祠.
임신 추 태상 즉위 제 강릉 대도호부사 유 혜애 부인 위립 생사

癸酉秋 以病辭 拜檢校政堂文學. 云仡退居廣州別墅 時檢校例
계유 추 이병사 배 검교 정당문학 운흘 퇴거 광주 별서 시 검교 예

受祿 云仡辭不受. 政丞趙浚與云仡有舊 因送客過漢江 與同列
수록 운흘 사 불수 정승 조준 여 운흘 유구 인 송객 과 한강 여 동렬

宰相 率妓樂齎酒饌 往訪之 云仡緇衣箸笠 扶杖出門長揖 迎
재상 솔 기악 재 주찬 왕 방지 운흘 치의 약립 부장 출문 장읍 영

至茅亭. 坐定 浚張樂置酒 云仡 佯聾不聞 閉目危坐 高聲唱
지 모정 좌정 준 장악 치주 운흘 양농 불문 폐목 위좌 고성 창

南無阿彌陀佛者再 傍若無人. 浚謝曰:"先生厭是矣." 命止樂
남무아미타불 자재 방약무인 준 사왈 선생 염 시의 명지 악

啜茶而還. 其玩世自高類此. 及病 自作墓誌 翛然坐化. 其誌曰:
철다 이환 기 완세 자고 유차 급병 자작 묘지 소연 좌화 기지 왈

'資憲政堂文學趙云仡 豐壤縣人 高麗王太祖臣平章事趙孟
자헌 정당문학 조운흘 풍양 현인 고려 왕 태조 신 평장사 조맹

三十代孫. 恭愍王代興安君李仁復門下 登科 歷仕中外 佩印
삼십 대손 공민왕 대 흥안군 이인복 문하 등과 역사 중외 패인

五州 觀風四道. 雖大無聲跡 亦無塵陋. 年七十三 病終廣州
오주 관풍 사도 수대 무 성적 역무 진루 연 칠십 삼 병종 광주

占垣城. 無後. 以日月爲珠璣 以淸風明月爲奠 而葬于古楊州
고 원성 무후 이 일월 위 주기 이 청풍 명월 위전 이 장우 고 양주

峨嵯山南摩訶耶 孔子杏壇上 釋迦雙樹下. 古今聖賢 豈有獨存
아차산 남 마하야 공자 행단 상 석가 쌍수 하 고금 성현 기 유 독존

者! 咄咄人生事畢!'
자 돌돌 인생사 필

癸酉 日珥.
계유 일이

坤方有赤氣.
곤방 유 적기

甲戌 張孝羅等至闕辭 上使參議李玄及宦官饋之.
갑술 장효라 등 지궐 사 상 사 참의 이현 급 환관 궤지

司憲府上疏請李居易父子之罪 不允. 疏略曰:
사헌부 상소 청 이거이 부자 지죄 불윤 소 약왈

'誅死者以懼生者 孔子之春秋也. 自古亂臣賊子 爲人臣子者所
주 사자 이구 생자 공자 지춘추 야 자고 난신적자 위인 신자 자소

不共戴天之讎 故人得而誅之. 今李居易父子 以定社佐命元勳
불공대천 지수 고인 득이 주지 금 이거이 부자 이정사 좌명 원훈

大臣 外飾忠直內懷疑貳 罪在不宥. 功臣百官 合辭請罪 乃置
대신 외식 충직 내회 의이 죄재 불유 공신 백관 합사 청죄 내치

居易於鎭州 而鄕閭族屬 舊知者太多; 置伫咸州 而境連異域
거이 어 진주 이 향려 족속 구지자 태다 치저 함주 이경 련 이역

邊警無時 奴隷根隨者不少. 是豈簀中之屍乎? 願殿下體春秋之
변경 무시 노예 근수 자불소 시기 책중 지시호 원 전하 체 춘추 지

法 斷以大義 將居易 伫 下攸司正其罪 籍沒家産 懲戒後來.'
법 단이 대의 장 거이 저 하 유사 정 기죄 적몰 가산 징계 후래

乙亥 上朝太上殿.
을해 상조 태상전

司諫院上時務數條:
사간원 상 시무 수조

'一, 傳曰:"囹圄之苦 度日如年." 又曰:"一夫在囚 擧室廢業"
일 전왈 영어 지고 도일 여년 우왈 일부 재수 거실 폐업

是則刑獄不可不愼也. 曩者 殿下憫其滯獄 令主掌官 具書囚人
시즉 형옥 불가 불신 야 낭자 전하 민기 체옥 영 주장관 구서 수인

年月久近以聞 憑考決訟之勤慢 此誠殿下欽恤之意也. 然而當該
연월 구근 이문 빙고 결송 지근만 차 성 전하 흠휼 지의야 연이 당해

官吏 不體上意 所斷者 易決之事 其於難斷之訟 置而不問 以
관리 불체 상의 소단 자 이결 지사 기어 난단 지송 치이 불문 이

待遞職之日 遂使有罪之徒 飾巧長智 幸而得免; 無辜之人 久淹
대 체직 지일 수사 유죄 지도 식교 장지 행이 득면 무고 지인 구엄

牢獄 以至夭札. 豈惟致傷和氣! 抑亦有虧於殿下好生之德 非
뇌옥 이지 요찰 기유 치상 화기 억역 유휴 어 전하 호생 지덕 비

細故矣. 伏望殿下 令憲司 每於月季 考其囚徒 毋使滯獄.
세고 의 복망 전하 영 헌사 매 어 월계 고 기 수도 무사 체옥

一, 書曰:"民惟邦本 本固邦寧." 故春秋於凡用民力 雖時且義
일 서왈 민유 방본 본고 방녕 고 춘추 어 범용 민력 수시 차의

必書 重民力也. 殿下卽位 中外土木之役 一切停罷 其有興作出
필서 중 민력 야 전하 즉위 중외 토목 지역 일절 정파 기유 흥작 출

於不獲已 則必役游手之徒 禁用民力 以固邦本 此實仁民之美意
어 불획이 즉필 역 유수 지도 금용 민력 이고 방본 차실 인민 지미의

也. 近年以來 水旱相仍 民不聊生 誠宜安集 務農重穀 以休民力
야 근년 이래 수한 상잉 민불 료생 성의 안집 무농 중곡 이휴 민력

各道守令 各以所見 妄興土木 以要一時之譽 不恤萬姓之艱 此
각도 수령 각이 소견 망흥 토목 이요 일시 지예 불휼 만성 지간 차

所謂時屈擧贏者也. 伏望殿下 令各道各官 取旨營繕外 凡諸土木
소위 시굴거영 자야 복망 전하 영각도 각관 취지 영선 외 범제 토목

之役 一皆禁斷.
지역 일개 금단

一. 臺諫 人主之耳目 公論所在 故前朝盛時 凡除拜官職 必令
일 대간 인주 지이목 공론 소재 고 전조 성시 범제배 관직 필령

考其家世 察其賢否 然後署出告身. 自官敎以後 貪汚冒進之輩
고기 가세 찰기 현부 연후 서출 고신 자 관교 이후 탐오 모진 지배

不顧己之賢否 敢行請托 規得三品者 間或有之. 願自今 兩府外
불고 기지 현부 감행 청탁 규득 삼품 자 간혹 유지 원 자금 양부 외

嘉善以下告身 必令臺諫署出 以正百官 以勵士風.
가선 이하 고신 필령 대간 서출 이정 백관 이려 사풍

一. 佛氏之道 以離世絶俗爲宗; 婦女之義 以正靜自守爲主. 以
일 불씨 지도 이 이세 절속 위종 부녀 지의 이 정정 자수 위주 이

故國家嚴立法令 凡婦女上寺者 痛行禁斷 以明風敎 近來法令
고 국가 엄립 법령 범 부녀 상사 자 통행 금단 이명 풍교 근래 법령

廢弛 婦女上寺絡繹於道. 宣淫失節 職②此之由 甚非明時之令典
페이 부녀 상사 낙역 어도 선음 실절 직 차지유 심 비명 시지 영전

也. 願令攸司 婦女上寺者 勿論父母追會 一皆禁斷 以正風俗.'
야 원령 유사 부녀 상사 자 물론 부모 추회 일개 금단 이정 풍속

上皆允之 惟告身事 不允.
상 개 윤지 유 고신 사 불윤

丙子 命召趙休 鄭易等 臺諫刑曹員 皆令上京.
병자 명소 조휴 정역 등 대간 형조 원 개령 상경

丁丑 日珥且背. 夜 南方有赤氣.
정축 일이 차 배 야 남방 유 적기

戊寅 太白晝見.
무인 태백 주견

己卯 日珥.
기묘 일이

行太陽獨醮及金星獨醮. 禳災也.
행 태양 독초 급 금성 독초 양재 야

甲申 上朝太上殿獻壽 夜還.
갑신 상 조 태상전 헌수 야환

丙戌 命領春秋館事河崙 知館事權近 考前朝官制於高麗史.
병술 명 영 춘추관 사 하륜 지관사 권근 고 전조 관제 어 고려사

戊子 夜 寅卯地有赤氣.
무자 야 인묘 지유 적기

己丑 夜 巽方及西北有赤氣 庚寅亦如之.
기축 야 손방 급 서북 유 적기 경인 역 여지

辛卯 東方有赤氣.
신묘 동방 유 적기

壬辰 司譯院副使李自瑛 押逃軍金加勿等男婦幷二十八名 赴
임진 사역원 부사 이자영 압 도군 김가물 등 남부 병 이십 팔 명 부

遼東.
요동

癸巳 夜 艮方有赤氣.
계사 야 간방 유 적기

乙未 上親祭于仁昭殿 遂詣太上殿獻壽.
을미 상 친제 우 인소전 수 예 태상전 헌수

上王拜齊陵.
상왕 배 제릉

丁酉 上朝太上殿 遂詣上王殿. 歲除日也.
정유 상 조 태상전 수 예 상왕전 세 제일 야

是月 對馬州牧宗貞茂 使人達禁賊之意.
시월 대마주 목 종정무 사인 달 금적 지 의

| 원문 읽기를 위한 도움말 |

① 部內以治. 以는 '~함으로써'인데 앞에 나온 내용을 받는다. 즉 '법을 어
부내 이 치 이
긴 자들을 추호도 용서하지 않음으로써'라는 뜻이 포함된 것이다.

② 職此之由. 여기서의 職은 '주로' 혹은 '오직'이라는 뜻이다.
직 차지유 직

KI신서 7224

이한우의 태종실록 재위 4년

1판 1쇄 인쇄 2017년 12월 22일
1판 1쇄 발행 2017년 12월 29일

옮긴이 이한우
펴낸이 김영곤
펴낸곳 (주)북이십일 21세기북스

정보개발본부장 정지은 **인문기획팀장** 장보라 **책임편집** 김찬성 윤홍 **교정교열** 주태진 최태성
디자인 표지 씨디자인: 조혁준 함지은 김하얀 이수빈 **본문** 이수정
출판영업팀 이경희 이은혜 권오권
출판마케팅팀 김홍선 최성환 배상현 신혜진 김선영 나은경
홍보기획팀 이혜연 최수아 김미임 박혜림 문소라 전효은 염진아
제작팀 이영민

출판등록 2000년 5월 6일 제406-2003-061호
주소 (10881) 경기도 파주시 회동길 201(문발동)
대표전화 031-955-2100 **팩스** 031-955-2151 **이메일** book21@book21.co.kr
페이스북 facebook.com/21cbooks **블로그** b.book21.com
인스타그램 instagram.com/21cbooks **홈페이지** www.book21.com

ISBN 978-89-509-7271-4 04900
       978-89-509-7105-2 (세트)